BESTSELLER

Elísabet Benavent (Valencia, 1984) es licenciada en comunicación audiovisual por la Universidad Cardenal Herrera CEU de Valencia y máster en comunicación y arte por la Universidad Complutense de Madrid. Ha trabajado en el departamento de comunicación de una multinacional. Su pasión es la escritura. Es autora de la saga Valeria (*En los zapatos de Valeria, Valeria en el espejo, Valeria en blanco y negro* y *Valeria al desnudo*), la saga Silvia (*Persiguiendo a Silvia* y *Encontrando a Silvia*), la trilogía Mi elección (*Alguien que no soy, Alguien como tú* y *Alguien como yo*), *Mi isla,* la bilogía Horizonte Martina (*Martina con vistas al mar* y *Martina en tierra firme*), la bilogía Sofía (*La magia de ser Sofía* y *La magia de ser nosotros*) y *Este cuaderno es para mí.* Con más de 400.000 ejemplares vendidos, Elísabet Benavent se ha convertido en un éxito total de crítica y ventas. Asimismo, los derechos audiovisuales de la saga Valeria se han vendido para televisión. En la actualidad colabora en la revista *Cuore*, se ocupa de la familia Coqueta y está inmersa en la escritura.

Para más información, visita la página web de la autora:
www.betacoqueta.com

También puedes seguir a Elísabet Benavent en Facebook y Twitter:
🅵 BetaCoqueta
🅣 @betacoqueta

Biblioteca

ELÍSABET BENAVENT

La magia de ser nosotros

DEBOLS!LLO

Papel certificado por el Forest Stewardship Council®

Primera edición en Debolsillo: enero de 2018
Segunda reimpresión: abril de 2018

© 2017, Elísabet Benavent
© 2017, 2018, Penguin Random House Grupo Editorial, S. A. U.
Travessera de Gràcia, 47-49. 08021 Barcelona

Printed in Spain – Impreso en España

ISBN: 978-84-663-4319-0 (vol. 1091/14)
Depósito legal: B-22.932-2017

Impreso en Novoprint
Sant Andreu de la Barca (Barcelona)

P 343190

Penguin
Random House
Grupo Editorial

Para ti, que sostienes este libro entre las manos y que, al pasar las páginas, darás aliento y vida a sus personajes.

1

El despertador de Lucía invadió la habitación con unos pitidos horriblemente desagradables en intervalos de cuatro, como cada mañana. Yo ya estaba despierto. Los ojos se me habían abierto hacía un par de horas y había sido imposible volver a cerrarlos. Había soñado que había macetas de lavanda alrededor de la cama pero, al contrario de lo esperado, la habitación olía a café. A madera lustrada. A libros polvorientos. Los recuerdos se colaban por todas las grietas y despertaban los sentidos si se trataba de ella. No de Lucía, claro. De ella.

Durante esas dos horas de insomnio había observado en silencio cómo a través de la ventana la noche iba clareando, pero aún no era de día.

Lucía se revolvió y suspiró al tiempo que apagaba el despertador. Era pronto, el día anterior llegó tarde a casa y estaba cansada. Como yo pero de otra forma. Lo mío no sé si era cansancio o vejez prematura. La cantidad de años que no viviría junto a Sofía me hizo envejecer de repente.

Lucía se levantó de la cama, se echó encima una bata, caminó de puntillas por la habitación y mientras, yo fingía estar durmiendo para no tener que contestar a las mismas tediosas preguntas de todas las mañanas: «¿Has dormido?», «¿Cómo te encuentras?», «¿Qué planes tienes para hoy?».

Desapareció caminando despacio hacia el baño y yo suspiré de alivio cuando cerró la puerta. Diez minutos más tarde regresó enrollada en una toalla y con el pelo húmedo. Se vistió con el siseo de la tela sobre la piel como único sonido y yo, aprovechando que estaba de espaldas, miraba cómo la claridad iba avanzando. Pronto los gritos de los niños llenarían el éter y sentiría un poco de alivio. Los niños me hacían sentir esperanzado porque, por más que doliera, el mundo seguía girando. Había más vida aparte de la mía. Esa que había jodido por elección propia.

Lucía se metió de nuevo en el baño para maquillarse y peinarse para regresar enseguida perfumada y lista, haciendo repicar los tacones sobre el parqué.

—Héctor… —Se sentó en mi lado de la cama y me acarició el pelo—. Cariño, me voy.

—Vale —respondí.

—¿Has dormido?

—Sí.

—Te has movido mucho. —No contesté nada, solo me froté los ojos—. Bueno, no pasa nada. Coméntaselo al médico, ¿vale? No te olvides. A las diez.

—Vale.

Si no me lo hubiera recordado hubiese fingido olvidarme pero ahora… tenía que ir. Porque ella misma había llamado para pedir la cita, porque se había tomado muchas molestias y porque… estaba preocupada. Y porque yo quería una solución para lo mal que me encontraba, aunque fuese en forma de pastilla. Yo sabía perfectamente lo que me pasaba. Me estaba muriendo de pena a la antigua. Como las damiselas de las novelas de amor de otros siglos. Así era yo. Un mierda.

El médico anotó todo lo que le fui contando a regañadientes. Sueño ligero e insuficiente. Épocas de hambre voraz seguidas de pérdida total de apetito. Migraña. Falta de energía. Nula concentración.

—¿Algo más? —preguntó sin mirarme.

Me froté las sienes muerto de vergüenza. Podría no decírselo, pero eso significaría de alguna manera que no asumía lo que me estaba pasando y... no era la realidad. Lo asumía y me resignaba a aceptarlo porque, ¿qué menos? Había echado mi vida a perder. Suspiré hondo y dije:

—Sí. He perdido el apetito sexual.

—¿Ha perdido el interés hacia las relaciones sexuales o sufre episodios de disfunción eréctil?

«Me quiero morir», pensé, pero sonreí débilmente y negué como si la situación en el fondo me diera risa.

—Un poco de todo —admití.

Y me dolía en el alma decirlo porque me sentía culpable y ridículo a la vez…, menos hombre. Pero, joder, necesitaba darme tregua o un día terminaría tirándome por la ventana.

El doctor despegó la vista de su ordenador, me miró y sonrió con bonanza; quería suavizar el discurso.

—Sabe usted lo que le ocurre, ¿verdad?

—Perfectamente —le respondí. Me hizo un gesto para que siguiera hablando y yo terminé el diagnóstico—. Estoy deprimido.

—Bien. Aceptarlo es el primer paso. Un psicólogo puede ayudarlo a ver las causas de este proceso y…

—Sé la causa —le corté—. Tomé decisiones equivocadas que no puedo borrar. Recéteme algo. Unas pastillas que me atonten. Algo suave que lo haga más llevadero.

—Es usted muy joven para estar tan resignado.

Debí contestarle que de no estar tan resignado tendría la constante tentación de volver atrás y desbaratar tres vidas, pero no lo conocía de nada y estaba seguro de que no le interesaría lo más mínimo. Al ver que no respondía…, asintió y firmó un papel.

De camino a casa compré las pastillas y me tomé dos junto con un café en la cafetería del antiguo cine de Carouge. Tendría que haber comido algo pero aquella semana era de las de sobrevivir a base de café. La semana siguiente comería por cinco, pero no me preocupaba demasiado. Lo único que quería era llegar a casa y meterme en la cama, que hicieran efecto los malditos ansiolíticos y dormir sin sueños a poder ser durante días.

Te diste la bienvenida a tu vida de mierda, Héctor, pero nunca te acostumbraste a vivir en ella.

2

Octubre.
Siete meses de silencio.

Cuando descubres lo que significa vivir con magia y te la quitan es como si hubieran bajado la intensidad de la luz en todas partes. Siempre creí que ese melodrama no iba conmigo, pero es la jodida realidad. Hasta la luz del día brilla menos. Y tú te vas apagando cada vez un poquito más hasta que te parece que eres de papel. Un dibujo en blanco y negro. Sin matices. Sin colores. Sin planes.

No quiero hacer hincapié en lo que sentí cuando me di cuenta de que no volvería, solo te diré lo que ya imaginas: me quedé hecha una auténtica mierda. Me encerré mucho en mí misma, no porque no soportara la compañía o ver la compasión en los ojos de los que me miraban, que también, sino porque me moría de vergüenza. Llegué a pensar que me lo merecía.

Me enamoré de un tío con novia, ese fue el principio del fin, la piedra con la que me resbalé y que provocó que todo lo demás cayera en picado. Engañamos a otra persona, nos creímos protagonistas de una historia de amor y corazones, y terminamos en un estrepitoso fracaso. Uno de esos que te rompen y en los que pierdes piezas. Por más que te repongas siempre habrá vacíos que no lograrás llenar. Pero me convencí de que era cuestión de tiempo. Me costó, pero me convencí porque la lógica me decía que no había otra opción posible. De todo se sale, dice mi padre.

Sé lo que se esperaba de mí cuando él se marchó: llantos, autocompasión, algún que otro numerito mientras me desgañitaba diciendo que me quería morir y canciones lastimeras. Estaba orgullosa de poder decir que dejé a casi todos con las ganas; no hay nada más disuasorio en este caso como la vergüenza propia: uno no quiere remarcar lo iluso que ha sido.

Durante dos semanas escuché canciones lastimeras y de ruptura, eso sí, en la más estricta intimidad: «I will survive» de Gloria Gaynor, «Se acabó» de la grandísima María Jiménez, «Se fue» de Laura Pausini. Pensé que cuanto más evidentes y más melodramáticas fueran, antes me repondría, pero no me ayudaron demasiado. Me di cuenta de que tendría que hacerlo de otro modo quizá un poco más… invasivo; cuando se cumplieron quince días de su marcha, borré la lista de Spotify que escuchábamos juntos, eliminé cualquier recuerdo suyo de mi habitación y le pedí a todo el mundo que me tratara como si Héctor nunca hubiera cruzado la puerta del Alejandría. Ellos hicieron su parte y yo la mía: fingir que no me acordaba de él.

Así que no hubo numeritos. A lo sumo alguna borrachera lamentable junto a Oliver, de esas que ya no nos iban con la edad que teníamos. Pero divertida. Sin llantos, ni rímel corrido ni llamadas a horas intempestivas. Había borrado su número, eso también ayudó. Aunque… seré sincera, lo borré tarde y me fue imposible eliminarlo de mi memoria, así que, bueno, lo comido por lo servido.

Meses después de encontrar su habitación vacía y una simple nota de despedida, el balance no era positivo, pero tampoco negativo. No adelgacé durante ese tiempo ni languidecí con su marcha, pero tampoco engordé buscando en las tarrinas de helado el consuelo que antes encontraba en el calor que desprendía su cuerpo. Somos tontas si creemos que un montón de helado de Ben & Jerry's de chocolate con brownie arreglará la soledad. A ver... ayuda, al menos un ratito. Pero es como masturbarse: es placentero pero si lo que buscas es el calor de otro cuerpo... no es la solución.

Tampoco perdí las ganas de vivir, aunque tampoco conseguí sentirme como antes de que entrara en el Alejandría. La tranquilidad se había desvanecido sin dejar ni rastro y donde antes había comodidad solo quedaba vacío. Pero me refugié en las cosas que quería, las que me gustaban... en mi Alejandría, en mi gente, en mi taza gigante de café donde en algún momento deseé meter la cabeza y ahogarme.

No estaba visiblemente mal, pero tampoco estaba bien. La gente no mencionaba la resignación con la que había asumido que parte de la tristeza no se iría; todo el mundo me trataba igual que antes de él pero yo me sentía muy diferente. Incapaz de dar consejos, poco capacitada para hablar de cosas que no fueran triviales, más amiga que nunca de esas citas que igual me arreglaban un roto que un descosido y que me permitían no mojarme en nada.

Me acordaba de él a todas horas, pero era un secreto muy bien guardado que rescataba cuando estaba sola en mi habitación, como el hilo rojo de lana que no había sido capaz de tirar y que tenía escondido debajo de mis pijamas limpios, en el último cajón de la cómoda. Cerraba la puerta con una sonrisa que se me desprendía de la boca cuando no había nadie que pudiera verme, rescataba el maldito manojo de lana y cerraba los ojos. Lo acariciaba y dibujaba en mi cabeza línea a línea a Héctor;

desde su ceño fruncido, su barba o esa pequeña depresión que cruzaba su estómago cuando se tumbaba. Me gustaba ser capaz de recrear hasta el remolino de su barba porque en el fondo no quería olvidarlo pero quería comportarme como si nunca hubiese existido. Nadie dijo que las mujeres fuéramos sencillas. Nunca dejé de quererlo, pero aprendí a odiarlo también y encontré allí un equilibrio... precario, pero equilibrio al fin y al cabo.

Hallé mucho respeto en el silencio de mi entorno. Soy de las que cree a pies juntillas que si alguien quiere compartir una pena, lo hace. Es normal preguntar, preocuparse, pero después de una toma de contacto, de un par de «estoy bien» que claramente son mentira, se debe aceptar que hay palabras que no reconfortarán. Hay pensamientos que es mejor dejar encerrados porque si salen y son libres, lo tocan todo, lo ensucian todo, lo contagian... Qué curioso. Siempre pensé que las penas, al verbalizarlas, se convertían solo en letras y dejaban de pesar. Quizá fue así durante un tiempo. O quizá fue así con todo lo que no era Héctor. Siete meses... Supuse que necesitaba tiempo para asumir del todo la realidad y la desoladora sensación de que había perdido ese puñado de magia que llevaba mi nombre y que ya no habría segundas oportunidades.

A principios del tercer mes d. H. (después de Héctor, entiéndase) me acosté con otro tío. Abel me obligó a salir a cenar una noche, los dos solos, para dar esquinazo a la rutina y a la puta realidad, esa que por más que bebas siempre se planta a los pies de tu cama la mañana siguiente. Lo que iba a ser una cena «de personas de bien», y lo cito a él, se convirtió en una especie de orgía de hedonismo que se saldó con un polvo con un desconocido pero que podía haber terminado con nosotros dos en la carretera de A Coruña haciendo autostop en ropa interior. Vaciamos dos botellas de vino, media botella de ginebra y… perdimos la cuenta de lo que después nos echamos garganta abajo.

A ese otro tío lo conocí esa noche en un garito mítico de Malasaña que se llama El Penta. El coqueteo fue bastante pobre pero me había emborrachado durante la cena de ideas de libertad y goce, de hacer lo que me diera la gana y disfrutar de mi cuerpo y de mis treinta años con soltura, sin pensar, sin darle tantas vueltas a todo. Así que él me preguntó si podía invitarme a una cerveza y le dije que mejor le invitaba yo. Era mono. No besaba mal. Tenía barba. Eso fue suficiente. Con los ojos cerrados…, bueno, ya imaginarás. Con los ojos cerrados era fácil ponerle otra cara. Terminamos en su piso follando en el sofá. Fue…, a ver si encuentro las palabras…, me basta solo una: DESASTROSO. No diré que repugnante porque no lo fue, pero no ayudó. Precipitado, descoordinado, físico. Como dos personas bailando agarradas dos ritmos completamente diferentes. Un desastre. Me pidió el teléfono cuando me levanté para vestirme pero me escapé como pude. Yo no quería un novio. Yo quería a Héctor.

Lloré mucho de vuelta a mi casa. Pero, ojo, no porque me sintiera sucia, por estar engañando al recuerdo de un tío que en realidad, que no se nos olvide, me dejó tirada, o por cualquier mierda machista. Lloré porque me di cuenta de lo diferente que era el sexo corriente a lo que tenía con Héctor. Con él era increíble y con otros hombres era solo un rato de empujones, gemidos y cosquillas por dentro que terminaban con un grito de alivio y conmigo recuperando las bragas. Lloré porque sabía que no volvería a encontrar lo que tuve con él. Estas cosas pasaban solo una vez en la vida. «La magia no repite con ingratos que la despreciaron», me dije.

¿Cuál era entonces mi actitud ante «el amor»? Bueno, tenía mi propia hipótesis. Estaba segura de que lo que había vivido con Héctor terminaría sucumbiendo al tiempo y, como las fotos antiguas, perdería los matices hasta convertirse en un borrón amarillento en el que apenas se distinguieran las sonrisas. Solo quedaría una sensación vaga que también se olvidaría y, sin objetivos, sobreviviría más que viviría. Era horrible plantearlo de esa manera, pero ¿qué más daba? Él no iba a volver.

Debí demonizarlo. Debí inventarme cuentos en los que él fuera el lobo y yo la abuelita. Debí lanzarme a la carrera por recuperar mi vida, farfullando borracha que mi «ex», si es que podía llamarle así, era el peor tío con el que había tenido la mala suerte de chocar. Pero… empaticé con él. Le entendí. Con el tiempo el dolor se escondió bajo una capa de comprensión que si me paraba a analizar me parecía soberanamente humillante. A ella la elevé a la condición de semidiosa, porque había conseguido algo que yo no pude: que mi novio volviera, que lo dejase todo de nuevo por mí. Consiguió que Héctor se quedara. Y yo, tristemente, dejé de importar en la historia incluso en mi fuero interno. Triste pero cierto.

Mi vida a. H. (antes de Héctor, ya sabes) era tranquila, amable…, no era la protagonista de una historia trepidante pero tampoco de cualquier drama. Con él todo se volvió intenso, brillante, sonoro; del roce de las sábanas surgían las canciones más bonitas del mundo. No podía culparme; así era el amor. Pero lo cierto es que cuando se fue lo que tenía antes de conocerlo no significaba nada. Estaba segura de que nunca había sido suficiente, no lo era y no lo sería porque el vacío que había dejado no se podía llenar con nada que no fuera él y él no iba a volver. Así que tuve que adornar lo demás porque el tiempo libre que antes dedicaba a leer o tomar café en el Alejandría se llenó de fantasmas. Y me negaba. Mis espacios eran míos y después de cómo se terminó no quise regalarle nada más de lo que ya se llevó. No le pesaría en el equipaje, pero a mí me dejó sin nada. Y la sensación era devastadora. Pero silenciosa.

Estaba cansada, es un buen resumen de todo lo que sentía. Siempre estaba cansada. Un cansancio casi líquido que me goteaba por dentro, reblandeciéndome hasta la cabeza y los huesos, y que no me quitaba de encima ni durmiendo. Un cansancio que se agravaba cuando caminaba por mi acera porque no podía soportar que la luz de la ventana estuviera encendida sin tenerle a él inmerso en sus dibujos. O Estela usaba la habitación como estudio o había alguien nuevo viviendo allí, en ese cuarto donde nos quisimos tanto. Si no lo sabía era porque a la pobre Estela también tuve que evitarla por mi salud mental. Pero no verla a ella, apartar los ojos de la ventana iluminada era inútil... como intentar no pensar en un elefante rosa cuando alguien te dice que no pienses en un elefante rosa. Evitaba mirar pero sentía lo mismo que si lo hiciera.

No. No moriría por amor, no desfallecería por pena y la vida seguiría, pero sería una vida... sin sal. Sin chispa. Sin brillo. Sin hilos rojos. Sin cuentos sobre el destino. Sin primeros besos infinitos. Sin idioma secreto escondido en una ventana. Sin canciones que cambiaban de significado. Sin sentirse capaz de todo. Sin sentir que Madrid era para mí y que se rendía a mis pies. Sin magia.

Pero con ella o sin ella, el mundo seguía. Y yo sería fuerte. Y las debilidades me las guardaría en un cajón para rescatarlas cuando nadie pudiera verme, como esa madeja de lana que enrollaba, liaba y pasaba horas deshaciendo a mi antojo solo para notar su tacto entre los dedos.

Pronto las chicas que llenaban las mesas del Alejandría calzarían botas y botines, los hombres se pondrían jersey sobre la camisa, cambiaríamos las especialidades del día y volverían los cafés con leche y espuma de caramelo y los chocolates calientes. Las calles olerían a frío y... me acordaría incluso más de él, porque Héctor era un hombre de invierno, de ropa recia y que abrigara, de botas y pantalones de tweed. Porque parte de su magia fue convertir el invierno en una estación mucho más cálida, sin que nos importara el viento que cortaba la cara.

Los días pasarían, las estaciones se sucederían y las grandes cosas seguirían pasando sin que yo participara en ellas.

3

La vida de Oliver seguía como la mía adelante pero sin demasiada pasión. La prueba era que había perdido hasta las ganas de sacar el ciruelo a pasear. Al menos con la misma frecuencia que antes.

—La pitopausia —me dijo con aire solemne mientras daba vueltas a un café con leche en la barra del Alejandría—. Tan joven y con la polla en coma. Qué lástima.

El énfasis que puso en la palabra «lástima» me arrancó una sonrisa. No. No estaba pitopáusico. Ni deprimido. Si me hubiera pedido opinión sobre el asunto le habría dicho que cuando uno experimenta cómo son las cosas especiales, pierde el interés en lo convencional, y se lo diría con conocimiento de causa porque eso precisamente me estaba pasando a mí. Pero no me preguntó. Él siguió su propia terapia.

Probó con la chorbi-agenda pero, además de encontrarse con un montón de puertas cerradas y respuestas del tipo: «Si te pica el rabo, ráscatelo tú solo», tras las ventanas que sí le abrieron chocó con lo conocido, una zona de «confort» que le creaba de pronto bastante «disconfort». Sí, lo sé. Esa palabra no existe, pero debería.

Así que viendo que no se le caía el ciruelo después de follar como a una salamandra la cola, pero que tampoco le levantaba el ánimo, se dejó llevar por la desidia de echar un casquete cuando le surgiera la oportunidad y le apeteciera demasiado; él habló de hacerlo solo cuando una zona de su cuerpo estuviera «llena de amor por repartir», pero mejor te lo ahorro.

Un viernes, durante nuestra cena semanal de «cuéntame tus mierdas», que últimamente andaban flojas de emociones, Mamen nos dijo que quizá teníamos la respuesta a nuestros males justo enfrente de nosotros pero no éramos capaces de verla.

—A lo mejor estáis hechos el uno para el otro y los fracasos vienen a darle la razón a la vida.

Mi primera reacción fue tirarle encima el paño de cocina, el corcho de la botella de vino y una pechuga de pollo cruda, que Holly arrastró hasta su comedero, porque es una ladrona pero le gusta comer con finura. La reacción de Oliver no fue mejor. Lanzó un alarido y se desplomó encima de la mesa como si le hubieran dado un tiro. Nos costó reponernos.

Aquella noche no rescatamos la idea pero al parecer él le dio más vueltas que yo. Terminó esperándome en mi portal un día después del trabajo, sentado en el escalón con los ojos perdidos en el cemento y gesto de preocupación.

—¿Y si nos estamos obcecando? —me dijo nada más verme aparecer.

—¿Qué dices? —refunfuñé yo que no entendía de lo que estaba hablando. En realidad hace muchos años que no le entiendo a él en general, con todas sus circunstancias.

—Que… ¿y si esperamos que el amor sea más de lo que es? Porque quizá estamos malgastando energía pudiendo estar tan felices juntos, tú y yo.

Por poco no me dio un paro cardiaco, peste negra y sífilis solo de escucharlo. Me tuve que sentar. De verdad. Me mareé.

Oliver no estaba enamorado de mí, claro que no. Fue la crisis de los treinta que también les afecta a ellos, por más que quieran hacerte creer que es cosa de mujeres. Estaba preocupado por la soledad, por la veracidad de las sensaciones que le esperaban en el futuro, por no estar seguro de si ya había vivido todas las novedades y emociones que le tocaban y estaba condenado a repetir una y otra vez las mismas experiencias sin que volvieran a significar nada importante. La soledad, que agitaba las alas amenazando con oscurecerlo todo. Los años, que son infatigables, que siguen andando por más que tú te canses. Su piso, que era una pocilga. Una mezcla de circunstancias le hicieron imaginarse a sí mismo como un octogenario decrépito, solo, amargado.

—Coleccionaré las fotos de la trasera del *As,* Sofía, y me la pelaré con revistas cutres de tías con el chichi como un trozo de salami. ¡Sálvame de eso!

Me costó hacerle entender que no íbamos a conformarnos con buscar un compañero de vida sin entrar en detalles de cómo me sentía por dentro. No quería hablarle de amor, de Héctor, de lo vivido, pero al final tuve que rascar un poco más cerca de la herida de lo que en un primer momento quise.

—El amor no puede sustituirse por comodidad. Son cosas distintas, Oli. —Le acaricié el pelo—. Si lo piensas, es fantástico. Te queda mucho por sentir, muchas experiencias que vivir al límite.

—¿Me estás diciendo que haga puenting? —Arrugó el ceño.

—Te estoy diciendo que te enamores.

Me mandó a cagar. Siendo fiel a la realidad, me mandó a «cagar a la vía». Y yo a él a tomar por culo. Se quedó un rato pensativo. Días después me confesaría que había estado planteándose probar experiencias con hombres después de mi comentario, por descartarlo al menos.

—Dile que soy su hombre —comentó Abel cuando se lo conté.

Y entre tanto loco me pareció un poco menos grave estar perdiendo la chaveta.

Pensé que poco a poco se le irían olvidando las paranoias igual que yo había dejado de agobiarme por las canas que me crecían allá donde no me daba el sol, pero me equivoqué. La cosa siguió por otros derroteros.

En la tele habían dado la bienvenida oficial al otoño pero en la calle cascaba un sol de justicia. Estábamos todos en mangas de camisa, asfixiados. El tema de conversación del día en el Alejandría no había sido la falta de gobierno, la posibilidad de tener que repetir las elecciones o los imputados en la trama Gürtel. Qué va.

—Qué asco de calina.

Era lo único que se escuchaba entre la clientela.

—¿Te preparo un chocolate calentito para entrar en calor, cielo? —les pinchaba yo.

Siendo o no puñetera, era verdad. Era insoportable.

Oliver llegó con la americana en el brazo y dos botones de la camisa desabrochados provocando algún suspiro entre las parroquianas y Abel, que estuvo mirándole los centímetros de piel que tenía al descubierto como si su mente fuera a desarrollar la habilidad para desabrochar prendas.

—¿Te vas desnudando por la calle?

—Tus ganas locas —respondió dejándose caer en una banqueta—. Ponme una cerveza. Fría como tu alma.

—Mi alma es cálida y confortable —le respondí—. Te voy a poner un poleo menta.

Solo tuvo que lanzar una miradita con caidita de pestañas hacia Abel para tener su cerveza helada.

—Cariño, ¿por qué no te vienes a mi casa? Tengo aire acondicionado y cosas que no has probado —le ofreció mientras le servía.

—¿Le has contado lo de probar cosas nuevas, no? —Le señaló mirándome.

—No pude evitarlo.

—No soy gay, Abel, lo siento.

—A lo mejor eres bisexual y no lo sabes. Probamos primero con las manos. —Levantó un par de veces las cejas—. Iré con cuidadito.

Oliver suspiró y dejó de prestarle atención. Habíamos quedado allí para tomar algo cuando acabara mi turno y yo ya estaba quitándome el mandil. Se había dado mucha prisa en salir del curro y mi relevo había llegado más tarde que él.

—¿Cuál es el plan? —le pregunté.

—Puedes venir a mirar —susurró Abel—. A mí no me importa.

—Pues quería hablar contigo de una cosa —respondió Oliver como si Abel no estuviera allí tirándole los tejos.

Le di un beso a Gloria y cogí mi cerveza para sentarme junto a Oli. Abel hizo lo mismo en el otro flanco, poniéndole la mano en la pierna.

—Abel, ¿aprecias mucho esa mano?

—Tú también la apreciarías si supieras lo que sabe hacer pero ¿sabes qué? Me voy. Así. Dejándote con la miel en los labios. Ya vendrás pidiendo más.

Me lanzó un beso que fingí recoger y guardarme en el sujetador. Oliver se despidió con una palmadita y Abel se marchó mientras cantaba algo sobre un serrucho.

—¿Qué me decías? —le pregunté a Oliver.

—Nos he apuntado a una web de citas.

No respondí. Lo miré fijamente durante unos segundos.

—¿Perdona?

—Que nos he apuntado a una web de citas.

—¿Perdona? —repetí.

—Sofía, no seas frígida. Están muy de moda. ¿Qué es lo peor que puede pasar?

—¿Que acabemos muertos en un contenedor?

—Que conozcamos gente, Sofi, hija, que parece que vives en los años sesenta.

—En serio, Oliver, ¿no estás de coña?

—¿Me ves cara de estar de coña? —Se señaló la cara.

Me tomé un segundo para estudiarle y sacar conclusiones. Después solo grité:

—¡¿Me puedes explicar por qué?! En serio. ¡¿Por qué cojones me metes en estos berenjenales?!

—Porque necesito un *partner in crime*.

—Necesitas un psiquiatra y medicación, Oliver. ¡¿Por qué mierdas me has apuntado a una web de citas?!

—Eso no se hace, hombre —respondió desde la mesa del rincón Ramón, un cliente habitual—. Pobrecita mía.

—¿Pobrecita? ¡No la conoce usted! —le respondió Oliver antes de girarse hacia mí de nuevo—. No es tan malo como parece. En serio. Cuando me lo dijeron a mí también me pareció horrible.

—¿Fue entonces cuando empezaste a tomar drogas? Dime que no me has apuntado a *First Dates* o algo así…

—Es una web nueva. Es de citas a la americana. Es todo gente joven como nosotros. Gente intentando conocer a otra gente.

—¿Desde cuándo no valen los bares?

—Eres camarera y no veo que conozcas mucha gente nueva.

Me dolió algo dentro y me doblé un poco como en un pinchazo. Tenía síntomas físicos de dolores morales. Conocí a Héctor en el Alejandría y no, no había valido. Me palpé el costado y cogí aire. Siete meses. El día siguiente dolería un poco menos.

—No quiero hacer eso —sentencié.

—¿Por qué? ¡Puede ser divertido!

—Si puede ser tan divertido, ¡¡hazlo solo!!

—Juntos mola más.

—No quiero. Es mi última palabra.

—¿Sabes la envidia que te va a dar cuando te cuente lo bien que me lo estoy pasando?

—Creo que podré vivir con ello.

—Mira —apoyó el codo en la barra—, vamos y nos echamos unas risas.

—Mira —le imité el gesto—, no.

Oliver empezó a argumentar a favor de su propuesta, el siguiente y psicodélico paso en la carrera por probar cosas nuevas, pero yo me harté. Desde que Héctor se fue, la paciencia se me había ido acortando. Así que cogí mi bolso, le di un trago a mi cerveza y me levanté.

—Sofía…, Sofía, eres una cría. Ven. Vamos a hablarlo. —Se levantó y me siguió sin hacer ademán de pagar.

—Gloria, ese tío se va sin pagar. —Pero ella solo se rio.

Ya estaba en la puerta cuando Oli me agarró del codo reteniéndome.

—¡Hay que volver al ruedo, Sofía!

—No tengo intención de volver a ningún sitio en el que no he estado. Y ya está.

—Pero ¿qué te pasa? ¿Tanto miedo te da conocer a alguien y pasar un buen rato?

Me quedé mirándolo aunque… no vi a Oliver. Me vi a mí. A mi yo de antes, de ahora y del futuro. Y lo vi a él. A Héctor. O más que a él, vi su ausencia por todas partes, las heridas que había dejado y la metralla emocional que aguardaba escondida detrás de objetos tan cotidianos como una lamparita con flecos o una ventana.

—No va a volver —me dijo con un tono muchísimo más oscuro—. Lo siento, Sofía, pero no lo hará. Y es lo mejor.

—Que sea lo mejor no significa que no duela.

—Ya lo sé.

No iba a volver. No lo haría. Y lo peor era la sensación de no haber podido despedirme. La cantidad de besos que no le había dado porque pensaba que tendríamos tiempo. Los recuerdos que ni siquiera existían. La soledad. La terrible sensación sólida y física de su ausencia. Yo quería despedirme. Quería decirle, mirándole a los ojos, que fuimos reales. Quería ver en sus ojos la confirmación de que lo fuimos. Pero no la tendría. No volvería. Y lo peor era la pena que le daba a Oliver saber, como sabía, que no es que tuviera esperanza pero tenerla me haría tremendamente feliz.

—Sofi, escúchame.

—Déjalo, Oli. De verdad. Déjalo.

—Tienes que salir.

—¿Por qué? —Crucé mis brazos sobre el pecho y esperé su brillante respuesta.

Pensé que contestaría una chorrada como un piano, que me reiría y podría irme sin tanta pena, pero Oliver de vez en cuando tiene momentos de lucidez.

—Porque vas a terminar como tu madre: amargada por una historia que no salió sin darte la oportunidad de que te pueda volver a pasar.

Si me hubiera pegado un bofetón me hubiera quedado menos petrificada, estoy segura. Si me hubiera escupido en la cara. O presionado los ojos como en una antigua técnica mortal de artes marciales. Si me hubiera cogido del pelo y arrastrado por la calle. Si hubiera dicho cualquier otra cosa…, hubiera sabido defenderme. Habría tenido palabras. Habría sabido devolverle el golpe. Pero así no. Contra la verdad es difícil contraatacar. Y él notó que había dado en tejido blando.

—Sofi…

—No vuelvas a nombrármelo —masculló.

Supongo que Oliver intentó alcanzarme, pero lo dejó estar cuando vio lo que venía: el proceso. Cada persona necesita unos pasos diferentes para salir de una misma situación. El mío valió solo para mí. Me solté. Salí del Alejandría. Corrí a mi portal. Abrí. Subí. Entré en casa. Cerré. Cogí a Holly en brazos. Nos metimos en mi dormitorio. La abracé. Lloré en su cuello. Saqué el hilo. Le lloré a él. Al que no iba a volver. Al que estaba a punto de convertirme en mi madre. Al que había perdonado convirtiendo sus faltas en mías. Cuando me cansé, llamé a Oliver y le dije que sí. Que lo haría.

4

Mamen celebró nuestra decisión de lanzarnos a las citas on line como si en realidad nos tuviera un poco de envidia por poder probar aquellas moderneces.

—Puedes venir también —le dijo Oliver—. Te haces la estrecha y punto. Seguro que al padre de Sofi no le importa.

Las dos lo miramos con lástima. Pobre. Oliver seguía sin saber cómo funcionaba el mundo. Pero sabía mucho de moda y se peinaba muy bien. Hay que decirlo todo.

Pero la cuestión es que gustó mucho nuestra iniciativa. Hasta Lolo aplaudió la idea cuando se la comenté en el Alejandría una mañana a pesar de que lo planteé como quien dice que está esperando cita para un tacto rectal.

—Voy a tener citas con gente tan rara como yo —sentencié.

—Lo raro es no tener ese tipo de citas en estos tiempos, bonita.

Abel asintió mientras se afanaba en poner toda la nata posible dentro de un vaso de batido.

—Estoy por apuntarme también —musitó.

—Parece que a todo el mundo le apetece menos a mí. Tendríais que haber visto la cara de Mamen. Era como si fuésemos a ir a un parque de atracciones donde ella tuviese prohibida la entrada.

—Pues se me ocurre una cosa…

Nunca pensé que «la cosa» que se le ocurrió a Abel fuera quedar con Mamen en el mismo sitio donde Oliver y yo fuéramos a tener la cita pero… fue exactamente eso.

Fue un desastre. Uno detrás de otro, quiero decir. Pecamos de novatos, claro, a pesar de que Oliver está muy ducho en eso del ceremonial de apareamiento humano. Eso en la primera, en el resto creo que fue ya masoquismo puro.

Caímos en todos los errores posibles en la primera cita: no leímos entre líneas en los perfiles, quedamos para cenar y dejamos claro que teníamos el resto de la noche libre. Mec. Porque si pone «que le gusta dar paseos en la playa bajo la luz de la luna» lo que quiere es casarse y si ha escrito que «está abierto a lo que surja» lo único que quiere abrirte son las piernas. Si quedas a cenar y no te gusta, es un imbécil o la cosa no marcha ni para echarse unas risas, no puedes pagar y marcharte…, lo único que te queda es fingir una cagalera o engullir todo lo rápido que puedas para que no se alargue. Y siempre hay que dejar caer que «puede que no te sea posible alargarlo mucho esa noche, porque estás pendiente de algo», para tener un as en la manga más grande que la excusa que usas para largarte por patas. Es un consejo.

Quedamos con nuestras respectivas primeras citas a las nueve y media en Luci Bombón; Oliver con una dentista a la que le gustaba salir a correr al Retiro y participar en carreras, y yo con un técnico de una compañía de telefonía al que le gustaban las novelas de misterio y los animales.

Cada uno se sentó en la barra como si no nos conociéramos esperando a que llegaran nuestras parejas mientras Abel y Mamen se ponían finos a vino en una mesa estratégicamente escogida entre ellos y el camarero con el que se habían compinchado.

La cita de Oliver llevaba los dientes manchados de carmín... pero a lo bestia como si se hubiera zampado todo el stand de barras de labios de MAC antes de llegar, en plan Monstruo de las Galletas. Paradójico tratándose de una dentista. Tenía dos tetas como dos cabezas, un culito respingón y dos ojitos danzarines, eso sí. Parecía simpática a pesar de llevar los dientes como la boca del Joker, hechos un cristo de color rojo. Vi a Oliver tragar saliva pero ser elegante, encantador y... un jodido *fucking master of universe*.

—¿Quieres tomar una copa primero o pasamos ya a la mesa? —le preguntó él agarrándose a su vaso de Spritz.

—Vamos a la mesa ya si quieres.

—Genial. Esto..., cielo, tienes un poquito de pintalabios en...

¿Un poquito? Reina, tienes todo L'Oreal en la dentadura.

—¿¿En los dientes?? —terminó diciendo ella con pánico—. ¡Qué desastre!

—No te preocupes. —Le sonrió él—. Espera.

Y le cedió un pañuelo de hilo mejor planchado que toda mi ropa. En serio. En mi próxima vida quiero ser un tío que esté tan bueno como él. La seguridad en sí mismo le vino de fábrica.

Mi cita llegó diez minutos tarde. Venía muy apurado, con el pelo mojado y un trocito de papel pegado a una herida sobre el labio superior que seguramente se había hecho afeitándose. Se disculpó mil veces. Había terminado tarde de hacer una instalación en la otra punta de Madrid.

—Suelo ser puntual. —Me sonrió mientras me repasaba de arriba abajo y otra vez de abajo arriba.

—No te preocupes. He hecho tiempo bebiendo. Seré mucho más simpática que de costumbre.

Le guiñé un ojo dejando claro que era broma, pero él me miró con cierta reserva. Mal lo teníamos si ni siquiera coincidíamos en nuestro sentido del humor.

—Perdona…, tienes… un trocito de papel en… —Le señalé la herida.

Se lo arrancó con tantas ganas que esta volvió a sangrar, pero él actuó como si no le hubiera dolido.

—¿Cuánto mides? —me preguntó con el ceño fruncido.

—Con estos zapatos casi uno ochenta.

—Eres enorme.

«Y tú un puto pigmeo, cabrón».

No era mi tipo, pero no podía ser superficial. No tenía demasiada gracia al hablar, pero lo achaqué a los nervios. Me dijo que las camareras tienen tendencia a la promiscuidad, como los gais y, a pesar de que se me murieron un montón de neuronas en el esfuerzo de morderme la lengua, me dije que en las primeras citas uno debe ser un poco más indulgente. Lo que en realidad me estaba poniendo nerviosa era la herida sobre el labio, que se abría cada vez que sonreía, comía, bebía; llevaba sangre en la camisa, los nudillos y hasta en la barbilla.

—Joder —dije con cierta aprensión mientras la sangre se mezclaba con la comida en su boca—. Sigue sangrando.

—Ya. ¿Qué le voy a hacer?

—¿Quieres que pidamos hielo?

—Bah…

—Te has debido de cortar pero bien… Igual tendrías que dejarte barba.

Me acordé del sonido de la barba de Héctor entre sus dedos cuando se la acariciaba a contrapelo.

—Odio las barbas —sentenció intentando cortar la hemorragia con la servilleta del local—. Me parecen sucias.

«Sucia tu puta madre».

—A mí me gustan.

—¿Sí? Vaya. —Me lanzó una miradita—. A mí es que me recuerdan… A ver, no soy racista pero…

Desconecté. Nada de lo que pueda venir de una frase así puede terminar bien. Cambió de tema cuando vio que no le seguía el rollo. Xenófobo y homófobo…, me había tocado el premio gordo. Dudé si decirle algo, pero después de un suspiro decidí aguantar estoicamente la cena y salir por patas después. Pasé diez minutos sonriendo con aburrimiento mientras él me contaba cosas sobre su perro Pancho y yo paseaba en recuerdos la nariz por el cuello de Héctor hasta el nacimiento de su barba. Esa barba castaña que clareaba un poquito en sus mejillas.

Pensaba que Oliver estaría en el paraíso de los folladores, apañándose la noche con elegancia y miraditas seductoras, pero… no. No a juzgar por la cantidad de llamadas perdidas disimuladas que estaban apareciendo en la pantalla de mi móvil. La mesa vibraba como si estuviera a punto de aterrizar la Estrella de la Muerte encima.

—Te vibra el teléfono —me dijo visiblemente irritado mi cita.

—Perdona, no me gusta lo de usar el móvil en la mesa.

—Ya. Es una falta de respeto —carraspeó—. Pero cógelo, no te preocupes. Parece urgente.

Me giré en dirección a la mesa donde estaba sentado Oliver al ver que era él. Le vi cara de pánico y me mandó un whatsapp: «Reunión urgente».

«Paso de ti: tú me has metido en este lío. Ahora no me vengas lloriqueando».

«Colecciona cosas que haya tocado Cristiano Ronaldo», respondió.

—¿Me perdonas un segundo? —le pedí a mi acompañante.

—¿Pasa algo?

—Una urgencia… de trabajo.

—¿No eras camarera?

—Eh…

Me levanté y salí corriendo hacia el baño con el teléfono en la oreja como si alguien fuera a creerse la llamada urgente. Oliver tardó unos diez segundos en aparecer en el pasillo que llevaba a los baños.

—¿Qué pasa?

—No está saliendo bien.

—Me cago en tu alma, Oliver —me quejé—. Esto ha sido idea tuya, te lo recuerdo. Capea lo de Cristiano Ronaldo y pórtate como un hombre.

—Olvídate de Cristiano. Lo de los dientes es un problema —me dijo.

—¿El pintalabios?

—¿El pintalabios? No sé qué pasa. Debe tenerlos de velcro, porque todo se le queda pegado. Un trozo de espinaca. Un trozo de tomate. Un trozo de trufa. Tengo miedo de terminar yo mismo entre un incisivo y las palas.

Lo miré como si hablase en ruso.

—Son las típicas cosas que pasan cuando uno está nervioso —le dije.

—Son las típicas cosas que provocan un divorcio.

—¿Quién está hablando de matrimonio?

—¡¡¡Ella!!!

Un camarero se giró alarmado hacia nosotros. Oliver parecía necesitar un calmante.

—Eres imbécil —dije con ganas.

—Dime que al menos tú follas hoy.

—Está sangrando desde que ha llegado. Creo que voy a tenerlo que llevar a un centro de transfusiones después del café.

—¿Cómo?

—Tiene una herida encima del labio porque se ha cortado al afeitarse. No deja de sangrar. —Oliver reprimió cuanto

35

pudo su gesto de asco y yo seguí hablando—. Dice que las barbas le dan asco. ¿Puedo agredirlo?

—Deja de pensar en la barba que no debes y punto.

—No me gusta —negué—. Es homófobo.

—¿Quién es homófobo? —preguntó Abel, que venía mandado por Mamen.

—Mi cita. Me cae mal.

—Mamen dice que por el diámetro de su dedo gordo tiene que calzar bien. Bebe más. Y llénale la copa —me animó.

—¡Abel! ¡Que es homófobo!

—¿Y qué? De imbéciles está el mundo lleno. No soy yo quien va a acostarse con él.

Oliver se echó a reír sonoramente y Abel le siguió, rebuznando como un burro.

—Sois unos soplapollas, ¿lo sabéis? —Levanté las cejas con energía.

—Unos más que otros.

—Porque tú quieres, rey. —Abel le guiñó un ojo a Oliver—. Una noche conmigo y acabo con todos tus problemas de alcoba. Estás confuso. Te lo leo en los ojos.

—Mañana busco otra cita —me dijo resuelto mientras se alejaba de vuelta a su mesa, ignorando el comentario de Abel—. Pero tú dale una oportunidad.

—A tu madre se la voy a dar.

Cuando volví a sentarme en la mesa mi cita pidió la cuenta. Y pagamos a escote. Yo tampoco le había gustado. Y fue un alivio… como el cono de nata del McDonald's que me compró Oliver de camino a casa mientras Abel y Mamen se descojonaban de nuestro «éxito».

Pero si eso era un fracaso, no sé cómo definir la siguiente cita…

Mi siguiente «ligue» lo escogió Oliver. Y yo la suya, pero se lo escondimos a Abel y a Mamen para no tener espectadores. Creí que le gustaría Inés. Era joven, divertida, aventurera y estaba buenísima. Él creyó que me encantaría Joaquín, que era alto, llevaba barba y lucía las camisetas muy requetebién. Y me gustó, que conste, al menos a simple vista. A Oli le agradó su cita también cuando la vio llegar. Se nos fueron los ojos por superficiales.

Inés no se calló en toda la noche en una especie de verborrea continua en un tono de voz agudo e irritante. Era aburrida. Hablaba y hablaba pero no contaba nada. Me pareció insoportable hasta desde mi mesa sin necesidad de leer la docena y media de whatsapps que Oliver me iba mandando, transcribiendo bajo la mesa la soporífera conversación.

A mí no me fue mejor. Cuando llegó, Joaquín fue muy desagradable conmigo. Lo primero que me dijo fue que no era como en la foto. Le pregunté qué intentaba decirme exactamente con eso. No fue un buen comienzo. Y no siguió bien, claro. Terminamos discutiendo. Él me dijo que tenía que perder peso. Yo a él que tenía que meter la cabeza en el váter y tirar de la cadena, aunque dudaba de que la bomba de agua pudiera con tanta mierda.

Oli tuvo la excusa perfecta para dejar a su cita cuando me vio darle un bolsazo a la mía y salir del pub con un golpe de melena. No sabría quién de los dos hizo el golpe de melena.

Con lo aprendido, volvimos a intentarlo, no somos de los que se dan por vencidos fácilmente, como ves. Podríamos decir que somos gilipollas o unos optimistas de manual, no lo sé. Oliver quedó con una chica que trabajaba en una tienda de lencería. Yo con un chico que me dijo que era camarero, como yo. Al menos tendríamos cosas de las que hablar, algo en común. No tengo palabras para definir aquel fracaso. Estrepitoso. No. Monstruoso. No lo sé. Algo peor. Por si fuera poco, me quitó un poquito de fe en la humanidad. Como si pudiéramos mejorar un poquito más el espectáculo de la anterior. Abel y Mamen todavía se ríen.

Quedamos para tomar una copa en un local de Malasaña muy pequeño; Oliver estaba con la chica de la tienda de lencería muy simpática con la que supongo que hubiera podido surgir algo, un revolcón al menos, si no hubiera tenido que ocuparse de mi crisis. Mi cita, que me dijo que se llamaba Juan, llegaba tarde, así que me dio tiempo a tomarme dos copas de vino blanco. Y menos mal. El vino supongo que hizo que me tomara con más calma lo que venía…

—Hola.

Despegué la mirada de Oliver, que estaba haciendo reír a su cita seguramente con alguna anécdota de su curro, para ver a uno de los clientes habituales del Alejandría, Esteban, parado a mi lado. Cuarenta y largos, siempre vestido de traje, de los que dejaba propinas sustanciosas. Esteban solía venir en el «coffee break» de su curro acompañado de su mujer, con la que trabajaba. Y digo «coffee break» porque siempre metía en su conversación al menos cinco términos en inglés por cada dos frases.

—Hola —le dije con una sonrisa—. ¿Qué tal?

—Bien. ¿Y tú?

—También bien.

Sonreí un poco cortada. Había cogido mi bolso de la banqueta y se había sentado a mi lado en la barra y estaba pidiéndole una cerveza al camarero. No sabía cómo decirle que estaba esperando a alguien…

—¿Qué tal tus niñas? —le pregunté.

—Bien.

—Ehm…, ¿qué haces por aquí?

—¿Y tú?

—Pues... he quedado con un chico.

—¿Ah, sí?

—Sí.

—*First date?*

—Algo así. —Me miré las uñas.

Se quitó la chaqueta, la dobló y la dejó bajo mi bolso, en el taburete que quedaba a su otro lado.

—Supongo que te voy a tener que dejar en breve —le avisé—. Debe de estar a punto de llegar. —Miré alrededor—. A lo mejor hasta ha llegado y no me he dado cuenta.

—¿No lo conoces?

—Ehm. Bueno. Me mandó una foto. Lo conocí en..., en una web de citas.

—*I can't believe it!* Yo creía que tú no necesitarías de esas cosas para ligar.

—No creo que sea cuestión de necesitarlas o no..., supongo que todos lo hacemos para variar un poco. Al final es complicado conocer a alguien nuevo si siempre te mueves por los mismos sitios.

—Bueno, es posible que lo conocido también nos guarde alguna que otra sorpresa.

—Es posible. —Me encogí de hombros.

—Y, dime, ¿qué esperas de tu cita?

—Pues... visto lo visto, con que sea normal..., quiero decir, con que no sea racista, homófobo y/o gordofóbico creo que me doy por satisfecha.

—Yo creo que hoy vas a tener suerte. —Me guiñó un ojo.

Arqueé una ceja. Oh. Dios. Mío.

—¿Y eso? —pregunté para cerciorarme de que mi corazonada era solamente eso, una corazonada.

—Bueno..., yo...

Alargó la mano para tocar la mía, pero yo me aparté mientras cogía aire exageradamente y me llevaba los dedos a mi boca.

39

—¡Esteban! ¡¡Por el amor de Dios!! Dime que no eres tú…

—A ver…

—¡¿Tú eres Juan?!

—No podía decirte mi nombre real…, no hubieras quedado conmigo.

—¡¡Claro que no!! ¡¡Estás casado!!

—Venga, Sofía, no te hagas la sorprendida… Hacía tiempo que tenía ganas de que nos tomáramos algo fuera del Alejandría. Y creo que tú también querías.

—Pero ¡¡¿de dónde te has sacado eso?!!

—Siempre tan amable, siempre tan cariñosita y sonriente… Sofía, no pasa nada, somos adultos.

—¡¡Soy camarera!! ¿Cómo no voy a ser simpática?

—Ha sido el destino. No te busqué. Apareciste como una sugerencia en la web y pensé que…

—¡¡¿En la web en la que te haces llamar Juan, eres camarero y tienes treinta y tres años?!!

—No creí que fuera a importarte la edad.

—¡¡Esteban, estás casado desde hace quince años!!

—¿No estaba casado tu último novio? Porque algo así escuché un día en el Alejandría… No seamos hipócritas ahora. Venga, coge la copa; vamos a una mesa.

Cuando me cogió del codo pensé que me moría. «¿No estaba casado tu último novio?». Eh, Sofía. ¿No estaba casado? Tragué y me solté de su mano; el nudo de la garganta no se soltó.

—No me toques —respondí hosca.

—No me toques tú los cojones, Sofi…

—Si me vuelves a tocar te parto los dientes contra la barra.

Abrió los ojos como platos y dejó su cerveza sobre el posavasos.

—Vaya, vaya…, qué sorpresa.

—¿Sorpresa? Sorpresa la mía. Y la de tu mujer, que se cree que está casada con un tío decente.

—Ven. Vamos a hablar tranquilos…

Volvió a cogerme y yo volví a soltarme pero antes de que pudiera cumplir mi promesa y estamparle la cabeza contra la barra, Oliver apareció en escena. Y apareció a lo grande. No he visto en mi vida hacer un placaje a alguien con más ganas, y me encanta ver partidos de rugby del equipo de Nueva Zelanda…

Tuvimos que salir de allí por patas, pero antes nos dio tiempo a armar revuelo y a captar la atención de todo el bar, incluido el encargado, que salió del mostrador con una barra de las de bloquear el volante dispuesto a terminar prontito con la pelea. Saqué a Oliver a rastras del local mientras gritaba, rojo, despeinado y con media chaqueta sin poner que si volvía a ponerme la mano encima le metía el brazo por el culo y se lo sacaba por la boca. Aunque no necesitaba que me defendiera y yo solita hubiera podido darle a aquel impresentable una buena hostia, fue reconfortante saber que tenía un «hermano» dispuesto a partirse la cara por mí.

—Ojalá pudiera enamorarme de ti —le dije en el Alejandría, donde nos refugiamos después.

La mesa estaba llena de cascos de cerveza vacíos y nosotros brindábamos por enésima vez por la web de citas, muertos de risa porque no quedaba más opción que reírse.

—Ojalá. Iba a llevarte en palmitas, nena.

—Sí. Si no me diera un asco horrible imaginarte follando —aclaré.

—Pues soy una sex-machine.

—Imagínate echarme un polvo.

Hizo una mueca y yo otra. Nos recorrió un evidente escalofrío.

—Siempre podemos follar con otros. Ser una pareja abierta —me dijo burlón.

—Si eso implica que me plancharás la ropa, vale.

Me pellizcó la nariz como para no dejarme respirar pero se mojó los dedos de mocos y gritó. A partir de ahí lo único que pudimos hacer fue reírnos y concentrar las miradas de todo el local, que intentaban averiguar por qué la vida nos hacía tanta gracia. ¿Por qué? Pues porque o la vives con humor o ella es quien termina riéndose de ti.

5

Ya llevábamos tres citas fallidas a nuestras espaldas y hasta Mamen y Abel habían perdido el interés por acompañarnos. No nos quedaron más ganas de seguir probando, pero decidimos hacer de nuestro fracaso una fiesta.

—No hay razón para no celebrar lo que nos salga del peperoncino —sentenció Oliver.

Así que aquel viernes, en lugar de nuestra habitual cena de «cuéntame tus mierdas», hicimos la gala de cierre de temporada de «webs de ligue». Borramos nuestras cuentas en un ceremonial como si fuese el solsticio y nosotros una panda de hippies. Brindamos con Mamen y Abel, recordamos los mejores momentos de cada cita, nos reímos, dimos premios en forma de chupitos y al final, sin haberlo programado, decidimos salir a tomar «la última».

Recorrimos los garitos que más nos gustaban y terminamos en Macera tomando una copa de ginebra «casera» con la que brindamos por todos los errores que nos quedaban por cometer.

Mamen fue formal y después de una copita, se marchó a casa en un taxi. Tenía que llevar a las gemelas a patinaje al día siguiente y no quería que salir con nosotros fuera siempre sinónimo de resaca y que mi padre terminara pensando que teníamos un problemilla.

A Abel el teléfono le sonó y, reclamado por un fiestón en casa de no sé quién, nos dejó mientras le cantábamos «adiós con el corazón, que con la chorra no puedo». Y la vida siguió su curso, sin poesía, como era habitual. Y nosotros aprendimos que no hay nada que te haga parecer más atractivo que la risa.

Después de un rato mirando en nuestra dirección, un chico se animó a acercarse cuando me marché al baño. Le preguntó a Oliver si yo era su chica y él negó con una sonrisa.

—Mi hermana —le corrigió, pero dejando ahí la huellita, para que se anduviera con cuidadito.

—¿Puedo invitarla a una copa?

—Conociéndola preferirá invitarte ella.

Se llamaba Rafa. Era muy alto y tenía pinta de ser cantante de algún grupo indie, con un pelo agradecido medio largo. Trabajaba en una gestoría y acababa de cumplir treinta y tres. Me gustó su sonrisa y la forma en la que me entró. Cuando decidí invitarle yo a una copa, me dijo que fuera con cuidado:

—¿Por qué?

—Porque puedo enamorarme de ti tan rápido que pensarás que me he vuelto loco.

Oliver iba a marcharse para dejarme a mi aire cuando Rafa le presentó a Raquel, la única chica que había salido con él y su pandilla.

—Aunque somos compañeros de piso, técnicamente es mi jefa así que… trátala bien o me despedirá por haberle presentado a un cretino.

—A lo mejor te sube el sueldo por haberle presentado a ESTE cretino.

Los cuatro nos quedamos rezagados por la calle cuando cerró el local y ambos decidieron que debíamos terminar la noche en otro lado. Los seguimos, pero porque no sabíamos dónde ir y aún no queríamos volver a casa; estábamos congeniando, pasando un buen rato, riéndonos, olvidándonos de cosas de esas de las que crees que te acordarás siempre.

Nos dieron las cuatro y las cinco y perdimos la noción del tiempo en la sala Maravillas, un antro fantástico y minúsculo, más mítico que la Coca-Cola. La conversación era divertida y amena. Les contamos que estábamos celebrando que habíamos borrado nuestros perfiles de una web de citas y compartimos unas risas con las historias de los mejores momentos. Cuando fuimos a fumar, nos dimos cuenta de que empezaba a aclarar la mañana y que todo el mundo se marchaba a casa. Estaban cerrando todos los garitos del barrio y ellos ofrecieron su piso, que no estaba lejos.

Como en una especie de cita doble, terminamos los cuatro, bien organizados, en su casa. A Rafa le dio un ataque de risa cuando le pedí un café y un ibuprofeno en lugar de una copa y preparó dos, uno para él y otro para mí. Al volver al salón, Oliver y su compañera ya se habían retirado al dormitorio.

Rafa me rodeó el hombro con el brazo antes de preguntarme si pensaría muy mal de él si me besaba. No voy a mentirte y ya debes conocerme…, llevaba un rato acordándome de Héctor y aquello, aquel comentario que debía haberme hecho sentir bien, me puso triste. Es posible que me diera pena notar que la vida seguía a pesar de que no estuviéramos juntos. No supe qué decirle, así que me encogí de hombros. Se supone que la vida era eso, ¿no? Cagarla e intentarlo de nuevo. Estropearlo todo y rehacerlo con los trozos de uno mismo que siguieran sirviendo de algo. Dejando a un lado lo que nos hizo daño sin olvidarlo, por si volvía. Así con todo. Pero ¿qué pasa cuando de lo que menos te arrepientes es del error más grande que has cometido?

Rafa no me besó. Supongo que aún quedan caballeros.

—Me alegro de que te apuntaras a esa web de contactos —me dijo después del silencio que nos sobrevino, apartándome un mechón de pelo y enganchándolo detrás de mi oreja.

—¿Por qué?

—Porque si no lo hubieras hecho no habrías salido a celebrarlo y no nos hubiéramos conocido. Ha sido el destino.

Sonreí con educación y bebí de mi café. No es que creyera mucho en «el destino» ahora que guardaba en un cajón un ovillo de lana roja manoseado que se había roto antes incluso de lo esperado… si es que alguien esperó en algún momento que se rompiera. Supongo que me cambió la cara y… no supe disimular el recuerdo amargo, porque Rafa se dio cuenta.

—He metido la pata…

—No. Es solo que…

—Tienes novio.

—No. Estoy recuperándome de una ruptura.

Se acomodó en el sofá y cogió su taza de café.

—Cuéntamelo.

—¿El qué?

—Tu ruptura.

—No. —Me reí—. De eso nada.

—Venga. Cuéntamelo. A veces contárselo a un desconocido ayuda.

Chasqueé la lengua contra el paladar y me eché el pelo hacia un lado.

—No creo que pueda. Ni siquiera creo que deba hablar de él.

Dio un sorbo a su café y yo mantuve mi taza entre las manos sin saber qué hacer con aquel silencio. Un gemido atravesó las paredes y vi a Rafa esbozar una sonrisa.

—Qué asco —me quejé.

—No es agradable escuchar follar a tu hermano, ¿no?

—¿A estas alturas aún no te has dado cuenta de que no es mi hermano?

—¿¡Es tu ex!? —preguntó alarmado.

—¡Qué va! Es mi mejor amigo. Me pegaba mucho en el cole. Y yo a él. Esas hostias infantiles unen mucho. Pero, oye, pensemos en positivo…, qué bien se lo está pasando la jefa.

—Me va a subir el sueldo.

—Seguro —me burlé—. Siento que no vayas a tener la misma suerte que ella.

—Hoy. Dame dos citas más.

Me guiñó un ojo y sonreí con tristeza.

—¿Hace mucho que rompisteis?

—Siete meses.

—¿Y cuántos días? Si sabes contestarme a esta pregunta… no está superado.

—Siete meses y seis días. Estoy en ello.

Hizo una mueca.

—La mancha de la mora otra mora la quita.

¿La quitaba? Claro que no. La mancha de la mora solo sale cuando frotas. Y en un acto de aceptación, asumí la verdad, la desnudé de poesía y me lo creí.

—Me dejó tirada —respondí—. Volvió con su novia. Salió de mi cama, vació su habitación y cogió el primer avión que pudo para volver con ella.

Ahí estaba. La Sofía patética. Rafa, sin embargo, no cambió su expresión.

—¿Tan mal lo haces? —preguntó intentando hacer un chiste mientras se acercaba la taza a los labios.

Lo normal hubiese sido que aquella gracieta me hubiera sentado como si me hubiera soplado una hostia con la mano abierta, pero lo cierto es que no lo hizo. Creo que fue su expresión que venía a decir «a mí también me ha pasado». Al final, todos nos hemos sentido culpables, estúpidos, humillados y solos.

—La chupo con los dientes —respondí—. Es mejor que lo sepas ya.

Se atragantó con el café y los dos nos reímos. Me alegró poder hacer una broma en algo que tocara a Héctor. Era un paso.

—¿Me das tu número?

—Estoy rota —le advertí.

—Nadie llega a esta edad sin cicatrices. Solo… dame tu número. Y un beso.

Y le di mi número. Y un beso. Pensé que la vida son dos días y que había malgastado uno pensando de más. El resto de lo que quedaba de «noche» lo pasamos besándonos en el sofá sin quitarnos apenas ropa, conmigo en su regazo. Fue un beso en realidad… Uno que duró una hora y que supo a desesperanza, la que me invadía al tratar de olvidar cuánto me gustaron otros besos que parecían durar meses.

A las nueve de la mañana mis compañeros del turno de fin de semana del Alejandría nos vieron pasar a Oliver y a mí camino a mi casa, obviamente, a juzgar por nuestra pinta, a dormir por fin. En lugar de saludar con la mano o invitarnos a un café, decidieron salir a la puerta a aplaudir nuestra personal versión del clásico «paseo de la vergüenza», llamando la atención de la gente que pululaba por la calle que no se había dado cuenta de nuestras «mañanitas tristes» después de una noche alegre. Oliver se puso a saludar como si fuese la reina de Inglaterra, dando las gracias y lanzando besos al aire. Creo que aún le duraba el pedo. O el subidón postcoital.

—Una fiera, Sofía —iba repitiendo—. Una fiera. Creo que me he corrido hasta en el alma.

Al llegar a mi habitación, cuando Oliver ya estaba acostado en mi cama, acurrucado y vestido, recibí un mensaje de Rafa deseándome «buenas noches» y preguntándome si me apetecería hacer algo por la tarde.

No me apresuré a contestar. Tenía que pensar bien si me apetecía. Una cosa son unos cuantos besos de borrachera, distraídos, pensando en olvidar. Otra muy distinta olvidar o… implicar a un buen chico en algo que no saldría bien.

Mientras tanto me fumé un último cigarrillo apoyada en el cristal, con Holly ronroneando a mis pies. No me di cuenta de estar mirando su ventana hasta que terminé de fumar; su ventana, desde donde nos vimos, nos acercamos, nos quisimos y nos comunicamos. Ese pozo negro que pensé que se llevaría mi alma si cruzaba una mirada con él y que no era más que eso, una ventana, sin más. No solo fui yo quien perdió la magia; todos los espacios y objetos que él animó con su aliento volvieron a ser solo materia cuando se fue, pero no me había preocupado por mirar. Me palpé el pecho. Dolía. Pero menos. Su ausencia, la luz apagada de objetos que antes brillaban, los kilómetros y la elección que lo empujó a irse. Todo dolía. Pero un poquito menos. Dos o tres milésimas de alivio; había esperanza, ¿no? Siete meses son muchos días, me dije. Sin magia, pero la vida seguía. No había más respuesta. Cuando cerré la ventana, estaba segura de que no sabría dejar de quererlo, pero aprendería a vivir con ello.

6

Durante un tiempo la vida siguió y si lo hizo fue porque encontré un motor que me remolcara. La compulsión. Todo lo hacía de forma compulsiva. Todo. Convertía en obsesión cualquier cosa que antes solamente fue… normal. Comer. No comer. Dormir. No dormir. Fumar. No fumar. El café. La ensoñación. Los recuerdos. La mente en blanco. Y si pensaba en respirar lo hacía tan rápido que terminaba mareándome porque antes había abandonado mi respiración a la inercia y después quería todo el oxígeno para mí. No funcionaba bien, pero al menos me servía.

Las pastillas creaban una extraña sensación de irrealidad, como si añadieran al borde de mi visión una pequeña neblina que me hiciera creer que solo era un sueño. Y daba fe. Solo era un mal sueño, Héctor. Pero despertaba y todo seguía igual.

Lucía o no se daba por aludida o no quería entender. Perdí la cuenta de las veces que le dije: «Da igual», «Déjalo» o «Ahora no». Y lo peor fue que todo aquello no hacía sino agravar la situación: yo había decidido irme. Yo había decidido regresar con ella, olvidar que podía ser de otra manera. Dejar de lado lo individual y volver a ser nosotros. Pero aquel nosotros no funcionaba y me martirizaba pensar que no lo hacía porque era imposible que lo hiciera y porque yo no lo permitía. Así que la culpa era, a todas luces, mía. Por volver sin querer hacerlo. Por volver a medias. ¿Qué haría mi otra mitad? Querer a Sofía a manos llenas. Había decidido que era más fácil dejar de pelear y había regresado al refugio de lo conocido porque pensaba que sería menos dañino para todos, pero no tenía ni idea.

¿Por qué hice las maletas? Lo pensé mucho durante aquella época y nunca llegaba a ninguna conclusión. Siempre terminaba diciéndome lo mismo que le repetía a Lucía cada vez que hablábamos, independientemente de cuál fuera el tema: «Da igual», «Déjalo» o «Ahora no». ¿Qué más daba? No había vuelta atrás.

Lucía llegó a casa antes de lo habitual. Venía cargada con la compra, cosa rara en ella. Yo solía encargarme de eso y de preparar las cenas porque tenía más tiempo, pero últimamente la nevera estaba bastante vacía y yo cenaba más bien poco. Por eso me sentí culpable aunque fuera evidente que quería sorprenderme.

—Se me olvidó ir al supermercado —me disculpé, pero de mal humor y diciéndome por dentro que no hacía nada a derechas.

—No te preocupes, mi amor. Quería preparar la cena. Siempre lo haces tú. Date una ducha y yo voy preparando todo.

Lo de la ducha no me sentó muy bien porque en realidad nada de lo que decía lo hacía últimamente, pero cuando entré en el cuarto de baño y me miré, abrí el agua con docilidad porque… tenía mala pinta. Me vino bien. Debí hacerlo al levantarme antes del café, pero no me sentí con fuerzas… Así que me di una ducha, pero no me afeité ni me recorté la barba ni me peiné. Salí a su encuentro con una camiseta blanca y un vaquero viejo. Descalzo. Ya hacía frío en Ginebra y en el edificio habían encendido la calefacción. A Sofía le encantaría aquel piso...

—Huele bien —dije en un arranque de buenas intenciones al entrar en la cocina.

Lucía se había quitado el traje y llevaba un pantalón de yoga y una camiseta ceñida. Un año antes me hubiera acercado a ella por detrás, me hubiera frotado contra su culo mientras le besaba el cuello e intentaba meterle mano, pero ya no me apetecía. Era un efecto secundario de las pastillas que me venía de muerte para disimular que Lucía ya no me la ponía dura. Le faltaba carne por todas partes, le sobraba azul en los ojos, no tenía suficiente picardía ni su risa me hacía cosquillas, pero ninguna de estas cosas era objetiva porque, como cualquier mujer, era perfecta como era, pero no era Sofía. Así que le ayudé a terminar de preparar la cena y las manos las ocupé en algo muy distinto a su piel.

Pusimos la mesa en el salón, aunque solíamos cenar en la barra de la cocina casi de cara a la pared y con poca conversación. Pero Lucía me pidió que descorchara una botella de vino y se acercó al tocadiscos con intención de poner un vinilo; yo la paré.

—Lucía, nada de John Cage, por favor. No sé si sería capaz de soportarlo sin suicidarme.

Abrió los ojos de par en par y contuvo la respiración con visible preocupación. Vamos a ver, estaba deprimido, pero no me iba a encontrar flotando en la bañera después de volver del trabajo.

—¿Puedes tranquilizarte? —le exigí tosco—. Era una broma.

—Lo sé. Lo sé. —Se humedeció los labios—. Nada de música.

Dejé la botella en la mesa, me froté las sienes y tiré un poco de las raíces del pelo. Me sentía mal. Me sentía culpable. Me sentía un tío de mierda que había dejado a la tía a la que quería para volver con una novia a la que no quería hacer llorar. El dilema de siempre: contentar a los demás o ser felices; debemos tener claro que es imposible tener las dos cosas a la vez.

—Lucía, no me hagas caso. Pon música.

Dudó y finalmente sonrió con timidez como si aquella fuese nuestra primera cita…, una de esas citas que Estela describía con asiduidad: ella cuidando los detalles y un tío sin verdadero interés interpretando un papel.

Puso un vinilo de los Platters, creo. No sé. No le presté atención. Hacía tiempo que la música que escuchaba la disfrutaba a escondidas, porque toda me hablaba de Sofía y de mí, de lo vivido, del sentimiento de no tenerla, de saber que en ella estaba toda la magia del mundo… y me parecía que oírla en compañía me pondría en evidencia y Lucía, al mirarme, simplemente lo sabría. Era gilipollas. Para saber lo que pasaba solo había que cruzarse conmigo. Mi desilusión apestaba a kilómetros por más perfume que ella siguiera poniendo a lo nuestro.

No solíamos ver la televisión, así que después de cenar propuso quedarnos charlando mientras terminábamos el vino. Ya. Ja. Estaba seguro de cómo iba a acabar la noche y sería con un «Lucía, ahora no».

Escuchamos el disco un par de veces. Vuelta y vuelta. Yo solo di un sorbo a mi copa, pero ella se terminó la botella.

—¿No te gusta el vino?

—No puedo beber demasiado… —respondí con la mirada perdida en el líquido que bailaba, contenido, detrás del cristal de la copa.

—¿Por?

—Las pastillas. —La miré—. No hacen buena mezcla.

Asintió y de un trago terminó con todo el vino que quedaba. Lucía buscaba en la desinhibición provocada por el alcohol las fuerzas para acercarse. No era culpa suya.

En el dormitorio se puso un camisón de raso de un color rosa empolvado, con encaje, corto, escotado…, en fin. Blanco y en botella. Me metí en la cama y apagué la luz, pero ella encendió la de la mesita de noche y me buscó…, me buscó hasta pegar sus labios a los míos, oliendo a vino y a ganas, y se sentó a horcajadas sobre mí.

—Mi amor… —gimió frotándose.

—Lucía…

—Escúchame. —Me besó y se separó unos centímetros para mirarme—. Lo necesito. Que me desnudes. Que me muerdas. Que me folles… ¿Te acuerdas de eso que te gustaba hacerme…?

No. No me acordaba. Me acordaba de lo mucho que me excitaba la carne de Sofía entre mis dedos, las huellas enrojecidas que dejaban mis manos al apretarla para tenerla más cerca. Recordaba lo húmedo que era el gemido final entre sus muslos. Pero no recordaba la pasión con Lucía como no se recuerda una paja, aunque dé placer.

Pero lo intenté. Lo juro. Lo intenté con todas mis fuerzas. No era coherente haber vuelto y no querer ni echar el polvo de consolación. No respondí con palabras, sino con actos, pero no dijeron lo suficiente. Porque los besos eran tibios, sin ganas. Y la polla no reaccionó por más caricias que le dedicáramos. Y cada minuto que pasaba sin sentirla dura me atacaba, me ponía más nervioso, más cabreado…

—Joder —gruñí intentando despertar una erección con la mano y con fuerza.

—Déjame a mí.

Lucía la besó, la recorrió con los labios, con la lengua, se la metió en la boca y yo cerré los ojos mientras le acariciaba el pelo. Recé. Rezar porque se te ponga como una piedra es un poco ambiguo…, poco católico al menos, ¿no? Pero recé, a pesar de que Dios estuviera ocupado con cosas más importantes que mi disfunción eréctil. Lucía se esmeró sin decepción, con ganas, sin desesperar, pero para desesperar ya estaba yo.

—Déjalo —le pedí—. No va a levantarse.

Se incorporó con los labios hinchados y los ojos tristes.

—¿Es por mí?

Quizá debí decirle que sí, que con ella no podía desde hacía meses, pero negué. Le eché la culpa a las pastillas y me ofrecí a... buscar un apaño para ella. Pensé que era mi obligación, así que la toqué y abrió las piernas. Gimió. Se tocó los pechos y me manchó los dedos con humedad. La follé con mis dedos, con mis labios posados en su hombro. La monté con caricias y sin gemidos. Y ella, en un amasijo de piel, no pudo parecerse a Sofía ni un instante.

Al día siguiente lo de siempre. La esperanza de mejorar se fue en cuanto abrí los ojos. Vida de mierda. ¿En qué momento nos contentamos con estar juntos a pesar de no poder ser felices?

Tuve que salir de casa aunque estuviera solo y la soledad me reconfortara tanto. Tuve que hacerlo porque todo me olía a sexo del malo y a la mediocridad de masturbar a Lucía sin ganas de hacerlo, por cumplir. Me di una ducha larga, me puse ropa mínimamente decente por primera vez en semanas y salí a pasear con el cuaderno de bocetos bajo el brazo y un bolígrafo negro. Hacía mucho que todos mis trabajos eran Sofía. Una boca. Unos dedos. Una ramita de lavanda. Y... qué triste, lo que más me apenaba me hacía siempre cumplir con los clientes. Sofía era la clave para cualquier éxito. Ellos quedaban encantados y yo acumulaba pedazos de ella hasta en mi porfolio.

Bordeé el río por la orilla que quedaba más alejada de mi casa, con el viento frío de un día medio soleado medio gris cortándome la cara, quitándome de la piel la sensación del sexo por obligación.

Iba pensando en mierdas prosaicas. Tenía que pasar por el cajero y sacar unos francos. También ir al supermercado porque no quedaba más que las sobras de lo que Lucía había traído la noche anterior. Quizá hasta debería cortarme el pelo… pero no me apetecía… y entre esas mierdas seguía andando, espeso, bobo, cuando… la vi.

Estaba sentada en la terraza de Livresse, una pequeña cafetería librería que siempre me encantó, en el número cinco de la rue Vignier. Tenía un libro en las manos, una taza de café vacía en la mesa y la cabeza echada hacia atrás, buscando un rayo de sol que iba y volvía en su rincón. Creí que me moría. Lo juro. Creí que me moría. Dejé de respirar durante tantos segundos que empecé a morirme. Era… ¿ella?

El paso vacilante que había arrastrado desde que aterricé en Ginebra en abril se quedó atrás, rompiéndose como el yeso cuando casi eché a correr en su dirección. Me hablé rápido a mí mismo pero pidiendo calma porque no podía ser ella.

«Ella no está aquí. Ella no está aquí. Ella no está aquí», me repetí. Pero… ¿era ella? No lo pensé. Me senté en la silla que quedaba libre frente a la suya y con el movimiento del hierro forjado del mobiliario de la pequeña terraza, abrió los ojos y me miró sobresaltada.

Cejas algo desordenadas. Nariz respingona. Pómulos perfectos cubiertos por una cantidad de pecas que parecían una constelación vista desde muy lejos. Melena morena. Labios gruesos. Ojos vivos y marrones. Pechos grandes. Brazos torneados. No era ella, pero podrían haber sido hermanas.

—Hola —le dije. Y tuve el tino de decírselo en francés, porque estaba claro que Sofía seguía en Madrid y que no acababa de encontrarla sentada en una terraza en Suiza.

—Hola —respondió.

—Es increíble —balbuceé.

—¿Qué es increíble?

—Te pareces tanto…

Frunció el ceño un segundo y yo me avergoncé. Puto loco. Asaltando a una mujer solo por su parecido con… ella.

—Perdona. No quería molestarte. No debí sentarme. Perdóname.

—No te preocupes —me analizó unos segundos y cuando me levanté indicó de nuevo la silla—. Puedes sentarte.

Fue como obedecer una orden para la que estás programado. Me senté. Si me hubiese pedido que me tirara al río creo que lo hubiera hecho. Se parecía tanto… aunque tenía la voz más grave y el acento del sur de Francia.

—¿Quién eres? —me preguntó.

—Soy Héctor.

—Encantada. Soy Soleil.

Sofía. El sol. Me estaba muriendo, estaba claro. Me puse una mano sobre el pecho, sobre el jersey de ochos que ella había acariciado en mi portal, aquella tarde que me dio vergüenza que alguien pudiera vernos tontear como críos.

—¿Estás bien?

—Debes pensar que soy un loco.

—No. —Sonrió—. Más bien que eres un loco muy guapo.

Sentí la extraña sensación de tener un *déjà vu*. Era raro volver a sonreír a alguien como creí que solo podía sonreírle a ella. Supongo que lo hice porque quise creer que había algo de Sofía allí. El sol. La magia.

Sacó un paquete de tabaco de su bolso y se colocó un cigarrillo en los labios; iba a preguntarme si me molestaba que fumara, pero yo ya estaba apresurándome a encendérselo.

—No eres de aquí —le dije sacando mi tabaco de liar y obligándome a dejar de mirarla.

—No. Soy de Marsella.

—Preciosa.

—¿Marsella o yo?

—Tú.

Me mordí el labio y me concentré en liarme un pitillo. ¿Qué estaba haciendo? ¿Qué me estaba pasando? El corazón me latía a toda velocidad y tenía ganas de vomitar. Me estaba muriendo de amor. Me estaba muriendo, joder.

—¿Eres siempre tan lanzado?

—No. —Hice una mueca—. No me estoy reconociendo.

—Es bueno reinventarse.

—Lo es. Supongo.

—Tú tampoco eres de aquí.

—No. Soy…

—No me lo digas. —Me paró—. ¿Quieres tomar algo?

—¿Te apetece otro café? —le respondí.

Y le apeteció.

No sé ni de qué hablamos porque yo me dije muchas cosas a mí mismo. Me convencí de que no me quedaba porque se pareciera a ella, sino para demostrarme que era posible seguir sintiendo sin ella. Tomamos un café. Después, una copa de vino que me mareó como si me hubiera tomado dos pastillas y cuatro copas. Me mareaba el alcohol y su boca bebiendo vino tinto en una de esas copas francesas, más chatas y más pequeñas, que parecen salir de una pintura de Toulouse-Lautrec. Si la mirabas mucho, y yo lo estaba haciendo, se podía ver la evidencia de todos aquellos rasgos que la diferenciaban de Sofía. Tenía la cara más redonda, la boca más pequeña, los ojos más oscuros y el pelo más claro. Tenía más pecas. Las manos más pequeñas. Tenía más carne sobre el hueso y estaba mucho más segura de sí misma. Y mientras nos mirábamos y nos sonreíamos, coqueteábamos y me seducía, porque se parecía lo suficiente como para hacerme despertar, y yo me decía que podía, que la sensación de la noche anterior, de ser menos hombre, de ser a medias podía desaparecer. Si podía con una desconocida, ¿quién me decía que no podría solucionar mi vida? Salir de los jirones de niebla y tomar las riendas.

—¿Quieres otra copa? —me preguntó llamando al camarero.

—No. No puedo. Empezaré a balbucear.

—Entonces pediré la cuenta.

—¿Y adónde me llevarás?

Se giró para sonreírme y se humedeció los labios antes de contestar.

—Estás loco.

—Sí —asentí—. Mucho. ¿Quieres estarlo conmigo?

Estaba borracho, supongo. Me creí invencible como solo lo creen los borrachos y los adolescentes, tan jóvenes que creen que serán inmortales. Podía. Puedes, Héctor. Puedes. Déjate llevar.

Ella asintió y yo tuve que recordar su nombre, aunque me importaba una mierda. Pagó sin dejarme ni sacar la cartera, con prisas. Y sin saber quién era, a qué se dedicaba, de dónde venía, adónde quería ir, dejé que me cogiera la mano y me llevara a su casa. Puedes, Héctor.

No me acordé de Lucía. El despecho me empujaba, el orgullo de sentir sangre donde desde hace meses sentía solo un hormigueo dormido, pero juro que no fue una forma retorcida de castigar a Lucía por «obligarme» a elegirla. Hasta yo, que estaba volviéndome loco, sabía que ella no tenía culpa. Quizá era un castigo hacia mí mismo. Quizá hacia Sofía, que se negaba a irse.

La polla despertó con un gruñido de mi garganta en el ascensor, que hacía un ruido infernal y era pequeño y viejo. Le abrí la chaqueta, le agarré las tetas y metí la lengua en su boca entreabierta mientras su mano me palpaba el pantalón hasta descubrir hacia dónde cargaba. Llevaba dos meses sin correrme y creí que lo haría en el acto. Con mi Sofía de imitación que no tenía ninguna intención de volver a verme. Solo esa firme convicción nos permite ser tan animales en cuanto al sexo. Le daba exactamente igual lo que yo fuera a pensar de ella porque no iba a quedarse para averiguarlo. Y yo soñé con Sofía en su boca, pero no porque se pareciera a ella, sino porque creí que me demostraba que podría volver a vivir sensaciones sin ella. Sí. El castigo era para una mujer a la que ya había castigado demasiado. ¿Quién no ha odiado eso que tanto ama y que se siente incapaz de alcanzar?

Tenía un piso pequeño, tan pequeño que daba risa. Desordenado. Mucho. Había ropa sobre la única silla de la casa, sobre la cama que más que cama era un camastro, sobre la puerta de un armario abierto y como quedaban unos centímetros de suelo por cubrir, los cubrimos con nuestra ropa. Le mordí el labio, la barbilla, el cuello, los hombros y hasta un pecho con la fiereza y la glotonería de quien quiere aprovechar el momento y ha pasado mucha hambre.

La cama estaba por hacer y las sábanas arrugadas, pero me dio igual cuando me arrodillé sobre ellas y le abrí las piernas. Me dio instrucciones sobre cómo quería que me la follase y me moría, me moría, me moría, porque ya no era de día dentro de aquel cuartucho, ya no estaba en Ginebra, ya no era suyo y ella era ella. Se parecía lo suficiente pero era suficientemente distinta como para no tener que cerrar los ojos ni imaginar que era Sofía; me sentía drogado, borracho, colocado. Invencible. Pensar en ella entonces me pareció ofensivo. No quería pensarla allí, con otra. Solo quería demostrarme que podía. Y podía porque lo hice.

Me arañó la espalda cuando se la metí, fuerte, cuando entré y salí y seguí empujando; me exigió que la hiciera correrse y me faltaron manos para darle placer. La polla, la mano derecha, la izquierda, la lengua. Arriba. Abajo. Un gemido. Un quejido. El poder de volver a sentirte dueño de ti mismo, la esperanza en forma de placer, de sexo y de olor a látex, mujer, cama ajena y mi propio perfume. Grité. Ella también.

—Nos oirán los vecinos —susurró.

—Pues invítalos.

Me sentí capaz de follarme a cualquiera que entrara en la habitación. ¿Qué más daba? Estaba haciéndolo. Podía. Podía, joder. Después de pensar que no podría hacerlo más; vivir, sentir, desbordarme, reírme como un loco que está a punto de echarse a llorar. Creí que la olvidaba. Lo juro. Durante unos segundos, al borde del orgasmo, casi canté victoria. Se iría. Se iría primero en un cuerpo que se le parecía y terminaría por borrarse en alguien que no tendría ni que recordarme a ella. Era un paso. El primero. Me convencí de aquello y casi me creí. Sin recordar que Lucía existía.

Me corrí en el condón con ella gimoteando debajo de mí; lo llené y me vacié del todo. Alma y cuerpo. Y no tardó ni dos segundos en contestarme... la Sofía que guardaba dentro, la de verdad, la que aún era cuerda a pesar de haber pasado meses recogiendo los pedazos de algo que le rompí. Fue como si me mirara a los ojos entonces, como si pudiera estar de pie junto a la cama y pudiera escucharla. Y me dijo una verdad doliente que casi me hizo llorar y arrastrar el gemido final hasta convertirlo en un quejido. Sujeté las lágrimas con las manos, tapándome la boca, los ojos, tirando de mi pelo cuando me eché en el colchón al lado de una desconocida.

Todo era mentira. Todo lo que me dije. Que podía. Que volvía. Que la olvidaba. La única certeza es que si había podido no era en contra de ella y a favor de mí, sino al revés. Fue ella, el eco en otra piel, la reminiscencia en otros rasgos. Fue ella, la todopoderosa, la que me daba permiso para hacerlo. Con Lucía no, pero con una desconocida sí, para demostrarme que Lucía no. Que ella sí. Que nadie como ella.

El sexo solo era sexo si no era con Sofía. Era piel. Era sudor. Era un quejido. ¿Qué más daba no poder si cuando podía era con otra? Había podido. Me había sentido hombre de nuevo, menos de trapo, más de carne y hueso pero... era peor que no poder. No podía en el respeto. Fuera de ella, de su influjo, de su piel… no era magia. Solo podía follar con la luz si era con ella. Solo podía correrme en el amor si era con ella. Solo podía de verdad con ella.

Me vestí a toda prisa. Le dije a Soleil que me perdonara; me disculpé. Dije tantas gilipolleces de niñato que ella sonrió. «No soy así. Yo no hago estas cosas. Perdóname. Olvida que te has cruzado conmigo. No soy mal tío».

—¿Dónde está el problema? —preguntó despreocupada.

Eso. ¿Dónde estaba el problema? Éramos dos adultos que habíamos follado por elección propia, sin ser coaccionados, libremente. ¿Qué pasaba entonces? Porque, insisto, no era de Lucía de quien me había acordado en esos momentos. Así que, si tenía que buscar una respuesta para esa pregunta, el problema era yo.

—En mí. El problema soy yo. Estoy roto.

Cuando salí a la calle me di cuenta de que sí, lo estábamos. Los dos. Yo nos había roto por completo y estaba seguro de que ella habría dicho lo mismo. De sus dos labios habría salido la misma expresión. Y alguien como aquella desconocida la habría escuchado sin darse cuenta de todo lo que significaba, del recuerdo de todas aquellas cosas que echamos a perder cuando nos rompimos. Lo mismo que me dio la libertad de salir de mi neblina me señalaba, porque el único ciego siempre fui yo. Y empecé a ver.

7

Oliver estaba contento. Había vuelto al ruedo, se había quitado telarañas y había conocido a una chica que le parecía interesante y que le motivaba. La compañera de piso del chico que me presentó aquella noche, su jefa en realidad, era divertida, una fiera, no quería compromisos y siempre tenían un tema de conversación, ya fuera antes, después o durante la sesión de sexo.

Quiso organizar una cita doble de nuevo, pero le pedí que me dejara a mi ritmo. Para Oliver olvidar a Clara sería más fácil que para mí hacer lo mismo con Héctor por la simple razón de que él quería hacerlo y yo no. Pero aquello era otra historia.

Así que Oliver había vuelto a ser el Oliver de siempre pero con más aplomo porque si algo le había enseñado Clara era que uno nunca sabía dónde se iba a encontrar en casa.

La vida seguía, ¿no? Aunque la recordara de vez en cuando y se lo comiera la vergüenza por haberse sentido arrastrado por una historia en la que, por primera vez, él no llevaba el volante. Y, sin embargo, solía tener una sensación de añoranza cuando lo pensaba, porque nunca se había sentido tan vivo como con Clara, deslizándose a toda velocidad sin tener esa seguridad de saber hacia dónde se dirigía. En su fuero interno había afianzado aquella idea que confesó, decepcionado y dolido, cuando ella lo dejó: «Darse a otro no significa amor: significa que necesitamos ser queridos». Y él se había dado cuenta de que estaba muy necesitado, le pesara o no. Quería enamorarse, pero no tenía prisa por hacerlo. Solo estaría abierto…, cerrarse no tenía sentido si esperaba algo.

Sin embargo, con todo, había removido lo suficiente sus cimientos como para rescatar algo que se había quedado soterrado bajo las chicas, las noches de copas y la rutina: sus aspiraciones laborales. Le gustaba su trabajo, por más que se quejara, repito, pero sabía que podía dar más. Si se permitía soñar un poco, aunque no era muy de esas cosas, se imaginaba escalando, postulando por un puesto en las oficinas. Conocía el sector, llevaba muchos años trabajando para la empresa, sabía idiomas y entre ellos, dominaba el italiano, lengua de origen de la matriz empresarial de aquella boutique. Le encantaría participar en esa área de la empresa que mantenía contacto con la prensa especializada, con las bloggers, que cazaba tendencias y que estaba enganchada al mundo de la moda. Así que… movió un par de hilos, llamó a su jefa, con la que mantenía una magnífica relación, y mientras se tomaban un café, le comentó que se sentía algo anquilosado.

—Me encanta mi trabajo pero… necesito más responsabilidades, más movimiento. No he perdido mi motivación pero por eso mismo quiero… más.

Ella prometió darle prioridad si salía algo pero tenía que mantener la boutique en términos de excelencia. Y cerraron el trato con un abrazo profesional que terminó con un guiño de Oliver.

De modo que... todo funcionaba. Todo iba hacia delante. Todo seguía su curso. Y así Oliver seguía siendo el alma de la fiesta. El primer nombre que todos sus conocidos anotaban en la lista de personas que «invitar a».

Su compañera, esa a la que le había costado un poco más de lo habitual hacerse a los protocolos de la tienda y que unos meses antes ponía a prueba su paciencia, iba a celebrar su cumpleaños y por supuesto lo invitó. Lo hizo con vergüenza, como si creyera que él iba a declinar la invitación, pero no lo hizo porque le dio ternura el modo en el que se acercó para invitarle; y dijo que sí.

El cumpleaños se celebraba el sábado en el piso que su compañera compartía con dos chicas más, cerca del trabajo. Los habían convocado a todos a las diez de la noche pero, según Oliver, llegar el primero a una fiesta es de losers... de modo que él se lo tomó con calma y a eso de las diez empezó a arreglarse.

Cuando llegó estaba todo el mundo on fire. El suelo del piso estaba cubierto de colillas, restos de comida, ganchitos y vasos de plástico y frunció el ceño al ver que la gente había pasado de las cervecitas previas o la copa de vino y que ya rulaban copazos y chupitos. La cumpleañera, poseída por un momento de exaltación de la amistad, lo recibió con un abrazo y un montón de besos en la mejilla. A Oliver no le gustaba demasiado que lo tocaran si no era con intención de hacerlo... «bien», así que el morrete se le arrugó en una evidente muestra de disgusto.

—Madre mía, cómo vais ya... —comentó.

—¡Has tardado un montón! ¿Qué quieres beber?

—Una copa de vino estará bien.

—¡Voy a por ella! —le gritó contentísima. Al girarse reparó en una chica que pasaba por allí y la agarró por el codo—. ¡Oliver, ¿conoces a Mireia?! Trabaja en perfumería.

La chica en cuestión no hizo amago de inclinarse para darle dos besos ni alargó la mano. Él se sintió extrañamente intimidado por la hostilidad que se percibía en el ambiente. La estudió. Se había cruzado con ella un par de veces en los pasillos de El Corte Inglés en el que ambos trabajaban, pero nunca había hablado con ella. Tenía el pelo largo, con cierto aire desgreñado y de un pelirrojo claro que, evidentemente, no era natural. Por la manga de la blusa negra arremangada se le adivinaba un tatuaje que con el uniforme del centro comercial no se le veía y tenía los labios gruesos y la nariz respingona. Le pareció, al instante, una creída.

—No me suenas —fingió—. ¿Dónde trabajas exactamente?

—En el stand de Dolce & Gabbana.

—¿En Dolce & Gabbana? Entonces definitivamente no nos conocemos —comentó con acidez. Oliver odia con todo su ser marcas como Dolce & Gabbana, Versace o Armani.

La chica en cuestión, la tal Mireia, le devolvió una mirada de fuego.

—¿Tienes algún problema con la marca?

—Me parece un poco hortera. Soy más clásico.

—Por qué decir rancio si podemos llamarlo clásico, ¿no?

Abrió la boca para contestar, pero su compañera lo interrumpió llevándole la copa de vino.

—Toma, Oli, no quedaba tinto. Te he traído un blanco frío. Si quieres cualquier cosa, la cocina está allí. —Le señaló a sus espaldas.

—Gracias.

Cuando se giró, la pelirroja ya andaba en la otra punta del salón. Había perdido la oportunidad de responderle al insulto velado.

Se acercó a su compañero, el otro único hombre de la tienda y le dio un codazo suave a modo de saludo.

—A buenas horas. —Le sonrió este.

—Sabes que me lo tomo con calma. Oye..., ¿conoces a la pelirroja?

—Ojalá. Qué bombón.

Oliver dibujó una mueca de disgusto.

—Bueno, si te va ese rollo..., es una borde. Me acaba de llamar rancio.

—¿Habrás dejado tirada a alguna de sus amigas?

—¿Tirada? Yo no soy de esos. —Y le guiñó un ojo.

El vino era venenoso. Lo más parecido a salfumán que había bebido en la vida, y mira que yo le había servido vinos maluscones en mi casa, así que después de intentarlo con un par de tragos, se fue a la cocina a buscar una cerveza. Era difícil fallar con una birra...

Como en todas las fiestas, la cocina estaba muy concurrida. Un grupito de chicas charlaba junto a la nevera y dos chicos salieron justo cuando él entró.

—¡Ey, Oli! —lo saludó una de las chicas.

Había tenido una nochecita alegre con ella allá por los albores de la humanidad, cuando los dos acababan de entrar a trabajar en el centro. Ahora ella era la encargada de un stand de productos de belleza y él de la boutique de Miu Miu. Mantenían una muy buena relación.

—Cada día estás más guapa. —Le devolvió el saludo con un beso en la mejilla—. ¿Cómo va todo?

—Genial. ¡Me caso!

—Oh. —Se tocó el pecho como si lo acabaran de herir de muerte—. Siempre se van las mejores.

—Aquí está, Don Juan Tenorio —se burló—. ¿Crees que sentarás la cabeza algún día?

—Me da que no. Soy lento de reflejos. Mírate a ti..., si dejo escapar chicas como tú, ya me dirás.

Bodas. La gente seguía casándose. «¿Por qué coño lo hacían?», se preguntó mientras charlaba con ella. Le parecía que esa idea estaba a años luz de su vida. No le apasionaba el concepto del matrimonio, ni el de los hijos, pero cada día había más y más gente conocida que se lanzaba de lleno a la vida de pareja con parada previa en el altar. Él no estaba hecho para ello, se dijo. Él servía para un compromiso de otro tipo, como con Clara. Maldita sea, ya estaba pensando en ella de nuevo. En Clara, que sabía lo que quería, que le paraba los pies, que sabía de la vida más de lo que él ni siquiera podía intuir. La primera tía que lo plantaba y que había preferido una vida más gris pero más segura porque algo que él no podía dar era... seguridad. Tenía treinta años pero... en vida de adulto... ¿cuántos tendría en realidad?

Reclamaron a la chica con la que estaba hablando y se despidieron con un «luego te veo» de esos que nunca se cumplen. Había bastante más gente en la fiesta de la que creyó, así que tendría suerte si alcanzaba a despedirse con la mano desde lejos cuando decidiera irse..., que no sería muy tarde. Al darse la vuelta para coger una cerveza se encontró con la pelirroja, que lo miraba fijamente apoyada en la puerta de la nevera. Oliver estaba acostumbrado a que las chicas lo miraran y lo cierto era que le gustaba, pero no solían hacerlo como la tal Mireia, que parecía haber descubierto el truco y estar riéndose de él. Se sintió incómodo de nuevo.

—Voy a tener que cobrarte si sigues mirando así —comentó, esperando que se apartara.

—No estoy interesada, gracias.

—A lo mejor si me conocieras lo estarías.

—Basta con escucharte hablar, chato —respondió ella con soltura—. Eres de «esos».

—¿Qué esos?

—De esos que se creen que son miel y que no están hechos para la boca del asno.

—Tú, por el contrario..., ¿quieres asnos?

Lo miró de arriba abajo en un examen exhaustivo y ofensivo, como si lo que tuviera enfrente fuera un magnífico espécimen de borrico español. Negó con la cabeza.

—No. No quiero asnos.

Se apartó de la puerta del frigorífico y salió de la cocina sin echar la vista atrás. Él se quedó mirándola un poco alucinado. Pero... ¿quién se creía esa tía que era? Intentó hacer memoria... ¿no tendría razón su compañero? ¿Le habría hecho un desplante a ella o alguna de sus amigas? No. Definitivamente no.

La fiesta empezó a decaer una hora después. Todo el mundo iba como un piojo salvaje y se escuchaba el runrún de una posible incursión en la discoteca de moda donde Oliver bien sabía que no podrían entrar sin estar apuntados en lista porque si no tendrían que pasarse dos horas haciendo cola, así que se gestionó su propio plan. Escribió a Raquel, la chica que había conocido la noche que salimos por ahí juntos, y le preguntó si tenía plan. Ella dijo que estaba tomando copas con unos amigos. «¿Te apetece venir?», le preguntó. «Si me recibes con un beso voy volando». Estuvieron tonteando un poco a través de los mensajes y finalmente cerraron el plan: se encontrarían en un bar de Malasaña, La Vía Láctea, e irían a la casa de ella. Él no había limpiado su habitación y no quería arriesgarse a que el caos los sepultara.

El humo de dentro de la casa lo estaba agobiando, así que salió al minúsculo balcón a airearse mientras hacía tiempo hasta que llegase la hora de irse. ¿Y a quién encontró? A su archienemiga pelirroja apoyada en la barandilla con un cigarrillo de liar entre los dedos. El humo escalaba elegante más allá de sus uñas pintadas de negro. Estuvo tentado a darse la vuelta, pero ella ya le había visto y no quería dar muestras de flaqueza, así que salió muy decidido.

—Voy a tener que cobrarte si sigues persiguiéndome de esa manera —se burló ella.

—Ya te gustaría.

—Ay, sí. Me encantan los tíos que se bañan en Varón Dandy.

—Oye, ¿atropellé a tu perro y no me acuerdo?

Oliver se encendió un cigarrillo y le mantuvo la mirada mientras ella daba una calada al suyo.

—Me pareces un rancio, eso es todo.

—Pues no tienes motivos para creer que soy un rancio, ¿sabes?

—¿No? ¿Estás seguro? —Se giró hacia él con una sonrisa burlona.

—Claro que estoy seguro. La que está siendo borde desde que nos han presentado eres tú, querida.

—Llegas tardísimo y sin regalo, haces comentarios sobre lo pasados de copas que vamos, menosprecias el vino que te sirven, finges que no te suena ni mi cara cuando nos hemos cruzado unos dos millones de veces por los pasillos, eres un tirano con la pobre Mónica que solo quiere agradar a su jefe y encima apareces vestido como para ir a la boda de algún Borbón. Perdóname. No es que crea que eres un rancio; es que lo eres. Y ahora, si me perdonas, voy a relacionarme con gente que tiene conversación, de esa que no parece que esté a punto de venderme una enciclopedia. Besos.

Lo único que pudo contestar Oliver fue «imbécil», pero entre dientes y cuando ella ya no iba a escucharle. Miró su indumentaria con disimulo, echó un vistazo a los demás y frunció el ceño cuando volvió a dar una calada a su cigarro. Joder. A lo mejor sí que era un pelín rancio.

8

A veces sentir que vuelves a la normalidad es incómodo. ¿Por qué? No lo sé. Supongo que hay cierta parte de nosotros mismos que está encadenada al drama, enganchada a él. Es posible que terminemos por sentir apego a los cuidados que nos brindamos cuando nos reponemos de algo. No sé. Quizá esté dando demasiadas vueltas para justificar que, en el fondo, no quería dar carpetazo a Héctor, olvidarlo y vivir a vueltas de lo que le pasase. El hilo rojo que unía su dormitorio con el mío se había roto, pero sentía uno más fuerte alrededor de mi estómago que temía que desapareciera. ¿Suena tan confuso como yo lo sentía?

Rafa me llamó un par de veces para quedar, pero encontré un par de excusas para retrasar esa cita. Sabía que podíamos encajar y me daba mucho miedo porque no quería. Encajaríamos, sí, pero sin magia. No quiero repetirme de nuevo. Toda la que me tocaba ya sabes con quién se fue…

Supe disimular muy bien, creo, porque Rafa no pareció decepcionado, ni se dio por vencido y eso, a su vez, me hacía sentir bien y asustada. Tensé la cuerda hasta que un día se presentó en el Alejandría para tomar un café. Había salido del trabajo a toda prisa y tendría que volver en breve, pero se comió veinte minutos en metro y un transbordo para verme. Fue muy amable. Muy dulce. Muy como se supone que tiene que ser y cuando nos despedimos y me dio un beso en los labios tuve que reprimir las ganas de irme al cuarto de baño a llorar. Podíamos encajar, pero no era Héctor.

Se lo dije a Oliver, que puso los ojos en blanco y me llamó peliculera. Me preguntó si quería pasar la vida «en el muelle de San Blas», y yo, que odio esa canción de Maná, decidí que no. Que tenía que volar lejos, aunque adorara mi nido. Y ese nido eran los recuerdos secretos entre los que dormía cada noche.

No pasamos de los morreos y un poco de sobeteo en las tres primeras salidas. Fuimos al cine, a cenar y de cañas por La Latina y todas las citas las terminábamos en mi portal sin que yo dijera esta boca es mía ni «sube a tomar un café». Era extraño. Mi cuerpo reaccionaba a las caricias y a los besos pero había un dique que no conseguía rebasar. Creo que era un dique mental.

—No sé si me gusta de verdad —respondí a Abel cuando, por decimonovena vez, me preguntó si ya me había acostado con él.

Abel se echó el paño de secar al hombro y se apoyó en la barra.

—Vamos a ver. ¿Cómo que no sabes si te gusta de verdad? No estamos hablando de casarte con él. Ni de compartir hipoteca. Es sexo.

—Hombre, digo yo que el sexo tendrá algo que ver con la atracción.

—Atraerte te atrae, no mientas. Es un buen jamelgo...

—Que sí, que está muy bien el chico, pero no sé si me atrae lo suficiente como para...

—¿Para regalarle tu flor? ¡Por el amor de Dios, Sofía! Que no eres virgen. Ya sabemos de lo que estamos hablando.

Chasqueé la lengua contra el paladar, dando a entender que no estaba haciendo el esfuerzo de comprender lo que le explicaba y con intención de dejarlo allí, pero él volvió a la carga.

—Hay una manera irrefutable de saber si te mola de verdad.

—Sorpréndeme —le contesté preparando la cuenta de dos mesas que me la habían pedido con gestos.

—Imagínatelo cagando.

Dejé todo lo que estaba haciendo para mirarlo incrédula.

—¿Perdona?

—«Del cagar nadie se escapa…, caga el rey y caga el papa».

—Eres un cerdo —me quejé mientras volvía al trabajo—. No quiero imaginar a nadie cagando. Aún me estoy reponiendo de aquella vez que abrí el baño sin llamar y me encontré a Oliver concentrado, leyendo el *Marca*.

—En serio. Si te imaginas a alguien sentado en el trono y no mueres un poco por dentro, es que te gusta de verdad.

Le lancé una mirada asesina y salí de la barra para poner sobre la mesa las cuentas. Él se quedó mirándome, apoyado en la caja registradora y cuando volví para cobrar, seguía sonriendo ladino.

—No seas remilgada. Ya somos mayores para idealizar a las personas. Todos somos de carne y hueso.

—Ya lo sé —respondí tecleando en la pantalla de la caja.

—El amor es aceptar que el otro hace caca —respondió soñador.

—¿Amor? Ay, Abel…, es tan corto el amor y tan largo el olvido…

Cruzamos una mirada de esas que dicen muchas cosas, porque lo bueno entre Abel y yo era que entendíamos en lo que decía el otro mucho más de lo que pronunciaba. Yo quería decirle que, bromas aparte, no quería que me gustase otro, porque sería hacer real aquella ruptura, pero si no lo decía era porque además, tampoco lo sabía como lo sé ahora, con las cosas ya pasadas. Él quería decirme que me repusiera y siguiera viviendo, que no merecía perderme cosas, pero nunca nos pondríamos de acuerdo, así que lo callaba.

—Qué poética —fue lo único que se atrevió a decir.

—Es de Pablo Neruda.

Después intenté mantenerme ocupada por dos razones, una prosaica y otra poética: no quería imaginar a nadie haciendo cosas que nadie pudiera hacer por él y tampoco quería pensar en Héctor. Ya me costaba disimular lo mucho que rememoraba el camino que seguían mis dedos desde su pecho hasta su sienes como para mentarlo y Abel, imagino, lo sabía. No deja buen sabor de boca recordar que te abandonaron así, como lo hizo él, sin explicaciones, huyendo de algo que yo consideraba tan mágico. Así que mientras yo hacía y deshacía en el Alejandría y Abel atendía y servía, seguimos conversando en silencio, hablando sobre ansiedades y penas sin decirnos nada..., tanto que cuando se decidió a dar el paso de hacerlo en voz alta, su pregunta no me cayó como un jarro de agua fría porque estaba preparada.

—¿Quieres hablar de él? —me dijo bloqueando con su delgado cuerpo el vano que separaba la pequeña cocina de la barra—. A lo mejor verbalizándolo esas palabras dejan de ocupar espacio y te das la oportunidad de...

—¿Sabes eso que dicen de que la mancha de una mora con otra mora se quita? —le corté—. Pues no es verdad. Lo único que consigues de esa manera es mancharlo más. Para eliminar la mancha hay que quitarse la blusa, frotar, lavar y tenderla al sol. Es todo lo que voy a decir pero sé que sabrás entenderme.

Se mordió el labio superior mientras jugueteaba con la punta de su zapatilla en el suelo ajedrezado de esa parte de la barra.

—No quiero hacerte daño. Es solo que no mereces…

—Dijo Marie Curie que «la vida no merece preocuparse tanto». Vamos a dejarlo estar.

—Marie Curie murió de una manera horrorosa.

—Pero yo no estoy expuesta a radiación.

Bueno. No a ese tipo de radiación, desde luego, pero a juzgar por la luz que emanaban algunos recuerdos cuando me quedaba a oscuras, iba acompañada día y noche de más radioactividad emocional de la que podía soportar y… no se apagaba.

9

Ruido. Es la mejor palabra para definir cómo me sentía en aquel momento, aunque entonces no lo supiera. Había demasiado ruido a mi alrededor. Tanto que era imposible escucharme. Escuchaba a los demás darme todos los bienintencionados consejos que me daban, pero no me oía a mí. Bueno... oía un leve chirrido como de algo que no terminaba de funcionar bien, de maquinaria poco engrasada, pero siempre lo achaqué a mi..., uhm, ¿cómo decirlo? ¿Proceso de recuperación? Lo que sea.

Hay una cosa indudable en la vida: cuando no te paras, cuando corres con prisa hacia lo que crees que es el mejor destino posible, el paisaje se desdibuja hasta ser solo un borrón y así es imposible atender a las señales que van salpicando el camino. Ahora, recordando paso a paso aquel proceso, sé que todo apuntaba ya a que había demasiado por escribir en una historia que había quedado inacabada, pero entonces solo veía a una chica, Sofía, que no conseguía superarlo del todo y que terminaba los días acariciando un hilo rojo. Lamentable. Eso era lo peor, que me avergonzaba no olvidarlo del todo sin darme cuenta de que no era debilidad; quizá Héctor tuvo razón al depositar ciertas esperanzas en cuentos orientales sobre el destino.

Fue como viajar con un navegador que me iba marcando los pasos que debía dar pero que, en lugar de indicarme cuándo debía girar a la derecha, me decía que tenía que abrir las piernas y cerrar los ojos. Un navegador mal programado, desde luego, porque lo último que una necesita cuando no sabe nada es dar por sabido.

La cita con Rafa había ido bien como todas las demás. No había nada que pudiera reprocharle; al contrario, todo lo que no estaba bien era culpa mía. Buscaba continuamente detalles que me dieran la oportunidad de decirle que no encajábamos, atenta a algo que pudiera esconder y que me horrorizara, aunque no tenía ningún pero. Era educado, divertido, muy atento, guapetón, grande y masculino; le gustaba la misma música que a mí y me había descubierto un par de grandes canciones que no conocía. Masticaba con la boca cerrada, no te interrumpía al hablar, no tenía una risa chillona y me miraba como se supone que debe mirarte un chico al que le gustas y que va a tratarte bien, pero yo llevaba el freno de mano puesto y estaba a punto de quemar el motor. Aun así, le dije que subiera, aunque no me apeteciera tanto que subiera él como que alguien me diera un meneo. Ya hay confianza, puedo hablar en estos términos.

Preparé un café. Veníamos de Lavapiés, de un restaurante hindú cutre pero donde servían una comida muy buena. La conversación estaba empezando a escasear porque los besos habían entrado con fuerza. Él me miraba la boca como si fuese a comérsela de postre y yo me sentía entre excitada y halagada con un toque de «mñeee», siendo el «mñeee» un poco de resistencia mental. El dique, ya sabes. Un dique que pensaba dinamitar a golpe de sexo. Era la noche.

Antes de sentarme a su lado comprobé que Julio no estuviera en casa; me pareció significativo que me preocupara que me pillara con Rafa a «abrazo partido», como llama mi padre a darse el lote, pero que no me hubiese importado en absoluto que nos encontrara a Héctor y a mí. No me preocupaba que fuera a pensar que era una promiscua ni nada por el estilo; era más bien que no quería que nadie lo viera. La resistencia partía de mí, no de lo que los demás pudieran pensar. Pero no estaba, vaya. Debía de estar con su novia…, con esa novia por la que me iba a dejar plantada con una habitación vacía en el piso en menos de lo que cantaba un gallo, ya me lo olía.

Roberto no estaba en su jaula y Holly llevaba una época un poco pasota, como si también se hubiese cansado de consolarme y me estuviera dejando un espacio para hacer mi vida. En realidad llevaba un par de meses sobrealimentándola un poco, consintiéndola por buena conducta y las digestiones pesadas siempre le dieron mucho sueño. Así que allí estábamos Rafa y yo, solos ante el peligro.

No me dejó ni sentarme a su lado. Me envolvió las caderas en cuanto rodeé el sofá y me sentó a horcajadas encima de él. Volvía a mirarme la boca como si fuese de caramelo y no hay nada más mentiroso que el ego mal entendido. Me dejé llevar porque besaba bien, porque sus manos calmaban un picorcillo en mi piel y porque quería sentirme como se supone que una se siente cuando está cachonda perdida. Ese subidón de adrenalina, esas endorfinas nadando por cada arteria, vena y capilar, esas terminaciones nerviosas despertando con explosiones de gusto…

Le quité la camisa de cuadros para descubrir un pecho muy masculino pero no me sentí del todo a gusto cuando lo besé y lo mordí. Sus dedos se hincaban en mi carne mientras jadeaba y su polla se clavaba en mi entrepierna cuando nos frotábamos. Estaba a mil y físicamente mi cuerpo también estaba respondiendo, pero había algo que no terminaba de encajar.

—Déjame llevarte a la cama —pidió con los labios en mi barbilla y las manos en mis pechos.

Y le dejé.

—La última puerta. La del pasillo.

Casi me llevó en volandas. Fue genial. No puedo culparle de nada. Él lo estaba haciendo todo muy bien, pero la sensación de ese «algo» incómodo se agravó cuando nos quitamos más ropa. Sus manos estaban ejerciendo la presión perfecta, sus labios besaban donde tocaban y gemía de un modo excitante pero… había algo que no. Que no iba bien. Pero apagué la luz.

Lo que vino después fue un poco caótico. En la oscuridad total de mi habitación, con las persianas bajadas, no encontrábamos ni la boca del otro ni las prendas que nos queríamos quitar. Me pidió que encendiera una luz, pero no quise. Y cuando le dije con la voz atosigada por jadeos que lo prefería así…, zum, viaje astral.

La misma habitación. La misma mujer. Otro hombre. Una luz encendida, enmarcando todos aquellos pedazos de piel que nos avergonzaban, que enseñábamos al otro con cierto retraimiento mezclado con orgullo: estas son mis cicatrices, nos decíamos, porque en la vida, dicen, cuando uno se lo juega todo es imposible salir ileso. Y aquellas marcas, aquellos lunares, las estrías y las propias cicatrices significaban algo para nosotros: «Este soy yo y te quiero con todo lo que tenga tu piel». Así que, ahí estaba, lo que fallaba no era el intento ni que el chico estuviera haciendo algo mal. Lo que fallaba era que yo, en el fondo, esperaba otra piel y otro olor porque aún no me había repuesto y no había aprendido la lección que la vida me había dado con Héctor: no te preocupes por si te querrá o no, por si haréis daño a alguien o por si saldréis destrozados; solo ocúpate de ti, de estar haciendo las cosas como crees que deben hacerse. Me había preocupado demasiado por la fidelidad de otras personas y olvidé la mía conmigo misma. Cuando me dejé llevar con Héctor, a pesar de que no me gustara cómo pasó, y cuando decidí que los demás tenían más razón que yo al decir que necesitaba salir con otra persona, me olvidé por completo.

Paramos en aquel mismo instante. No sé si le pareció bien o mal, pero lo respetó y a mí me dio igual que no lo entendiera, pero aun así le di una explicación: quiero estar sola.

En cuanto lo dije en voz alta todo lo demás se apagó. El ruido. Las voces. Los consejos. Y emergí yo, solita y dubitativa, diciéndome que a lo mejor no tenía razón, que a lo mejor me equivocaba dando carpetazo a la oportunidad de empezar con un buen chico, pero que no me arrepentiría. Nos tenemos por más pequeños de lo que somos en realidad; debí sonar atronadora, decidida, pero fue solo un murmullo. Al menos todo lo demás se había acallado y pude escucharme bien.

Rafa se fue frustrado. Me dijo, muy educado, que no debí haberlo dejado ir tan lejos si no quería, no sé si como un reproche al calentón que se llevaba a casa o una especie de regañina por no imponer mi criterio. Me encogí de hombros y pareció sentirse culpable. Me frotó el brazo en un intento por reconfortarme y yo le sonreí.

—Me creía más fuerte, ya sabes. Ha pasado el suficiente tiempo como para haberlo superado.

—¿Qué medida de tiempo rige estas cosas? No somos invencibles. He ahí la gracia.

Estuve dándole vueltas cuando se marchó. He ahí la gracia de la vida, porque podemos salir hechos una mierda de todo cuanto emprendemos, pero seguimos arriesgándonos. Supongo que pensamos que hay más que ganar que lo que ponemos en juego. No sé si el ser humano tiene un punto masoquista, si nuestra naturaleza busca lo que nos hace sufrir o si simplemente vivir es así. Lo que sé es que tenía razón: ahí está la gracia. En no ser invencible. Siempre apreciaría más aquellas cosas que supusieran un riesgo, porque al conseguirlas sentiría haberme superado. Y lo único que necesitaba conseguir en aquel momento era a mí. La estabilidad. La tranquilidad. Estar en casa dentro de mí misma.

Lástima el terremoto que vino después.

10

No puedo decir que no lo intentase. Lo hice por encima de mis posibilidades, demasiado. Me forcé. Nunca hay que forzarse a ese nivel, sobre todo cuando olvidas el motivo por el que luchas tanto. No era por mí, por estar bien y ser feliz, por devolverle a la vida parte de lo bueno que me había dado. Fue por cabezonería y un sentido del deber que… no tenía sentido.

Lo hice todo mal, a pesar de intentarlo con fuerza. Y lo hice tan mal porque llegados a un punto, lo único que buscamos es sentirnos vivos y algunos errores, la sensación de culpa al cometerlos, nos hacen más conscientes de cada pedazo de nosotros mismos. Palpitaba de culpa, pero palpitaba. El objeto de la culpa me abrió un poco los ojos, pero lo hice como un comatoso, sin saber, tan poco a poco que no sé cómo pasó ni cómo vi la luz.

Traté de acostarme con Lucía un par de veces después de mi mañana en casa de aquella chica, pero el resultado fue bastante deplorable. Biológicamente hablando cumplí: se puso dura, follamos y ella se corrió. Yo no. Me quedé con los depósitos llenos porque hasta biológicamente sabía que todo aquello estaba mal. Funcionaba para otros, pero no para mí. Funcionaba para todos los que no habían estado implicados en la historia más mágica; todos excepto Sofía y yo. ¿O… Sofía funcionaba sin mí?

Sin embargo, la sensación de vacío después del sexo no me devolvía a la vida real, sino a un plano extraño, como de colocón de psicofármacos, en el que las cosas no tenían contornos definidos y los motivos se confundían. El vacío de haber sido infiel de nuevo, me decía. Pero no. No era eso. O sí, pero a la persona equivocada.

Te contaré que… cuando volví a casa con la espalda arañada, no me escondí. Casi hice gala de mi desnudez delante de Lucía. ¿Me había vuelto intrépido? ¿Había encontrado algún tipo de filia con el peligro de ser descubierto? No. Claro que no. Me había vuelto gilipollas. En la carrera por sentir había dejado de ser humano. No escondí la marca de una pasión que me daba asco y vergüenza pero no sabía por qué. Y, claro, ya lo imaginarás…, aunque vi a Lucía mirarme con el ceño fruncido, no dijo nada. Y yo tampoco. Y durante un tiempo, todo siguió igual.

Las pastillas me volvían lento. Tenía las palabras enmarañadas dentro del cerebro y me costaba escoger la adecuada. Hablar francés ya no resultaba tan fluido ni tan natural; tenía que pensar en lo que decía para poder decirlo bien después de diez años allí. El trabajo salía a trompicones porque me costaba centrarme, inspirarme, diseñar. Hasta confundía los colores unos con otros y me costaba salir del estado de duermevela en el que vivía y en el que no podía trabajar. Si no hubiera sido por una fecha de entrega, el proceso se hubiera alargado.

No puedo decir que tomara la decisión de dejar las pastillas demasiado consciente. Tampoco que sea la respuesta. Yo no dicto verdades; solo hablo de la mía. Pero necesitaba volver a estar lúcido para sacar aquel proyecto adelante, entregarlo en fecha y cobrar. Así que un día no me las tomé y como no noté demasiada diferencia, las «olvidé» también el siguiente. Y el otro. Al cuarto día estaba más despierto y más dolorido, pero sobre todo más despierto. Conseguía concentrarme más, aunque reflotaran cosas como el mal humor y la herida. Lo importante era tener la mente clara para el trabajo. Estaba harto de sentirme inútil, de parecer un muñeco de trapo con la polla flácida, incapaz de correrse con su novia y de trabajar en condiciones. Un drogata legal que no había tenido problemas en vaciarse por dentro con una desconocida. Alguien que... no tenía remordimientos y que si los tenía, no iban en la línea que deberían. Sofía, no Lucía. Eso era lo que importaba.

Entregué el trabajo dentro del plazo que habíamos acordado y después de unas pocas correcciones, me dieron el ok. Eran las cinco de la tarde y yo estaba..., pues eso, despierto y dolorido por dentro. Me senté a liarme un cigarrillo en el puto sofá de diseño que Lucía había comprado y que era tan bajo que al sentarme las rodillas casi me llegaban a las orejas; no tenía intención de ponerme a reflexionar. No quería pensar ni darle vueltas a lo mismo de siempre pero estaba demasiado lleno y terminé desbordándome. No sé cuáles fueron los pasos, pero sé el primer destino: la sensación de vacío. Noté que un montón de conexiones neuronales despiertas y rápidas me llevaban de la mano hacia la evidencia de una vida de mierda. Ese era el único motivo de mi vacío existencial. ¿La jodida crisis de los treinta con cinco años de retraso? No. Por supuesto que no. Yo lo había planteado bien en la consulta de aquel médico: eran las decisiones equivocadas que tomé en el pasado, y que no me sentía capaz de solventar, las que me habían llevado a ese punto de mi vida. Entonces... si lo había planteado bien, si tenía la cabeza clara y conocía tan a fondo el motivo de mi caída... ¿dónde empecé a ser sencillamente un gilipollas? En mi habitación en Madrid, recogiendo mis cosas, incapaz de admitir que estaba gestionando mal mis emociones para con mi ruptura con Lucía y lo que estaba sintiendo con Sofía. En aquel avión, con Lucía cogida de la mano, hablándome del futuro tan precioso que nos esperaba al llegar, pensando que acababa de joderme la vida. En mi frustración mal entendida y mi desdén por aquello que YO y solamente YO había decidido para mí. En mi incapacidad. En el piso de aquella chica. En la obsesión por mi polla como si mi hombría fuera sujeto de examen. En los arañazos que exhibía con cierto orgullo... ¿lo hacía porque sabía que Lucía se callaría o porque, por el contrario, buscaba algo con aquello? Claro que lo buscaba. Valentía. Como no tenía propia, buscaba la de otra persona. Cuando uno quiere irse pero no sabe cómo, es mucho más fácil forzar todo para que le echen que levantar la voz y decir: Me voy.

Quise llamarla otra vez entonces. Hacía semanas que no sentía aquella necesidad; las pastillas la mantenían dormida. Quería llamarla y decirle todas esas cosas que intentaba no escuchar dentro de mi cabeza: Me acuerdo de ti a cada momento, No hay día que no me culpe por lo que hice, No entiendo por qué me fui, Eres la única respuesta posible a una pregunta que no sé si me he hecho. Sofía era la luz y yo había decidido vivir sin ella. No. No la necesitaba. La quería. Pero ese sentimiento precioso, que nació en Madrid de su mano, había cambiado hasta volverse enfermizo. Y yo no quería quererla así. Así que no la llamé. Solo rescaté nuestras fotos del altillo y por primera vez en meses hice algo verdaderamente valiente: decidí sentir, sin máscaras y sin excusas. Sentir la pérdida, la ira hacia mí mismo, el desarraigo y la soledad. La magia que se esfumaba.

No fue agradable. Los impactos no fueron positivos al principio. Una culpa violenta me cortó hasta la respiración, dejándome llenar los pulmones de aire solo con jadeos secos. Estaba herido pero... era mi culpa. Yo nos había herido a los dos. ¿Cómo se habría sentido ella? ¿Cómo? No yo. Mi pena no tenía ningún sentido allí, no merecía reconocimiento. Era ELLA. La luz. Lo había echado a perder, había hecho más daño del necesario intentando solucionar algo que estropeé yo solo. Había tapado la verdad. Yo no quería a Lucía. Hacía años que no la quería como mujer, como mi mujer. Era mi compañera de vida y me había acomodado en la idea de que, bueno, el amor está muy bien al principio pero la realidad lo convierte en compañerismo. No era verdad. No me imaginaba a los sesenta siendo compañero de Sofía; nos imaginaba reuniendo euro a euro para cruzar el mundo y visitar todos sus mares, reconociendo cada arruga y cada pedazo de piel manchado por el sol. No hay historias enormes, hay pequeños estallidos de felicidad que las hacen duraderas. Con Lucía las explosiones eran feroces y continuas; con Sofía solo chispazos de magia. Es fácil ver lo que, a la larga, te hará realmente feliz.

La pena me sobrevino entonces y, al recoger las fotos para guardarlas, me eché a llorar. Al verla, al sentir que casi podía tenerla de nuevo. Un llanto sordo y doloroso, de esos que no te hacen sentir orgulloso, me anegó el pecho. Me estaba muriendo de pena, estaba seguro. Me ahogaría. Borbotones de asco hacia mí mismo me matarían alguna noche. Me faltaba algo en el pecho y no solo era la respiración. Me faltaba Sofía, joder. La luz. Me faltaba yo. ¿Dónde me había quedado? Acariciándole el pelo entre mis sábanas antes de decidir que prefería ser una copia mediocre de lo que yo entendía por ser un buen chico que feliz.

Me quedé ensimismado en una fotografía de ella después. Fue como una borrachera. Una de esas violentas que hace que el dueño del local llame a la policía para que dejes de asustar a la clientela. Primero ira, luego pena y más tarde… nostalgia, pura, sin adulterar, triste pero taimada. Con calma. Apuñalando despacio, tan suave que hasta sentía la tentación de darle las gracias.

Sofía siempre fue bonita, aunque no lo supiera. Quizá era parte de su encanto, que no supiera la magia que desprendía.

Ella decía que el Alejandría liberaba algo especial en el ambiente, una mezcla entre el vapor de café, el olor de las partículas de cacao que contenía el aire y la luz, que te hacía adicto al local, pero no era verdad. Lo que te atrapaba del Alejandría era Sofía. Al menos fue lo que me atrapó a mí. Era feliz. No necesitaba nada. Era tangible, frágil, de verdad. Tenía las dos caras que sostenían la realidad: la buena y la mala. Y por eso era tan perfecta, porque no lo era y no aspiraba a serlo.

Repasé por última vez las fotos antes de volver a esconderlas dentro del forro de mi maleta en el altillo. Buscaba respuestas y de tanto buscar al final me perdí. Me perdí dentro. Y al salir, sencillamente, me encontré.

El proceso no fue fácil y costó días en los que pasamos por muchas fases. Durante los primeros, Lucía me preguntaba si había tomado las pastillas, hacía planes por los dos y buscaba acurrucarse junto a mí al volver del trabajo, como siempre, mientras yo peleaba para salir y me obligaba a estar atento a lo que sentía cuando ella hacía todo aquello. Sin las pastillas todo parecía más ridículo. Le había quitado a la realidad eso que la hace parecer tan especial en la gran pantalla. Sin decorados ni efectos especiales aquello era solo una mentira. Para los dos. Supongo que intenté convencerme de que callar era lo mejor, no voy a esconderlo. Daba un miedo feroz plantearse cualquier salida después de la monumental cagada de volver con Lucía e intentar fingir que no había pasado nada. Nada…, ja. Había pasado todo.

Mientras mi parte cobarde intentaba tranquilizarme y hasta me decía que las pastillas me ayudarían si volvía a tomarlas, alimenté el rincón de la ira hacia mí mismo y la situación y… los fusibles no tardaron en saltar. Los dos Héctor antagónicos que vivían dentro de mí se dieron de hostias una noche y el resultado fue un apagón. Fue como si no amaneciera durante días. Me sumergí en el silencio y en un repunto de depresión total que provocó en Lucía una reacción que no esperaba: suspicacia y reproche silencioso. Sin revolver mis cajones, revisar mi móvil o vigilarme, solo mirándome con decepción, como si se hubiera hartado y ya no pudiera soportar mi tristeza. Pero no se quejó, porque si lo hubiera hecho yo hubiera respondido y ella no quería la verdad, quería el decorado. El equilibrio en nuestra mentira era de cristal y se podía ver la grieta a kilómetros.

Al menos llegué a una conclusión en esos días: era infeliz por cuenta propia. Le di forma a aquella certeza de pie junto a la ventana que daba al colegio de al lado, con los brazos cruzados sobre el pecho y una canción de Bruce Springsteen sonando de fondo: «Eres infeliz porque decidiste serlo por alguna estúpida razón». Entré en diálogo conmigo mismo: acepté la derrota y me pregunté cómo pararlo. No quería vivir una vida que no era mía. Con Sofía había huido hacia delante intentando escapar del fantasma de haber hecho las cosas mal con Lucía y al volver tomé la decisión de huir hacia atrás, a grandes zancadas, sin tenerme en cuenta. Y lo único con lo que me quedé fue con un puñado de pasado.

Lo siguiente fue un estallido horrible y muy ruidoso. Una demolición. Algo confuso y oscuro dentro de lo que repté con la única intención de salir. No sé cuánto duró. No sé cuántos días estuve así. Solo sé que pensé de más, hice de menos y sustituí el silencio por veneno y a cualquier cosa que Lucía dijera, contestaba con una dentellada, esta vez conscientemente. Fui terriblemente doliente. Quise hacerme ver algo, demostrarme cuánto era capaz de soportar Lucía con tal de mantener el *statu quo*. Y podía tragar más de lo que yo estaba dispuesto a darle. Soportó estoicamente que ni siquiera le contestase cuando me hablaba. Después, aguantó mis reproches, mi hostilidad, mi asco y mi rechazo sistemático a cualquier forma de contacto físico hasta que fue más que evidente que la única manera de acabar con algo como lo nuestro era dinamitarlo desde los cimientos. Porque estaba harto de ser mala persona y no me reconocía. Porque toda la culpa era mía.

Y una mañana, después de apartarme cuando Lucía intentó despedirse con un beso, sucedió. Porque no soporté por más tiempo mi desidia, ni su resignación, ni el avance de la nada que devoraba desde dentro y hacia fuera todo lo que un día sentimos. Volvimos en nombre del amor que nos profesamos un día para destrozarlo, arrastrarlo, reírnos de él y desgraciarnos la vida. ¿Por qué cojones teníamos que hacer las cosas tan complicadas?

Tomé la decisión en cinco minutos. Cuando quise darme cuenta, estaba haciendo las maletas.

Lucía tuvo un *déjà vu* de los malos al entrar en casa. Me encontró sentado en el sofá, fumando y con una maleta a mi lado que había llenado con lo esencial. No quería ni el ordenador ni mi parte de la cuenta de ahorros. La ropa, las fotos de Sofía, la cartera y mi móvil; todo lo demás… ya veríamos. Me temblaban las manos, las piernas y casi no podía respirar; no podría con más peso en el equipaje.

—¿Qué haces con eso? —me preguntó.

—Me voy.

Frunció el ceño y suspiró, como si tuviera que vérselas con el ataque de pavo de un adolescente.

—Estoy teniendo mucha paciencia, Héctor, no la pongas al límite.

—Ya la he puesto al límite.

—Ya ves. —Hizo una mueca—. Así es el amor.

—No.

Apartó la maleta, intentando llevarla hacia el rincón, pero la sostuve. Era el momento.

—Hace un par de semanas me follé a una desconocida que encontré en una cafetería y no siento ningún remordimiento para contigo porque no te quiero. —No tuve ni que mirarla para corroborar que ya lo sabía—. La quiero a ella —seguí diciendo—. A Sofía. Si me follé a aquella chica fue porque se parecía a ella. Porque me la recordó. Y porque creí que iba a olvidarla. Contigo no puedo. Ni con otras. Si te digo esto no es para hacerte daño, es porque ser cobarde no nos sirve de nada. Ni a mí me vale serlo, ni a ti permitírmelo. Viste los arañazos que me hizo otra tía al follar y no dijiste nada, no porque creyeras que eran otra cosa sino porque hace tiempo que elegiste entre ser feliz y estar conmigo. Y escogiste estar conmigo.

—No me culpes de esto —dijo.

—Me estoy culpando a mí, que volví sin querer volver. Tú solo miraste hacia otro lado. Pero esto tampoco es bueno para ti porque no estás conmigo, estás con una mitad flácida que me da asco. Y lo sabes. Pero te contentas. Y no quiero eso para ti. Ni para mí, por supuesto. No voy a hacerme ahora el héroe y decirte que todo esto lo hago por ti. Soy yo al que quiero sacar de aquí porque es eso o morirme. Y quiero vivir muchas cosas aún. Cosas que no quiero vivir contigo pero que sí quiero vivir con ella.

Entonces apoyó la cabeza en la pared y, con los ojos ocultos, estalló en llantos.

—Romperlo del todo es la única manera de que no nos podamos coger a nada más. Nunca te he querido tanto como la quise a ella. No fui un hijo de puta cuando me enamoré de ella, lo estoy siendo ahora al decírtelo.

—Lo estás siendo, sí —la voz le temblaba cuando se apartó las lágrimas a manotazos.

Me levanté, me puse la chaqueta, dejé las llaves sobre la mesa, junto a la cartilla del banco. Lucía me cogió del brazo y yo le acaricié el pelo, sin resistirme. No lo sentía. Yo ya había pasado por aquello, ya me había despedido; aquello era solo una réplica a menor escala que no conseguía ni siquiera hacer vibrar nada dentro. No me quedaba nada para ella. Se lo susurré mientras me lloraba sobre el pecho, sobre el jersey. Se lo había dado todo. Y ella a mí. Pero no había resistido. El amor era otra cosa. Sollozó y le prometí que pasaría, con la voz serena. Tan pequeña. Tan niña. Tan a punto de levantarse por fin y ser quien siempre quiso ser, sin nadie que la limitase. Con tanto miedo por vivir como deseo de hacerlo.

—A partir de ahora irá todo muchísimo mejor.

Me separé de ella, arrastré la maleta hasta la puerta y, antes de cerrar, me permití despedirme de todo. Del suelo. De las paredes. Del cielo plomizo que entraba a través de la ventana. De ella. De los sueños que tuvimos y que dejamos escapar. De lo que nunca nos hubiera hecho felices. De la depresión. De Héctor. Del Héctor que no era de Sofía.

Y entonces, sencillamente…, sí.

11

El otoño había hecho suyo Madrid, aunque sabíamos que aún era pronto y que volveríamos a ver brillar el sol en una especie de veranillo de San Miguel. Arreciaba un temporal que no amainaba, que golpeaba los cristales del Alejandría con fuerza y que duraría días según unos meteorólogos de los que no nos terminábamos de fiar en la cafetería. Pero el higrómetro del monje, que para quien no lo sepa es una especie de cuadrito mágico donde un fraile señala la opción climatológica que más se ajusta al día, decía lo mismo y de eso siempre nos fiamos más.

Como siempre, el tema de conversación era el tiempo. Unas semanas antes nos quejábamos del calor y ahora de la lluvia, porque es sabido que lo único que importa de si hace sol o no, en primer grado, es la cantidad de conversaciones que abrirá. Yo estaba feliz porque soy de esas raras que adoran la lluvia. Desde casa, en la calle, sin importarme calarme o no tener paraguas. Para hacer planes. Para salir. Para llorar. Para reír. La lluvia hacía lucir el Alejandría, además; lo hacía más cálido y potenciaba sus colores, como un buen filtro de Instagram. Los libros brillaban en las estanterías, los vinilos parecían más apetecibles y nuestros cafés eran los protagonistas de unas fotos que rozaban la pornografía si los acompañabas con un trozo de tarta. Llovía, sí, y todo el mundo se quejaba, también, pero allí dentro, en el Alejandría, el día era como siempre, perfecto.

Abel se ponía enfermo con las conversaciones sobre el clima, así que para intentar desviar un poco la atención, puso la que él mismo había bautizado como «la lista de Spotify definitiva». Decía que aquella sería la lista resultante si todos los grandes de la historia de la música se juntaran para decidir, sin prejuicios, qué canciones debían sonar en el día más importante de la vida de un simple mortal. En lo esencial puede que tuviera razón, pero yo siempre le discutía que no era la lista definitiva para el día más importante de una vida, sino para hacer cualquier día importante. Todas y cada una de ellas eran un pedacito de algo cálido que si lo cogías entre las manos te las dejaba cubiertas de purpurina. Había que olvidarse los escrúpulos musicales en casa, pero como yo nunca he tenido demasiados, estaba encantada. Izal, Jennifer Rush, Ana Belén, Banks, Gloria Trevi, Laura Pausini…, no tenía sentido pero siempre llegaba a todos con una u otra canción.

—Hoy estás muy sonriente —me dijo Abel mientras emprendía la titánica tarea de quitar el polvo a las botellas sin romper ninguna a la vez que yo recargaba las cámaras frigoríficas con refrescos.

—Siempre estoy sonriente.

—Sí, pero a veces no es de verdad. Venga, escupe… ¿qué ha hecho que mi niña sonría tanto? Pensaba que le habías dado puerta al muchacho ese que te rondaba.

—Decidimos no vernos más —asentí—. Pero así es mejor.

—Estás loca del *chinostro*.

—*Chinostro* el tuyo.

—Entonces... ¿has chingado con otro?

—No. No tengo ganas de chingar.

—¿Estás depre?

—No. —Me reí—. ¿No habíamos quedado en que estoy muy sonriente?

—Ah, no sé. Como eres tan rara...

—¿No has pensado que quizá sonrío porque le he encontrado el gusto a estar sola?

—¿Tienes consolador nuevo? —preguntó suspicaz.

—La palabra «consolador» tiene connotaciones muy machistas.

—¿Llevas puestas unas bolas chinas?

—Las bolas chinas no dan gusto, solo ayudan a ejercitar el suelo pélvico. —Le sonreí.

—Me estás poniendo muy nervioso.

—Abel. —Dejé un par de botellines de Coca-Cola sobre la barra y me giré a mirarle de frente—. Estar sola no está mal. Estás contigo. Si estás triste, es por ti. Si estás feliz, también. Es muy reconfortante ser la única persona responsable de tus estados de ánimo; te hace sentir dueño de ti mismo.

Frunció el labio y meneó la cabeza, dejando claro que mi explicación no le convencía, pero a mí sí. Llevaba días... bien. Una parte de mí había premiado al resto por algo tan microscópico y enorme a la vez como escuchar lo que quería. Y todo empezaba a estar de nuevo en línea, en sintonía. Hasta la pérdida, la ruptura y la tristeza estaban en equilibrio, sosteniéndose unas a otras hasta integrarse en la vida para poder desaparecer.

—Abel. —Lolo salió de la nada, como siempre, con cara de circunstancias—. ¿Puedes ir a por leche de soja? Me despisté con el pedido.

—¡Ay! —Me llevé la mano a la frente—. ¡Se me olvidó recordártelo!

—¡¡Yo no quiero ir!! —lloriqueó Abel—. ¡¡Me voy a mojar los pies!!

Me había puesto mis botas de agua con tachuelas y llevaba medias tupidas bajo el vestido de punto de Aire Retro con un ancla bordada en el pecho así que, bueno, tampoco me importaba salir.

—Yo voy. —Cogí un billete de diez euros de la caja y la chaqueta—. ¿Con un brick llega?

—Compra dos por si acaso.

Cuando salí y la campanilla de la puerta sonó a mi espalda, debí girarme. Debí volverme y hacer una fotografía mental de aquel espacio, de mi Alejandría, de sus ecos, de sus olores y los matices que cada haz de luz despertaba en los objetos. Debí prestar atención a los detalles. A la barra de madera lustrada. Al paragüero rebosante. A los cuadros y las ilustraciones que llenaban las paredes. A los muebles viejos y cuidados. A las flores naturales que decoraban algunas mesas. A las lamparitas antiguas. A todo lo que formaba parte del universo del Alejandría en su génesis. ¿Por qué debí hacerlo? Porque sería la última vez que lo viera como era en realidad antes de que algo volviera a convertirse en el único referente sensorial y todo oliera, brillara, sonara y supiera en función de él.

No tardé ni veinte minutos. Teníamos relativamente cerca el supermercado en el que solía comprar. Piedad era un encanto y el sitio un circo dantesco a medio camino entre una tienda de pueblo y una boutique gourmet, así que siempre íbamos allí a por cualquier olvido. No me entretuve. No pasó nada especial. La lluvia seguía cayendo, la gente andando a toda prisa bajo sus paraguas, las palomas mojadas apartándose de los coches, las ventanas salpicándose con las gotas…, el mundo no lo notó. ¿Quién iba a pensar que, en ese pequeño lapso de tiempo en el que la realidad parecía sencillamente quieta, todo había cambiado?

Lo noté en cuanto puse un pie dentro del Alejandría. Algo flotaba en el ambiente, tenso, cortante, denso. Me sacudí las gotas del pelo y de la chaqueta antes de colgarla en el perchero de la entrada, como si fuese mi casa. Vi a Vero, nuestra opositante, mirarme fijamente. Ramón también había dejado de prestar atención al periódico. Lolo estaba quieto al otro lado del salón. El equilibrio en el Alejandría se había roto pero... ¿qué había pasado en mi ausencia?

—Sofía —me llamó Abel—, ven un segundo.

—¿Qué pasa? —pregunté pasándole la bolsa con los dos bricks de leche.

Me metió en la trastienda sin mediar palabra agarrándome del brazo. Me asusté. No negaré que lo primero en lo que pensé fue en que había pasado algo grave. Mi madre. Mi padre. Mis hermanas. Oliver. Mamen.

—Abel..., ¿qué...?

—Sofi. Si no quieres no salgas, ¿vale?

—Pero ¿qué coño...? —Empezaba a mosquearme cuando algo, no sé si en la expresión de Abel o en el ambiente me dio la respuesta.

Miré hacia la cortina de cuentas que separaba la pequeña trastienda de la barra y cogí aire. Di un paso hacia allí y escuché que me decía algo más a lo que no presté atención. Separé las cuentas con el dedo índice, despacio, despacio. Qué puta es la vida y lo digo riéndome, que conste, porque ahora me hace gracia pensar que sonaba «Unchained Melody» en una especie de premonición musical orquestada por el cosmos y el azar.

La cortina me permitió intuirlo más que verlo. Sentado, con los ojos puestos en la calle, los codos sobre la mesa a la que se solía sentar siempre. Tuve que atravesarla para poder ver el resto. La oreja que emergía de entre los mechones desordenados de su maraña de pelo castaño. La barba recortada. El cuello de su jersey gris oscuro. La manera en la que se mordía el labio inferior y sus dedos jugueteaban entre ellos. Su chaqueta, doblada sobre el respaldo de la silla de al lado.

El subidón de adrenalina lo hizo todo más intenso. Me pareció que las bombillas brillaban con más fuerza, que el sonido de la lluvia me ensordecía y que olía tanto a café que era difícilmente soportable. Fue como subirle un grado a la vida. Efecto túnel. Dejé de tener visión periférica. Era él y lo demás…, niebla. Negro.

The Righteous Brothers cantaban desesperados que estaban hambrientos de mi tacto y mi corazón vomitaba sangre con furia hasta cada capilar.

Mi mano se deslizó por la madera de la barra mientras caminaba despacio, casi sin darme cuenta. *I need your love*, decía la canción. *God speed your love to me*, añadía.

Pero… si no iba a volver. Si se había ido. Se marchó y se lo llevó todo excepto las ramitas de la lavanda que conseguimos revivir con tanto mimo. Empaquetó recuerdos y besos, y se fue sin rendir cuentas a nadie; ni siquiera a lo que sentíamos. ¿Cómo podía…?

Levantó la mirada cuando aún me faltaban unos pasos para llegar hasta su mesa. Juro que sentí cómo toda la clientela del Alejandría contenía la respiración. Habría quien me imaginaría emprendiéndola a golpes con él. Habría quien estaría esperando un abrazo apretado de final de película. Unos pocos iluminados no tendrían expectativas. No creo que ni siquiera yo misma estuviera segura de lo que iba a suceder. Solo quería ser fuerte pero acercarme un poco más. Asegurarme de que era cierto que estaba allí y crear a la vez la falsa sensación de que no me importaba demasiado. Quería que fuera un hombre más. No él. Solo uno más.

No sonrió. ¿Cómo iba a hacerlo? Hubiera sido ofensivo. Mantuvo su ceño fruncido en tres perfectos pliegues: uno por su pasado, otro por el nuestro, el último por el futuro tan incierto como el motivo de algunos de nuestros grandes errores.

Me quedé de pie junto a su silla. No sé ni siquiera con qué expresión. Me miraba y yo a él y ambos conteníamos la respiración. El aroma a madera, lluvia, lima y su cabello me atravesó entera, como metralla y abrí la boca para terminar con todo, porque dolía de más.

—Hola —dije.

—Hola —respondió.

Aparté la mirada un segundo y la devolví decidida, adulta y fría.

—¿Qué te pongo?

Parpadeó como si le hubiera golpeado la frente.

—Ehm…, pues… no lo había pensado.

—¿Quieres que te deje unos minutos para pensarlo?

—No. No hace falta. Ponme un café con leche.

—Hoy tenemos café latte con espuma de calabaza. Está muy rico. —Cambié el peso de un pie al otro porque me temblaban las piernas y no quería que lo notase.

—Un café a secas, Sofía. Da igual.

—¿Para tomar o para llevar?

—Para tomar aquí.

—Listo. Gracias.

Fui a darme la vuelta, pero Héctor me retuvo agarrándome por la muñeca. La chispa. La magia que detonaba con el contacto de su piel en la mía. Me llovió tanto por dentro que casi, casi, casi conseguí apagar el piloto automático, el motor de emergencia y el fuego. Pero no. Le miré la mano y él la retiró.

—Sofía…, ¿crees que podríamos, no sé, hablar unos minutos?

—No. —Sonreí—. No creo.

—Pero…

—Esto es una cafetería. Aquí servimos café. Tarta si me apuras. Para lo que quieres vas a tener que buscar otro sitio.

—No busco un sitio. Te busco a ti.

—Tú buscas a alguien que ya no está. —Sonreí triste—. Terminarás asumiéndolo.

No recuerdo nada de cómo me alejé de su mesa, de cómo preparé el café y, sobre todo, de cómo pude no darme cuenta de que se marchaba. Cuando levanté los ojos de lo que me mantenía ocupada…, sencillamente se había ido. No hubo decepción. No hubo pena. Solo el alivio y la seguridad de que ya podía dejar de sonreír.

Abel, Lolo, Vero, Ramón, la señora Ángela y parte del resto de la clientela habitual me ayudaron a levantarme del suelo, pero solo después de dejar que llorara escondida tras la barra el tiempo necesario. Era mi derecho. Intercedieron cuando los sollozos ensordecieron el hilo musical y la pena intoxicó cada pedazo de tarta, cada café y hasta las gotas de lluvia que se deslizaban sobre los cristales del Alejandría. Qué curioso. No fue hasta que se hubo ido que pude decir su nombre. Héctor.

12

Escribió Alejandro Casona: «Ella no te necesita. Tiene tu recuerdo que vale más que tú». Y es que en los recuerdos todo es suave, hasta el padecimiento. El tiempo tiene la capacidad de erosionarlo todo hasta que el perfil de las cosas solo pueda dibujarse con líneas redondeadas. Así era todo lo que conservaba de Héctor a pesar de cómo terminó: suave, sinuoso y dulce. Ah. El tiempo siempre pone ese sabor en el paladar. Lo que tocan sus largos dedos siempre se ve envuelto en una nube de azúcar que se adhiere hasta a los dedos. Lo que Héctor venía a hacer o decir no importaba, me repetí con las lágrimas rodando sobre las mejillas. No importaba porque fuera lo que fuera, jamás sería comparable a lo que ya teníamos: un puñado de recuerdos garrapiñados, cocinados a fuego lento, manipulados hasta tener forma de caramelo y olvidar que estaban envenenados. El lenguaje secreto de las ventanas, el hilo rojo que nos unía los meñiques, el frío del invierno en Madrid condensado en las pestañas, el primer beso en la oscuridad de su rellano. No habría nada que supiera jamás mejor que la prohibición que nos comimos y escupimos, me dije. No era maldad, era supervivencia. Héctor no podía darme nada. Ni decirlo. Ni suplicarlo. Ni pedirlo. Ni siquiera olerlo, saborearlo, tocarlo u oírlo. Los recuerdos…, recuerdos son.

Abel preparó una jarra de frozen margarita a pesar del frío. Decía que hay tragos de la vida que solo son digeribles con tequila y yo no estaba en situación de discutírselo. A decir verdad, no estaba en condiciones para mucho. Lolo insistió en que me fuera a casa poco después de que Héctor se marchara y no había sabido hacer mucho más que llorar desde que me había refugiado en el sofá. No sabía ni por qué lloraba y en aquel momento, con Mamen, Oliver y Abel en el salón de mi casa, todo el mundo quería probar su hipótesis sobre por qué estaba tan devastada.

—Tendría que haber llamado. Prepararte un poco —decía Mamen—. Es complicado hacer frente a lo que tuvisteis de esta manera…, siete meses después.

—Es normal que llores —insistía Oliver—. No me puedo imaginar lo duro que es hacer frente a semejante subnormal.

—Tú desahógate. Lloras por eso, mi Sofi…, lloras porque te lo callas todo y al final se desborda —apuntaba Abel.

Y yo lo único que quería era que se fueran todos y me dejaran llorar sin más. Pero no lo hicieron, porque son buenos amigos.

Cenamos hamburguesas grasientas y patatas fritas y de postre nos comimos un helado cada uno pero porque bebimos demasiado margarita y nos entró hambre después. Caí rendida víctima del sopor de tener al menos dos litros de sangre concentrada en hacer la digestión. No fui consciente de que se marcharan pero Mamen no lo haría tarde porque era entre semana y las niñas tenían colegio temprano al día siguiente y Abel abría conmigo el Alejandría.

Cuando me desperté, Oliver estaba a mi lado. Todavía no había sonado la alarma de mi teléfono. Entraba una luz grisácea, como de niebla, a través de las cortinas. Estaba tan zombie, me encontraba tan mal que ni siquiera me acordaba de por qué, por lo que no me pregunté si él estaría viendo entrar aquella misma luz desde su cama al otro lado de la calle. Lo que sí recordaba vagamente era haber andado con Oli desde el salón hasta mi dormitorio más sopa que despierta y… allí estábamos, abrazados en el colchón estrecho como dos hermanos que temen las tormentas y que fingen que guarecerse del miedo es solo un juego.

—Oli —dije con la voz ronca—. Son las siete. ¿A qué hora entras?

—Buff —gimió.

—Oli…, son las siete —repetí—. Querrás pasar por casa para cambiarte la camisa al menos.

—No voy a ir. Tengo resaca. Estoy malísimo.

—Tienes sueño. La resaca te la quita un café. Venga.

Me levanté de la cama con la inercia como motor y abrí el armario decidida a sacar la ropa para la jornada, darme una ducha y beber el primer café del día en mi Alejandría, pero Oliver llamó mi atención antes de que pudiera coger unos vaqueros.

—No vas a ir a trabajar.

—¿Qué? ¿Por qué?

—Porque tiene muy fácil dónde encontrarte y no me da la gana…

¿Puedes creerte que no me ubiqué hasta entonces? En lo concerniente a Héctor. La visita del día anterior, el motivo por el que estaba como si me hubiera pasado un tractor por encima. Hacía meses que mi cuerpo seguía una rutina que no ponía en duda y a pesar de lo que había sucedido el día anterior, tenía que seguir. ¿Ves? La rutina no es tan mala, puede tirar de ti cuando todo lo demás falla.

—No tienes por qué actuar como si no hubiera pasado nada; nadie te está pidiendo que esto no te afecte, ¿sabes?

Me senté en la cama y cerré los ojos maldiciendo. No estaba fingiendo que verle no me hubiera hecho daño; haberme pasado horas enteras moqueando como un animal no es lo más discreto que había hecho para disimular un corazón roto. No era eso. Era que... no podía pararlo todo ahora. Justo en aquel momento en el que había encontrado de verdad el primer escalón para estar a gusto, no podía dejar que Héctor me tirara del tobillo. ¿Se habría cansado de los remordimientos? Creía conocerle bien y lo que más me encajaba de aquella situación era que viniera a pedir perdón, en plan «polite» para que, a toro pasado y con las sensaciones enfriadas, pudiera volver y seguir creyendo que era un buen chico. No lo era. Si Héctor venía a limpiarse la conciencia, que no contara conmigo. Verlo resultaba asquerosamente doloroso y no quería ni pararme a saber por qué.

—Soy idiota —dije al fin.

—Él es el idiota.

—No. No es por eso. —Me encogí de hombros y suspiré mirando al techo—. Soy idiota por dejar que una historia que no salió bien limite tanto mi vida.

—Vale. Entonces, sí, eres idiota.

Me giré a mirarlo. Tan despeinado. Tan «las mañanas no me sientan demasiado bien». Solo pude sonreír.

—No volverá. —Tragué saliva—. Ayer fui clara.

—Claro fue el soponcio que te llevaste después.

—Tengo que ir a trabajar.

—No vas a ir —negó.

—Después de pasarme siete meses viviendo en este estado de «idiotez romántica» no voy a dejar que un tío me diga lo que debo hacer: ni tú con tus órdenes ni él ocupando su puta mesa junto al ventanal.

—Yo no te doy órdenes. Te digo las cosas que tú no te permites decirte en voz alta. No vayas a trabajar. No pasa nada porque un día no te encuentres bien y te quedes en casa.

—No lo entiendes.

Me levanté y saqué unos vaqueros del armario, decidida, sin dar opción a que nadie opinara. Oliver fruncía el ceño.

—¿Qué no entiendo? —preguntó cuando cruzamos la mirada.

—Que el Alejandría es siempre la solución, nunca el problema.

Desayunamos juntos en la barra los tres: Oli, Abel y yo. Se había corrido la voz entre los parroquianos habituales y alguno hasta se atrevió a preguntarme cómo me encontraba. La respuesta fue la más enigmática que se me ocurrió:

—En los momentos de crisis, solo la imaginación es más importante que el conocimiento. No es mío. Lo dijo Albert Einstein. Y era muy listo.

No hubo mucha insistencia.

Miradas hacia la puerta. De eso sí que hubo. Oliver se negó a ir a trabajar. Llamó para decir que algo le había sentado mal y que tenía que quedarse en casa por causa de fuerza mayor. Vamos…, dejó a entender que tenía la cagalera del siglo pero con su elegancia propia. Así que lo único que hizo en toda la mañana fue tomar café y clavar los ojos en la puerta como si pudiera destruir con el poder de la mente a «cualquier visitante no deseado». O sea… a Héctor.

Todo fue normal. Todo lo normal que podían ser las cosas en el Alejandría un día después de la debacle emocional de una de sus camareras. Los clientes fueron muy majos y dejaron muy buenas propinas. La especialidad del día fue una pócima con tanto azúcar que te aseguraba un viaje psicodélico. Todo olía a café, cruasanes recién horneados y libros. No sonó ninguna canción susceptible de despertar recuerdos. Sin embargo…, la sonrisa de todos los clientes me hizo sentir débil, porque veía en sus ojos la fragilidad que había dejado al descubierto; ningún café sabría nunca tan bien como lo hicieron sus besos en el pasado; todo adquirió mágicamente su olor y cada nota y melodía nos cantaba a nosotros. Héctor por todas partes, a pesar de no traspasar la puerta del local. Dijo Proust que «ciertos recuerdos son como amigos comunes, saben hacer reconciliaciones», así que mientras los demás parecían preocuparse por mí, yo me preocupé por espantar los recuerdos e ignorar al fantasma de Héctor sentado, como siempre, en su mesa. Podrían demoler el edificio al completo, pasar cien años y olvidarse de nuestros nombres, pero él seguiría allí, sentado, mirando a través de la cristalera, dibujando sin darse cuenta con la yema de los dedos sobre la madera de la mesa.

Oliver se fue a las dos de la tarde. Quería darse una ducha y echarse la siesta, pero no se fue hasta que Abel no prometió que se convertiría en mi niñera. Como si me hiciera falta…, siempre consideré que la sobreprotección no viene sino a despojarnos de las lecciones que la vida nos tiene preparadas. Ya había crecido con una madre que llenaba mi cabeza de miedos infundados, supongo que con la intención de ser siempre enfermizamente necesaria. No quería terminar teniéndole miedo a la vida. No quería, después de todo, sumar el terror a Héctor a mi lista de problemas. Abel era de mi misma opinión.

—No te voy a vigilar. —Me sonrió cuando me vio estudiando sus movimientos con el rabillo del ojo.

—Creía que le habías prometido a Oliver…

—Yo a Oliver le diré siempre lo que quiere oír. ¿Y si un día quiere probar cosas nuevas? Si ese día llega quiero que solo se le ocurra mi nombre. Contigo es otra cosa. A ti te quiero libre, no atada en una cama a mi merced.

Le sonreí y me besó la sien antes de marcharse hacia la otra punta de la barra a poner a punto todas las tareas de cara al relevo de las tardes.

—Me tranquiliza pensar que aún hay gente que me cree capaz.

Me devolvió una sonrisa ladeada, pero apartó la mirada cuando siguió hablando.

—Todos te creemos capaz, pero el amor es así, Sofía. Igual que llena, vacía. Y todos tenemos un Héctor en nuestra vida y sabemos cómo se siente. Lo que sentimos es empatía y duda sobre nosotros mismos. No sé si yo habría sabido ser tan capaz como tú.

Suspiré. Supongo que debía sentirme orgullosa de haber podido imponer aquella distancia entre su vuelta y mi pecho, pero entonces... ¿por qué el sentimiento era más bien el contrario?

Abel volvió a hablar sin mirarme.

—Sabes que lleva un rato en la calle, ¿verdad?

Y apoyado en la esquina de la calle contraria que solo se adivinaba desde el extremo de la barra, vi a un hombre sin hoyuelos que no olía a frío, que estaba muy lejos, que miraba al suelo, que pateaba piedras imaginarias con la punta de su bota, que recordaba, que hundía las manos en los bolsillos de un abrigo viejo pero bonito, que esperaba a pesar de que empezaban a llover gotas gordas y relucientes. Alguien a quien saboreé y olí. Alguien que me dio calor cuando más frío hacía fuera. Alguien que me vio agitar el polvo de mis pestañas y ver. Alguien que creí que me quiso. Héctor.

Y me quité el mandil...

13

Tenía la garganta seca cuando fui acercándome. La poca saliva que humedecía mi lengua se empeñaba en pegarse por todas partes dándome la sensación de que las palabras se acumulaban allí pastosas. A pesar de acabar de salir del refugio del Alejandría, mis manos ya estaban frías, así que me las metí en los bolsillos de la chaqueta después de ajustarme el bolso al hombro. Fui directa. La calle bullía a la velocidad habitual bajo las primeras gotas de lluvia, pero yo andaba a menos revoluciones de las necesarias.

Héctor se incorporó tenso cuando me vio acercarme y me permití el lujo de deparar en todas aquellas cosas que habían cambiado desde la última vez que lo vi. Le había crecido el pelo y aunque llevaba la barba arreglada, también estaba más larga. Casi había olvidado la rotundidad de su nariz y la delicadeza de sus orejas, que emergían de entre el pelo ávidas de sonidos. Me quedé plantada delante de él sin saber muy bien cómo hacerlo. Ni siquiera me atrevía a abrir la boca por si se me escapaban de dentro los suspiros, las penas y la rabia, así que le miré y callé, a la espera de que él reaccionara. Siete meses y el tiempo ya había hecho mella en él. Poca, pero mella. Junto a sus ojos se adivinaban unas pequeñas arrugas de expresión muy finas y estaba más delgado…, no le favorecía.

—Siento molestarte —dijo con un hilo de voz—. Pero necesito hablar contigo.

—¿Seguirás insistiendo si te digo que no creo que tengamos de qué hablar?

—Sí —asintió.

—¿Cuánto?

—No sé, Sofía. No tengo ni idea. Mucho.

Asentí y miré al suelo porque era raro mirar así, de frente, en vivo, a un hombre con el que había compartido tanto en tan poco tiempo. Nunca había estado en una situación similar y me acordé de lo mucho que le costaba a mi madre cruzarse con mi padre cuando se separaron.

—Es raro. Nos quisimos mucho y ahora… ya no nos queremos nada —me explicó cuando le pregunté.

El pecado de mamá fue creer que estaría preparada desde tan pequeña para entender lo jodida que es a veces la complejidad de sentir; sin embargo, eso mismo me hizo albergar más esperanzas por obligación porque si no las tenía yo…, ¿quién?

—A ver. —Me froté las sienes con los dedos fríos—. No tienes que hacer esto. No tienes que pedirme perdón ni nada de lo que creas que necesitas porque lo cierto es que a mí ya no me importa demasiado. Pasó. Lo hicimos mal. ¿Qué sentido tiene agarrarse a lo malo cuando lo bueno ni duró?

—¿Por qué no me miras?

Levanté la barbilla, digna.

—Te miro. Si lo necesitas, te miro. Pero vete a casa.

—Yo ya no tengo casa.

Fruncí el ceño y después chasqueé la lengua contra el paladar.

—Dime lo que tengas que decir. Ya está. Dilo y punto.

—¿Aquí?

—¿Dónde quieres decírmelo? ¿Necesitas un escenario especial? Las palabras son palabras, ¿sabes? Da igual dónde se digan.

No es verdad. Las palabras tienen un tiempo y un espacio y si se dicen donde toca, se convierten en otra cosa, en tangibles. Junto al oído, en la oscuridad o sobre un papel. No lo sé. Hay muchas opciones correctas pero en aquel momento yo no quería ninguna por miedo a desmoronarme.

Héctor asintió y pareció hacer memoria mientras cogía aire.

—«Estoy prácticamente loco por ti, tanto como uno puede estar loco: no puedo unir dos ideas sin que tú te interpongas entre ellas. No puedo pensar en nada más que en ti».

Me quedé mirándolo estupefacta. Esperaba un «lo siento». Esperaba un discurso de esos con los que las personas que lo han hecho mal y lo saben se lavan la conciencia y las manos. «No quise hacerte daño, no supe hacerlo mejor, no te lo merecías, ojalá pudiera cambiar el modo en que me marché…». Bla bla bla. Pero no esperaba una declaración de amor literaria. Una cita. Como las mías.

Pestañeé.

—Eso es de Balzac, Héctor. —Y sentí cómo en la boca se me dibujaba una mueca de disgusto.

—Me pediste que leyera más.

—Yo no te pedí nada. Y si lo hice, ¿qué más da?

—A mí no me da igual.

¿Qué no le daba igual? Por el amor de Dios. ¡Se había ido! ¡Se había marchado sin decir nada! Había recogido todas sus cosas y como explicación dejó solamente una nota mugrienta e insuficiente que hice añicos y tiré a la calle en un ataque de rabia porque la tristeza me comía.

—Me marché sin darte una explicación —siguió diciendo—. Creo que no lo hice porque sabía que no tenía ninguna justificación válida. Fue un…, no sé. No sé lo que fue.

—Ya no importa.

—¿No importa? —preguntó con las cejas arqueadas—. Sinceramente… ¿no importa?

—Un hombre no hace algo así. Eso lo hace un niño. Y yo no quiero niños.

—Necesitamos hablar. Necesito explicarte lo que…

—Esto en realidad es más sencillo de lo que parece —le corté—: aprendí a estar sin ti y ahora no tienes cabida. Es todo.

—¿Es todo?

—No dejas de hacer preguntas. A estas alturas tendrías que ser capaz de darte respuestas. Yo no puedo.

Héctor abrió la boca para contestar, pero le paré alzando la palma de la mano. Él dio un paso al frente y esta chocó contra su pecho. La chispa. El estallido. Un puñado de magia desprendiéndose de nuestra historia y estrellándose contra el suelo como un montón de purpurina, junto a las gotas. Aparté la mano como si quemara.

—Déjalo como está. Por más que quieras arreglarlo lo único que puedes hacer es empeorarlo. Ya no te quiero.

—Tienes todo el derecho del mundo a estar dolida y a no querer escucharme pero tengo tiempo. Esperaré.

—No esperes. La vida dura un suspiro.

Di un paso hacia atrás.

—Estaré un tiempo en Madrid. Es posible que nos veamos.

—Que te vaya muy bien. Sé muy feliz.

Me di la vuelta y anduve hacia mi portal conteniendo el temblor y la cantidad de mentiras que había dicho para que no se cayeran al suelo y él pudiera verme recogiéndolas. Escuché sus pasos lentos detrás de mí y me pareció escucharle decir algo antes de entrar en el portal y cerrar la puerta. «Fuimos reales».

Al llegar a casa casi tuve ganas de enrollar el hilo rojo de lana alrededor de mi pecho y hacerme un torniquete, por si tenía la suerte de sangrarlo a él, por entero. Fuimos reales. Demasiado.

14

FASTIDIAR

Nunca entendí a mis compañeras de clase cuando decían sentir mariposas y calores al encontrarse cada mañana con Oliver. Lo máximo que se despertaba en mi interior a esas horas era el instinto de encontrar un rincón del aula en el que dormir tranquila sin tener que aprender cosas que no me harían ninguna falta en la vida real años más tarde.

Para ser justa, objetivamente Oliver ha sido siempre muy guapo, con una belleza rotunda, coqueta, masculina y... consciente de lo que despierta en los demás. Hasta las profesoras se sonrojaban con sus despliegues de picardía y mimos. Sabe cómo tratar a las mujeres, supongo, de la misma manera que Abel sabía siempre cómo llevar a un cliente, por más imbécil que fuera. Aunque... si no existieran excepciones, esta norma no podría ser confirmada. Yo siempre fui resistente a su encanto hasta que me ganó su verdadera naturaleza, esa a la que no le hacía falta decirte lo guapísima que eras para hacerte sentir en casa. Y si me encontró a mí, alguien con tan poco interés sexual en él y a quien su «yo» de relaciones públicas le repateaba…, podría toparse con más casos en los que su encanto se viera neutralizado. Casos con piernas largas, melena pelirroja, tatuaje en el brazo y pinta de preferir echarse polvos pica pica en las bragas antes que irse con él a cualquier parte.

Oliver había estado dándole vueltas a la conversación con Mireia en la fiesta de cumpleaños. Hizo examen de conciencia sin pararse a pensar en por qué… aunque muy en el fondo ya lo sabía: quería gustarle a todo el mundo y le generaba una incomodidad odiosa saber que había alguien para quien no era suficiente con su encanto superficial. A nadie nos gusta tener que emplearnos a fondo para caer bien.

Nos hubiéramos reído de él si hubiera confesado que estaba preocupado por la reprimenda que recibió de una desconocida, eso está claro. Porque… ¿qué más daba? Era la opinión de una chica que prácticamente no lo conocía, ¿no? Si él no era un rancio…, ¿qué hacía dándole vueltas a sus palabras? La respuesta es que sí es un rancio. Un rancio que juega sucio con el comodín de ser jodidamente adorable cuando quiere.

Se escondió para hacerlo porque le daba una vergüenza brutal. Pedir disculpas nunca se le ha dado especialmente bien, como decir te quiero o dar consejos sin hacer daño, pero quería hacerlo. Hacerlo rápido a poder ser para quitarse la sensación que le había dejado la maldita Mireia.

Esperó un buen rato, vigilando con el rabillo del ojo esperando a que su compañero de turno estuviera ocupado y no pudiera escucharlo. No quería que nadie se enterara de aquella conversación porque no quería perder su fama de chico duro. Cuando vio que no había moros en la costa, llamó a Mónica con un susurro y le pidió que se reuniera con él en la trastienda.

La esperó con los brazos cruzados sobre el pecho, apoyado en una estantería, y cuando ella entró, sintió un regusto dulce en la garganta al darse cuenta de la mirada apreciativa que le echó. «Seré un rancio, pero sigo bajando bragas con solo soplar». Idiota era un rato; hay cosas que superar la adolescencia no cura. Hay guapos que nunca dejan de ser conscientes de ello.

—¿He hecho algo mal? —preguntó ella cruzando el oscuro y pequeño almacén donde guardaban los bolsos.

—No. He sido yo quien se ha equivocado esta vez. —Hizo una pausa dramática y la miró a los ojos—. Quería pedirte disculpas. Siento si he sido especialmente duro contigo estos últimos meses, Mónica. Soy un tío… con un carácter complicado. Soy muy perfeccionista.

Ella abrió la boca para contestar, pero no pudo terciar palabra. Escuchar a Oliver pidiéndole perdón era como ver un unicornio.

—No soy un tirano, ¿sabes? Es solo que —preparados para los disparos de mentiras garrapiñadas— soy duro contigo porque sé cuánto puedes aportar. Te exijo tanto porque sé que puedes crecer mucho dentro de esta empresa. No quisiera que malgastaras tu talento.

La estudió durante un segundo, mientras ella parecía ordenar las ideas para contestarle. Podía responderle muchas cosas poco amables con toda la razón del mundo porque ella era un poco inútil pero él era bastante tirano. Podía aceptar las disculpas secamente. O podía elevarlo al pódium de «semidiós».

—Te agradezco mucho esto, Oliver —dijo llevándose la mano al pecho—. Me estoy esforzando mucho. Me gustaría que confiaras más en mí en el trabajo. Sé los años que llevas aquí y lo que has peleado para que todo sea siempre perfecto en la tienda y sé que puedo llegar a ser un poco lenta pero no volverá a pasar. Te lo prometo.

—Lo sé. —Alargó la mano y le apretó el brazo—. Ahora trabaja en tu proactividad, en las rutinas de la tienda y sigue siendo tan amable.

—Gracias por la confianza, Oliver. No te vas a arrepentir.

Cómo había terminado por convertir una disculpa en recibir un agradecimiento, no lo sé. Creo que los ojos de Oliver idiotizan y muy pocas nacimos con el antídoto. Cuando salió de la trastienda para irse a casa, lo hizo soplándose mentalmente las uñas y diciéndose a sí mismo: «Gran trabajo». Puto manipulador. Lo llego a pillar yo por banda ese día y le doy hasta en el carnet de conducir.

El bienestar fue contagiando todo cuanto tocó y él se sintió tan bien, tan magnánimo y justo, que limpió la nevera antes de que el Centro Europeo para la Prevención y Control de Enfermedades clausurara su piso. Juraría que una de las bolsas de ensalada que encontró al fondo se movía sola.

Poco dura la felicidad en casa del pobre, dice mi madre cada vez que algo se le complica… y lo mismo debió pensar Oliver. Me gustaría decirle lo mismo a los dos: que ni son pobres ni dejan de ser felices.

Al día siguiente salió a fumar con una de las chicas del stand de Paco Rabanne en su descanso para el café. La chica era una monada, siempre se pintaba los labios de un color rojo que le parecía de lo más sexi y, pasada la tormenta emocional de su ruptura con Clara y ese bajonazo del tipo «no voy a volver a chingar con nadie que no sea especial como la purpurina», volvía a sentirse con ganas de tontear con la fuerza de los mares. Así que en un alarde de caballerosidad de los suyos, la acompañó a su stand al terminar el pitillo, todo galantería, sonrisas y guiñitos.

—Adiós, preciosa. Que tengas buena mañana —le deseó.

—Igualmente.

—Si me pongo triste vengo a verte, ¿vale? —Hizo un mohín—. Ese pintalabios tuyo ilumina hasta un día como el de hoy.

—Eres un sinvergüenza —le respondió ella con una sonrisa y un golpe de melena—. Pero ven cuando quieras. Ya sabes que aquí serás siempre bien recibido.

—¿Cuando dices «aquí» te refieres a Paco Rabanne o a ti?

—Ay, Oliver...

Ella se marchó hacia el fondo del stand con una sonrisa y él se quedó dos segundos viéndola alejarse, con los ojos fijos en el culo que se le marcaba en la falda del uniforme. Sí, seguía quedando con aquella chica que conoció en Macera que, además, le gustaba bastante, pero ir al mercado a echar un vistazo no implica que vayas a comprar.

Cuando la chica desapareció de su vista se giró con la intención de volver a la tienda, pero se chocó de morros contra una sonrisa burlona que lo repateó. Una sonrisa burlona pintada de fucsia en el centro de una cara más burlona aún. La sonrisa de una pelirroja, claro.

—¿Se puede saber de qué te ríes? —le preguntó molesto a Mireia.

—De ti básicamente.

—Pues ya me dirás por qué. ¿No tienes trabajo?

—Es más divertido ver cómo babeas como un viejo verde detrás de todas las faldas de la planta.

—Yo no babeo, cielo. Esa es la sensación que tienes tú en la boca cada vez que me ves.

—Te repito que no está hecha la miel para la boca del asno.

—Sí que tienes en cuenta nuestras conversaciones, vida. ¿Las memorizas después de transcribirlas en tu diario?

—Aquí el único que tiene en cuenta nuestras conversaciones eres tú, que has perdido el culo por ir a limpiar tu conciencia con Mónica. Ya me lo ha contado.

—¿Vas preguntando por mí por ahí, Mireia?

—No me acuerdo ni de cómo te llamas, chaval. Por lo que veo yo sí que te he marcado. Tienes pinta de soñar conmigo continuamente.

—Hablando de pintas, sabes que a trabajar hay que venir peinado, ¿no? ¿O es que metes los dedos en un enchufe nada más entrar?

El primer impulso de Mireia fue el de comprobar el estado de su pelo con la mano, pero lo reprimió cuando la mano estaba a medio camino. Ya no sonreía, claro, porque Oliver puede llegar a ser más irritante que una almorrana. Oli vio con placer cómo apretaba los puños enrabietada.

—Eres asqueroso —le respondió por fin.

—Y tú pareces Repu la cerda.

—Puede que Mónica se trague tus numeritos de expiación pero caerás como el asno que eres.

Oliver se acercó con una sonrisa al mostrador donde ella estaba apoyada.

—Mira si soy buen tío, querida, que voy a ir preparando un *speech*, uno amable, para cuando seas tú la que caiga en mi regazo suplicando que follemos. Con un «no» dudo que tengas suficiente. —Se acercó un poco más, hasta que pudo notar cómo jadeaba de rabia y con una sonrisa de placer sentenció la conversación—. Topa.

Había ganado la batalla dialéctica. En la discusión absurda por cuál de los dos odiaba más al otro había salido triunfador, capaz de decir la última palabra y marcharse después de lanzar un beso más ofensivo que si se hubiera bajado el pantalón para hacer un calvo. Entonces, ¿por qué sintió aquella sensación tan desagradable cuando llegó a su tienda? Ay, Oliver…, lo que te gusta gustar.

15

No soy fan de Mecano. En las verbenas del pueblo pusieron tantas veces «Maquíllate» que creo que nació en mí cierta resistencia hacia el grupo. Sin embargo, había una canción…, una canción que no sé por qué tuve la necesidad de buscar en mi lista privada de Spotify, como un placer masoquista y culpable. Esa canción, «Me cuesta tanto olvidarte», me dolió tanto al escucharla que no pude dejar de hacerlo. Yo. Yo era ese algo con tendencia a quedarse calvo de tanto recordar. Yo era el cuadro de bifrontismo. Yo había tenido la idea de echarla de mi vida. Yo era a quien le costaba tantísimo olvidarla. Y así, mientras fingía mantenerme a flote, me hundía.

No tenía futuro. No tenía planes. Solo tenía pasado, uno borroso que confundía con lo que deseaba. No tenía casa. No tenía ningún sitio al que volver, excepto el Alejandría, como un alma en pena que vuelve al lugar donde sintió por última vez. Es curioso que el único sitio en el que me encontrara vivo fuera en aquel en el que no me sentía bienvenido. Entre los sillones viejos, las lámparas algo polvorientas, las flores naturales que adornaban las mesas más especiales y el aroma a café. Allí. Donde todos me miraban como si acabara de entrar un indeseable, alguien a quien no se esperaba y a quien no se le haría un hueco. Abel. Lolo. Los clientes habituales. Sofía. Todos sentían invadida su privacidad, su espacio, su mundo… cuando atravesaba la puerta y me sentaba en la mesa junto al ventanal. Pero seguía haciéndolo. Cada día. Mi único propósito cuando abría los ojos por la mañana era darme una ducha, vestirme e ir al Alejandría, a pesar de que Sofía se hubiera mostrado tan molesta y tan fría. Lo único que quería era asegurarme de que no quedaban oportunidades para nosotros, de que ella estaba completamente convencida cuando decía que yo ya no le importaba. ¿Cómo podía ser? Ella me importaba tanto que no concebía que al contrario no quedara algo…, a pesar de lo que le hice. Tenía que romperlo. Romper la distancia y la fachada de esa Sofía fría para encontrar a la enfadada. Si aún me quería era estrictamente necesario que también me odiara. Y necesitaba ver ese odio y palparlo, saborearlo, escucharlo y metérmelo en la sesera porque si no lo solucionábamos, me tendría que aferrar a él para poder dejarla en paz. Pero mientras tanto el Alejandría era un rincón mágico que albergaba un espacio temporal que hacía posible que convivieran los fantasmas y las personas que los hicieron posibles.

Estela había alquilado la que fue mi habitación a otra estudiante, esta vez española, que la había convertido en un dormitorio agradable, lleno de recuerdos, luminoso y bonito. Casi no se apreciaba lo feos que eran los muebles. Elena, como se llamaba la chica, había respetado el mural que dibujé con rotulador en la pared y Estela me contó que muchas de sus amigas habían pasado tardes enteras haciéndole fotos, interesadas en interpretarlo.

—¿Le has contado algo? —le pregunté cuando volví a encontrarme con el mural y sus sensaciones en una habitación que ya no era mía.

—¿Sobre ti? Qué va. He alimentado la leyenda.

Quería dormir en el sofá. Estaría levantado cuando ellas tuvieran que irse a clase (una a darla y otra a recibirla) y hasta podría tenerles preparado café para agradecer el esfuerzo de tenerme por allí, pero Estela negó con la cabeza y me ofreció su habitación. La compartiríamos, dijo. Su ventana no daba a la misma calle a la que miramos Sofía y yo en el pasado, lo que convertía aquellas cuatro paredes en un búnker en el que pronto, sin embargo, también se filtraron los recuerdos. Y las culpas. No era la conciencia lo que me empujaba, lo prometo. Al menos no era solamente la conciencia.

No estaba siendo una buena época. Se habían acumulado las causas pendientes junto con los jirones de lo que ya había solucionado. Con esto quiero decir que seguían llegándome los últimos coletazos de la rabia de Lucía. Mi madre estaba superada por los dimes y diretes que circulaban sobre la historia en el pueblo. Había escuchado decir que Lucía me había echado de casa porque bebía y me había liado con una chiquilla y, claro, mi madre estaba realmente enfurecida. Cuando le eché en cara que creyera aquellas historias, me la devolvió, pero bien.

—¿Qué quieres que piense? ¿Has dado alguna explicación? ¿Nos has contado algo? Que te enamoraste de otra chica y que luego volviste con Lucía. Eso es lo único que sabemos. Y ahora tengo la casa llena de trastos que no deja de mandarme desde Suiza y con los que no sé ni qué hacer. Como contigo, que te comportas como si tuvieras quince años. O bebes y estás metido en problemas o eres gilipollas. ¿Cuál crees que es la opción que prefiero creer?

Era gilipollas, sin atisbo de duda. Y como lo era pero al menos lo sabía, le prometí que volvería al pueblo pronto.

—Primero tengo que saber si puedo arreglar esto, mamá. Solo…, solo necesito un poco de tiempo.

—Si esa chica vuelve contigo ahora no se quiere lo más mínimo y no me gusta para ti. No la mereces. Si no tiene eso claro… Dios sabe lo mal que puede salir.

Pero no la creí. Sofía iba a volver conmigo. TENÍA que volver conmigo porque no había otra opción. Me iba a morir si no lo hacía.

—Estás siendo muy melodramático, Héctor —me dijo Estela cuando se lo confesé, agarrados ambos a unas copas de vino.

—Estoy siendo sincero.

—Un mierdas. Estás siendo un mierdas. No se lo merece. Y te estás pasando de autocompasivo.

—Solo necesito que vea que…, que puedo arreglarlo.

—No. No puedes.

No. No podía. Hay cosas que cuando se rompen es imposible volver a recomponer.

Pero allí seguía. Día a día. Sin plazo. *Sine die.* Abrir los ojos. Mirar el techo. Percibir el rastro del incienso que Estela solía quemar en su dormitorio. Levantarme de la cama. Preparar una cafetera. Entreabrir las persianas. Darme una ducha. Vestirme. Despertar a Estela con una taza de café. Esperar. Escuchar el silencio de la casa cuando Estela y Elena se iban. Acudir casi de puntillas al que fue mi dormitorio. Estudiar cada línea del dibujo. Mirar la ventana. Coger la chaqueta. Bajar al Alejandría. Y cuando una vez allí la frialdad con la que Sofía me trataba podía conmigo, vagar. Sin más. Hasta la noche.

—Con ir no vas a solucionarlo —se atrevió a decirme Estela mientras cenábamos junto con su compañera de piso.

Vi a la chica despegar sus ojos de la sopa para mirarnos fugazmente.

—No es momento de hablarlo.

—Si queréis puedo seguir cenando en mi cuarto —se ofreció.

—¿No paga alquiler, me da patadas por las noches y te echa del salón? ¿Dónde se ha visto? No es tan guapo.

—Es guapo.

Eché un vistazo a Elena y vi cómo sonreía socarrona. Estaba tomándome el pelo. Sonreí también.

—Tú tampoco estás mal. ¿Quieres que te dé patadas esta noche a ti?

—Mi cama es horriblemente incómoda. Lo siento —sentenció.

—Lo sé. Fue mi cama antes.

—¿Viviste aquí?

—Yo dibujé el mural de tu dormitorio.

Bebió ávida su refresco y me miró con los ojos abiertos de par en par mientras plantaba el vaso vacío delante de mí.

—¿Qué tal si me pones vino y me lo cuentas todo?

Vi a Estela sonreír y con un suspiro le llené el vaso.

—No sé dónde haces el casting de «compañeros de piso», reina, pero lo haces rematadamente mal.

—Eso es que le caes bien —la tranquilizó Estela.

Le conté. Pero por encima. Había venido buscando instalarme otra vez en España pero no salió bien y terminé volviendo a Suiza. Ahora la realidad en Ginebra me había superado y… había acudido al último hogar que tuve. Torció el morro como si no me creyera. Estela también. Creo que esta última pensaba que me autoconvencía para creer una versión mucho más amable de los hechos. Y creo que también estaba enfadada conmigo, cargada de razón.

El vino se terminó. La sopa también. Y Estela se marchó a su cuarto a corregir unos exámenes mientras yo miraba el televisor sin prestarle demasiada atención, pensando en que, al día siguiente, la rutina se repetiría y, de noche, tendría los mismos resultados que en ese momento: ninguno.

Elena estaba dándose una ducha y la luz encendida de su dormitorio me llamaba sin parar a través de la puerta abierta, así que terminé levantándome y echándole otro vistazo. Me apoyé en el marco con los ojos clavados en la ventana que no tenía dibujos y que aún no se había helado. Pensé en el idioma secreto que compartí con Sofía y sonreí…, me perdí tanto en aquellos pensamientos que no escuché cómo el agua de la ducha se cortaba y al salir del baño Elena me pilló allí plantado como un gilipollas.

—Perdona —dije apartándome del quicio de la puerta para dejarla pasar.

Llevaba un pijama bastante infantil y el pelo mojado.

—¿Muchos recuerdos?

—Alguno que otro.

—¿Quieres pasar?

—No. Lo siento. No quería invadir tu intimidad…

—No invades nada. Soy la mayor de cinco hermanas. Estoy acostumbrada a no tener intimidad. Aquí tengo incluso demasiada. Venga, pasa.

No sé por qué entré. No tenía ninguna intención, aclaro; pero algo me llamaba a su interior. Ella cerró la puerta detrás de mí y se sentó en la cama, como una niña, mientras yo me acercaba un poco más a la ventana.

—Había un hilo rojo… —dije con voz débil—. ¿Lo quitaste tú?

—¿Un hilo rojo? ¿Dónde?

—Aquí. Atado a la pata de la cama. Iba más allá de la ventana.

—¿A qué estaba atado el otro extremo?

—A otra cama —respondí sin mirarla.

—Ah. Conque has intentado engañarme. No es una historia de paro y crisis económica. Es una historia de amor.

La miré de reojo y sonreí.

—De desamor.

—¿Me la cuentas?

—Sécate el pelo —le aconsejé—. Vas a resfriarte.

—Me queda más bonito si lo dejo húmedo.

—Sécatelo.

Mientras agitaba un secador junto a los mechones de su pelo, me contó qué hacía allí. Elena tenía dieciocho años y siempre había querido venir a Madrid a estudiar Bellas Artes como nosotros. En parte lo había conseguido: estaba en Madrid, pero matriculada en Magisterio porque sus padres consideraron que no tenía salida ser «artista».

—No la tiene —le aseguré con una risotada.

—Mírate a ti. Alguna encontraste, ¿no?

Era pequeña, aniñada, con una belleza un poco anodina. Por fuera parecía más joven de lo que era pero por dentro era bastante más vieja. Cuando se lo dije se echó a reír. Y a las almas viejas hay que contarles historias nuevas…

Cuando guardó el secador de nuevo, me miró en silencio con una insistencia que gritaba más que las palabras y solo pude confesar que me enamoré de Sofía desde aquella ventana, sentado en aquella cama, dibujando trazo a trazo aquel mural.

—Todo era magia a su alrededor, pero yo tenía novia. Me resistí cuanto pude hasta que… me cansé de hacerlo.

—¿La engañaste? ¿A tu novia?

—A las dos. En cierto modo las engañé a las dos. Y cuando me di cuenta de que estaba haciéndoles daño, hice lo que me pareció más fácil.

—¿Y qué pasó?

Le eché una mirada con cierta sorna. Elena parecía una niña que escucha un cuento, una historia vieja que terminará marcando las nuevas. Un cuento del que acordarse cuando ella se enamorara en aquella habitación.

—Pasó que he vuelto para solucionarlo porque no puedo vivir sin ella.

—Eso es una exageración.

—Sí —asumí—. Lo es. La cuestión es que puedo vivir sin ella, pero no quiero.

—¿Y qué estás haciendo para solucionarlo?

—Voy cada día a su cafetería.

—¿Y?

—¿Y...? Pues..., ehm..., intenté hablar con ella. No quiso. Así que voy y espero.

—¿Y a qué esperas exactamente?

—Es complicado. Eres demasiado joven para entenderlo.

—De eso nada. Estela tiene razón. Tendrás que hacer algo. Algo más que quedarte allí sentado mirándola.

—Estoy siendo paciente.

—Estás siendo cómodo. Haz el ridículo. Ahora te toca a ti.

Me fui de su habitación poco después. Las cortinas de la habitación de Sofía no se descorrieron así que nada me retenía allí. Le deseé buenas noches y le di las gracias por los consejos con cierta guasa, pero cuando me acosté junto a Estela, que roncaba con una pierna colgando en el borde de la cama, le di una pensada. Y dos. Y tres. «Haz el ridículo». Yo ya me sentía ridículo. No me hacía falta reincidir en parecer idiota. Pero... tenía razón en que quieto, mirándola sonreír a todo el mundo, no hacía nada porque, por si aún no te lo he dicho, lo que más dolía era que a mí también me sonreía: al tomarme nota, al servirme, al ofrecerme la especialidad del día, al cobrarme y al despedirse pero... como a los demás, como a quienes no le importaban, como si nunca me hubiera sonreído de otro modo. Ella sabía que aquella sonrisa era peor que negármela, que mandar a Abel. Aquella sonrisa significaba un nivel de indiferencia que yo no conseguiría jamás. Aquella sonrisa era el olvido. Y yo tenía que romperla.

16

Todos los colores brillan más cuando llueve. Parece increíble, pero es así. El verde de los árboles resalta sobre el gris asfalto que parece teñir hasta el aire. Los semáforos en rojo aún parecen más rojos. Me gusta que llueva porque convierte todo lo que toca en más intenso. Y puede que fuera por eso que aquello brilló tanto… porque no dejó de llover en Madrid hasta que no cedí.

Abel y yo siempre quedábamos en la puerta del Alejandría para abrir juntos. Pocas veces entraba uno de los dos solo porque el otro se hubiera retrasado o dormido porque trabajar allí era casi uno de esos planes para los que no te da pereza salir de entre las sábanas. Aunque lloviera, porque cuando el día amanecía gris y lluvioso, los colores aún eran más intensos y olía más a hogar. Así que, como todos los días, nos encontramos allí. Empezaba a refrescar y los dos íbamos arrebujados en nuestras chaquetas. Caía una llovizna fina, de la que suelen llamar «calabobos» y Abel se refugiaba bajo un paraguas de colores que alguien debió de olvidar en su casa; en el armario de la entrada de la mía estaba mi paraguas, de plástico transparente, que dejaba ver las gotas resbalándose sobre él pero que nunca usaba.

—Buenos días, flor —me dijo muy sonriente—. Como siempre sin paraguas, ¿eh?

—Como siempre. —Le sonreí—. ¿Noche alegre la de ayer? Te veo muy contento.

—Anoche dormí solo, me temo.

—¿Entonces?

—Entonces es que me gusta ser espectador de cosas emocionantes…

Se quedó rezagado apagando el pitillo y yo fui decidida a encender las luces sin poder evitar lanzarle una mirada desconfiada. Llevaba días amenazándome con traer un boy que se me desnudara en el regazo en nuestra cena de «cuéntame tus mierdas» y la sola idea de tener a alguien bailando canciones «sexis» me ponía antipática.

El Alejandría olía como los días buenos, a café, libros viejos, a lluvia y madera lustrada, pero como siempre desde que él volvió no consiguió calmarme. Héctor era lo que me inquietaba, claro; el boy era un mal menor. Las luces se encendieron tras el «clac, clac, clac» de los diferenciales al volver a conectar todo lo que quedaba apagado tras el cierre; una luz tostada bañó la madera, los cuadros comprados en El Rastro, los rincones y… me encontré con que sobre todas las mesas había un pequeño ramillete de lavanda seca que no recordaba haber visto el día anterior. Y no era algo que pudiera pasarme desapercibido; desde lo de la maceta, que por si te interesa tiré a la basura un mes y diecisiete días después de que Héctor se marchara, no soportaba la lavanda. Me traía el mal sabor de boca de unas expectativas no satisfechas.

Me giré a mirar a Abel y vi que, a pesar de que sonreía, esquivaba mis ojos.

—No he tenido nada que ver —aclaró.

—Y lo sabías… ¿por ciencia infusa? Esto no me hace gracia.

—No pensé que fuera a molestarte. Es solo un detalle, un gesto bonito…

—Esto no es una comedia romántica.

—Solo quiere hablar contigo.

Pero yo no quería hablar con él. Aunque quisiera hacerlo. Sentía que darle una oportunidad para explicarse era una traición para conmigo misma; cuando se marchó no me dio posibilidad de réplica… ¿por qué iba a tener que dársela yo?

La consecuencia directa de aquella conversación fue que a mí no me apeteció hablar con Abel durante buena parte de la mañana. Ni con Lolo, que parecía estar también al día de lo que pasaba. Me repateaba que Héctor hubiera entrado allí, cuando ya estaba en casa, para preguntar si podía dejar la lavanda sobre las mesas. Me repateaba imaginar la cara que pondrían todos, entrecerrando los ojos con ternura, porque no se lo merecía. Era el malo, por más esfuerzos que estuviera haciendo. Era la persona que me había hecho daño y no se me podía olvidar. Ni a mí ni a nadie. Pensé en retirar todos los ramitos y tirarlos a la basura, pero demostraría más rabia de la que quería dejar al descubierto. Dijo Confucio que «quien domina la ira, domina a su peor enemigo» y yo quería tener el control. Tenía que fingir que lo ignoraba, que me daba igual. Así que los dejé y cuando apareció por allí, me limité a atenderlo como a cualquier otro. No me imaginaba nada más doliente que tratarle como si no fuese importante o especial.

Entró quitándose la chaqueta y yo hice como si nada, a pesar de tener que controlar las ganas de lanzarle todo lo que tuviera a mano. Se sentó en su mesa, en la de siempre, y esperó con las manos sobre la madera y los pies inquietos hasta que me acerqué a tomarle nota.

—Hola, Héctor, ¿qué te pongo?

—Un café con leche.

—¿Te pongo un poco de canela encima de la espuma?

—Ahm. Vale. Esto…, ¿crees que… podríamos tomarnos algo cuando salgas?

—¿Hoy? Qué va. Tengo planes. Marchando el café. —Sonrisa, media vuelta, tragar bilis y volver a sonreír.

Abel me miró fijamente durante todo el proceso de preparación del café. Parecía apenado y arrepentido de haber formado parte, aunque fuese de manera pasiva, de lo de la lavanda, pero no flaqueé cuando se acercó a hablar conmigo en susurros.

—Estás enfadada conmigo —afirmó.

—Estoy molesta contigo. No es lo mismo.

—Es un matiz muy pequeño.

—Bueno.

—No quiero darte consejos de mierda, Sofía.

—Pues no me los des.

—Déjame decirte solamente una cosa. —Me callé mientras fingía estar muy concentrada en un café en el que escupiría y él siguió hablando—. Y te lo doy a pesar de que tengas todo el derecho a estar cabreada, que conste. Soy tu amigo, no el suyo. Solo quiero que tengas muy en cuenta que si lo que quieres es que se dé por vencido lo estás haciendo genial, pero si no… terminará perdiendo la fe y marchándose. Tú te quedarás sin la explicación y él sin ti. Piensa en si a la Sofía de dentro de cinco años eso le dará o no igual.

A la Sofía de hacía unos meses no le daría igual, ni a la que era entonces, ni a la que sería pero quizá, en veinte años, me alegraría de no haberme dejado convencer por alguien que me robó algo que por derecho era mío. No sabía dar nombre a lo que me robó, pero era justo como me sentía.

Me acordé irremediablemente del día que mi padre me explicó lo que significaba ser responsable de mis actos, ser consecuente y hacer lo que se debe. Me dijo muchas cosas, pero lo que recordaba era la angustia que sentí al saber que muchas veces lo que debemos hacer no es precisamente lo que más nos apetece. Tuve ganas de llamarle y preguntarle si la deuda con una misma deja de doler alguna vez, pero me limité a dejar la canela en su sitio y salí sin responder a poner el café sobre la mesa de Héctor.

—Disfrútalo —le dije, como si no me importara, como si no respirara profundo para olerle y tuviera que contener los jadeos.

—Sofía… —musitó—. ¿Has visto… la lavanda?

—Sí. —Rebusqué en el bolsillo del mandil hasta dar con algo con lo que tener las manos ocupadas.

—¿Y?

—Ya no me gusta la lavanda. No aguanta un invierno.

No cruzamos más palabras, aunque supongo que le dije muchas cosas dentro de mi cabeza: que me había abandonado, que me había hecho sentir una mierda, que no podía volver de ese modo y esperar que lo recibiera con los brazos abiertos y, sobre todo, que me dolía a rabiar tenerlo allí, tan cerca, cuando ambos sabíamos que no era lo correcto. Como no lo dije, él no lo escuchó. Solo esperó hasta que terminé el turno mirándome de hito en hito. Yo hice como si no me diera cuenta y al llegar a casa, corrí las cortinas, por si acaso y me refugié en mis libros, a pesar de que en todos se hablara, de pronto, de nosotros dos.

Al día siguiente no vino, pero siguió lloviendo. Sonaron canciones alegres a través de los altavoces del Alejandría con las que Abel intentó mejorar mi estado de ánimo que disimulaba a duras penas, pero ya sabrás cómo son estas cosas…, encontré una nota triste en todas las letras.

—Deja de mirar hacia la puerta —me dijo Abel.

—Deja de estar tan pendiente de mí.

Y no se habló más, porque yo seguí mirando hacia la puerta, Héctor no vino y llovió a cántaros, tanto que temimos que se nos inundara el salón.

¿Y si no volvía?, me pregunté al volver a casa. ¿Y si Abel tenía razón y él perdía la esperanza tan pronto? ¿Qué pasaría? Bueno, que aprendería a las duras la naturaleza de lo que sentíamos.

Mis hermanas tenían que hacer un trabajo de plástica que les estaba dando algún que otro dolor de cabeza. Eran buenas estudiantes, de las que sufren por un nueve y medio y nunca se conforman con ser las segundas de la clase. Solían pelearse entre ellas si una sacaba menos nota porque estaban tan unidas que creo que llegaron a pensar que les harían la media conjunta. Mamen me comentó que estaban agobiadas y que no tenía ni idea de cómo ayudarlas. Mi padre, cuando le contaron que tenían que «copiar» una obra de arte a escoger en un mural donde usaran al menos tres materiales diferentes que pudieran encontrarse en todas las casas, les recomendó dibujar un paisaje con macarrones y cola y decir que era un Van Gogh... Tuve que interceder, claro. Para eso están las hermanas mayores, ¿no? Para hacer por las pequeñas lo que una soñó que alguien hiciera por ella. Me las llevé al Thyssen para que «encontráramos inspiración» entre los cuadros de la colección permanente. Recordaba que tenían algunos cuadros de varios puntillistas que podrían darnos una idea. Les pareció un plan de mierda, por supuesto, pero les prometí ir a Starbucks después, a pesar de que no es santo de mi devoción, y se animaron más.

Nos calamos como ratas y nos prometimos un chocolate caliente y un trozo de tarta para compensar cuando ya tuviéramos la brillante idea que las lanzaría al estrellato y a la mejor nota de la clase. Fuimos paseando por los pasillos quitándonos el frío del cuerpo, aunque creo que la definición más fiel es que las arrastré por allí mientras ellas se reían de todos los retratos que encontraron. No tienen un alma demasiado artística...

—Pero ¡qué fea era la gente antes! —dijeron horrorizadas delante de los cuadros de la escuela flamenca.

—Los cánones de belleza han cambiado mucho. Algunas mujeres se afeitaban parte de la cabeza porque las frentes despejadas eran sinónimo de perfección.

—Pues parecían Pitbull.

—Los pitbull tienen pelo, chatas.

—Pitbull, el cantante. El calvo.

Iba a responderles que dudaba mucho que Pitbull pudiera definirse con la palabra cantante, pero pensé que daba igual. Tenían trece años y el pavo en todo su esplendor. Reírse de la gente que aparecía en un cuadro me parecía un mal menor. Las encaminé hacia otro piso, donde estaban las vanguardias; tenía esperanzas de que el puntillismo, el fauvismo o el impresionismo las inspirara (y enmudeciera un poco) pero no tuvimos mucha suerte. No soy una entendida en arte, de modo que tampoco pude amenizar la visita con datos que pudieran despertar su curiosidad y casi me di por vencida cuando me dijeron que *El puente de Charing Cross* de Monet estaba borroso.

—Vamos a buscar a Seurat o Signac. Podéis hacer un mural puntillista con algodón pintado, tapones o cualquier mierda redonda.

El sonido de mi teléfono móvil me interrumpió.

—¿Quién te llama? —preguntó Larisa.

—La llaman de la peluquería, para que se afeite parte de la cabeza, como las feas de antes.

—Eres una macarra, Laura, y voy a escupir en tu chocolate si no dejas de ser una superficial.

Cacé el teléfono dentro del bolso y miré la pantalla. Mierda. Cerré los ojos y sentí cómo el suelo se movía bajo mis pies.

Era un número que no tenía guardado pero… que reconocí de un vistazo, como si hubiera decidido tatuármelo. Me palpitó la garganta, los dedos, los ojos.

—¡Vamos a Starbucks ya! —gritó Larisa—. ¡Esto es un coñazo!

No respondí.

—Sofía…, ¿y si hacemos un collage con fotos de revista?

—¡Ay, sí! Qué bien. Y ponemos a los Gemeliers.

Abrí los ojos y respiré profundo. Era cuestión de tiempo que lo intentara por teléfono, supongo. ¿Debía cogerlo? ¿No hacerlo sería huir del problema? Necesitaba un segundo para respirar y decidir.

—¿Por qué no dais una vuelta por esas salas? Os espero aquí, ¿vale?

«Cógelo, Sofía», me dijo una vocecita por dentro.

—¡Eso no vale! ¡Ahora no nos dejes aquí tiradas!

«¡Ni se te ocurra contestar!», respondió otra voz que se parecía sospechosamente a la de mi madre.

—¡Esto es superaburrido!

«¡Cógelo, mierda, te mueres por hacerlo!».

—Tengo que coger esta llamada, ¿vale, Laura? —les respondí decidida.

—Pero ¿quién te llama?

—Daos una vuelta. No voy a decir más.

Mi tono no les dejó mucha duda. No solía ponerme tan seria con ellas; aunque en mi vida real no fuera lo que se conoce como «guay», para Larisa y Laura era su hermana mayor y eso era suficiente. La que siempre era cariñosa, la que les contaba cosas, la que escuchaba sus historias de chicos, la que las animaba a ser lo que soñaran ser…, la que tenía el corazón roto y se lo escondía, porque quería seguir pareciendo invencible a sus ojos al menos un año más, hasta que se hicieran mayores de verdad. No rechistaron. Solo dieron media vuelta sobre sus

Adidas Superstar lanzándose miradas de preocupación la una a la otra. Se me veía en la cara que la llamada era... importante. Aunque quisiera fingir que no lo era.

—¿Sí? —respondí taciturna.

Un silencio. Le escuché frotar su barba con los dedos. Estaría sentado, con el codo apoyado. Caerían mechones de pelo sobre su frente y entre sus dos cejas se dibujarían las sempiternas tres arrugas de expresión, una por cada gran amor..., ¿sería yo uno de ellos? Me tuve que sentar en un banco y cerrar los ojos.

—¿Sí? —volví a preguntar.

—Lo siento. Creí que no ibas a cogerlo. Estaba preparado para... el silencio.

—¿Por eso llamabas? ¿Porque pensabas que no iba a cogerlo?

—No. Claro que no. Pero aún me cuesta hablarte después de todo...

—Dime, ¿qué quieres?

—Hablar.

—¿De qué?

—De nosotros.

Me quité el teléfono de la oreja y cogí aire. Mierda. «De nosotros». Cada palabra que le dejara pronunciar me acercaría un paso a lo que creía que había dejado atrás. Estaba sola y contenta de estarlo, había empezado a superar su ausencia...

Me acerqué el teléfono de nuevo. Estaba callado. Esperándome.

—Creo que deberíamos dejarlo como está. Héctor, déjalo —suspiré.

—Me he dado un plazo. Lo siento. Voy a respetarlo.

—¿Y eso qué quiere decir?

—Que voy a insistir un poco más.

—¿Te has dado un plazo?

—Sí. Uno largo —carraspeó—. Hablemos. Solo déjame hablar contigo.

—Me has llamado, ¿no? Pues dime...

—Por teléfono no. He llamado porque pensé que tenía que probar...

Tenía que probar... ¿qué? ¿Cabrearme de otra manera? ¿Intoxicar el teléfono también, además del Alejandría, para que no pudiera dejar de pensar en él? ¿Para que un objeto inanimado, un puto teléfono, volviera a significar algo que lo contuviera a él dentro? Dicen que todas las rupturas tienen varias fases, ¿no? Es posible que estuviera viviendo la de la «rabia» con retraso...

—Hablamos todos los días. Por si no te has dado cuenta, vienes todas las putas mañanas a la cafetería donde trabajo. ¿Y sabes qué? Que nunca dices nada que sirva.

—No me das oportunidad.

Me tapé los ojos con la mano.

—Creí que estaba siendo clara. Ya no me importa. No vengas. No pongas flores en las mesas. No intentes hablar de algo que ya no existe. Es perder el tiempo.

—Es que tengo cosas que preguntarte.

—No estás en posición de preguntar mucho.

—¿Aún me quieres?

Qué patada me dio. En el cielo de la boca. En la boca del estómago. En el castillo de naipes que era la distancia que había autoimpuesto entre nosotros. ¿Lo quería? Bueno... yo quería a alguien. A un chico que me regaló una bufanda. Que se resfrió por pasear por un Madrid helado en el autobús turístico. Que me organizó un poscumpleaños sorpresa en su azotea. Que me regaló un espejo. Que rompió todas sus normas por mí. Que ató un hilo rojo para unir su cama a la mía y demostrar que no era obsceno, sino el destino. La pregunta era: ¿ese chico existía? Cuando un «no» sonó en mi cabeza…, colgué el teléfono. Me quedé sentada, desmadejada, como una marioneta a la que han cortado los hilos. Me quedé hecha una puta mierda, no te voy a mentir, porque yo quería estar sin él pero no sabía.

Larisa y Laura se sentaron flanqueándome y apoyaron sus cabecitas en mis hombros, como salidas de la nada.

—Estás triste —dijo Larisa.

—Pero no es por vosotras. Es que a veces quererse a una misma duele mucho.

No me entendieron, claro, pero lo olvidaron en segundos cuando las animé a irnos de allí. Habían encontrado un cuadro de Henri Edmond Cross que las había inspirado para su trabajo de plástica. Lo harían con algodones, gotas de cera de velas de colores y pintalabios. Quedaría tan bonito que sus padres lo enmarcarían para colgarlo en la sala de estar, pero ellas aún no lo sabían. Todavía no sabíamos nada, me temo, ninguna. Yo la que menos. Sin embargo, cuando me senté en un rincón del Starbucks que hay frente a Neptuno, no me sorprendió descubrir un mensaje de Héctor: una foto del mural de su habitación y una sola frase: «No fuimos reales; aún lo somos».

Flaqueé fuerte aquella noche.

No cesó, claro que no. Y la lluvia tampoco. Iban de la mano y como me gusta tanto la lluvia, se me iba ablandando la rabia por dentro y se rompía la coraza que le puse encima para que no se me notara.

Al día siguiente volvió. Claro que sí. Estaba haciéndolo muy bien. Estaba rascando, suave, suave, hasta que la armadura fuera piel y debajo de esta se irritara todo lo que estaba escondido. Estaba tocándome los cojones, revolviendo los recuerdos, tirando de todo cuanto encontraba. Sin límites. Sin esperar que le diese permiso. Una vez le dije que tenía la fea costumbre de pedir permiso para cosas a las que yo debía decir que no y supongo que se acordaba. Héctor me estaba contando a su manera que había aprendido algo de lo que pasó entre nosotros. Y déjame decirte que el silencio era sostenible, pero la acción no. Hubiera podido aguantar callada mientras él miraba y daba vueltas taciturno a ese café que le servía día sí y día también y hubiese aceptado con pena su marcha definitiva, pero tuvo que hacer algo. Él tuvo que moverse, revolverlo todo, crear el caos porque el silencio y las miradas no funcionaron. Y no puedo culparle…, peleó.

Mi sesión de Spotify estaba abierta en el ordenador del Alejandría. Era allí desde donde solíamos lanzar la lista de canciones. Si no estaba demasiado inspirada o si me había cansado de las que ya tenía preparadas, ponía alguna aleatoria de la aplicación. Aquella mañana sonaba «Mediodía acústico» lleno de melodías que no me decían nada, sin recuerdos, vacías. Canciones con letras que, aunque me hablaban de él o de mí, casi nunca decían nada demasiado doloroso porque eran nuevas. Me cuesta mucho explicar la gilipollez que me dio con la música; veté grupos durante meses, borré canciones de todas mis listas, evité bombas lapa sin pararme a pensar que hubiera sido más útil ponerlas sin parar para crear algún tipo de resistencia. Era «la niña burbuja» pero en lugar de evitar infecciones, sorteaba emociones que me llevaran al punto de partida. Es confuso, a pesar de que lo tengo muy claro.

Cuando me metí en el cuarto de baño para reponer el papel higiénico después de que una clienta me avisara de que se había terminado, estaba sonando «Who will save your soul» de Jewel, pero cuando salí secándome las manos en el mandil, el Alejandría al completo se mecía con la primera canción de mi lista «Sentir» a pesar de que hacía meses que ya no existía. La eliminé en un intento porque él también desapareciera mientras construía mi burbuja. Pero allí estaba «Mariposas» de Rayden. Gritándome. Arañando. Abriendo una ventana cerrada a cal y canto. Soltando punto a punto la sutura que me hice de malas maneras. Y me quedé allí de pie, boba, paralizada, sangrando penas por dentro.

«Y si mi "siempre" comenzó en el día en que te conocí,
no me haré responsable del ayer pero de hoy sí,
de las horas que te debo de cosquillas; más de mil,
de esa risa que se agarra a tus costillas de marfil...».

Ni lo busqué. Mis ojos fueron, miguita a miguita, hasta llegar a su boca. A sus ojos. A la expresión que mantenía a la espera de una reacción.

«... de llorar por ser feliz, de viajar hasta en patín,
de tocar el arpa con tu espalda y del desliz
de aquel beso que en tu mejilla se deslizó
para llevarme en tus labios a otro mundo mejor...».

Parpadeó. Solo parpadeó. El hilo. Las canciones. El beso. Los besos. La caricia. La primera. Las demás. El sudor. La constelación de lunares en su cadera. La cicatriz de su brazo. El olor de ese rincón de su cuello. Las equivocaciones de las que no me arrepentí. Sus sábanas. Las fotografías. La lavanda, joder. La lavanda. El agujero en mi burbuja se desgarró y me faltó el aire al respirar un poquito de esa realidad.

—Quita eso —le dije a Abel recuperando la movilidad.
—¿Qué?
Salió de la pequeña cocina con el bote de sirope en la mano sin entenderme. Fui al ordenador con dedos temblorosos. La pantalla estaba bloqueada y mis dedos no acertaron a la primera.

—Pero ¿qué pasa?

—Quítala… —pedí con un hilo de voz.

Él me apartó para desbloquear la pantalla y yo me quedé mirándolo consternada, como si acabara de ver un puto accidente de tráfico. Aquello no era un gesto, ni un detalle ni una puta secuencia aprendida de una película romántica. Era una putada. No se suelta, así como así, sin avisar, una manada de recuerdos y menos de esos que llevan meses encerrados a la espera de volverse mansos.

—¡Quítala, joder! —grité.

Pulsó Siguiente y sonaron los One Direction con «Little Things». Una tarde intenté explicarle que en cada disco, daba igual de quién fuera, siempre había una canción para uno. Él se rio pero, tiempo después, me dijo que todas las canciones le recordaban a mí sin importar a qué disco pertenecieran. Estaba en todas partes.

Me quité el mandil.

—¿Dónde vas?

—A fumar.

No había dejado de llover cuando recorrí la calle hasta girar la esquina. No había dejado de llover cuando me apoyé en la pared y cerré los ojos tan fuerte que ni siquiera tuve ganas de llorar.

No paraba. La herida no podía cicatrizar de noche, por más que intentara olvidarlo, porque al día siguiente él estaría allí. Y si no estaba, seguiría estando. Me di un plazo. Lo juro. Me di un plazo y me convencí de que lo cumpliría, de que no importaba cuánto intentase aquello, porque era cuestión de tiempo: estaba esperando a que se fuera otra vez. Y se iría, estaba segura. Esa era la realidad. Me di el mismo plazo que tenía él, a pesar de no saber de cuántos días estábamos hablando. Aguantaría; ya tendría tiempo de romperme cuando se fuera, pero fue un error de planteamiento porque ni siquiera me había dado tiempo de reponerme como debería. Además, los plazos no sirven, por cierto, porque nunca se cumplen.

De todos modos no sabría decir si me impresionó un gesto o si fue por acumulación. Creo que fue la tensión. La tensión de no saber con qué puñetas me saldría, qué recuerdo desempolvaría, qué truco usaría entonces. Me faltó recordar que, dicen, quien tiene magia no necesita trucos.

17

Mamen me había regalado hacía poco una preciosa biografía ilustrada de Frida Kahlo y estaba algo obsesionada con sus dibujos. Y con Frida que dijo cosas tan sabias como «donde no puedas amar, no te demores». Y allí, en ese estado de «no demora», me encontraba yo, creyendo que no era capaz de obsesionarme con el amor tanto como lo hizo ella sabiendo, en el fondo, que podría hacerlo con Héctor, con su llegada, su partida, su ausencia y su presencia.

De Frida me gustaba su forma de ser trágica, de agarrarse a la tragedia hasta hacerla una forma de vida. Me gustaba que comparara su amor hacia Diego Rivera con un accidente que la tuvo un año en cama y por poco no la mató, aunque fuese una comparación brutal y dura. Me gustaba porque yo estaba así. Y los colores. Me encantaba lo rojo que era el rojo cuando lo usaba en sus cuadros, como si en sus pinturas siempre fuera un día de lluvia de esos en los que, creo, todo brilla más.

Supongo que esto no tiene nada que ver con lo que pasó, o puede que me sintiera un poco atolondrada y poseída por ese espíritu inflamable del amor artístico, que siempre es más duro y más ardiente. O puede que sí tenga que ver, porque gracias a este libro resonaba fuerte en mi cabeza otra frase de Frida Kahlo que lo hizo estallar todo: «Amurallar el propio sufrimiento es arriesgarte a que te devore desde el interior».

Llovía. Por supuesto. La gente estaba cansada de la lluvia. Hasta la gente a la que le encantaba ver llover estaba irritable. Hacía diez días que llovía sin descanso sobre Madrid. Las aceras estaban empapadas, las calles plagadas de charcos, los ventanales sucios y la ropa eternamente húmeda. Nada se secaba. Abel se quejaba de tener la sensación de caminar constantemente sobre calcetines mojados y fríos. Oliver me había mandado un mensaje la noche anterior preguntándome si había probado alguna vez las planchas de pelo GHD. «Tengo el pelo como un critter. Estoy pensando muy seriamente hacerme con una. Tendré que pagarla a plazos, eso sí». Respondí llamándole y diciéndole a voz en grito que, por favor, se grabara planchándose el pelo. Me reí gracias a la lluvia y… fui reblandeciéndome más, deshaciéndome como el pedazo de pan que lanzas para alimentar a unas palomas y que desaparece bajo las gotas.

Amaneció un día como cualquier otro. Llovía. Lo supe antes incluso de abrir los ojos, cuando sonó la alarma del despertador. Perdí unos minutos en espabilarme sentada a los pies de la cama, acariciando a Holly, que estaba sopa hecha un ovillo; a las dos nos seguía relajando el repicar del agua contra las ventanas.

Me duché. Me lavé el pelo. Me lo sequé. Me puse unos vaqueros, un jersey a rayas gruesas y unas zapatillas. Ya cogía la cazadora verde militar cuando me crucé con Julio, que llevaba a Roberto en brazos.

—Buenos días —le dije.

—Llueve —se limitó a responder—. Nos va a salir moho por la nariz.

—Qué agradable.

—Sí —asintió con cara de dormido—. Oye, ¿has escuchado ruidos esta noche?

—¿Qué tipo de ruidos?

—No sé. Por la escalera. Como si no parara de subir y bajar gente.

Le lancé una mirada de incomprensión y él le quitó importancia, arrastrando sus zapatillas de ir por casa hacia la cocina.

—Vas a llegar tarde —musitó.

Cogí las llaves, abrí la puerta y salí..., tropezándome con algo. Como si me hubiera quedado atrapada en una telaraña invisible... o..., mejor dicho, como si mi cintura hubiera topado con un hilo de lana roja que alguien había atado al adorno en forma de pomo de la puerta de al lado para que, sí o sí, chocase con él.

—No me lo puedo creer —musité.

Espera..., espera..., un hilo rojo. De lana. Rojo. Como el que llevamos prendido a los meñiques y que nos conecta con nuestra alma gemela. Como el destino, pero visible. Un hilo de... Héctor.

El hilo seguía. Claro que seguía. Seguía pisos abajo, bien atado al pasamanos cada tres o cuatro palmos. Un trabajo minucioso, sin duda. Seguí el hilo rojo debatiéndome entre el mal humor y una emoción indefinible, mientras bajaba las escaleras. Fue imposible bloquear los recuerdos porque estaba de más intentar averiguar quién había atado aquella lana. Era Héctor y su enésimo intento de llamar mi atención. Era un recuerdo que ya en sí, estaba de más.

Me obligué a pensar en lo amargo. En cómo me hizo llorar aquella tarde que me dijo que ni siquiera podíamos ser amigos. En cómo me sentí cuando descubrí a la Lucía de carne y hueso. En la sensación de abandono que me atravesó cuando decidió marcharse sin avisar, dejando una nota de mierda en el lugar en el que debía haber esperado él, sentado, para darme las explicaciones pertinentes. No obstante, los otros recuerdos se abrieron paso a empujones hasta que alargué la mano y acaricié el cordón rojo…, el idioma secreto de nuestras ventanas, el calor en mi estómago cuando sonreía como solo me sonreía a mí, los besos a escondidas, los besos a boca abierta cuando todo empezó a darnos igual, su «te quiero», tan desmedido como sincero. Su piel. Las cosquillas de su barba. Lo largos que sentía sus dedos dentro de mi ropa. La carcajada áspera en su garganta. Los dibujos. La forma en la que me veía en sus ojos…, la seguridad de que ya había encontrado el hogar en otro pecho.

El hilo atravesaba el portal sujeto con cinta adhesiva a la pared, saliendo pegado al suelo hasta la calle y volviendo a sujetarse cada pocos metros a la pared, creando un camino de baldosas amarillas hasta colarse en el Alejandría que ya estaba abierto. Me pregunté si pasaba por allí porque él sabía cuánto significaba ese local para mí o si era porque allí nos conocimos. Me pregunté si el hilo sería un pasamanos que me llevaría en un viaje en el tiempo hasta todos nuestros grandes momentos. Me pregunté si lo soportaría. Y mientras tanto, la lluvia seguía cayendo.

Me encontré a Abel preguntándole a Lolo por el hilo.

—¿Esto qué es? —decía sujetándolo entre dos dedos, como si fuese la prueba de un crimen.

—Pues iba a preguntároslo. —Se encogió de hombros mirándome a mí, que me había quedado con la boca abierta como un besugo—. Lo debieron de poner antes de cerrar porque pasaba por debajo de la cortina metálica.

—Joder… —Suspiré—. Es de…, ehm…

Abel se tapó la boca para no reírse cuando cayó en la cuenta.

—Esto sí que es de película —musitó palmeando la espalda de Lolo—. Nada, no te preocupes. Es una declaración de amor.

Dejé la chaqueta en la trastienda. Hasta allí llegaba el hilo, hasta mi «taquilla», desde donde volvía a salir hacia su mesa y reptaba hasta la calle.

—¿No deberías seguirlo? —preguntó Abel mientras se ataba el mandil.

—Estoy trabajando.

—Sofía, síguelo, anda. No quiero que esté aquí todo el día y alguien pueda tropezarse —terció Lolo.

Había tomado la precaución de pegarlo al suelo para mantenerlo bien sujeto, pero tenía razón. Tenía que acabar con aquello. Con las declaraciones de amor de película. Con los grandes gestos. Con los recuerdos que preparaban emboscadas en cada rincón, cada vez más avasalladores.

Salí sin darme cuenta de que, por inercia, ya me había colocado el mandil. Crucé la calle. Un par de personas hacían fotos al hilo, que se alejaba del Alejandría hasta atarse en una farola y seguía bordeando la calle.

—Tía, ¿qué será esto? —le preguntaba una chica a su amiga. Las dos caminaban delante de mí.

—Será alguna acción de marketing. Fijo.

Automarketing. Campaña de limpieza de imagen, diría yo. Apresuré el paso.

El hilo, o mejor dicho, los hilos atados unos a otros con nudos prietos pasaban por una de las calles por las que más paseamos Héctor y yo cuando vivió allí. En ese mismo lugar estaba la tienda donde compramos la lámpara para su mesita de noche. Y la de la planta. Estaba también ese otro rincón, donde parábamos a encendernos los cigarrillos cuando paseábamos, porque el viento soplaba menos allí. El cordel de lana daba la vuelta a la manzana hasta volver a abrazar la farola que se encontraba frente al supermercado donde nos encontramos aquel sábado por la mañana. No entraba, solo estaba allí, como señalándolo.

Vuelta a la manzana completa.

Siguiendo el hilo, absorta en un montón de imágenes residuales del pasado, me tropecé con un chico que hacía, desde el borde de la acera, una foto a un muro blanco donde alguien había hecho una pintada. Casi pasé de largo. Casi. Paré porque con el rabillo del ojo leí la palabra «magia»... Y allí, con pinceladas gruesas, una frase tan para nosotros que me dolieron las rodillas de soportar tanta emoción inclasificable: «Aquellos que creen en la magia están destinados a encontrarla». La pintura aún estaba húmeda y en el suelo podían verse algunas gotas negras, redondas.

Seguí andando hasta que me faltó la respiración y me di cuenta de que corría persiguiendo un hilo rojo que, por supuesto, volvía a dar la vuelta a la manzana, señalando más lugares especiales en ese barrio que no fue mío hasta que no fue nuestro. En mi cabeza, en pequeñas explosiones, recuerdos en forma de fogonazos. La quiche de verduras que le encantaba. El frío calándonos. Cómo miraba mi boca la noche de mi cumpleaños. Las luces iluminando su azotea. El cigarrillo, de ventana a ventana. Las treguas de minutos que nos concedíamos para poder besarnos. Los planes. Las citas respondiendo por mí cuando yo no me veía capaz. El trozo de pizza que nos comimos aquella noche tras el bingo. Y no, no tuvo que cruzar la Gran vía y hacerme recorrer las calles hasta la plaza de San Ildefonso. Esa es la magia de un recuerdo bien escogido..., despierta todos los demás. Y sin saber cómo volví con ese hilo hasta su portal donde tonteamos como niños, donde me dijo que le gustaba, por donde me metió la noche que me quedé sin llaves y al que bajé muerta de amor cuando me prometió que nunca volvería a hacerme llorar... sin saber que no lo cumpliría.

La puerta estaba abierta. Alguien había colocado un trozo de cartón en el pestillo para que no cerrara bien, así que cedió tras un empujón. El hilo subía, peldaño a peldaño tres tramos de escalera, enredado en la barandilla de acero forjado y madera, hasta colarse por debajo de su puerta.

—Joder. —Exhalé el poco aire que me quedaba frente a la entrada.

En cuanto llamara todo se abriría de nuevo, las heridas y las posibilidades, sin saber si serían buenas o malas. Me abriría yo, en canal, cargando con la obligación moral de desnudarme de armaduras y confesar que me había destrozado como nadie podría haberlo hecho. Se abriría él, dándome por fin la respuesta de por qué se marchó en plena noche y solo dejó una nota con una cita del maldito Bukowski. Abriría la puerta de par en par a la posibilidad de cagarla del todo y jodernos la vida. ¿Y qué hice? Llamé.

Me abrió Estela ya vestida, con el bolso colgando del hombro; debí pillarla a punto de salir de casa.

—Hola —me saludó confusa—. Ehm..., ¿pasa algo?

—Vengo a ver a Héctor.

—Ah. ¿Sí? Esto... —Reprimió la sonrisa y asintió—. Está en mi habitación. Pasa. Yo ya me iba... —Entrecerró los ojos, se agachó y cogió el hilo que cruzaba el salón—. ¿Y esto...?

No me quedé para darle explicaciones. Crucé el salón sujetando en mi garganta un montón de carcajadas, de llantos, de gritos, de confesiones, de penas y de alegrías y frente a la puerta cerrada de la habitación de Estela me encontré una nota pegada. «A veces pienso hasta en seis cosas imposibles antes del desayuno». Era una cita de *Alicia en el País de las Maravillas* a la que él había añadido después: «Y todas son tú».

Héctor estaba sentado a los pies de la cama, vestido con un viejo jersey gris y unos vaqueros, con las manos sobre las rodillas y la mirada fija en el suelo. Contuve la respiración al encontrármelo de frente y cerré con suavidad. La habitación olía a incienso y a él. La cama estaba hecha. Sus cosas amontonadas sobre una silla, junto a una maleta que se veía medio vacía. Frotó las manos sobre sus vaqueros y suspiró profundamente antes de mirarme a la cara, entre avergonzado y triste.

Di un paso hacia él. Quería decirle, enfadada, que aquello no hacía falta, que hubiera bastado con que no se marchase o que al hacerlo, lo hubiera hecho bien. Había tantas cosas mal hechas en lo nuestro que era imposible encontrar el punto en el que empezamos a estropearlo. Es posible que siempre estuviera mal. Incluso nosotros. Di otro paso.

—Sofía... —susurró.

No sé si seguí avanzando o si él tiró de mí, pero de súbito pudo apoyar su cabeza en mi vientre y yo tenía su pelo desordenado, sus mechones castaños, entre los dedos. No sé si lloraba o si quería hacerlo porque me concentré en mis propias sensaciones. En el olor a limpio y a perfume que desprendía su cabello. En lo suave que tenía el pelo, que necesitaba un corte. En lo enfadada que estaba con él por haberme abandonado.

—Dios, Sofía...

Su voz sonaba estrangulada, aliviada y asustada a la vez mientras ceñía mi cintura con sus brazos y frotaba su nariz sobre mi ropa. Sentí el calor de su aliento y la presión de un beso sobre mi vientre justo antes de que se levantara, mirara hacia mi cara y me envolviera en su pecho en un abrazo que me permitió olerle bien, como deseé hacer desde que volvió. Forcejeé en un último intento por resistirme, pero él me calmó como a una niña, susurrando palabras que no recuerdo. Cedí y me dejé. Una oleada de calor me calcinó por dentro y dejó temblando casi todos los cimientos sobre los que me había levantado. No, por favor, pensé. Ahora no. Justo ahora, no.

—No sé vivir si no es contigo —dijo—. Ya no.

Me aparté un poco y cogí aire porque me ahogaba. En él. En eso «nuestro» que, por supuesto, seguía allí, de pie.

—Vamos a hablar, Sofía. Solo escúchame. Dame un momento… —Negué con la cabeza—. Por favor —insistió.

—Ahora no —conseguí decir—. Ahora no puedo, Héctor. Ahora tienes que dejar que me vaya y que piense. Si quieres hablar, hagámoslo, pero no ahora.

—¿Por qué?

—Porque vas a hablar del destino y yo quiero ordenar todo lo que he pasado desde que te fuiste para que lo entiendas. Ahora no.

—Vale. ¿Cuándo?

—Esta tarde.

—¿Dónde?

—En nuestro sitio. —Lo miré y me alejé un paso más—. Si no sabes a lo que me refiero, no te molestes en volver.

18

Muchos de los clientes habituales del Alejandría lo escogían a diario porque no tenían escapatoria. Nadie les obligaba, pero era el único local que les venía a la cabeza si quedaban con alguien especial, si necesitaban pensar, si iban a despedir a una amiga o reencontrarse con un antiguo amor. El Alejandría era una tela de araña que pocos conseguían sortear. Era mi casa. Más casa que la mía propia. El lugar donde se condensaban todas las cosas que hacían latir mi corazón deprisa. La gente. La calidez. Los libros. El café. La charla. La risa. La confianza. Y el amor…, Héctor.

No le dije hora. Lo sé. Ni el sitio, pero pensé que si me conocía un mínimo, no dudaría ni un segundo. Desde luego acertó, porque aún no había terminado mi turno cuando apareció cabizbajo con las manos en los bolsillos y se deslizó silenciosamente hasta el taburete en el que se sentaba en ocasiones para estar más cerca de mí cuando trabajaba. No fue a su mesa. Fue a nuestro lugar. Entre nosotros solamente el Alejandría.

Me sentí como si estuviera interpretando el soliloquio más importante de una famosa obra teatral delante de un público que contenía el aliento. Joder. Parecía que cada silla se había convertido en una butaca y que todos esperaban disfrutar y emocionarse con el espectáculo: nosotros. Y lo nuestro, que flotaba en el aire, así, sin cuerpo, sin saber qué era ni en qué terminaría.

—Mejor ve a la mesa del fondo —le pedí con un hilo de voz mientras terminaba de hacer caja, como siempre al final de mi turno.

—¿A aquella?

—Sí. La que está más apartada.

Héctor se levantó y se alisó el jersey para después caminar despacio hacia un rincón que pretendía ser menos nuestro y más íntimo pero ¿a quién queríamos engañar? Lo nuestro era parte del Alejandría y nunca podríamos desligarlo de él.

Una vez que se hubo acomodado, me quité el mandil y mientras recogía mis cosas en la «trastienda», me di cuenta de que Abel estudiaba cada uno de mis movimientos apoyado en el quicio de la puerta de la trastienda.

—¿Me quedo? —me preguntó.

—Sí, claro. Siéntate con nosotros y nos vas dando el turno de palabra.

No pudo evitar sonreír.

—Puedo hacer tiempo. O puedes darme las llaves de tu casa y te espero allí. A no ser…

—A no ser, ¿qué?

—Que terminéis en tu piso, chingando.

—No tengo el chocho yo para farolillos.

—¿No le echabas un farolillo? Uno de esos ansiosos, cabreados. Un polvo de «te odio pero te quiero».

—Estás dando muchas cosas por sentado.

Abel se volvió hacia atrás y sonrió a alguien que se acercaba y que comenzó a hablar a mi espalda.

—¿Qué pasa aquí? Parece una iglesia. Está todo el mundo como…

—Esperando a que comience el show —añadió él.

Gloria se asomó y me miró sorprendida.

—¡¡Vais a hablar!! ¡Por fin! Ve, ve. Yo os sirvo. Especialidad del día para él y un café americano en taza gigante para ti. Marchando.

—Trae dos cafés solos. Cortos. No creo que se alargue.

Recorrí el salón devolviendo el gesto con timidez a todas las caras conocidas que me sonreían para infundirme tranquilidad. Vero, Tomás, la señora Ángela, Ramón, Lolo… Abel se resistía a marcharse, apoyado en la puerta, haciendo como que buscaba algo en su mochila.

Aparté la silla y me senté. Él se humedeció los labios y yo miré hacia Gloria, que se acercaba con los cafés, por supuesto, café americano larguísimo y especialidad del día. Nunca la vi servir tan rápido.

—Aquí tenéis, chicos. Si necesitáis algo no tenéis más que decírmelo.

—Genial. Gracias, Gloria.

—Pero avisadme, ¿eh?

—Que sí, Gloria.

—¿Queréis unas galletas, un trozo de tarta…?

—Gloria: VETE.

Se escuchó una risa contenida en varios puntos del salón del Alejandría y suspiré hondo.

—Quizá te tendría que haber dicho otro sitio —murmuré acercándome la taza y la sacarina.

—No. Tenía que ser aquí.

—Bien.

Tamborileé con los dedos sobre la mesa, indicándole cierta impaciencia para que empezara a hablar, pero él los detuvo con la mano. Su mano grande y cálida, seca, áspera, sobre la mía.

—Dame un segundo, Sofía.

Miré sus dedos. Siempre me gustaron sus manos algo huesudas, grandes. Recorrí la manga con los ojos hasta llegar a su hombro y escalar hasta su cara. Su barba castaña. Sus cejas desordenadas. El ceño fruncido en tres pliegues. Sus ojos de un azul tan oscuro. Su nariz, grande, menos delicada que el resto de sus facciones. Su boca…, su boca, Dios, a la que añoraba tanto que suspiró y de la que tragué aire para suspirar también.

—Sigue estando ahí —musitó.

—¿El qué?

—Nosotros.

—No lo sé.

Retiró la mano y se enderezó en su silla asintiendo.

—No esperaba que fuera fácil.

—¿Quién, yo? —pregunté un tanto ofendida.

—La conversación. Estoy preparado para escucharte decir cosas duras que me merezco. Lo asumo.

—Vas a empezar tú, lo siento. Tú has insistido en tener esta conversación.

—Vale.

Cogió aire de nuevo, miró hacia otras mesas y se concentró a pesar de sentir todas las miradas sobre nosotros.

—Creo que tú también vas a tener que escuchar cosas duras —y me volvió a mirar—; la diferencia está en que son cosas que ambos sabemos y por las que ya has pasado. No voy a decir nada que pueda evitar o aliviar lo que te he hecho pasar porque hui, me fui como un cobarde y no puedo cambiarlo.

—Me miró pero yo no añadí nada—. Me daba pavor perderte, de modo que no supe cómo estar a tu lado.

—Eso lo has sacado de alguna canción. Esfuérzate un poco más.

—Es difícil. No sé cómo decirte que creí que en el fondo era lo mejor. No sé en qué estaba pensando pero te juro que creí que era lo mejor.

—¿Vas a ir por ahí de verdad? ¿Con el cuento de «me fui porque pensaba que era lo mejor para ti»?

Resoplé y cogí el bolso con intención de irme, pero me agarró de la muñeca.

—No he dicho eso. Creí que era lo mejor para todos, pero porque estaba pensando sobre todo en mí. La situación se convirtió en una especie de ruleta rusa. Ella me dijo que le había destrozado la vida, que había roto promesas, que había echado a perder todo lo que habíamos construido. Estabas tú con tus fantasmas, sin culpa, lo sé, pero estabas…, pidiéndome que me desligara de una historia que inevitablemente venía conmigo. Y estaba yo, con un miedo atroz al vacío de empezar de cero, de hacerte daño, de que Lucía no pudiera encauzar su vida de nuevo, sin futuro, sin planes… Me comió el pánico.

—¿Y ahora te ha escupido? —Me recliné hasta que la espalda tocó la silla.

—No te voy a decir que me perdones. Te voy a pedir que me dejes intentarlo otra vez.

—Quizá deberías volver con Lucía. Ella tal vez te pueda creer. Yo no.

—Con Lucía se rompió, Sofía. Me enamoré de ti y no puedo cambiarlo. No puedo por más que lo he intentado.

Chasqueé la lengua contra el paladar.

—Te había olvidado —mentí—. Había conseguido que dejara de darme pena acordarme de todo. Ya no te tenía aquí dentro —señalé a mi alrededor— ni aquí —golpeé mi pecho con el dedo índice antes de dejar caer la mano sobre la mesa de nuevo— y ahora has vuelto. Y estoy cabreada.

—Tienes todo el derecho del mundo a estarlo. Me fui sin dar explicaciones…

—No es eso. Bueno…, sí lo es. Claro que lo es. Tuvimos una discusión, UNA discusión normal porque tu ex estaba en todas partes, porque cogías sus llamadas y como no querías hacerle daño a ella me lo hiciste a mí. Y no satisfecho con esto ¿qué decidiste? Que recogías de noche y te marchabas. Sin decírmelo a mí ni a Estela ni a nadie. No puedes entrar en la vida de los demás y salir cuando te venga en gana, Héctor. No puedes.

—Lo sé. —Agachó la mirada—. Ya lo sé. Fue una…, no sé lo que fue. Me agobié. Tenías razón y no sabía cómo solucionarlo. Ella me llamó, me dijo que estábamos a tiempo, que podríamos coger un avión para volver a nuestra vida de siempre y yo… deseé que no nos hubiésemos complicado tanto la vida.

—Bien. Ahora entiende que no puedes volver a decir que estás enamorado. Eso no es amor.

—Me entró el pánico. Me fui. Ya lo sé… pero…

—Han pasado siete meses. ¿Eres consciente? No son dos días —insistí.

—Pensé que reharías tu vida.

—¿Con qué? ¿Con lo que me dejaste? Hecha una puta mierda y con la autoestima destrozada. Así iba a empezar otra vez, ¿no? Por si mi anterior relación no hubiera sido suficiente.

—Sofía, tienes todo el derecho del mundo a no perdonarme pero…

—Pero ¿qué? ¿Sabes lo peor? Que no me entiendes, que no has intentado ponerte en mi lugar y ni siquiera sabes qué es lo que más me duele…

—Pero para eso he vuelto. Para asumirlo. Y rehacer.

—Héctor —me apoyé en la mesa apartando las tazas de café—, no te culpo por haberla elegido a ella. Te culpo por haberme hecho creer que había otra posibilidad. —Héctor me miró perplejo—. Dieciocho años juntos. Os separáis. Conoces a alguien. Te resistes. Terminas dejándote llevar, conociendo otro cuerpo, follándote a otra tía. Todo es nuevo. Crees que es amor. La convences: «No, esto es diferente, a ti te quiero de verdad». Luego se vuelve serio. Te exige lo mismo que da. Y deja de ser divertido. Ya no es una novedad. Ya no es amor…, es lo que tenías con la anterior pero con una nueva a la que no conoces. ¿Y cómo termina? Contigo volviendo a lo conocido convencido de que fuera hace demasiado frío para ti.

—¿No crees que estás frivolizando?

—¿Yo? ¿Te ofende que exponga las cosas con claridad?

—Estás frivolizando lo nuestro. Yo me lo merezco. Lo nuestro no.

—Lo nuestro fue una aventura, Héctor. Asúmelo. Negándolo me estás haciendo más daño. Y ya he perdido la cuenta de las veces que me lo has hecho. Necesito que pares.

—Cuéntamelo.

—¿El qué? —pregunté rabiosa.

—Lo malo. Lo que me he perdido.

—Te has perdido poca cosa.

—Cuéntamelo.

—Te has perdido mierda; la que dejaste.

—¿Te jodí la vida?

—Me jodiste seis meses. Me jodiste la autoestima. Me jodiste Madrid. Estabas en todas partes, ¿sabes? Jodiste canciones, lugares, la opinión que tenía de mí misma y del amor, el Alejandría…, me jodiste el Alejandría, Héctor. ¿Sabes lo que significa eso?

—Sí.

—¿Qué? Dime, ¿qué crees que significa?

—Que te dejé sin refugio. Que me metí en tu casa y te la robé.

Pues sí. Sabía lo que significaba.

—No fue una aventura —susurró—. Y necesito saber si aún me quieres porque…

—¿Porque qué?

—Porque la vida sin ti no es vida. Porque me enamoré y no puedo hacer nada más que quererte. En todo lo que hago. En lo que digo. En lo que sueño. En lo que no me perdono y en la esperanza que me tengo. En la poca que aún me tengo. Yo te quiero. Dímelo, Sofía, necesito saberlo. Necesito saber si aún me quieres.

«¿Se pueden inventar verbos? Quiero decirte uno: yo te cielo, así mis alas se extienden enormes para amarte sin medida». Lo escribió Frida en una carta y yo lo había leído en su biografía. Se había quedado ahí, anidado, a la espera de necesitar poner en palabras un sentimiento tan grande como la rabia, la esperanza y la ilusión de escuchar a Héctor decir que me quería. Tanto como yo le seguía queriendo, claro, pero él con culpa y yo con rabia. Él con miedo y yo con celo. Él con esperanza y yo con desesperación. Quería olvidarlo y él que le perdonara. Quería arrancármelo de dentro, escupírselo en la mesa y decirle: «Aquí lo tienes, todo tuyo, yo ya no lo quiero», pero uno no puede extirpar esas cosas del interior. Uno no controla a quien quiere, no se decide, no se elige.

Lo miré y él extendió la mano hacia mí, buscando una respuesta sencilla, pero no las hay a preguntas complicadas.

—Necesitamos que lo digas —suplicó—. Los dos.

—Es que…

—Solo dímelo…, ¿me quieres aún? A pesar de todo… ¿me quieres?

—Sí.

—¿Sí? —Sus cejas se arquearon.

—Muy a mi pesar, sí.

Me levanté. No podía más. Su café y el mío, intactos, vibraron dentro de las tazas hasta desbordarse con timidez cuando tropecé torpe con la mesa y agarré la chaqueta.

—No te vayas —suplicó.

—No puedo quedarme.

—No lo sentiremos con nadie más, por nadie más. Quédate.

Cogí el bolso y contuve la respiración para sofocar la rabia, la pena y la desconfianza al menos hasta que saliera de allí. Pero Héctor me sostuvo. Y fue como el final de una película, con todo el patio de butacas conteniendo la respiración, esperando, suspirando. A cámara lenta, como las cosas que deben apreciarse hasta en su detalle más nimio. Como la expresión de pánico con la que se le quedaron los ojos cuando empecé a alejarme, la forma en que se levantó, volcando el contenido de su taza sobre el plato y la mesa, la manera de agarrarse a mis brazos y la fuerza con la que me atrajo hacia su pecho y cómo sus labios encontraron el camino hasta los míos para estamparse en un beso que fue más bien una colisión. Un beso tenso, obligado, que peleé por esquivar y al que me rendí entre sollozos de pena por dentro. Pena por mí, que volvía a estar enamorada de una manera incontrolable.

El mundo reanudó su marcha en cuanto abrí los ojos. Había dejado de girar a cámara lenta. Todo volvía a recuperar su ritmo frenético, como la vida, que de tanto pensar y de tanto sufrir por gusto se nos va sin darnos cuenta. Lo aparté de malas maneras.

—Sofía, Sofía, dame un segundo, por favor, un momento, un momento y te daré todo. Mi vida entera, por favor, por favor… —suplicó.

—¡Déjame! —grité.

Se acercó. Lo aparté de nuevo. Me giré. Él sostuvo mi brazo. Me solté. Y el Alejandría se convirtió en un borrón cuando salí sin mirar atrás.

19

Escribió Oscar Wilde en *El retrato de Dorian Gray* que «a veces podemos pasarnos años sin vivir en absoluto y, de pronto, toda nuestra vida se concentra en un solo instante». Al leerlo marqué la frase, pero me pareció más romántica que real. Me hubiera gustado podido ir a presentarle mis respetos al señor Wilde en aquel momento, cuando me di cuenta de que, joder, era verdad.

Entré en casa como un ciclón con la chaqueta a medio poner, el bolso colgando y jadeando como una loca. No lloré. Y no tener que cruzar corriendo los escasos metros que separaban el Alejandría de mi portal con las mejillas empapadas fue un alivio. No estaba segura de si las retenía o si no iban a aparecer, pero no iba a llamarlas para preguntar.

Julio estaba sentado en el salón solo con la tele encendida y Roberto jugando con uno de mis coleteros que a saber de dónde había robado. Los hurones son unos ladrones, he avisado.

—Ey, Sofía. ¿Qué tal?

Respondí con un sonido gutural mientras intentaba huir hacia el interior de mi habitación a abrazar a mi gata y patalear porque la vida no me parecía justa, pero me obligó a pararme cuando siguió hablando.

—Había pensado que podíamos charlar...

—¿Ahora?

—Es importante.

En el suspiro que dejé escapar tuve intención de quitarme parte del peso de la conversación que ya había tenido con Héctor, pero no conseguí nada más que parecer impaciente. Me senté tal y como venía de la calle. Al mirarlo no tuve ninguna duda de lo que iba a decirme.

—Te vas —afirmé con pena.

—Me voy.

—Con tu chica.

—Sí. Nos mudamos a su piso. Su compañera se marcha a vivir con su pareja y hemos creído que es... una señal.

¿Y qué señal tenía que interpretar yo en aquello?

—Busca otro compañero sin prisa, ¿vale? —concedió.

—Querrás irte lo antes posible.

—Mujer, si pudiera arreglarse para el mes que viene sería genial, pero bueno... eres tú. Podemos hacer ese esfuerzo... por ti.

Yo no quería que nadie hiciera ningún esfuerzo por mí. Ya había hecho yo demasiados por los demás. Pero asentí porque no supe qué más hacer. Me levanté y cogí a Roberto del suelo para darle un beso. Iba a añorarlo mucho. Con su cuerpecito larguirucho correteando por la casa, mordisqueando los cables de la tele, robando cosas de mi bolso para huir con ellas a su nidito siempre creí que a la espera de que yo fuera corriendo a recuperarlas. A Julio también lo echaría de menos, sobre todo cuando tuviera que compartir piso con otro desconocido o desconocida que no cumpliera con el alquiler o con los turnos de limpieza, que armara ruido y también quisiera disfrutar del salón los viernes por la noche.

—Sofía..., ¿estás bien? —me preguntó sin moverse del sofá.

—Sí, sí.

Estaba lo suficientemente bien para llegar hasta mi dormitorio, pero al cerrar la puerta de mi habitación me encogí y me eché a llorar. Las lágrimas, míralas. Allí estaban. No por Héctor. No por Roberto ni por Julio. Por mí. Lloraba por mí porque todo estaba cambiando y yo no sabía a qué acogerme.

Se adelantó la cena de los viernes a aquella misma noche. Abel había llamado a Oliver y a Mamen para hacer una especie de coloquio sobre lo que había pasado y a pesar de que yo no estuve de acuerdo, nadie atendió mi opinión porque Mamen y Abel querían saberlo todo con pelos y señales, y a Oli se lo llevaban los demonios. Les dije que no iba a prepararles cena, que no iba a hacer el esfuerzo de quitarme el pijama para recibirlos y que no iba a ser simpática, pero aun así vinieron. Cargados con vino de parte de mi padre, una pizza para que mis fajas tuvieran más trabajo que hacer y sin arreglar por solidaridad: Mamen en chándal de madre, que es como llama a su equipito de ir a jugar al pádel, Abel en pijama y zapatillas de deporte y Oliver..., bueno, él va aparte. Venía hecho un pincel, como siempre, porque considera que es lo suficientemente mono como para no ser solidario conmigo. Julio estaría atrincherado en su habitación por miedo a salir y ser secuestrado por la panda de «arregla-vidas» en la que se habían convertido de pronto mis amigos.

La conversación fue absurda y no me fue de mucha ayuda. Cada uno daba su opinión del asunto sin cortarse un pelo en discutirme mis propios sentimientos, como si se estuviera tratando una cuestión de estado y no mis emociones. Abel hizo un monólogo sobre el amor en el que, el muy mamón, usó hasta citas de Shakespeare. Me cuesta resistirme a una cita célebre...

—«He aprendido que no puedo exigir amor de nadie. Yo solo puedo dar buenas razones para ser querido y tener paciencia para que la vida haga el resto». Eso es lo que ha hecho Héctor, Sofía. Con toda humildad. Sé humilde también y date cuenta de que esto te viene grande, que no eres nadie para plantarle cara al amor de tu vida.

Citas célebres y sobreactuación a punta pala.

—Yo no soy nadie, pero tú eres imbécil —fue mi respuesta.

Mamen habló sobre el destino, sobre los hilos rojos que, por cierto, recorrieron las redes sociales y que por poco no terminaron siendo trending topic en Twitter con el hashtag «UnHiloRojoPara».

—Un hombre capaz de pasar media noche haciendo pintadas y uniendo vuestros lugares con lana roja... es un hombre enamorado.

—Es un peliculero.

—¿Quién puede culparle? Nos pasamos la vida pidiendo grandes gestos y cuando nos los dan, nos da vergüenza ajena.

—No es vergüenza ajena. Es rabia, por quererlo a pesar de tanto. Y ya está.

Oliver estaba asqueado, dijo. Héctor era un egoísta, un caprichoso y un inmaduro y lo peor fue tener que frenar las ganas de contradecirlo sin ningún argumento que sirviera. Porque yo, en mi fuero interno, también estaba enfadada y pensaba que era un egoísta por volver después de siete meses sin pensar en lo que me haría sentir; un caprichoso por haber actuado siempre por impulsos, sin pararse a pensarlo bien y un inmaduro porque..., porque estaba cabreada. En realidad, a día de hoy, pienso que fue una conversación valiente.

No solucionamos nada aquella noche, claro. Las emociones no se calman ni se ordenan ni con una botella de vino ni con una noche en vela pero cometí el error de querer hacerlo de ese modo, vertiendo garganta abajo todo el vino que pude, cogiéndome un pedo tonto y no pegando mucho ojo después. Porque al final de la cena, todo se fue desmelenando. No sé si fue efecto del vino tinto con cuerpo de la añada del 2006 o simplemente que Oliver y yo nos engorilamos como idiotas, pero el cónclave sobre mi conversación con Héctor y la «sorprendente» marcha de Julio fue virando hacia viejas heridas. Oliver estaba seguro de que terminaría flaqueando ante Héctor y le daba rabia; yo estaba segura de que no saldría bien y de que Oliver me vendría con el «te lo dije» de turno y me daba rabia. ¿Sabes lo que pasa con quien da consejos cuando nadie se los ha pedido? Que termina creyéndose moralmente superior, creyendo que es poseedor de la verdad. ¿Y sabes qué pasa con quien recibe consejos que no ha pedido? Que se siente violado en lo más hondo de las equivocaciones que sabe que cometió y que le hacen tan humano. El detonante fue el tema del piso. Creo. Estábamos tan sensibles que podríamos haber hecho volar la casa entera por una mota de polvo. Pero creo que el hecho de que Julio fuera a dejarme plantada, con una habitación de sobra y un alquiler que no podía afrontar sola fue la guinda del pastel.

—Lo del piso es una chorrada. No te ahogues ahora en un vaso de agua. Ni así consigues desviar la atención del problema real: Héctor.

—Oliver, no me estoy ahogando en un vaso de agua. Me jode tener que buscar compañero de piso justo ahora. Si no quieres escuchar mis opiniones no sé qué coño haces en esta cena que, por cierto, no he organizado.

—Asúmelo, tienes un ojo de mierda para los hombres. Cada uno es peor que el anterior.

—¿Perdona? —Entrecerré los ojos.

—Que cada uno es peor, como si quisieras autoboicotearte a través de los tíos con los que sales.

—Y tú te crees con derecho a decir nada sobre ello porque…

—Porque no me da la gana verte haciéndote la víctima por algo que te buscas tú sola.

—¿Haciéndome la víctima? —le grité—. Pero ¿quién cojones te ha pedido opinión, pedazo de mierda?

—¿Pedazo de mierda yo? ¡¡Pedazo de mierda tú, que no tienes dignidad!!

Abel y Mamen se abrazaron, como si estuvieran viendo una película de miedo.

—Eres imbécil, ¿lo sabes? ¿Tienes idea de lo gilipollas que puedes llegar a ser? ¡¡Si no quieres saber para qué cojones preguntas!!

—Porque me preocupo por ti, no como «el barbas».

—«El barbas» tiene nombre. Y no eres mejor que él.

—¿Ah, no?

—No. ¡No eres mejor que él!

—Madre mía, Sofía, si es que esto te pasa por idiota. Te lo crees todo. ¡¡Te lo crees todo!!

—¡Lo que me faltaba! ¿Todo esto por quejarme por tener que buscar compañero de piso? Pero ¡¡tú eres un dictador!!

—Ahora el drama es tener que buscar compañero, ¿eh? ¡¡El drama es el jodido Héctor, cojones!!

—¿Quieres dejar a Héctor a un lado, por el amor de Dios?

—No. —Se reclinó en su silla al tiempo que cruzaba chulito los brazos sobre el pecho—. No me da la gana. Ni por el amor de Dios ni por el amor del cosmos. Si estás hecha una puta mierda porque ese tío te ha mareado, dilo. No te escondas detrás de lo del piso.

—¿Me vas a pagar tú el otro cincuenta por ciento del alquiler, listillo? No es un drama, es una situación REAL como la vida. Listo. Que eres un listo.

—¿Real? Tú flipas piruletas.

—¿Qué tipo de frase es «tú flipas piruletas»?

—Pues mira, que flipas piruletas, por pava. Si el problema es el piso, adiós problema: me vengo a vivir aquí.

—¿Que te vienes dónde?

—Aquí. Me traslado. Yo ocupo su habitación.

—Preferiría mear cristales —sentencié.

—¿No era ese el drama? ¿Te permites el lujo de rechazar a un nuevo compañero? No será tanto drama.

—Oliver, el drama sería vivir contigo.

—¿Ves? Se pilla antes a una mentirosa que a una coja.

—Te estás ganando una patada en el cielo de la boca, te aviso. —Le apunté con el dedo índice, temblando de rabia.

—Ti istis guinindi ini pitidi in il cili di li biqui... —me imitó.

—Se acabó.

No voy a detallar demasiado la lista de insultos ni el resto de la pataleta. Agarré lo primero que pillé, que fue un trozo de pizza a medio comer y se lo lancé a la cara, con tan mala puntería que terminó estampado en la puerta de la nevera. Los dos nos levantamos arrancándole gemidos a las sillas al arrastrarse sobre el suelo. Me agarró para estampar otro pedazo de pizza en mi cara, pero le aticé con la caja vacía en la cabeza. Nos pegamos con los cojines. Él tiró de la manta del sofá y me la descolocó entera para fastidiar. Erguimos el dedo corazón en la cara del otro. Le di una patada. La cosa se estaba yendo de madre cuando Abel nos separó.

—¡Contrincantes, contrincantes..., cada uno a su esquina!

—¡Ya me he cagado en tu tía la muda! —grité cuando Oliver se limpió las manos manchadas de tomate y grasa del queso de la pizza en una de las cortinas.

—¡Cómeme los huevos!

Abel, que sostenía a Oliver del pecho, le agarró la entrepierna en un movimiento ágil que le hizo aullar.

—O te calmas y paras o me veré obligado a tirar fuerte hacia abajo, amigo. Y... voy a disfrutar de someterte, así que no me des motivos.

Mamen no fue de ayuda. No le gusta interceder en discusiones ajenas, por si mete la pata (o alguien le calza una hostia) y, además, se había quedado embobada mirando lo que Abel sostenía en la mano derecha. Y yo, que debí echarme a reír, aunque fuera en medio de un ataque de histeria digno del Joker, me descubrí gritándoles a todos que se fueran de mi casa, que me dejaran, que me dieran una tregua.

—Pero... —alcanzó a decir Mamen.

—¡¡Solo quiero llorar en paz!! ¿¿Es tan difícil de entender?? ¿¿Es tan complicado comprender que quiero llorar sola y a oscuras?? —Como respuesta el silencio más ominoso—. ¡¡Fuera de mi casa, joder!!

Estampida. Estampida en versión «mejor me voy, pero antes recojo las cajas de pizza y las botellas de vino vacías porque si mañana además te toca limpiar este desastre te vas a enfadar pero de verdad». Nunca había visto a Abel y a Mamen limpiando con tanta diligencia. Oliver se limitó a mirar fijamente a través de la ventana, como si fuese un retrato del romanticismo y detrás del cristal hubiera una tormenta.

Abel me pidió perdón antes de irse. Me dio un beso y prometió no volver a invadir mi espacio de aquella manera. Quise quitarle fuego, pero no tenía ganas, la verdad.

—Hasta mañana —sentencié seria, esperando verlos desaparecer tras la puerta.

Mamen ni siquiera se atrevió a hablar; se limitó a darme un beso en la frente.

Me metí en mi dormitorio antes de que Oliver tuviera tiempo de ponerse el abrigo. Estaba dolida. Me sentía desnuda.

Me sentía… herida y expuesta. Quizá fue el vino. Quizá fue Oliver. Quizá fue ver que había un poco de verdad en todas esas opiniones que no pedí.

Oliver no se fue, pero lo averigüé mucho más tarde, cuando salí a por un vaso de agua (mentira, salí para ver si había sobrado vino) y lo encontré sentado en el sofá, sin zapatos y envuelto en la manta que había arrastrado por el suelo un rato antes. En realidad, lo averigüé cuando ya volvía de la cocina con la botella de vino en la mano. Me pilló con las manos en la masa.

No dijimos nada. Los ojillos le brillaban en la semioscuridad del salón y estaba serio. Me quedé mirándolo sin decir nada mientras él me miraba a mí. Duelo de idiotas, a ver quién aguantaba más sin pedir perdón. Era así desde el colegio: discutíamos en una explosión de fuegos artificiales y después, más fríos, más comedidos, esperábamos ver en el otro un atisbo de flaqueza para no ser el primero en disculparse. Siempre lo hacíamos. Unas veces él y otras yo, pero siempre pedíamos perdón. Y en esa ocasión fue él.

—Soy un mierdas. Te hago daño con el tema para que te canses de Héctor, porque sé que si te lo hace él será peor. Perdóname.

Corrí lloriqueando para sentarme en su regazo y moquearle el cuello de la camisa.

—Vale…, ya está —me pidió acariciándome la espalda—. No volveré a hacerlo.

—Estoy borracha. Déjame llorar el vino.

—Estás disgustada. No pasa nada. Me pasé tres pueblos.

—Te pasaste cinco.

—Lo siento. Es que no me gusta que…

—Cállate ya —exigí moqueando.

Me acunó un poco. Él también debía de estar medio pedo porque no es muy dado a los mimos, ni a decirme que se sentía como si estuvieran insultando a su hermana. Y cuando me cansé de llorar y me fui a dormir, se metió en la cama conmigo, prometiéndome que nunca estaría sola.

—Lo he dicho de verdad, Sofía. No busques compañero. Me vengo contigo. Para algo están los hermanos.

Oliver de compañero de piso. Eso… ¿era bueno o malo?

20

Ah. Por Dios. Que nadie me diga que el vino bueno no da resaca. Qué horror. Qué asco de lengua áspera y de sed continua. Qué dolor de bolondrio. La cabeza me pesaba como si midiera medio metro de diámetro. Y yo allí, detrás de la barra del Alejandría, secando vasos, poniendo en marcha una cafetera que parecía hacer el mismo ruido que un motor a reacción y sirviendo comida que me daba ganas de potar hasta la primera papilla. El tintineo de las cucharillas me estaba poniendo negra. Las conversaciones resonaban dentro de la cabeza como si rebotaran. El Alejandría que me parecía el salón de casa de mi abuela había sido sustituido por el Alejandría que parecía Pachá Ibiza un sábado a las dos de la mañana. Y yo estaba bastante insoportable.

Seré sincera. El vino me molestaba por sus indeseables efectos secundarios y la discusión con Oliver ya me daba risa. Abel estaba de lo más cariñoso (y pelota) conmigo y Mamen me había mandado un mensaje de buena mañana diciéndome que se había dado cuenta de que había actuado como una madre metomentodo en lugar de como la amiga que era y que me pedía perdón por ello. Así que... ¿qué me pasaba? Que estaba preocupada. ¿Y qué era lo que me preocupaba? Fácil. EL BESO. Un beso al que me había resistido, que había terminado porque a mí me dio la santa gana y que llevaba rememorando desde que me acosté la noche anterior. Llevaba horas y horas rememorando el recuerdo y deformándolo a mi agrado hasta grabar en mi retina al menos una docena de versiones diferentes. En unas follábamos. En otras nos perdonábamos. En las más sinceras, hacíamos el amor encima de su cama. Pero su cama ya no era su cama. Y nosotros no éramos nosotros.

Sonaba «Use somebody» de Kings of Leon cuando entró. Me cagüen mi santa madre. Qué guapo estaba. Llevaba un jersey azul cerúleo, el abrigo gris y unos pantalones oscuros. El pelo alborotado, como siempre, no porque no se hubiera peinado, sino por su manía de deslizar los dedos entre los mechones. Parecía que los ojos le ardían cuando me miró. Sonrió comedido en un intento por compartir conmigo un gesto de complicidad pero con temor de que me ofendiera. Nos habíamos besado, pero no había sido suficiente y los dos lo sabíamos, sobre todo porque había sido un beso robado, de los que no significan nada.

—¿Sigues enfadada? —susurró Abel a mi lado.

—Tengo resaca.

La respuesta fue concisa y ciega, porque no lo miré al hablarle. Seguí a Héctor hasta su mesa, hasta su silla, hasta el que ya era su ventanal. Él me mantuvo la mirada, pestañeando muy rápido, seguramente con intención de que el contacto no se rompiera durante demasiado tiempo. Y había algo..., algo húmedo y jugoso a pesar de lo delicado del nuestra situación y de lo violenta que había sido nuestra última charla.

Había algo sexi. Él lo era, claro que sí, pero eso ya lo sabía. No era inmune a su encanto ni mucho menos, pero estaba preparada para que mi cuerpo reaccionara al suyo. No era eso. Era algo nuevo. Algo atrayente que no estaba allí el día que volvió. Ni el día que se fue. Ni ninguno de los días y noches en los que hizo que tuviera que morder su hombro para sofocar el grito de alivio durante el orgasmo. ¿Qué era? ¿Qué había allí?

—¿Quieres que vaya yo a tomarle nota?

—No.

No salí a preguntarle qué le apetecía; directamente le preparé un café con leche con dos cucharadas de leche condensada. La primera vez que probé uno de esos fue en Tenerife..., lo llamaban «dos leches» y me hizo gracia su nombre; no sé si se lo serví por ganas de dárselas con la mano abierta en realidad. Pero era dulce, denso, caliente... y me gustaba. Casi podía saborear su regusto en el paladar cuando dejé la taza delante de Héctor.

—Gracias —dijo.

—¿Algo más?

—Mucho más.

Me di media vuelta y volví a la barra. Jadeaba cuando llegué. Su voz seguía siendo grave, masculina pero suave. Muy cálida. Caldeaba la parte baja de mi vientre como en una llamada animal al sexo. Pero no era eso. Ya lo había escuchado. ¿Ese deseo lanzado al aire? ¿Ese «mucho más»? Podía imaginar todo ese «más» como un amasijo de carne y de hueso, de palabras sosteniéndose sobre sus brazos mientras sus caderas me lo colaban bien hondo en un movimiento de balanceo sutil pero continuo. Podía sentir la dureza de su polla en mi mano mientras imaginaba cómo le tocaría, cómo lo dirigiría hacia mi entrada. Pero no era eso. Ya lo había imaginado muchas veces.

¿Estaba enfadada? Claro que lo estaba. ¿Cómo se me pasaría? Quizá no se me pasaría nunca. O lo olvidaría en un solo segundo con el primer beso consentido. Con la primera promesa que cumpliera. Esa era una opción. ¿Qué opción nos quedaba si nos queríamos los dos?

Por primera vez en muchos días, respirar el mismo aire que él empezó a resultarme trabajoso. Lo achaqué a la resaca. Después al calor que su voz provocaba en la parte baja de mi vientre. Más tarde tuve que asumir que era la evidencia del amor compartido. Ya lo dijimos en el pasado, «el amor es un secreto que los ojos no saben guardar». Había una cita de Chavela Vargas, de una canción que nunca llegué a encontrar o quizá de otra cosa, que decía: «Estaban enamorados. Se notaba en la forma en la que se miraron entre sí, como si tuvieran el secreto más maravilloso del mundo entre ellos». ¿Era eso?

Suspiré. Él también. Como si se bebiera las penas y las preocupaciones. Quise que lo hiciera desde más cerca. Dejárselas al borde de los labios mientras mantenía su cara pegada a la mía con la boca vertiendo gota a gota cada decepción que me debía. Ay, Héctor...

Parpadeé y aparté la mirada.

—¿Puedo hacerte una broma o me vas a soplar una hostia? —preguntó Abel.

—¿Desde cuando te soplo yo hostias?

—¿Has visto *Amelie*?

—Claro. —Sonreí mirando el vaso que llevaba un rato secando sin haberme dado ni cuenta.

—Pues parecéis Georgette y Joseph justo antes de follar en el baño. Y... ese vaso está más que seco.

Me lo quitó de entre las manos.

—Hay algo..., algo nuevo.

—Se llaman feromonas y son ancestrales, cielo —respondió.

—No es eso. Es algo que ayer no estaba.

—Ah. La prohibición entonces.

Lo miré de nuevo. A Héctor, no a Abel. La prohibición. ¿Cómo que el día anterior no estaba? No. No estaba. El día anterior YO no quería. Podía, pero no quería. Él lo pedía y yo se lo negaba. Porque estaba enfadada o porque estaba dolida, no lo sé. Y ahora… no podía, porque se había empezado a diluir con su presencia continua, con la conversación, con las ganas… y quería, pero no podía.

¿Adónde nos llevaría aquello? A un territorio conocido. Al quiero y no puedo que termina con un lo hago pero lo peno, porque no debí hacerlo. Un paisaje desolador de dos personas dejándose llevar con la excusa de algo que han retenido tanto tiempo y que han ido alimentando con la respiración trabajosa que yo sufría en aquel momento…, algo que termina reventando cualquier atisbo de fuerza de voluntad.

La canción había terminado. La de Kings of Leon. Había empezado otra y otra y ahora sonaba «Little girl's eyes» de Lenny Kravitz. Por el amor de Dios. Qué calor hacía allí dentro.

Héctor daba vueltas lentas a su café sin apartar los ojos de mí y cuando volví a mirarlo pareció contener la respiración a la vez que se humedecía los labios. El café era demasiado dulce y los dejaba algo pegajosos. Casi pude saborearlo, joder.

Deslicé la mirada hasta sus dedos, que acariciaban la superficie de la mesa. No. Todos no. Solo el corazón. Su dedo corazón arqueado dibujaba círculos lentos sobre la madera, inconscientes. Y supe en qué estaba pensando. En meter la mano entre mis piernas y robarme con caricias la promesa de darle una oportunidad.

No sé cómo fue que lo entendí. No sé si fue la quemazón entre los muslos, la humedad que empezaba a intuir en la ropa interior o la certeza de lo dolida que estaba por haber hecho las cosas mal desde el principio. No sé cómo fue, pero lo entendí: la prohibición cebaría las ganas y los reproches hasta convertir aquello en sexo furioso. En ese polvo que echan las parejas que se aman tanto como se odian o…, o que odian amarse, no sé. Lo nutriría hasta idealizar lo que sentíamos, levantándolo, despegando los pies del suelo y prometiéndonos una hostia de la que no saldríamos mejores.

¿Qué quedaba?

Me quité el mandil. No lo soportaba. Tiraba de mí. Me tomé unos segundos para doblarlo, para coger aire y preguntarme un par de veces si no iba a cagarla más. Como no hubo respuesta, salí de la barra. Él y la mitad de la clientela me siguieron con los ojos hasta su mesa, donde llegué después de lo que me pareció una eternidad.

—Hola.

Ya nos habíamos saludado. «Hola» no es una palabra especial. Y no añadió más. ¿Por qué sonó denso? Menudo viaje de psicodelia me dio pensar de más.

Tenía la pierna izquierda apoyada en la rodilla derecha a la altura del tobillo, en una postura relajada y segura de sí misma que cambió por completo cuando adivinó mi intención de sentarme sobre sus piernas, de lado. En cuanto toqué su regazo, agarré el jersey y lo acerqué hacia mí, hacia mi boca.

—Joder —susurró.

—Vamos a hacerlo. ¿Qué sentido tiene esperar?

—Sí. ¿Qué sentido tiene?

Abrimos la boca antes de juntar los labios, lo que convirtió el beso en una caricia húmeda y caliente perpetrada por la lengua, bien hondo. Me vibró todo por dentro. Me apreté alrededor de la nada, llamándolo. Sus manos me acomodaron sobre sus piernas y envolví su cuello con los brazos. Nunca había besado en el Alejandría. Nunca así, quiero decir. Me daba pavor que los clientes pudieran pensar que era impropio o sentirse incómodos pero en aquella ocasión… me dio igual. No existían: gemí en su boca cuando me mordió, jugando. Qué beso. QUÉ BESO. Me dejó los labios tan hinchados y calientes que me dio miedo llevar horas besándolo y haber perdido la noción del tiempo.

—Vámonos —le dije.

Me levantó con una sola mano y tiré de él para volver a besarlo, de pie, mientras se ponía la chaqueta. Quería comérmelo. Sabía tan bien…, sabía a un montón de cosas bonitas que me había obligado a no recordar. Me apretó tan fuerte una vez se puso la prenda que casi me dejó sin aire.

—Ve a por tu abrigo —susurró en mi boca antes de que me alejara.

Lolo y Abel estaban tras la barra, sujetando unos paños de cocina con los ojos abiertos de par en par y consternados. Casi me sentí avergonzada…, casi.

—Una hora —le pedí a Lolo.

—Cógete las que te hagan falta.

Salimos del Alejandría como de aquella discoteca en la que dimos rienda suelta a todo por primera vez: parándonos en cada esquina para besarnos más y mejor, más hondo, más húmedo, con un gemido más sonoro. Cuando nos dimos cuenta, estábamos frente al ventanal del Alejandría, abrazados, recorriéndonos con las manos por debajo del abrigo. Miré hacia dentro y sonreí. Toda la clientela habitual se agolpaba allí, en la otra parte del cristal, aplaudiendo silenciosamente, agitando los brazos, jaleándome. Y una clienta nos hacía una foto. Yo saqué el móvil del bolsillo de la chaqueta e hice otra. ¿Por qué? Porque sabía que aquel momento era volátil, solo un espejismo que desaparecería en cuanto nos acercáramos a él.

21

Su habitación estaba iluminada por una luz muy cálida. Ya no llovía y el sol anaranjado del otoño lo teñía todo allí dentro desde las cortinas hasta el suelo de madera. Tenía puesto un disco de Arctic Monkeys en Spotify cuando le dio play. Sonó «Do I wanna know?» y mientras le quitaba el abrigo y besaba su cuello con voracidad, pulsó dos veces el ratón y lo volvió a dejar tirado sobre el escritorio. No me lo creía. Iba a tenerla por fin.

La giré entre mis brazos y sus manos recorrieron mis mangas en busca del abrigo gris que... ya me había quitado y tirado al suelo. Sus manitas frías se colaron debajo del jersey poniéndome los pezones como piedras y la piel de gallina y desde allí dentro tironeó con la tela para dejarla caer también, interrumpiendo los mordiscos en la boca para que pasara la tela entre los dos.

Le quité la blusa lo más suavemente que pude, porque creía que se la arrancaba. Necesitaba hundirme entre sus dos tetas y respirar profundo antes de morderla y desnudarla del todo. Llevaba un sujetador sin tirantes de color beige que terminó de ponérmela dura como no recordaba haberla tenido en mucho tiempo. Y eso que la prenda no tenía nada especial. Bueno, miento, tenía sus dos tetas dentro, apretadas y contenidas.

Sofía aterrizó con suavidad sobre el colchón cuando la tiré en la cama; quería quitarle los pantalones, pero me lo facilitó desabrochándolos ella. Yo tiré de los botines, que terminaron estampándose sobre la tabla de madera vieja de la puerta. Tenía prisa por empezar con el para siempre y no me planteaba nada más. Ni dudas.

Las bragas eran de color blanco. No combinaban con el sujetador, como si fuera a importarle a alguien. A ella tampoco, que conste. Lo único que hizo cuando tiré el pantalón fuera de la cama fue abrir las piernas. Quería decirle:

—Estás mojada. Lo noto sin tocarte.

Pero dije:

—¿Quieres parar?

Casi me arrancó los labios cuando me contestó metiendo la lengua en mi boca y arqueándose para que encajara sobre ella.

—Háblame… —gimió cuando me aparté para desnudarme—. Como solías hacerlo. Ya nos preocuparemos de lo demás después.

Me levanté de la cama y me lo quité todo. Todo. Sofía se retorció y humedeció sus labios gruesos a la vez, impaciente, cuando volví a colocarme entre sus piernas. La cama, pequeña, volvió a parecerme enorme, porque cualquier espacio sobraba entre los dos.

Agarré la cinturilla de las bragas y tiré de ella hacia mí, haciendo que bajara a trompicones. Ni siquiera se las quité del todo. Dejaron de molestarme cuando las dejó colgando de uno solo de sus tobillos.

—Háblame —suplicó de nuevo.

—Quiero hacerte demasiadas cosas a la vez. Abre más las piernas. Déjame entrar.

Obedeció. Sabía que estaba dejándose llevar sin querer pensar y… fui mal chico. Me dio igual. La necesitaba demasiado. Quizá, después de hacerlo, todo pintara mejor para nosotros. Estábamos enamorados. ¿Qué podía pasar?

Le quité el sujetador con torpeza. Creo que lo hice mejor la primera vez que vi dos tetas. Ni siquiera fueron las de Lucía. No puedo mentir. Le toqué las tetas primero a la hija del de la funeraria en la parte de detrás del coche de mi hermano, dentro del garaje donde lo tenía aparcado. No pasamos de allí. ¿Por qué me acordaba de aquello estando con Sofía? Estaba nervioso. ¿Yo qué sabía?

Sofía se abrió para mí brillando húmeda, gloriosa, cuando separó aún más los muslos. La carne de Sofía no se podía comparar a nada en el mundo. A NA-DA. Suave. Prieta. Sonrosada. Generosa. Se la metí de un empujón, sin tantear y, como si fuera su sitio, entró a la primera. Su cuerpo me acogió contrayendo los músculos y grité… Por eso había puesto la música. Sabía que, cuando me la follaba a ella, gritaba porque era demasiado. El sexo fue sexo hasta que lo hice con ella.

Salí. Volví a entrar. No servía. Tenía demasiadas ganas de ella como para que el cosquilleo, que se iba deslizando de la punta de mi polla hasta el centro mismo de mi espina dorsal, fuera suficiente.

—Quiero hacerte tantas cosas que esto me parece poco.

—Házmelo más fuerte. —Levantó las caderas—. Tú solo házmelo.

La saqué sin condón y tiré de sus caderas aún más para alcanzarla con la lengua. Por Dios, qué alivio saborearla. Dibujé con la lengua algunas palabras mientras Sofía me agarraba del pelo y tiraba de él. Jadeaba cada vez que me acercaba más y dejaba de respirar para tenerla más cerca, para darle más placer. Pero tampoco sirvió. Aunque me empleé a fondo. Aunque lo hice lo mejor que pude. Aunque hundí mis dedos dentro de ella mientras acariciaba su clítoris con la punta de la lengua. No fue suficiente. Pero Sofía lo solucionó.

Cuando salí de entre sus piernas, me dio la vuelta y se colocó encima de mí. La necesitaba a ella. Necesitaba que me lo diera, que lo cogiera, que tomara lo que quisiera y se lo llevara sin más, sin preguntar ni pedir permiso. Quería redimirme, claro, como si fuese posible hacerlo con sexo.

Ella agarró mi polla y la dirigió hacia su interior mientras se mordía los labios. Cuando estuvo dentro del todo dejó escapar el aire de sus pulmones y cerró los ojos como si fuese un consuelo volver a tenerme dentro.

—Así —le pedí.

Se hizo un ovillo, temblorosa y a la vez exigente; apoyó la frente en mi clavícula y se movió sobre mi polla trabajosamente, porque hacerlo suponía despegarse, dejar de sentir la piel del otro pegada a lo largo del pecho. Pero terminó por erguirse. Y brilló.

—He estado follando contigo cada día desde que me fui —susurré con un hilo de voz.

No respondió. Solo se agitó sobre mí, apretándome con fuerza dentro de ella mientras llevaba su mano derecha hasta los pliegues y buscaba su clítoris como yo había imaginado hacer cuando aún estábamos en el Alejandría. Temí que solo quisiera correrse, pero como hubiera sido justo, seguí esforzándome para que lo hiciera. Alcanzando sus pezones, frotándome, abriéndola.

—Jódeme… —me pidió con la cabeza hacia atrás y los ojos cerrados. La mano derecha hundida en su coño y la izquierda agarrando su pecho izquierdo—. Jódeme hasta que no puedas más, Héctor. Córrete dentro. Lléname.

Tuve que cerrar los ojos para no hacerlo al momento. Cerré los ojos y seguí dándole placer mientras ella brincaba sudorosa sobre mi cuerpo y se hundía mi polla dentro.

Me empapó. Fue un orgasmo húmedo y duro, porque se humedeció y se endureció bajo mis dedos, que habían acudido a ayudarla. Los pezones, el clítoris. La piel de gallina y sus caderas balanceándose por la inercia mientras ella se agarraba el codo del brazo contrario con la mano izquierda y gemía con los ojos cerrados. No me olvidaré nunca de esa imagen porque fue la primera vez que me corrí dentro de Sofía, sin nada entre los dos. Fue demasiado para mí. Verla moverse. Verla gozar de aquella manera. Notarla tan húmeda. Lancé mi semen en un disparo que no pude ni quise controlar y seguí corriéndome a borbotones líquidos, menos veloces, más espesos hasta que me faltó el aire y tuve que pararla.

Creí que estaba soñando cuando se enderezó, salí de dentro de ella y, con el ceño fruncido y mirada curiosa, se vio gotear semen encima de mi pubis.

—Te quiero —balbuceé—. Te quiero como se quiere en los cuentos, Sofía. Te quiero para siempre.

Despegó los ojos de las gotas blanquecinas y con los labios hinchados me miró a mí.

—Yo también te quiero. Pero me vas a destrozar la vida.

22

Héctor estaba echado en mi cama desnudo bajo la sábana que no dejaba más que adivinar lo que había debajo. Yo estaba de espaldas, no porque no quisiese verlo, sino porque estaba buscando un espacio para poder pensar y ordenar la cantidad de emociones a las que quería poner nombre. Teníamos que hablar. No estábamos solucionando nada allí echados. Los dos acarreábamos nuestras pesadas cargas: él la de su huida; yo la de mi decepción. Y acostarme con Héctor había dejado claro dos cosas: que él estaba convencido de que íbamos a volver y de que todo iría bien, y que yo estaba decidida a parar, a respirar y a hacer lo que debíamos de una maldita vez porque seguía enfadada y porque no confiaba en él... y era la clave para entender que no era un nuevo comienzo, sino la crónica de una muerte anunciada.

—Sofía... —Besó mi espalda—. ¿Qué pasa?

—Estoy preocupada.

—No te preocupes. No sirve de nada.

Me volví y sonreí con resignación cuando me acarició el pelo.

—No hay nada ni nadie como tú.

—Héctor... —Cerré los ojos intentando ordenarme.

—Solo te quiero a ti. Solo quiero estar contigo.

¿Cuántas veces soñé con que alguien como él dijera aquello con la convicción con la que él lo estaba diciendo? Miles. No. Cientos de miles. Alguien así, con manos grandes, con ojos despiertos, con la boca llena de besos, bueno y dispuesto a dármelo todo... El problema es que cuando soñé se me olvidó añadir la posibilidad de tener que perdonarle las faltas.

—Perdóname —pidió.

—Héctor, no es tan fácil.

—¿No podrás perdonar que me marchara?

—Supongo que a la larga sí.

—Entonces, ¿qué es lo que te preocupa?

—Cometer exactamente los mismos errores que antes... y algunos más.

Me recosté en la cama y él se colocó a mi lado mirándome.

—¿Te refieres a que lo hicimos todo precipitado?

—A que lo hicimos todo mal. No esperamos. No nos aseguramos. Corrimos sin saber dónde íbamos.

—Yo sé dónde quiero ir contigo.

—¿Sí? ¿Y sabes también cómo?

—Claro —asintió.

—No lo sabes, Héctor.

—Sé que quiero estar contigo. ¿No es suficiente?

Tenía muchas ganas de decirle que sí, hundirme en su pecho y olvidarlo todo. A la mierda la angustia y a la mierda esa sensación constante de que íbamos sin freno y a toda velocidad. Cerrar los ojos, ser inconsciente, irresponsable y lanzarme. Yo también quería estar con él, ¿no? ¿Por qué perder tiempo diciendo cosas que podían terminar con nosotros? Cosas como: «No confío en ti, no fuiste bueno para mí, te quiero pero a veces siento que, después de todo, queriéndote no me respeto». Bueno, porque si no lo hubiera hecho, no sería Sofía. Sería otra.

—Tuve mucho tiempo para pensar cuando te fuiste —le dije tras un suspiro.

—¿Y en qué pensaste?

—En cuándo empezó a estropearse.

—Lo estropeé yo. Quiero decir —se revolvió visiblemente incómodo—… si no me hubiera ido… todo sería perfecto.

Sí. Claro que sí. Porque nos queríamos…, ¿no? No. ¿Qué pasa con no saber quererse, con precipitarse, con no saber estar solos, con dejarse llevar sin tener una deferencia con la parte de nosotros mismos que tenía dudas?

—No —respondí tímida, tirando de la camiseta que me había colocado después del revolcón—. No era perfecto.

—¿Por qué?

—Porque nos queríamos pero sin saber.

—Uno no sabe cómo querer a alguien hasta que no está metido hasta las rodillas en…

—No —negué con suavidad.

—¿Qué pasa? Dímelo ya… ¿cuál es el problema?

—No confío en ti. Fuiste malo para mí. Quererte, después de todo, me hace sentir… menos.

—Eso solo significa que tengo que demostrarte lo contrario y no puedo hacerlo si no estamos juntos.

—Héctor…, tú no sabes estar solo. —Negué con la cabeza.

—Sí que sé estar solo.

—Hay algo que…, que me ha costado entender. Hay una cosa que me dolió mucho pero que no sabía localizar. Ahora sí, ¿sabes? Si te hubieras marchado solo, lo hubiera terminado comprendiendo. Pero te fuiste con ella.

—Porque creía que…

—… que sería lo mejor, que volver al «orden establecido» era lo más lógico. Lo sé. Es eso mismo lo que me dice que no estás preparado para volver a empezar.

—Claro que lo estoy. —Frunció el ceño.

—Sabes de las relaciones lo que aprendiste con Lucía. Lo que repetiste conmigo.

—Contigo no fue igual.

—Porque nos conocimos siendo adultos ya. Déjame explicarme, por favor, Héctor. Y haz el esfuerzo de entenderme…

Se calló mientras acomodaba un cojín a su espalda con gesto frustrado. Lo interpreté como la señal de que iba a dejar que me explicara.

—Siento que necesitas estar solo, que necesitas recordarte por qué nos enamoramos. Debemos encontrar primero el camino y después hacer un hueco al otro. Yo casi tengo mi camino, Héctor, pero tú andas enloquecido atando hilos rojos a todas las farolas del barrio, haciendo pintadas sobre la magia… Cuando te marchaste, sin saberlo, abriste un proceso complicado e incómodo para los dos: conocernos, priorizar, asegurarnos. Las dudas te comieron enseguida. Si nos apartamos ahora de todo, del mundo y nos queremos otra vez a lo loco no volveremos a tener una oportunidad igual. No puedes querer a alguien con todo cuanto eres si ni siquiera sabes el alcance de lo que sientes por ti mismo ni de qué quieres. Lucía era tu prioridad. Yo no quiero serlo. Quiero que lo seas tú y, solucionado eso, me preguntes de nuevo. Porque ahora si digo que sí, soy una inconsciente.

Frunció el ceño. De nuevo sus tres pliegues. Sonreí con tristeza. Estaba asustada. Sabía que estaba haciendo lo correcto porque todas las terminaciones nerviosas de mi cuerpo me lo aseguraban con una oleada de calma y asentimiento pero me atemorizaba que él no lo entendiera, que se marchara hastiado y que encontrara a otra persona que le gustase más y que le complicase menos.

—No sé si te entiendo…, ¿quieres tiempo? —preguntó.

—Sí.

—¿Cuánto?

—Ese es el problema. Quien debe responder a eso eres tú.

—Yo no quiero tiempo, Sofía. Si te lo doy es por ti, porque quiero que estés segura de lo que vamos a emprender juntos.

—No te equivoques. Eres tú quien más necesita ese tiempo. Dime… ¿qué vamos a emprender?

—Lo nuestro.

—¿Y cómo lo vamos a hacer? ¿Qué vamos a hacer? ¿Cómo vamos a afrontarlo?

—Pues… —boqueó un poco, pasó los dedos por su pelo y pestañeó—. Supongo que iremos viéndolo a medida que…

—No tienes ni idea.

—¿Crees que unos días van a darme la respuesta?

—Unos días no. Unos meses…

—¿Qué? —exclamó alarmado.

—No soy quién para darte consejos pero…

—Pero ¿cómo no vas a ser nadie para darme consejos, Sofía? Quiero estar contigo. ¿No lo has entendido? Solo quiero estar contigo. Despertarme sabiendo que estás y dormirme estando seguro de que no te has ido.

Me froté la cara y negué con la cabeza de nuevo.

—Decide a qué quieres dedicarte, quién quieres ser, dónde quieres vivir… Date tiempo para recuperarte de una ruptura que, si no respetas, volverá a arrastrarnos. Entristécete si toca. Cabréate. Vive tranquilo. Échame de menos. Averigua dónde está mi espacio en tu vida. Y cuando lo sepas todo sobre lo que quieres…, hablemos. Yo te quiero, Héctor. Pero quiero quererte bien y que tú me dejes quererme como debo. Como no nos hemos querido hasta el momento y como no nos han querido hasta ahora. Es la única forma…

—No entiendo que la única forma de estar juntos sea estando separados.

—Lo entenderás.

Miró su regazo durante unos segundos muy largos... La medida del tiempo se rompió dentro de la habitación y ni siquiera un minuto era una unidad fiable. Estábamos recomponiendo las piezas dando martillazos. Pero es que cuando un edificio se ha desmoronado lo mejor es echarlo abajo y volver a construir los cimientos que lo sostienen.

—¿No me perdonas? ¿Es eso?

—Ya no sé decírtelo de otra forma, Héctor. Por favor, haz un esfuerzo —respondí desesperada—. Lo hago por ti y por mí.

Respiró profundamente.

—Quieres que me vaya entonces.

—Quiero que hagas lo que creas conveniente, pero parándote a pensarlo. No tengas prisa por mí. Sácame del proceso, deja que termine de solucionar el mío, de decidir si volveré a confiar en ti o no. Decide si quieres estar a mi lado.

—¿En serio sientes que es tan fácil como lo estás diciendo?

—¿Fácil? Claro que no. —Suspiré—. No sabes el miedo que me da que, pasado ese tiempo, decidas que no quieres volver.

Nos miramos tristes. Los dos apenados, viejos por dentro, tomando decisiones demasiado maduras para lo niños que éramos aún. Flaqueé y me acerqué buscando ese rincón de su cuello que tan loca me volvía para recorrer después con la nariz su barba hasta que su boca y la mía estuvieron a la misma altura.

—Nunca pensé que pudiera separarme de quien quiero para poder quererle bien. Nunca había roto así —susurró.

—¿Así?

—Con besos.

—Eso es porque nunca nadie te había querido tanto como te quiero yo.

—¿Esperarás?

—Llevo siete meses haciéndolo sin saberlo.

Me abrazó y volvimos a besarnos.

—Tenemos que contarnos muchas cosas sobre estos meses —me dijo—. Cuando volvamos no quiero que haya secretos.

—Habrá tiempo. Ahora no.

—Vale. Eh… —titubeó—, ¿tienes que volver al Alejandría?

Me separé de él a regañadientes y tiré del asa del bolso hasta arrastrarlo hasta la cama y cogerlo. Había un mensaje de Lolo: «Quédate en casa. No te preocupes. El Alejandría esperará a verte volver con las cosas solucionadas. Aquí nos apañaremos. Piensa en ti. Te queremos».

—No —respondí con un nudito en la garganta—. No tengo que volver.

—Bien. Quiero estar contigo hasta que me vaya. No sé cuánto tardaré en verte. —Abrí la boca, pero él me atajó—. Sin hablar, te lo prometo. No lo comprendo pero la fe que tengo en ti me dice que terminaré haciéndolo. Prométeme que me esperarás. Yo haré el resto.

Solo pude asentir porque, aunque confiaba en saber perdonar y encontrar un espacio para él cuando la herida se cerrara, no sabía qué pasaría con nosotros y si los finales felices existían en la vida real.

—Vale. —Sonrió resignado—. Ahora hablemos de cosas terrenales. —Se frotó la cara y volvió a mirarme—. ¿Puedo romper la magia? Porque… me he corrido dentro y hasta donde sé no queremos hijos.

—Me ocuparé mañana.

Después, me acurruqué en su pecho y dibujé círculos concéntricos sobre la piel en silencio. No había nada que pudiera añadir que fuera a aligerar la tensión, el miedo, la tristeza de aquello tan necesario. Solo quería olerlo, sentir el calor que emanaba, olvidarme de que habíamos decidido hacer las cosas bien y disfrutar de la última vez que lo haríamos así, a lo loco, sin saber. Estar locos una tarde más porque como los locos no quiere nadie. Y no habría nadie, ni vivo ni muerto ni loco ni cuerdo que lo quisiera nunca más de lo que yo acababa de demostrarme a mí misma que lo amaba.

—Sofía... —susurró.

—¿Qué?

—No te preocupes, ¿vale? Estamos destinados a encontrar la forma. Eres tú.

Media hora después, hicimos el amor de nuevo, más despacio, con él encima. No necesitamos cambiar de postura, ni gemir frases cargadas de saliva. Solo abrir las piernas, penetrar, «ah», subir, bajar, apretar, «oh, Dios», dentro, más dentro, duro, fuera y compartir el orgasmo con los labios apretados.

No dormimos juntos. Le dije que necesitábamos empezar a construir ese espacio entre nosotros y él contestó que lo arreglaría para irse pronto. Sabría dónde encontrarle si lo necesitaba, de eso estaba tan segura como de que él me localizaría con solo abrir la puerta del café de Alejandría.

23

La marcha de Julio no le vino del todo mal a Oliver. Hacía tiempo que estaba hasta las pelotas del guarro de su compañero de piso y para que Oliver considere guarro a alguien... ya hay que hacer méritos.

La idea de vivir conmigo no le apasionaba especialmente. Sabía que la convivencia sería dura de la misma manera que estaba seguro de que ambos aprenderíamos mucho de ella. Él a ser más ordenado, eso por cojones, si no quería ver cómo me salía otra cabeza del cuello ni morir apuñalado con una escoba.

Avisó en cuanto lo decidió y empezó a organizarlo todo para instalarse a principios del mes siguiente. Solo tenía que llevar su ropa y algunos trastos. Aun así estaba un poco más sensible que de costumbre..., irascible, diría yo. Le gustaba muy poco tener que organizarse y... ¿qué son las mudanzas más que un cúmulo de nuevas y desconocidas formas de tortura organizativa?

Sin embargo, se cuidó mucho de no tomarla con Mónica en el trabajo. No quería a ninguna pelirroja odiosa mirándole de manera acusadora en la lejanía desde su stand de Dolce & Gabbana. Maldita entrometida.

Y todo lo demás iba razonablemente bien. No se le caía el pelo (quedarse calvo es una idea que le daba pavor), seguía estando bueno, tenía trabajo, cabía la posibilidad de que en el futuro consiguiera un ascenso a las oficinas, seguía quedando con la chica que conoció en Macera sin más interés que una buena conversación y veinte minutos de follar como perros y no le pedía nada más a la vida, así, en términos generales. Iba a vivir conmigo; tenía fe en que mi naturaleza le procurara cuidados mínimos. Es un malcriado del copón.

Es posible que todo hubiera seguido yendo fenomenal, sin sobresaltos, si Abel no le hubiera pedido un favor. Uno muy pequeño. Minúsculo.

«Oli, se me ha terminado el perfume. A ti te hacen rebaja, guapi. ¿Puedes comprarme Light Blue, de Dolce & Gabbana? La más grande que tengan. Si tienen en garrafa de cinco litros mejor. Te lo pago el viernes en la cena».

En un primer momento no le dio importancia. Solíamos pedirle ese tipo de favores a menudo. Él no trabajaba para El Corte Inglés, pero como su boutique se encontraba dentro del centro comercial, su empresa tenía un convenio que le hacía merecedor de un buen descuento. Sin embargo, cuando bloqueó el móvil y lo dejó en la mesa…, algo le chirrió. ¿Qué pasaba? Abel pidiéndole un perfume… nada más. Abel siempre pagaba, no era como yo, que le obligaba a regalármelo «como pago por mi paciencia». ¿Entonces? Se levantó a por una cerveza, pero antes de alcanzar el frigorífico, el problema ya brillaba con luces de neón dentro de su cabeza: Dolce & Gabbana. Se puso tan nervioso que no acertaba ni a contestarle con otro mensaje, de modo que decidió que una llamada era lo mejor.

—¿Qué pasa, fiera? —le preguntó Abel.

—No puedo comprarte eso. —Se sentó en su cocina y despegó con asco los dedos de la mesa pegajosa—. Lo siento, tío.

—¿Por qué? ¿Ya no os hacen rebaja?

—Sí. Pero…

—Era el quince por ciento, ¿no?

—Espérate al Black Friday.

—¿Qué cojones te pasa? —gruñó Abel—. Pero si lo tienes al lado.

—Sí, pero… odio a la tía del stand.

—¿Ein?

—Que odio con toda mi alma a la tía del stand de Dolce & Gabbana. ¿No te apetece cambiar de perfume? Hay uno de Dior…

—¿Qué Dior ni qué leches? Quiero el de Dolce & Gabbana.

—Pues yo no quiero ir a comprártelo.

—Tienes los cojones como bolsas del Mercadona —se quejó Abel.

—Entiéndeme, tío.

—¿Esa tía es la única que trabaja en el puto stand o qué? —sonaba molesto.

—En mi turno sí. —Hizo una mueca—. Bueno… hay otra, pero ella estará allí seguro. Lo siento.

—Pero ¡que es una tía que te cae mal, no el kraken!

Lo del kraken le dio risa, pero se tomó la molestia de apartarse el teléfono para que Abel no lo escuchase riéndose.

—¡Te estoy escuchando reírte! —gritó—. ¡Vete a cagar!

—Que no, que no. No te enfades.

—¿Desde cuándo una tía te da tanto miedo? ¡Es que no lo entiendo!

—Es que es odiosa. Odiosa. Y nunca se peina.

—No vuelvas a pedirme que te haga de topo con Sofía. A partir de ahora si quieres saber algo se lo preguntas a ella. Capullo de mierda.

—Pero ¡tío!

—Ni tío ni mierdas. Me está sentando fatal.

—Pero ¡si es un perfume de mierda! ¡Sé de una web que lo vende muy barato!

El cabreo de Abel iba en aumento. Le escuchó insultarle mucho más vehemente que de costumbre y… terminó cediendo. En el fondo, por más que diga, le jodía que alguien pudiera pensar que le tenía miedo a nadie y menos a la maldita pelirroja de los cojones.

A mamarla. Iba a ir. Y de paso aprovecharía para molestarla.

Fue durante su descanso esperando que ella estuviera peinándose o comiendo niños o lo que fuera que hacía con sus quince minutos para el café. No tuvo suerte, claro. Mireia ni comía niños ni tenía intención de cambiarse el look por uno más… repeinado. Arqueó la ceja en cuanto lo vio acercarse directo.

—¿Qué quieres? —le espetó en cuanto lo tuvo delante.

—¿Me puede atender tu compañera?

—¿No soy suficiente para ti, estupendo?

—Eres hostil. Vengo como cliente. Y el cliente siempre tiene la razón.

—Excepto cuando tú eres el cliente. ¿Qué quieres?

—Light Blue. Para tío. No es para mí. Es para un colega —le aclaró Oliver avergonzado.

—Claro, un amigo. ¿Es al mismo al que le guardas el tabaco cuando te pilla fumando tu madre?

—Es el que tengo metido en la bolsa escrotal.

—Intenta no hacer mención a tus gónadas, por favor. Si es para ti lo aceptas y punto.

—No me ponía yo un caldo de estos que vendes ni bajo amenaza de castración.

—¿Ah, no? ¿Qué pasa, nos falta glamour?

—Yo soy un poquito más… ¿cómo decírtelo?

—Imbécil. La palabra que buscas es imbécil. No le des más vueltas —sentenció Mireia.

—Light Blue. Para tío. —Se sacó la cartera del bolsillo interior de la chaqueta.

—¿De 75, 125 o 200 centilitros?

—De 200.

—Pues sí que le gusta a «tu amigo».

Resopló mirando hacia el techo, iluminado con esa luz que tan poco le gustaba, pero no apartó los ojos del techo técnico mientras ella localizaba el frasco de perfume. No mediaron palabra hasta que ella fue a meterlo en una bolsita. Oliver carraspeó.

—Perdona…, es para regalo. Envuélvemelo.

Sí, lo sé. No era para regalo pero Oliver no podía dejar pasar la oportunidad de molestarla. Le tocó el turno de resoplar a ella.

—No te aguanto —murmuró con sus labios pintados de fucsia.

—Yo a ti tampoco.

—Pues bien que vienes a comprarme colonias.

—No sabía que el negocio era tuyo. Mireia Dolce & Gabbana.

—No sé qué te ven las tías.

—Deberías verme sin ropa. —Y Oliver arqueó seductor una ceja.

—No, gracias. Me entraría cagalera.

—Eres tan elegante como tu pelo, sin duda.

Mireia hizo un gurruño con papel de regalo y empaquetó la colonia como si lo hubiese hecho un niño de tres años. Después le plantó un lazo de malas maneras y lo metió en una bolsa.

—Ale. Lárgate.

—A ver si crees que quiero quedarme aquí viéndote el careto.

—Pues anda que el tuyo, ¿te ha salido ya bigote o seguimos esperando?

—¿No te callas nunca?

—Esta boquita está aquí para algo.

«Te callaba de un pollazo», pensó. La miró, con cierto odio, pero a la boca. A esa boca que estaba allí para algo. Qué puta boca tenía, la jodida. Para ser tan idiota y tan insoportable, podía imaginársela tragándose hasta el fondo su polla. Pestañeó. Joder.

—Me voy —anunció.

—Pues adiós.

—Pues adiós. —Oliver inició su marcha hacia el «templo dorado» de Miu Miu, pero ella le respondió.

—Avísame cuando vayas a volver para que finja mi propia muerte.

Fue a girarse para responderle una barbaridad, pero cuando lo hizo se la encontró sonriendo despiadada y... todas las palabras se le atragantaron en un exabrupto de rabia que, le pareció, lo había dejado como un idiota.

Al llegar a casa, cargando con la bolsita, se acordó de toda su familia. La puta colonia de Abel. Ya podía rociarse con ella zonas donde escociera, el muy cabrón. Le había hecho chantaje. Por eso había cedido. Si no, ¿qué cojones iba a ir él a tener que tratar con esa macarra? Le martirizaba un poco no haber sido capaz de decir la última palabra. Se había quedado como un bobo, boquiabierto como un pez intentando ser ocurrente y doliente, pero no supo. Eso debía admitirlo, la jodida era rápida. Y ocurrente. Pero no admitiría nada más ni que le clavaran debajo de las uñas astillas impregnadas en limón. No podía soportarla.

—Ya tengo tu puta colonia —le dijo a Abel en una nota de voz—. Me ha costado setenta pavos y un cabreo. Me debes una.

Abel le contestó con una sarta de insultos entre los que me quedo con «llorica». Nunca había caído en la cuenta pero es una palabra que le va como anillo al dedo. Oliver es un llorica... elegante, pero llorica.

Cenó. Planchó su camisa del día siguiente. Vio una película. Tonteó con su ligue por Whatsapp y se fue a dormir, demasiado cansado como para pensar en nada. Y se durmió prácticamente al momento.

... No lo veía, pero se estaba manchando de pintalabios. Fucsia. Aunque no lo veía. No es que le importase demasiado. Tenía las manos llenas de mechones de cabello pelirrojo que se desbordaban de entre sus dedos cayendo en cascada. Tenía la boca llena de lengua, húmeda y ocupada en controlar los gemidos. Tenía sobre el pecho dos tetas calientes y una mano pequeña y juguetona abriéndole la bragueta. No le importaba un poco de pintalabios fucsia manchándole la cara. Ni el cuello. Ni la camisa.

Tocó en húmedo y metió un dedo haciendo que ella se arqueara encima de él, contoneándose, pidiendo más. No quería escucharla hablar, solo que siguiera moviendo la mano mientras él hacía lo mismo. Sofocó los jadeos de ella con su propia boca y se dio cuenta de que estaban en un lugar muy pequeño y muy oscuro y recordó que nadie debía escucharlos. Quería desnudarla del todo, tumbarse encima de ella y hacer que se corriera a golpe de cadera, pero allí no podían. Así que con las bocas pegadas, aspirando aire ya respirado, siguieron tocándose hasta que él sintió que llegaba.

—Sigue, sigue, sigue... —le pidió.

Se sentía confuso, pero no quiso preguntarse nada. Ya se vería. Lo único que quería era alargar la sensación que su mano estaba despertando en su polla. Le gustaba notarla tan mojada, rindiéndose a la evidencia de que le ponía cachonda por más que dijera... y siempre estaba diciendo. Quería callarla a pollazos. Quería meterle la lengua tan hasta el fondo que no pudiera más que gemir. Quería agarrarla del pelo mientras se la follaba y...

La sensación paró. Quedó una reminiscencia de placer latiéndole en la punta, mandando descargas de demanda hasta el centro de su sistema nervioso. Algo había pasado. Era su mano. La mano de ella. Había parado.

—Sigue..., estaba a punto.

—Y a punto te vas a quedar.

... abrió los ojos en la oscuridad de su habitación con la respiración agitada. Solo. Con la polla dura. Con la imagen bien clara de lo que había soñado: Mireia pegada a su boca, negándole el orgasmo. Hasta en su imaginación era odiosa. Pero... ¿qué coño hacía ella allí, en aquel sueño guarro?

24

Según dijo Tolstoi «la mujer nunca podrá encontrar un objeto que realmente colme sus expectativas, por la sencilla razón de que no existe». Quizá tenía razón, aunque no creo que se limite a las mujeres. Soñamos mucho y de tanto soñar terminamos por creer que la realidad ha de tener las mismas normas que una fantasía. Le damos la vuelta al mundo y, cabeza abajo, nos convencemos de que seguimos teniendo los pies en el suelo cuando están ahí, pero la tierra se ha convertido en el techo.

Es hora de confesar lo inconfesable. Bueno, tampoco hace falta pasarse de melodramática. Es hora de confesarme una cosa a mí misma, una que me hace sentir un poco ridícula porque no hice más que negármela durante mucho tiempo: siempre tuve la esperanza de que Héctor volvería y cuando lo hizo no dejé de desear ni durante un segundo que hubiera venido para quedarse.

Lo que deseamos no siempre es lo que más nos conviene, bien me lo dijo mi padre cuando ya empezaba a entender la vida. Por eso, a pesar de que Héctor y yo deseáramos estar juntos, teníamos que separarnos. Yo no confiaba en él y no quería vivir otra vez con la sensación de que estaba a punto de perderlo todo, con la sospecha del engaño y el miedo al abandono. Yo no era un perrito rescatado y adoptado al que uno se tenía que ganar con mimos y golosinas. Era una mujer que se había saltado a la torera sus principios, después de ser la «engañada» para ser «la otra» y terminar siendo de nuevo abandonada. No era un buen principio. No me sentía bien. Lo quería demasiado «a pesar de» y en la balanza había pocos motivos. Si queríamos que no nos hiciera sufrir, que fuera sano, tenía que marcharse. Para que él tuviera una vida que fuera suya, para que descubriera por qué se había enamorado de mí sin que Lucía tuviera absolutamente nada que ver. Para que yo le perdonara, para que confiara, para que no temiera verme sola cualquier día al levantarme.

Lo habíamos decidido. A decir verdad, yo lo había decidido y él había parecido entenderlo y asumirlo más por mí que por él, al menos de momento. Así que solo nos quedaba la despedida. Lo que debería haber sido su marcha. Un hasta luego, me voy para echarte de menos y volveré cuando le quite la poesía al «no puedo soportarlo». No una huida. Una despedida. Entiendo por qué la gente odia las despedidas: son duras y un acto demasiado maduro como para que lo asumamos con templanza.

No tenía idea de cuándo sería, pero era inminente. Cuando se fue de mi dormitorio me dijo que se marcharía en cuanto solucionara un par de cosas; no sonó a logística…, sonó a decidir qué narices iba a hacer con su vida en cuanto se marchara. Y eso me tranquilizó. Íbamos por buen camino si aquella decisión le empujaba a tomar otra tan importante. De haber decidido que seguíamos juntos sin preguntarnos más, él no hubiera tenido que responderse nada. Julio se iba del piso, ¿no? ¡Una señal del destino! Nos hubiéramos ido a vivir juntos. Nos hubiéramos querido como en las películas y, al final, en el epílogo de la vida o de lo nuestro, habríamos descubierto con tristeza que lo que pudimos ser se quedó a medio camino, porque quisimos serlo demasiado pronto. Como cuando abres el horno antes de tiempo y el bizcocho se aprieta. Como cuando tomas una maldita decisión a la ligera.

Bien, pues me quedaban unas cuantas horas, equis, antes de que fuera efectivo y decidí invertirlas en soñar, porque estar con él sería contraproducente.

Después de mantenerme en vilo, con el «ay» en el pecho, esperando que llegase el momento, decidí que debía encontrar un lugar en el que guarecerme de las cosas que aún no habían pasado y que seguro no eran ni tan buenas ni tan malas como las temía. Pero... ¿y si me refugiaba en las buenas?

—¿Haces algo esta tarde? —me preguntó Abel mientras metía el mandil sucio en el cesto de «ropa sucia» del Alejandría.

—Sí. Voy a darme un mimo.

Nos sonreímos. Él porque supongo que me imaginaba gastando dinero en un pintalabios precioso que luego me daría apuro ponerme y yo porque no lo veía capaz de hacerse a la idea de que «un mimo» significaba pasarme la tarde en mi habitación, soñando despierta con la despedida ideal.

Héctor apareció por el Alejandría con su abrigo viejo y el humo del cigarrillo de liar al que acababa de darle la última calada. El pelo revuelto. La sonrisa tímida. Se sentó en la barra y hundió las manos entre los mechones de su pelo para tirar un poco de las raíces en ese gesto tan suyo. Después me miró de nuevo, todo dudas y buenas intenciones y sonrió.

—Solo necesito que me confirmes que estás segura, porque me voy a ir —dijo.

—Estoy segura y tú también deberías estarlo.

—Yo solo lo estoy de una cosa: de que quiero estar contigo.

En las fantasías uno siempre puede pasarse de azúcar porque las caries nunca llegan. Llegan los bofetones de realidad cuando lo único que sabe decir él es que te quiere y hay un millón de emociones que escapan de esas dos palabras. Pero eso no debía preocuparme, porque era mi fantasía y en ella mandaba yo.

—¿Qué vas a hacer?

—Voy a viajar —me dijo—. Tenía guardado algún dinero que quería invertir en los dos, en empezar de nuevo, pero… si tú estás segura de que debemos estar separados lo mejor es que viaje. Que me mueva. Que haga todas esas cosas con las que me quedé con las ganas. Si me quedo quieto en un sitio, en cualquiera, terminaré viniendo a por ti.

—¿Cuándo te vas?

—¿No quieres saber adónde voy?

—No. Solo cuándo.

—Mañana por la tarde. Pasaremos la noche juntos y mañana vendré contigo hasta el Alejandría. Es justo que nos despidamos aquí. Aunque sea por un tiempo.

Durante las horas que restaron tuve todo lo que quería: al Alejandría y a Héctor. Después, cuando terminé mi turno, salimos de allí para acostumbrarme a la idea de que tenerlos a los dos rozaba lo imposible. No sabía la razón que tenía… pero la vida terminó confirmándomelo.

En el bolsillo de su chaqueta, Héctor guardaba nuestra despedida en forma de dos billetes para el autobús turístico que recorría el centro. Cuando me los enseñó ninguno de los dos supo si reírse o sentirse muy triste, así que no hicimos ninguna de las dos cosas… solo caminamos juntos, sin cogernos las manos, sin que me rodeara la espalda hasta la parada. Ni siquiera tuvimos que hablarlo… los dos nos dirigimos a la parte de arriba mientras ceñíamos nuestras bufandas; ya sabíamos cuánto frío puede hacer allá arriba en los sueños. No hablamos, porque no tenía sentido hacerlo más que para decirnos que todo saldría bien. Nos limitamos a observar Madrid convirtiendo los anuncios y sus luces en unas tiras de colores que se quedaban prendidas en cada saliente y que amenazaban con dejarnos atrapados.

Se hizo corto. Claro. En la imaginación la noción del tiempo es complicada, como reproducir los rasgos exactos de la otra persona a la que, no sé por qué, por más que nos guste, siempre tendemos a idealizar. Así que Héctor, aunque me enloquecía tal y como era, tenía una nariz un poco más pequeña y más barba en las mejillas.

Cenamos dos trozos de pizza sentados en un banquito de piedra muy frío en la plaza de San Ildefonso, acordándonos a carcajadas de nuestra aventura en el bingo. Las viejas regañándonos por reírnos como tontos, los aperitivos sabor barbacoa que dejaban los dedos arenosos y las copas de ginebra peleona que entraban tan bien. Los billetes sobados que nos repartimos en la puerta con los dedos manchados con el rotulador azul marino con el que tachamos los cartones. Aquella noche era de las que uno debe recordar en una despedida, porque lo había tenido todo: la ilusión de verlo fuera del Alejandría, los primeros planes, la reconfortante sensación de que era mejor de lo que imaginaba y que le gustaba estar conmigo. A la inversa para él. También tuvo un poco de decepción y al recordarlo nos pusimos serios porque ambos sabíamos que aquella noche él me habló de Lucía por primera vez y los miedos dejaron de ser una mancha oscura para tener un par de bonitas piernas.

Volvimos a casa en silencio, con las manos hundidas en los bolsillos y la mirada gacha. Héctor tenía la voz tomada por un incómodo nudo en la garganta, de modo que prefería no hablar y yo sabía que todo lo que quedaba por decir era de su parte.

—¿Puedo subir? —preguntó al llegar a mi portal.

—Creía que ese era el plan.

—Quería preguntártelo, no darlo por hecho.

—Sube. Esta noche es la última en la que podremos dar las cosas por hecho.

Las manos de Héctor seguían frías cuando me quitó la ropa, en contraste con sus labios, que estaban calientes y húmedos porque, antes de besar el arco de mi cuello, pasó la lengua por encima. Sentí sus dedos más fuertes y más huesudos cuando nos acomodamos haciendo el amor, porque quería retenerme entre ellos, me decía.

—Déjame tenerte hoy. Finge que puedo tenerte entera.

Y yo me dejé. Porque quería creer que él también podía darse por completo.

El sexo perfecto, claro, como en las películas. En la imaginación el sexo no tiene esas pequeñas cosas que en la vida real lo llenan de matices y lo hacen más imperfecto pero real. Los sonidos. El dolor puntual en una zona que se adormece por la postura. El tacto insulso de unas sábanas de algodón baratas que no son, ni de lejos, tan bonitas como lo que se siente por dentro cuando no es solo sexo. La realidad es chabacana en comparación con la imaginación pero si alguien me pregunta, me quedo con la primera.

Después de un orgasmo compartido, a la vez, sin milésima de descoordinación, nos besamos envueltos en la sábana, yo sobre su pecho, él rodeándome con su brazo.

—Cierra los ojos —me dijo—. Voy a prometerte cosas y no quiero que veas lo mucho que las deseo.

Y en medio de una muerte por azúcar puro, mi imaginación me llevó hasta un clímax que alcanzó su cénit cuando, al despertar, él no estaba. De él solo quedaría una nota, pero una de verdad que sustituyera el recuerdo de aquella tan cobarde que tuve que romper: «Cuando te despiertes ya habrá salido mi vuelo. Siento haberte mentido, pero no quiero despedirme porque... no es una despedida. Nosotros somos reales, Sofía. Tú y yo. Te quiero».

—Sofía. —Julio entró en la habitación después de golpear la puerta con los nudillos y que esta se abriera. Estaba sentada en la cama, con las manos en el regazo y los auriculares puestos—. Sofía...

Tocó mi hombro y salté un palmo sobre la cama del susto. Tenía los ojos cerrados y no lo había visto acercarse a pesar de que dejé la puerta abierta para estar preparada.

—Perdona... —Hizo una mueca—. ¿Qué haces? ¿Meditación?

—Eh..., algo así. Dime.

—No es importante. —Agitó unos folios en su mano derecha—. Era para que viéramos lo de las facturas. La del teléfono fijo e internet viene a mi nombre y tendremos que cambiarla antes de que me mude.

Asentí y me levanté, dejando sobre la cama los auriculares enganchados al teléfono móvil. Sobre la mesita de noche no había nada que no fuera desorden. La nota, no obstante, seguía en mi imaginación, donde esperaría a ser sustituida por una realidad que, me temía, sería mucho menos mágica. Mi error fue siempre infravalorar la cantidad de magia que guardaba Héctor en los bolsillos y que hacía de lo corriente, algo que brillaba.

25

El Alejandría había congregado aquella mañana a la mayor parte de nuestra clientela habitual. Se escuchaba el rumor de las conversaciones haciéndole coros a Adele, que estaba terminando de interpretar las canciones de su disco *21* desde la lista de Spotify. Sonaba «Someone like you» porque la suerte, lejos de ser tan bonita como en la imaginación, tiene una mala leche que te cagas.

Estaba secando unas tacitas con el paño cuando lo vi sentarse en su mesa, girado en mi dirección. Era la una y media y a mí me quedaban dos horas y media para salir. Lo recuerdo porque tenía hambre y estaba pensando en hacer ya la pausa para dar un bocado rápido en «la cocina».

Salí mientras buscaba en el bolsillo del mandil la libreta de tomar nota. Ya ves. ¿Qué iba a pedir? ¿Un café? Me atontaba, pero no tanto como para olvidarlo de camino a la barra. Pero necesitaba tener algo en las manos, algo real y tangible que me recordara, si aquello era finalmente la despedida, que era la de verdad.

—Hola. —Le sonreí tímida—. ¿Qué tal?

—Mal. —Su sonrisa fue tan triste que sentí un gorjeo de pena en mi propia garganta—. Pero podría ser peor, ¿no?

—Suenas resignado.

—Lo estoy.

—¿Quieres un café?

—No. —Al bajar la mirada me di cuenta de que su rodilla se movía frenéticamente, inquieta. Ya estaba allí. La despedida—. ¿Puedes sentarte un momento?

—Ehm…, espera un segundo. Abel —le llamé—. ¿Puedes hacerte cargo unos minutos?

—Sí, mi señora —respondió él fingiendo que no se daba cuenta de lo trascendente del momento.

Me senté con las manos dentro del bolsillo del delantal, agarrando con fuerza la libreta.

—Me voy —dijo sin rodeos.

—¿Cuándo?

—Ya. He alquilado un coche.

—¿Adónde vas?

—A casa de mis padres. —Se mordió el carrillo, avergonzado—. He decidido que lo más lógico es volver. No tengo un chavo y no me quieres cerca.

—No es que no te quiera cerca, Héctor. Es que…

—Sí, sí. Mala elección de palabras.

Los dos nos quedamos callados.

—Pensé en venir a por ti ayer, ¿sabes? Recogerte del trabajo, porque eso es el amor… —se rio con cierta amargura— y llevarte por ahí. Hacer algo loco. Algo que te hiciera… feliz. Pero no soy capaz de olvidarme de que me voy, así que iba a ser una compañía bastante gris. No quiero arrastrarte por todo Madrid fingiendo que estoy disfrutando cuando lo único en lo que estoy pensando es que es una puta mierda no haber hecho las cosas bien desde el principio. Tú no confías en mí y yo odio saber que me lo merezco. Así que esta despedida va a ser una puta mierda.

—Es la vida real. Lo otro solo pasa en las películas. —Y en mi imaginación, pero eso último me lo callé—. No pasa nada.

—¿Puedo llamarte de vez en cuando? —preguntó muy ansioso de pronto.

—Sí —asentí.

—Bien.

—Pero...

—Ya lo sé. No te voy a llamar todos los días. Necesitas espacio.

—No necesito espacio, Héctor. —Chasqueé la lengua con tristeza—. Creí que lo habíamos entendido bien, que sabíamos qué es...

—¿Y qué es? —Sentí que me miraba fijamente y levanté los ojos con timidez para chocar de frente con sus dos ojos azul oscuro—. ¿Lo sabes?

—Lo que debemos hacer. Y ya está.

—Confío más en tu criterio que en el mío. No puedo rebatírtelo.

—Son cosas que cambiarán si todo va bien.

Le tocó el turno a Héctor de chasquear la lengua y después se calló mientras negaba con la cabeza. No pude reprochárselo porque agarró mis manos con las suyas; el tacto recio y áspero de sus palmas me trajo de vuelta a lo que importa en una despedida que no es, ni de lejos, quién tiene razón. Nunca lo es, en realidad.

—Voy a pensar mucho en ti. A cada momento.

Me reconfortó escucharle decir cosas que le gustaban a mi imaginación. Casi me abrigué en aquella frase hasta que llegó la siguiente.

—¿Cuándo vamos a vernos? —me preguntó.

—No lo sé. Iremos hablando.

—¿Por qué me da la sensación de que estás rompiendo conmigo?

—Porque lo estoy haciendo.

Desvié la mirada otra vez y él se echó hacia atrás en la silla con un suspiro.

—Se supone que hacemos esto para estar juntos. No pienso moverme de aquí si…

—Voy a decírtelo de otra manera, Héctor. Te vas porque ahora mismo no tienes para mí más que las sobras que dejó Lucía. Y no quiero eso. Quiero que te vayas, que seas la persona que puedes ser y si me quieres entonces, me quieras como me lo merezco.

Héctor se humedeció los labios antes de levantarse. Parecía molesto, no lo culpo. Las verdades escuecen.

—Pues ya está. Me voy. Si te soy sincero, esperaba otra cosa de nuestra despedida. No sé a quien culpar. —No contesté y él siguió hablando—. Ni un beso ni un mimo ni nada que pueda darme esperanzas, ¿no? Vale. Lo asumo. Me voy sin magia, Sofía.

—Héctor…

—No. Tienes razón. Las cosas mejor claras. Pero ahórrate la parte en la que me dices que estoy en mi derecho de acostarme con otras personas porque ya no sé cómo puedo reaccionar a eso.

No respondí. Me levanté y fui hacia la barra. Cuando quise darme cuenta, la campanilla que había sobre la puerta anunciaba que Héctor se había ido. Y era yo quien me había quedado sin magia.

La imaginación se volvió loca en un momento de hiperactividad que me dejó más lela que de costumbre. Mientras, apoyada en la pared de la pequeña cocina, mandaba un mensaje a Mamen anunciándole que «ya estaba» («Se ha ido. Sin besos. Sin magia. Sin ser nosotros. Porque a mí me ha dado la gana. Quiero llorar mucho, Mamen»). No podía dejar de pensar en todas las cosas que quedaron en el tintero, en las cosas que no le dije, en la promesa de que saldría bien, que era esencial para que tuviéramos esperanza. Él estaría recogiendo el coche, metiéndose dentro y cerrando de un portazo. Seguro que después daba un golpe al volante y tiraba suavemente de las raíces de su pelo. O no. O solo se convencía de que yo le complicaba la existencia porque en cierto modo era así.

—¿Qué? —dijo Abel a mi espalda—. ¿Te pasaste?

—Un poco. —Me froté debajo de la nariz—. Soy idiota.

—No eres idiota. Quisiste ser firme.

—Y me quedé con las ganas de todo lo demás.

Me dio una palmadita en el hombro y un beso en la sien.

—No te castigues.

—Dime una cosa... ¿Le ves sentido a lo que estoy haciendo o solo soy una peliculera que quiere drama?

Abel se apoyó en el marco de la puerta apretando el morrete en un nudo.

—A ver, cielo..., tú eres así. Lo vistes todo de..., no sé, como de reflexión decimonónica. Pero tiene sentido. Claro que lo tiene. No puedes aceptar como válido lo primero que te ofrecen. Lo has elegido a él, pero no tienes por qué contentarte con la forma que él tiene de hacer las cosas si no te hace feliz. Estás en tu derecho de pedirle que te quiera mejor.

—No es eso. Es que...

—Es que no sabe estar solo..., ¿quién te dice que sabe estar contigo?

No pude evitar sonreír con lástima. Bueno. Si alguien que no escuchaba el soniquete continuo de mi cabeza me entendía, al menos no estaba tan loca.

—Venga, anímate. En diez minutos están aquí Gloria y Félix y nos vamos a beber una palometa.

—Una palometa tu madre en bicicleta. Yo no vuelvo a beber eso. Héctor se va, pero no a la guerra, cielo.

—A todo esto…, ¿dónde se va?

—A casa de sus padres.

—Dios. Es tan loser —se burló—. Seguro que vuelve a desayunar Chocapic.

—¿Qué hubieras hecho tú?

—Irme a casa de mis padres. Y desayunar Chocapic.

Me reí abiertamente y él sonrió confiado como esas personas que saben en lo más profundo que tienen en la punta de la lengua las palabras que necesitas para hacerte sentir mejor.

—Me encantaría conocerle lo suficientemente a fondo como para decirte esto con más seguridad, pero me parece que la casa de sus padres es el lugar correcto —le dije.

—Si tú lo dices…, ¿de dónde es?

—De un pueblo de Cáceres.

Asintió.

—Eso está a… ¿cuántos kilómetros de…?

No terminó la frase. Un coche frenó con fuerza en la calle y un coro de cláxones enfurecidos saltó como un resorte.

—Pero ¿qué coño…?

La puerta del Alejandría se abrió con tanta fuerza que golpeó la pared y volvió a su marco con un portazo. En mitad de la calle, un coche parado de cualquier manera ocupaba la estrecha calzada e imposibilitaba el paso a ningún otro vehículo.

—¿Qué ha pasado?

Héctor me sacó de la barra en cuanto me asomé lo suficiente. Contuve el aliento porque no lo esperaba allí y no lo había visto entrar. Estaba jadeando, como si las prisas y las cosas por decir no le dejaran respirar profundo.

—No —me dijo.

—¿Qué?

—Que no. No me voy sin magia, Sofía.

Sentí sus dientes detrás de sus labios en un beso medio pavor medio amor al que le respondí con el mismo énfasis. Le agarré del pelo, del cuello, de la espalda hasta que no tuvimos más aire. Fue un beso sin lengua pero con mucho miedo. Como si sí se fuera a la guerra. Nos miramos a la cara como si quisiéramos aprendernos los rasgos del otro para no idealizarlos y recordarnos tal y como éramos en ese momento en el que nos queríamos tanto.

—Eres tú. Lo sé. Y tú sabes que lo eres. No habrá más. —Apoyó su frente en la mía—. Nadie. O tú o nadie.

—Vale —conseguí decir.

—Nos veremos cada mes. Al menos.

—Pero no podemos saber si…

—Pues no me des una cifra de las veces que te veré pero dime que no me lo vas a negar. Entiendo por qué me voy, lo he entendido, pero ahora te toca a ti entender que no va a funcionar si me alejas. Voy a buscarme una vida que sea mía, ¿vale? Y cuando la tenga la compartiré contigo.

Nos besamos de nuevo, jadeando. Mi imaginación se desmayó en su boca y yo sonreí al entender que es mucho mejor lo poco que nos pase a lo mucho que soñemos.

—Te quiero —me dijo.

—Saca el coche de ahí o van a matarte —musitó Abel a nuestra espalda.

—Te quiero —repitió—. Somos reales. Lo fuimos. Lo somos. Y vamos a serlo.

No pude responder. Me quedé allí, pasmada, viendo cómo se marchaba. Cruzó el Alejandría a grandes zancadas y en la puerta se volvió para mirarlo todo antes de irse; no me miró a mí, repasó el Alejandría como si supiese las concesiones que tendríamos que hacerle a la vida por aquel espacio. Después salió, se metió en el coche de nuevo ignorando los insultos de los demás conductores y se fue, esta vez de verdad, dejando una estela de… ¿qué? ¿De magia? Es posible que aquello fuera la magia…, el convencimiento de que, atado a nuestros meñiques, un fino hilo rojo débil aún nos unía. De nosotros dependía que no terminara de romperse.

Me devolvieron a la realidad los suspiros de todas las féminas del Alejandría que, sin que mi imaginación mediara, habían interceptado un poco de magia entre las partículas y el aroma a café que flotaba en el aire. Esos podríamos ser nosotros. Magia.

26

Ver a Julio vaciar su habitación fue triste, no puedo negarlo. Su dormitorio siempre había sido territorio desconocido para mí pero a fuerza de entrar a soltar a Roberto, me había habituado a su olor a colonia Adidas, a su orden marcial, a la manta a cuadros que siempre tenía plegada a los pies de la cama, fuera invierno o verano. Me había acostumbrado al póster de Minecraft, a sus cedés y películas bien alineados en la estantería y a la jaulita de Roberto, tan acondicionada que daba ganas de convertirla en tu refugio.

—¿Estás seguro de que quieres llevarte a Roberto? —le pregunté por enésima vez cuando lo vi sacar la jaula, con el animalillo en su hombro.

—No sé qué haría sin él.

—Tampoco lo quieres tanto, piénsalo. Es un animal «robador».

—Ladrón, querrás decir.

—Es robador, lo hace con malicia.

—Entonces, ¿por qué ibas a querer quedártelo tú? —Sonrió con cierto cinismo.

—Porque Holly se va a morir de pena.

Los dos suspiramos y él dejó en el suelo a Roberto, que se fue moviéndose como una longanicilla hasta el sofá donde Holly estaba hecha un ovillo.

—La verdad es que me da pena separarlos.

—Deberías dejarlo aquí.

No contestó. Arrastró con sus bracitos enclenques la última caja hasta el pasillo, donde acumulaba todas las demás a la espera de que un amigo viniera a buscarle con la furgoneta de su padre.

Miré la habitación vacía y recordé la primera vez que entré en la casa; estaba más vacía. O al menos, menos mona. Tenía los muebles esenciales y ni un objeto que tuviera como única finalidad la de decorar. Estuve al menos un día sin poder decidir cuál de las dos habitaciones escoger, antes de encontrar compañero, pero al final me decidí por la que tenía ventana a la calle a pesar de que fuera más pequeña. Y esa ventana…, esa ventana me acercó a Héctor, supongo. El destino, supongo, que te lleva siempre al punto al que debes llegar. Es curioso… nunca creí en el destino; pensaba que era para cobardes que necesitan delegar la responsabilidad de sus vidas a un «ente» externo.

Julio atendió una llamada de teléfono breve y acudió al salón a buscar a Roberto mientras se metía el móvil en los vaqueros.

—Venga, «Salchicha», vamos a casa.

Tuve ganas de decir que ya estaba en casa, pero lo cierto es que las únicas que nos sentíamos ancladas a aquel espacio éramos Holly y yo. Cogí a Roberto en brazos antes que Julio y lo cubrí de besos. Le encantaban los besos.

—Te voy a echar tanto, tanto, tanto, tanto de menos. —Me mordí el labio para no llorar y el animalillo metió la cabecita entre mi pelo para morder un mechón—. Vendrás a vernos, ¿a que sí?

—Te lo traeré al Alejandría algún día —contestó Julio—. Para Holly es mejor que sea la despedida definitiva; no debemos alargar la ruptura. Lo superará.

Dejamos que «se despidieran». En realidad Roberto intentó acurrucarse junto a Holly para echarse a dormir con ella, pero Julio se lo llevó antes de que lo hiciera. Y, aunque se lo había llevado de casa mil veces para «pasear», ir a casa de su novia o en vacaciones, Holly reaccionó al instante. No sé cómo lo hacen pero los gatos siempre lo saben. Lo saben todo incluso antes de que pase. Ella, de algún modo que no puedo explicarme, sabía que Roberto no iba a volver y que se quedaba sola.

Lloré mucho. Por Holly, que se pasó una hora maullándole a la puerta de casa y a la de la habitación de Julio, que tuve que abrir para que comprobara que su amigo ya no estaba allí dentro. Por la casa, que perdía su vida habitual y que se vería afectada en sus olores, en sus rutinas, en el silencio y en la tranquilidad. Por mi rutina y mi *statu quo*, que se iba a tomar por culo. Y cuando me dormí, lo hice olvidándome de que Oliver se instalaría el día siguiente y que comenzaba una nueva «era». Llorar por lo que ha terminado, olvidando por un momento lo que empieza… era muy «yo», la que, como dijo Tagore, lloraba por no haber visto el sol y se perdía las estrellas.

Oliver trajo tres maletas gigantescas y dos cajas. Nada más. Y lo primero que dijo fue que su habitación olía a loser porque no tiene sentimientos y cuando quiere es tan imbécil que no se puede soportar. Yo respondí siendo igual de simpática:

—No te preocupes. Ahora empezará a oler a hijo de la grandísima puta.

—Al menos no olerá a cerda como la tuya.

Empezaba lo que sería, sin duda, una convivencia complicada.

Aquella noche celebramos nuestra primera cena de «cuéntame tus mierdas» como anfitriones conjuntos y la preparación dijo mucho de lo que sería a partir de aquel momento la rutina. Él puso la mesa y yo hice todo lo demás: bajé a por bebida y compré también para cocinar unas gyozas y unos fideos de arroz con verduras y gambas, cociné, limpié y abrí la puerta cuando llegaron los demás. Él se tocó los cojones a dos manos porque, al parecer, sus gónadas reclaman muchas atenciones diarias.

Abel y Mamen venían ilusionados/angustiados porque Oliver y yo íbamos a vivir juntos (lo que le daría a Abel muchas anécdotas de las que reírse y a Mamen la oportunidad de ver más a menudo —y a poder ser con poca ropa— a su amor platónico) y porque aún no habíamos tenido la oportunidad de ahondar en la marcha de Héctor. Yo no me había sentido precisamente preparada. Cada vez que le recordaba entrando como loco en el Alejandría, dejando el coche tirado en mitad de la calle, me daba un vuelco el estómago: «Voy a buscarme una vida que sea mía, ¿vale? Y cuando la tenga la compartiré contigo».

—¿Y no vas a decorar más tu habitación? —preguntó Mamen mientras salía del dormitorio de Oliver con el morro fruncido.

—No. Me gusta así. Espartano; como yo.

—Pues en la Grecia antigua hacían cosas interesantes, ¿sabes, Oliver? —respondí.

—Bromas de sodomía delante de mí no, por favor —se quejó Abel.

—Pero ¡si tú las haces constantemente! —me quejé.

—Tú lo has dicho: yo las hago.

Todos se sentaron a la mesa, pero tiré del brazo de Oliver hasta deslizarlo con silla y todo para que se levantara a ayudarme.

—¡Que no puedo con todo!

—Pues haces dos viajes.

Le di una colleja y él a mí una patada.

—Se avecinan meses emocionantes —musitó Abel.

Dejé los tallarines y una botella de vino en la mesa y Oliver hizo lo propio con las gyozas.

—Ya me estoy arrepintiendo. ¿Sabéis lo que va a ser un marrón? Pirarme. He entrado sin saberlo en el laberinto del Minotauro —dijo Oliver mientras volvía a sentarse.

—¿Y eso por qué?

—Pues porque a ver quién te dice que te vas a quedar sola otra vez…

—¿Y quién dice que me voy a quedar sola otra vez? A lo mejor eres tú quien hereda el contrato de alquiler cuando me canse de escucharte gemir hasta en la oreja de la portera.

—Hombre, tampoco tenéis que vivir juntos de por vida —sentenció Abel mientras se servía comida en el plato a manos llenas—. ¿Te has quedado corta de cena o me lo parece?

—Me he quedado corta. Pensaba que un kilo de fideos de arroz con dos calabacines, un pimiento verde, otro rojo y brócoli para cuatro daría de sobra…, llámame ilusa.

—Tengo hambre. Este cuerpo no se mantiene solo, cielo.

La conversación fue sustituida por el sonido de los tenedores sobre la loza de la vajilla mientras nos servíamos. Mamen se acercó la copa a los labios mientras me miraba y yo me preparé para la pregunta que llevaba esperando desde que cruzaron la puerta:

—¿Sabes algo de Héctor?

Miré a Abel de refilón porque, no sé por qué, sentía que era quien mejor me comprendía en aquello. Asentí.

—Me mandó un mensaje al llegar a casa de sus padres.

—¿Y qué te decía?

—Pues nada…, lo típico. —Me encogí de hombros—. Que nunca se imaginó allí a los treinta y cinco pero que pronto tendría algo propio… para compartirlo conmigo.

En la cara de los tres se dibujó una mueca que no me pasó desapercibida. Ya, lo sé. No había sido un giro de acontecimientos de los que corta la respiración. El «galán» no había superado las circunstancias con un arranque de gallardía e ingenio..., el «galán» había vuelto a casa de sus padres a intentar encontrarse el culo con las dos manos.

—¿Sabéis? —dije ante el silencio—. Si hubiera sido yo la que hubiera vuelto a casa de mi madre después de que las cosas me salieran mal, no me juzgaríais tanto.

—Nadie está juzgándole —musitó Mamen.

—Sí, sí que lo estáis haciendo.

—La única que está juzgándole eres tú —contestó Abel.

—¿Yo? —Me señalé el pecho ofendida.

—Sí. Tú. Como si te avergonzara el tema. Y no tiene por qué avergonzarte. Es un tío de carne y hueso que tenía la vida resuelta y que lo dejó todo para volver a tu lado. Está reconstruyéndolo todo de nuevo.

—Dijiste que era un loser.

—Algo tenía que decir. —Sonrió—. Pero me parece valiente. Y honesto. No tiene interés en demostrarle nada a nadie.

—Bueno, bueno..., tampoco vayamos ahora a canonizarlo —rezongó Oliver.

—Habló el que teme a la chica del stand de Dolce & Gabbana más que al kraken.

—¿¡Cómo!?

—¿Quién empieza con sus mierdas? —intentó desviar la atención.

—Tú. —Le señalé con el tenedor—. Y estaría bien que nos pusieras al día de la historia del «kraken».

—No es nada..., es que odio a una tía del curro.

—¿Por? —insistí.

—Porque es idiota.

—¿Y por qué es idiota?

—Pues porque va de guay. Y porque es una sobrada. La típica listilla —se empezó a calentar mientras alcanzaba la copa de vino— que siempre tiene una respuesta preparada para demostrarnos que es la más avispada y los demás unos mierdas.

—¿Los demás o tú? —apunté.

—A mí me tiene especial ojeriza, la verdad.

—¿Y eso por qué? —preguntó Mamen, sorprendida porque una fémina pudiera no caer rendida ante los encantos de Oliver.

—¿Qué le has hecho? Esa es la pregunta —concreté.

—Nada. creo que ese es el problema. Que no le he hecho nada y tiene muchas ganitas… y yo ni con la polla de otro me la follaba. Antes se me cae el anacardo.

—Ja —lancé.

—¿Ja qué?

—Que «ja».

—¿Cómo es? —terció Abel.

—Pues… pelirroja, así como despeluchada. Siempre va despeinada, la muy hija de perra. Como si metiera los dedos en un enchufe, con un pelirrojo como de petirrojo del desierto y los labios pintados de fucsia.

—¿Guapa?

—No. Bueno, para mí no.

—¿No? —le pinché.

—¿Y a ti qué narices te pasa? —me preguntó con el ceño fruncido.

—Nada. Que tengo poderes de adivinación. ¿Quieres que los pruebe contigo?

—Sorpréndeme.

—Con esa te casas.

—¿¡Qué dices!? —gritó—. ¡¡¿Tú estás loca?!!

—Lo de casarse es un poco fuerte… —musitó Mamen.

No, claro que no, Mamen. Va a esperarte siempre soltero, para seguir protagonizando sin problema tus fantasías locas, esas que no deberías tener porque, ojo, estás casada con mi padre.

—Te digo que te casas. Y hasta tienes hijos, mira lo que te digo.

—Antes de meterle el anacardo me lo corto.

—¡Ja! Ya verás, ya. Estás a un pasito de que se convierta en lo más divertido que has hecho en tu vida: conseguir que una tía que te tiene asco caiga rendida a tus pies. Y cuidadito, porque de esta te enamoras. Pero de verdad.

—¡Uy, lo que ha dicho la bruja Lola! —jaleó Abel entusiasmado—. ¿Hacemos una porra?

—Yo digo que no —apostó Mamen—. Doscientos pavos a que no.

—Doscientos a que sí.

Nos dimos la mano encima de la mesa mientras Oliver, con los brazos cruzados sobre el pecho ponía los ojos en blanco.

—Qué gracia, ¿no?

—Pues sí —me burlé.

—¿Sí? Pues mira, voy a leerte los posos del café… —Cogió mi copa de vino y movió el poco líquido que quedaba—. A ver… dos docenas de gatos y ni rastro de Héctor que…, a ver…, se va a comprar un tractor y a dejar preñada a la primera vecina del pueblo en edad casadera a la que consiga engañar… como a ti.

Agarré la copa y la atraje hacia mí de nuevo para llenarla casi hasta el borde.

—Mira si eres gilipollas que terminarás pidiéndole que sea testigo de tu boda con el kraken. Por imbécil.

—No esperes que eso salga bien —dijo de pronto muy serio—. El tiempo y la distancia matan las emociones, Sofía, lo digo por tu bien.

—El tiempo no borra…, ubica.

—Qué frase más bonita —musitó tierna Mamen.

—No es mía. La leí en Pinterest.

No me enfadé. Ya estaba acostumbrada a que cada uno de ellos ejerciera su papel ante mi historia con Héctor: Mamen el de adalid del romanticismo y el amor más ingenuo, Abel el del amigo que no juzga y Oliver del hostil oponente. No. El tiempo no haría que Héctor me olvidara ni que perdiera su fe en nosotros. Si me olvidaba, si no era capaz de encontrarse antes de compartir su vida con alguien, no era para mí, por más enamorada que estuviera. Si pasaba, me rompería, pero… adoptaría dos docenas de gatos. Al menos estaría acompañada y Holly dejaría de ser «hija única». Al menos ya sabría que lo del amor y la magia eran cuentos de vieja…

Cuando Abel y Mamen se marcharon, Oliver salió para encontrarse con su ligue en una especie de demostración de fuerza viril que venía a decir que lo de su boda con el kraken… nada de nada. Él tenía su vida, sus follamigas, su…, su rutina que, por más que había tenido intención de cambiar cuando terminó con Clara, había vuelto a reconfortarle. Me hubiera gustado poder decirle que fuera de nuestra zona de confort es donde suceden las cosas mágicas pero… ¿qué sabía? Yo estaba a la espera y los ojos puestos en una ventana, confiando en el destino… y dijo Shakespeare que «el destino es el que baraja las cartas, pero nosotros somos los que jugamos».

27

«He llegado bien. Nunca imaginé que volvería… con treinta y cinco años. Pero es eventual. Tendré algo para los dos pronto. Aún me sabes en la boca». Ese fue el mensaje que envié a Sofía en cuanto llegué. Y te puedes imaginar la sensación que me invadió por dentro.

Mi madre se debatía entre la alegría de tenerme allí y la preocupación de que a mi edad volviese a instalarme en casa. Aunque «instalarse» no era un término que definiera correctamente lo que estaba haciendo yo. No vacié ni las maletas. Saqué lo esencial, lo coloqué a mano y les comuniqué que me quedaba en el pueblo por un tiempo, pero que iba a buscar mi propia casa.

—¿Para qué vas a gastarte dinero en una casa para ti solo teniendo aquí a tu madre y a tu padre? —me respondió ella abrigándose exageradamente con su chaqueta de punto dada de sí.

—Porque una vida necesita su propio espacio.

Lo más difícil fue borrar las expectativas de la vida que tuve y fabricar unas nuevas. Cuando era más joven me imaginaba a mi edad tranquilo, feliz, con una buena cartera de clientes que sostuvieran mi trabajo de freelance y a punto de convencer a Lucía para mudarnos a las afueras de Ginebra a una casita pequeña pero bonita. Me imaginaba teniendo un perro y saliendo los fines de semana con él por los alrededores. Organizando la leña para cuando apretara el frío. Yendo a la ciudad a comprar muebles viejos en el mercadillo de los sábados por la mañana, junto al río. Bebiendo vino y comiendo queso. Siendo yo mismo. Pero… una cosa, Héctor, ese «tú mismo» ya no existía. Ni Lucía. Ni Ginebra. Ni la casa a las afueras.

El viaje en coche me sirvió para reflexionar con tranquilidad. A tramos ni siquiera necesité música para entretenerme porque en la cabeza me sonaban muchas palabras. Iba pensando en lo que quise ser y en lo que soñaba alcanzar. ¿Qué me gustaba de aquellas expectativas? Estaba seguro de que había algo atemporal en ellas que podría extrapolar a mi nueva vida. No me veía paseándome en pijama con el alma en los pies en busca de un Cola Cao en la cocina de mamá. Si lo mandé todo a la mierda fue por algo. Y ese algo seguía allí dentro de mi pecho. Me gustaba la idea del amor tranquilo, sin torturas y pasiones desmedidas, como sabía que podríamos querernos Sofía y yo. Con fuerza pero sin drama. Me gustaba el campo. Me gustaba no vivir esclavo de la ciudad y del ritmo que había vivido en Ginebra tantos años y que había atisbado de vuelta a Madrid. Me gustaba la idea de la casa donde cada rincón correspondiera al plan que tenía para mi propio futuro: el estudio donde trabajar cómodo, el salón donde leer y ver cine con Sofía, el dormitorio donde pasar domingos enteros, la cocina en la que hacer algún que otro desastre. La leñera para el frío. La terraza para la fresca. Era un deseo. Era mío. Podría compartirlo con Sofía. Ahora solo quedaba alcanzarlo.

Salí del dormitorio con el ordenador portátil bajo el brazo y el router móvil en la mano. En los últimos días, mientras preparaba mi «vuelta al pueblo», había hecho unas cuantas llamadas a clientes para los que trabajé en Madrid y les dije que «estaba de nuevo en España»; la fundación de colegios católicos había respondido entusiasmada que necesitaba rediseñar su web y alguien que la mantuviera. Habían quedado muy contentos con los trabajos que hice el año anterior y con los pocos diseños de enaras y cartelería que hice para ellos mientras estaba en Ginebra. La web y su mantenimiento no era mucho, pero era algo. Empezaría el día siguiente desde el escritorio en el que me preparé la selectividad, pero no estaba de más una pequeña toma de contacto.

Mi madre estaba haciendo café en la cocina y en cuanto hirvió me sirvió una taza sin preguntar, junto al bote de leche condensada.

—¿Vas a ponerte a trabajar aquí?

—No —respondí a la vez que abría el ordenador—. Solo quiero echar un vistazo a un par de cosas. Empiezo mañana. Hoy me gustaría darme una vuelta a ver si veo alguna casa en alquiler.

Mi madre se echó a reír a carcajadas… claramente de mí.

—¿Qué te pasa? —le pregunté ofendido.

—Anda…, vete al bar y pregunta.

Refunfuñé. Está claro. En un pueblo como La Cumbre si no lo saben en el bar, no lo saben en ningún sitio.

Se sentó a mi lado agarrada a su taza y durante unos minutos no dijo nada, supongo que buscando la manera de decirlo todo.

—Hijo…, tú a nosotros no nos molestas aquí, lo sabes, ¿verdad?

Asentí mientras buscaba en el banco de imágenes un par que me sirvieran para la web del colegio.

—Aunque…, bueno, no sé si es que quieres buscar una casa en el pueblo porque quizá lo de Lucía…, que yo lo entiendo, que amores reñidos son los más queridos pero…

Dejé los dedos suspendidos sobre el trackpad del portátil y me quedé mirándola.

—Con Lucía nada, mamá. Está más que roto.

—Ahm. Vale. Tú ya sabes que siempre me ha parecido demasiado presumidilla para ti. Pero no soy quién para decirte nada…, algo tendría para pasar media vida con ella. Yo lo que no quiero es que termines… solo.

Me froté las cejas. Quería preguntarme por Sofía, estaba claro.

—¿Qué quieres saber?

—Pues es que tu padre y yo no entendemos nada. No molestas, eso ya lo sabes… pero no sabemos por qué has vuelto.

—Vale…, voy a contarte por qué estoy aquí.

Me costó arrancar. Y ella no insistió. Mi padre estaba en el taller con mi hermano y hasta que no se acercara la hora de cenar teníamos tiempo para mantener aquella conversación. Papá no era hombre de emociones. Hablaba mucho y era muy jovial, pero no lo imaginaba empatizando con las sensaciones y mis rupturas sentimentales. Pero ella lo necesitaba. Necesitaba entender por qué su hijo había pasado de «tener un futuro brillante» en Suiza a estrellarse de vuelta a casa de mamá que, aunque no era la realidad de lo que en el fondo sentía, sabía que es lo que opinaría la gente.

—Lucía y yo nos habíamos convertido en una pareja de las que quiere quererse, no de las que se quiere. Estaba harto de estar en Ginebra y de que toda mi vida girase en torno a lo que ella quería, decía, hacía y esperaba, pero no era lo suficientemente valiente como para asumirlo. Tuve que conocer a Sofía para verlo claro.

—Sofía es la otra —sentenció.

—Sofía es el amor de mi vida, mamá. Es la única persona con quien quiero estar. Si no es con ella, no será con nadie.

Hizo una mueca. Ella no la conocía, de modo que no tenía forma de asegurarse de que no se me estaba yendo la cabeza con una tía que me haría daño o que no me lo haría pero con la que no funcionarían las cosas. No la conocía y no sabía la magia que tenía, pero sabía que en cuanto la viera la querría tanto como yo. Y si no lo hacía, a la mierda, yo sí. Pero era un pueblo pequeño, la familia de Lucía vivía a un par de calles y… ya se sabe con el qué dirán.

—No quise hacerle daño a Lucía —le aclaré— ni que sus padres me odiaran ni que nadie pudiera colorearte la cara a ti con cotilleos y mentiras. No sé cómo pasó, pero me enamoré de ella. Fulminante. Cuando quise darme cuenta ya no tenía nada que hacer.

—¿Y por qué no estás con ella ahora?

—Porque por no hacer daño, al final hice daño a todos. Ir y volver constantemente no es sano. Ella no se fía, no me quiere a su lado en estas condiciones. Dice que no tengo nada que darle que no sea sobra de lo que ya le di a Lucía. Y no puedo reprochárselo, porque supongo que es verdad. Así que me he agarrado a lo único que puedo querer por ahora, que es un espacio donde ser. Lo demás se irá viendo.

No sé si me comprendió, pero por el momento no podía explicarle más. Lo compartiría con ella en cuanto fuera descubriéndolo.

Antes de cenar me pasé por el bar. Lo regentaba un chico con el que compartí pupitre…, uno de los pocos compañeros que no se había marchado del pueblo. Nos saludamos con cordialidad y me sirvió una cerveza enseguida.

—¿Y qué haces por aquí? Pensaba que estabas en el extranjero con Lucía.

—Bueno… —me encogí de hombros—, ella sigue allí. Yo me he vuelto.

—Como en casa en ningún sitio —musitó.

—Oye, hablando de casas..., ¿no sabrás de alguna que esté en alquiler? *Baratino*..., que no quiero muchos metros.

Había varias casas vacías en el pueblo pero casi todas eran viviendas familiares que me quedaban enormes. Me habló de unas y de otras, de dónde estaban, de las plantas que tenían y yo me imaginaba, mientras daba cuenta de la cerveza, vagando por sus pasillos como un fantasma. Nada que me encajara si no pensaba, a corto medio plazo, mudarme allí con Sofía y llenarlas de críos. Y lo de Sofía sí, pero lo de los críos no.

Volví a casa de mis padres un poco decaído. Me decía a mí mismo que no debía dejarme llevar por el desánimo por no encontrar una casa la primera tarde, pero una voz repetitiva me decía una y otra vez que terminaría gordo, sin duchar y deprimido viviendo en el dormitorio en el que me crie y me hice las primeras pajas. Lamentable.

Mis sobrinos correteaban por la casa como liebres cuando llegué, entre gritos, juegos y cancioncitas. A la pequeña le había dado por cantar y bailar a todas horas y allí la teníamos, en mitad de una actuación sorpresa. Su hermana mayor me abrazó y me pidió que fuera a por ella al cole algún día, los chicos pasaron bastante de mí, pero su padre tenía ya en la mano una cerveza con la que animarme.

—Quita esa cara de muerto, que nos lo vamos a pasar que te cagas —me dijo contento.

—Sí. Viviendo en casa como a los catorce. Pero oye, fuera depresión, que ya tengo edad de que me dejen entrar en el puticlub de la carretera a Cáceres.

Mi hermano se descojonó y yo no pude más que hacerlo también. Imaginarnos a los dos hermanos De la Torre bebiendo copas con dos fulanas en el regazo era más de lo que podía asumir aquel día.

—No llegará la sangre al río. Menos mal que tienes a tu hermano…, pásate por el taller mañana que te llevo a un sitio —me dijo en tono confidente.

—Al puti no, por el amor de Dios.

—Al puti noooo. —Se rio— .Tú déjalo en mis manos.

Y lo dejé en sus manos. Y me puse hasta el culo de queso, zorongollo (suena fatal, pero es pimiento asado) y repápalos de leche y canela. Casi no me pude ni dormir porque para hacer la digestión me hacía falta hasta el cerebro.

Al día siguiente me pasé por el taller a mediodía, cuando ya estaba hasta la polla de la página web de la fundación de colegios católicos porque ni soy muy de iglesia ni me gusta el trabajo web. Creía que mi hermano me llevaría hasta el bar para invitarme a rondas de cañas hasta que solo pudiera arrastrarme hasta la puerta de casa y vomitar en la cocina, pero no. Tenía otros planes.

Fuimos andando, serpenteando las intrincadas calles del pueblo que había recorrido con las rodillas salpicadas de costras y magulladuras cuando era pequeño. Íbamos fumando los dos, él un Marlboro y yo mi tabaco de liar, y las viejas con las que nos cruzábamos nos saludaban y me preguntaban si yo era el hijo del ebanista, el que estaba en Alemania. Yo decía a todo que sí y la risa de mi hermano me contagiaba, mientras me pedía que dejase de ligar con jovencitas.

—Desde que estás soltero no hay quien te aguante —bromeaba—. Estás desatado.

—No estoy soltero.

—¿Ah, no?

—Estoy con Sofía.

—La cuestión es… ¿ella lo sabe?

Eso… ¿Sofía lo sabía? ¿O estaría enamorando a otro chico con su café, con sus citas célebres, con la sonrisa que levantaba sus pómulos y convertía sus ojos en la Vía Láctea?

No lo sabía. No tenía ninguna certeza más que la seguridad de que ella no se fiaba de mí con razón. Porque me fui y la única explicación que le di fue una nota de mierda y la maceta. Ella tenía razón en algunas cosas…, había terminado viéndolo claro cuando empecé a prepararlo todo para volver al pueblo. No había estado solo siendo adulto jamás, por más que me sintiera desvinculado del amor con Lucía. Tampoco tenía claro lo que quería de la vida, solo unas pocas pinceladas. Pero… ¿no es la vida así? ¿Quién cojones sabe de manera pormenorizada lo que quiere, cómo y cuándo lo quiere? Yo sabía con quién y ya me parecía un hito. Sofía. Sofía siempre y en cualquier situación. Pero tenía que encontrarme a mí, era lo justo, si no, no tendría nada que darle más que sobras de la persona que fui.

El silencio en el que dialogaba conmigo mismo no pareció incomodar a Sebas, que caminaba tranquilo a mi lado saludando con la mano a los vecinos que nos cruzábamos mientras silbaba. Y cuando quise darme cuenta, habíamos llegado, aunque no lo supe hasta que él no sacó de su bolsillo un manojo de llaves y me indicó la puerta.

La familia de mi cuñada no era precisamente de las más ricas del pueblo, pero sobre su abuelo todo el mundo decía que era imposible encontrar hombre más trabajador. Hizo su dinero, imagino, y lo invirtió siempre en tierras; tuvo campos con perales y manzanos y un corral con gallinas y algún cochino para la matanza. Habían pasado muchos años y, como nadie de las nuevas generaciones había decidido dedicarse al campo, fueron vendiéndolo todo, partiendo las tierras para quedarse solo con pequeñas parcelas. En aquel momento les quedaba poco… y entre lo poco que les quedaba, una casita pequeña que creo que algún día fue parte de un corral.

Mi hermano me animó a entrar mientras sostenía la puerta y me daba explicaciones.

—Ya sabía que no ibas a querer vivir con papá y mamá otra vez y comentándolo con Maite me mencionó esta casa. Era de su tío el soltero.

—Dime que no murió nadie dentro.

El olor a polvo y a espacio abandonado nos abofeteó y tosí bajando la barbilla hacia el pecho. El suelo, cubierto por una capa de mugre, se adivinaba roto y viejo.

—No que yo sepa, pero vete a saber…, la familia de Maite está llena de frikis. —Se encogió de hombros, sonriente—. Su tío soltero se fue a vivir a Cáceres hace…, no sé, ¿veinte años? ¿Treinta? Al principio venía aquí en verano pero se echó una novia a la que no le gustaba el pueblo… Pero ¡date una vuelta, hombre!

Organizado en una planta cuadrada, la casa tenía una cocina y un baño con los típicos azulejos de los años setenta, dos habitaciones vacías y un patio interior que conectaba a cada una de ellas por unos ventanales con puertas corredizas. Habría que cambiar los cristales, me dije. Y después me reí, porque habría que hacer tantas cosas que lo de los cristales era lo de menos.

—Aquí —señaló Sebas— puedes poner el salón, enfrente de la cocina. Al lado del baño, el dormitorio. Y tan pichi. Está para meterle mano a fondo, eso sí… Habría que echar un vistazo a las cañerías, pintar, amueblarlo, desbrozar el patio interior…, limpiarlo por supuesto.

No sé cómo la idea inicial de que aquello era una pocilga terminó siendo un plan de reforma. Solo me imaginé levantando el suelo y me pareció divertido. Y un planazo. ¿Qué más tenía que hacer? Trabajar para ahorrar algo de dinero para cuando supiera qué iba a ser de mi vida y convencer a Sofía de que intentáramos averiguar lo que queríamos juntos. Convertir aquella casucha en un hogar para mí, donde tener todas las cosas que siempre quise tener, donde albergar esperanzas y ser el hombre que podía ser me pareció un buen plan. Y a medida que

Sebas iba señalando todos los rincones en los que haría falta trabajar, yo los imaginaba puestos a punto. Imaginaba las habitaciones limpias, la música sonando, la luz anaranjada y cálida que me recordara al Alejandría y… Sofía en el sofá con un libro en el regazo y los pies abrigados con unos calcetines gruesos como esos llenos de unicornios o los que emulaban un ratón sobre la mesa. Seguía sin saber si me quedaría allí para siempre o si volvería en unos meses. No tenía ni idea de dónde quería vivir. Solo que quería hacerlo con Sofía. Pero, por primera vez en mucho tiempo, algo me apeteció y mucho.

—¿Cuánto? —le pregunté.

—La tienen muerta del asco, así que no creo que te pidan mucho.

—Diles que cien euros al mes si me encargo yo de las mejoras. Si lo hacen ellos podemos dejarlo en… doscientos o doscientos cincuenta. —Arqueé las cejas—. ¿Te parece?

Es lo bueno de los pueblos…, con lo que en Madrid inviertes en alquilar una habitación en un piso compartido, allí vives varios meses. Y te sobra para soñar.

Fue mi primera decisión como hombre adulto, como individuo. Una decisión en la que no medió nada más que el hecho de que me apetecía hacer aquello por mí. Y por lo que quería, que era estar con ella. Ese gesto, esa determinación, encendió un ascua y algo empezó a calentar mi estómago. El motor. Ahora solamente me faltaba encontrar la brújula que me guiara. Y que no fuera Sofía pero que me llevase en su dirección.

Al día siguiente mi hermano y yo dedicamos la tarde a revisar la grifería y la instalación eléctrica. Fue tan reconfortante llegar agotado a casa de mis padres y que el pensamiento de Sofía me acunara hacia el sueño en lugar de arrebatármelo que continué así los días siguientes. Y levanté el suelo del patio interior. Y cambié los interruptores. Y lijé las puertas. Y pinté las paredes y los techos. Y rescaté muebles viejos del trastero de mis padres. Y desvalijé las habitaciones abandonadas de casa de mis abuelos. Y entablé amistades en el bar. Y trabajé en mi escritorio. Gané dinero. Lo gasté. Di like a fotos en Facebook. Mandé whatsapps y soñé. Los sueños me instaron a abrir una cuenta de Instagram, por marciano que suene. Y soñé tan fuerte que los cielos de La Cumbre se cubrieron de fotogramas donde Sofía y yo hacíamos posible nuestra casa.

28

Colgué en mi perfil de Instagram una foto que Abel hizo en el interior del Alejandría. El rincón de los discos brillaba con unas bombillas nuevas que Lolo colgó el domingo anterior. Yo, al fondo, sonreía mientras preparaba un café. El primer me gusta fue de un seguidor nuevo. Un tal Héctor de la Torre que, como comprobé más tarde, acababa de abrir su cuenta. El primer comentario también fue suyo: «Mataría por uno de tus cafés. Y por verte. Por verte también mataría».

El cliché de refugiarse en lo conocido se hace realidad más veces de las que nos gustaría confesar. Fue así, ¿sabes? Exactamente así. Fue como si, inconscientemente, acordonara mi zona de confort y no me permitiera salir de allí. Solo quería mi casa, mi Alejandría, mi gente. Y sus recuerdos, claro.

Más o menos cada dos o tres días sabía de él. Solía escribirme mensajes de Whatsapp muy comedidos preguntándome cosas…, algo que me obligara a contestarle… como si le hiciera falta. Yo me sentía tentada a escribirle o llamarle cada cinco minutos, pero no lo hacía. Esperaba que lo hiciese él, no por protocolo, ni mucho menos, sino porque me gustaba esa manera tan cándida con la que tiraba suavemente del hilo que nos unía para saber si seguía allí. Y me gustaba responderle porque sentía que se acordaba más de mí de lo que admitía en sus mensajes. Contaba poco de él. No eran conversaciones, eso es verdad. Apenas un intercambio de dos o tres líneas por cabeza y una despedida que siempre sabía a poco porque nunca traía beso. «Te echo de menos». «Tengo ganas de verte». Poco más.

Lo de las redes sociales me sorprendió. Me preguntó un día, en uno de sus mensajes, si podía seguirme en Facebook. Le dije que sí, claro, pero que no lo usaba mucho: «Últimamente le doy más a Instagram». Que me había desenganchado de Facebook no fue una excusa…, era verdad, pero él fue el aliciente para volver a dedicarle cierto tiempo. Eso sí… en la sombra. Entrando a cotillear, a vigilar o buscando encontrar algo con lo que no añorarle tanto, como quieras llamarlo. Su perfil cambió de la noche a la mañana. Borró todas las fotos con Lucía, aunque no quitó la etiqueta de las que ella tenía colgadas de él, lo cual no dejaba de parecerme un gesto de buena voluntad; no quería las fotos con ella en su perfil pero lo tenía lo suficientemente superado como para que las que ella tuviera no le importasen. Si me lo hubiera hecho a mí hubiese entendido un «he pasado página de verdad, pero esperaré a que tú también lo hagas sin exigirte nada». Cambió su foto de perfil por una más actual y… que le hice yo. Una foto de una foto sacada con la Polaroid que me regalaron por mi cumpleaños. Salía con las gafas de sol y acercándose una taza de café a los labios. La hice un día tan soleado que el salón del Alejandría parecía Benidorm en verano; bromeamos tanto que terminó colocándose las Ray-Ban y yo… morí de amor.

Cada dos días o así, ponía al día su estado con citas de *Alicia en el País de las Maravillas*, *Princesas*, Lord Byron. Cuando colgó: «El amor es lo único que hay que ganarse en la vida, todo lo demás se puede conseguir robando», me enamoré un poco más de él. También ponía tonterías como: «Decirle a tu madre que no te gusta su café y otros deportes de riesgo», «Estoy tentado a comprar lana para tejerme un esquijama de cuerpo entero. Pero que sea rojo, por favor». «Casi se me había olvidado la magia de encender un fuego». Daba igual lo que pusiera..., en todos sus estados encontraba una referencia, un mensaje secreto como en nuestras ventanas. Un tótem de lo nuestro que se mantenía impertérrito, pasase el tiempo que pasase, estuviésemos donde estuviésemos.

Así que le añoraba, ¿cómo no hacerlo? Pero menos, porque casi le sentía allí. En realidad casi lo estaba. Planeábamos los dos constantemente flotando bajo el techo del Alejandría gracias a mi imaginación hiperactiva que nos convertía en los protagonistas de cada lectura que emprendía, de cada canción que sonaba y casi de todas las conversaciones que tenían lugar allí dentro, en el espacio que, más que nunca, sentí mi refugio. Mi café. Mi Alejandría.

En casa todo iba... como esperaba que iba a ser. A ratos un caos, a ratos un lugar de encuentro. Eso era, al fin y al cabo, mi amistad con Oliver, ¿no? Pues así era también nuestra convivencia. Broncas constantes por la taza del váter, su ropa sucia, los pelos de la ducha, el robo con nocturnidad y alevosía de parte de mi comida... hasta que fuimos aprendiendo. En un mundo ideal tendríamos dinero para pagarle a una tercera persona para que solucionara parte del problema, como la distribución de la tarea de limpiar. Pero no lo teníamos. Así que hicimos tratos y cambalaches para llegar a un entendimiento: él bajaría siempre la basura y plancharía mis camisas si yo limpiaba el baño y la cocina, siempre y cuando él afinara su puntería en el váter. Pusimos un bote común para la compra semanal porque, si iba a comerse lo que yo compraba, al menos que lo pagase. Así que mis caprichillos se convirtieron en los nuestros y cierto orden se ciñó sobre nuestras comidas, porque a partir de las siete de la tarde, a no ser que fuera festivo o fin de semana, Oliver no comía hidratos de carbono. Y yo, por no calentarme la cabeza, tampoco. Siempre cocinábamos para dos, comprábamos para dos y..., ojito, que hacíamos planes para dos.

—Si no nos diera asco follar, seríamos una pareja perfecta —le dije mientras nos acomodábamos en el sofá para ver *El hobbit* después de cenar.

—¿Empiezas a sufrir síndrome de abstinencia y ya te parezco más goloso, reina?

Fruncí el ceño y levanté el dedo corazón.

—No sufro de nada. Y nunca te veré goloso. Si en algún momento se me cruza por la cabeza la idea de que eres guapo es en plan hermana orgullosa.

Oliver se giró hacia mí con aire solemne.

—Es que soy guapo. Puedes pensarlo tanto cuanto quieras.

—Y modesto. Modesto eres un rato.

—Oye, Sofi. —Se pasó la mano por el pelo en un gesto que parecía menos elegante ahora que iba en pijama—... Hablando así de todo... ¿el tema del sexo cómo lo solventáis?

—¿Qué?

—Me refiero a... Héctor y a ti. Puedo nombrar a Héctor sin que salgas corriendo a llorar abrazada a tu almohada, ¿no?

—Puedes, pero si sigues siendo imbécil a lo mejor te apuñalo por la noche.

—Entonces... es como si no estuvierais juntos, ¿no? Aunque pienses en él y te salgan mariposas de las bragas no estáis juntos. ¿Qué vas a hacer cuando te pongas on fire?

Hice una mueca de disgusto mezclada con un suspiro que venía a decir «Dios, llévame pronto».

—No sé si lo sabes —le dije en tono confidente—, pero el ser humano puede controlar los impulsos animales... como el de aparearse.

—Eso quiere decir que si te pones cachonda, te jodes y bailas, ¿no?

—Pon la película —gruñí.

—A ver si te vas a poner tonta con los enanos...

Pues uno me parecía guapo, pero no sería yo quien lo confesase en aquel momento, claro.

Oliver cayó fulminado por el sueño antes de que Bilbo Bolsón saliera de la Comarca en busca de aventuras y yo, aunque intenté seguir viéndola, te confesaré que no le estaba prestando atención. Estaba pensando en Héctor. Bueno, desde que había empezado a seguirme en Instagram aquella mañana, era un tema recurrente para mis neuronas. Y su comentario en mi foto, claro. A veces un solo like es un «estoy pensando en ti» pero su comentario no había dejado margen a dudas.

Apagué el reproductor de DVD y la televisión antes de despertar a Oliver y decirle que se fuera a la cama. Cuando me metí en la mía lo hice ya con el móvil en la mano, pero esperé un poco para asegurarme de que Oliver había vuelto a caer rendido en su cama y darme tiempo, de paso, de afirmarme en mis intenciones de llamarle.

Héctor me había comentado una foto y yo sentía que debía devolverle el gesto pero no sabía muy bien cómo. Que Oliver sacara a colación el tema del sexo... me había empujado hacia el teléfono porque... me preocupaba. Estábamos jugando a algo complicado y no podía dejar de pensar en que la distancia terminaría por convencerle de que no valía la pena tanto esfuerzo.

El teléfono dio un par de tonos y yo me asusté cuando me di cuenta de que cabía la posibilidad de que no me lo cogiese... de que estuviese ocupado con algo o... con alguien. Iba a colgar maldiciendo que quedara constancia de mi ataque de debilidad cuando respondió.

—Hola.

Cerré los ojos con alivio y sonreí.

—Hola —le respondí.

—Pensaba que no llegaba. Me has pillado saliendo de la ducha.

—Creía que te duchabas por las mañanas.

—He estado ayudando a mi padre y mi hermano en el taller y volví cubierto de polvo. Oye..., ¿has...? ¿Has visto mi comentario en Instagram?

Vaya. Parecía inseguro y ansioso.

—Sí. —Me sonrojé—. Y tu perfil. Tienes que colgar alguna foto. Sin ninguna pareces una cuenta de spam.

—Una cuenta de spam que mataría por verte suena peor —bromeó.

—Sí. He estado a punto de llamar a la policía de Instagram.

—¿Hay de eso?

—¡Héctor! —Me reí—. ¡Es broma!

—¡Ah! —Escuché sus carcajadas nerviosas—. Yo qué sé. Aún me estoy familiarizando.

—¿Qué tal va todo?

—Va bien. Le estoy cogiendo el gusto a esto. Es muy tranquilo, ¿sabes? Se me había olvidado que es bonito. Te encantaría. Y... me gusta que me llames.

—Y... cuéntame, ¿qué haces? —Quise cambiar de tema.

—Me levanto temprano, trabajo, como con mi madre y luego voy al taller y... a hacer cosas.

—¿Hacer cosas?

—Sí. Hacer cosas.

«Hacer cosas» dejaba mucho a la imaginación y no me costó mucho pensar en él con otra pasándoselo bien por las calles del pueblo. Alguien con quien se hubiera reencontrado a su vuelta y que de pronto fuera divertida y guapa y...

—Es que tengo una sorpresa para ti —aclaró cortando de raíz mis paranoias—. Bueno, es para mí en realidad, pero sé que te gustará verla. Uhm..., ¿crees que...? ¿Crees que podrías venir?

—¿Ir... a tu pueblo?

—Sí. Podríamos pasar un fin de semana aquí.

—¿En casa de tus padres? —Y confieso que me horroricé un poco.

—No. —Se rio—. No vivo en casa de mis padres. Esa es la sorpresa. Tengo una casita... que sé que te gustará. Sé que solo hace tres semanas que no nos vemos pero quizá estaría bien una toma de contacto..., ver cómo lo llevamos, ver avances y... hablar.

—Es que...

—¿Qué? —preguntó sin rodeos—. ¿Te da miedo?

—No es miedo. Es que un fin de semana allí, los dos solos..., hace nada te dije que debíamos distanciarnos.

—Y lo hemos hecho, ¿no?

—¿Y crees que podremos seguir haciéndolo si voy a verte?

—Es que no podemos distanciarnos por más tierra que pongamos de por medio. Me paso el día pensando en ti, Sofía... Bufé.

—Dime la verdad —siguió diciendo—, ¿me has llamado por mi perfil en Instagram o porque piensas en mí?

—Claro que pienso en ti. —Suspiré.

—¿Todos los días?

—Todos los días.

—Entonces, ¿por qué hoy es diferente? ¿Por qué hoy sí me llamas y los demás días no?

«Porque te quiero y tengo miedo a perderte. Porque hay días en los que temo no estar haciéndolo bien. Porque necesito escuchar tu voz y asegurarme de que sigue habiendo en ella algo que solo es para mí...».

—He estado hablando con Oliver y me ha entrado un poco de ansiedad —confesé—. Sabes que vivo con él ahora, ¿no?

—¿Por qué? Por qué te ha entrado ansiedad, quiero decir.

«¿Mentir? ¿Suavizar? ¿Destapar? ¿Qué debía hacer?».

—Porque me he puesto a darle vueltas al tema de la distancia y la soledad y ciertas necesidades que..., bueno, que es normal y...

Héctor se rio con sordina.

—¿Te preocupa que te engañe? —me preguntó.

—No estarías engañándome.

—No estoy de acuerdo en eso, lo siento. Pero de todos modos puedes estar tranquila. ¿Es eso lo que temes que pase si vienes a verme? ¿Que tengamos sexo?

Noté una oleada de calor abofetearme las mejillas y no supe qué contestar.

—Antes de irme ya nos acostamos dos veces pero..., bueno, no te voy a tocar si no quieres que lo haga. Ni siquiera tenemos que dormir en la misma cama si te incomoda.

—No me incomoda. Me da miedo no hacer las cosas bien.

—Ven —me pidió—. Plantéate qué fin de semana quieres venir. O si quieres voy yo y me quedo en casa de Estela. Pero creo que esto debemos hablarlo en persona.

—En persona no podemos hablarlo. —Sonreí—. Me van a entrar los mil males si tengo que hablar de esto contigo mirándote a la cara.

—¿Por qué? Nosotros siempre hemos podido hablar de todo. Es nuestro punto fuerte, ¿no?

—No lo fue a veces.

—No me saques eso ahora —se quejó—. Estamos hablando de otras cosas.

—Pero eso sigue ahí. Te callaste cosas que...

Un suspiro seguido de un chasqueo interrumpió mis puntos suspensivos.

—No puedo decirte más. Te echo de menos. Me hace falta verte. No entiendo qué narices vamos a mejorar con esto si no nos vemos y no lo hablamos. Hay días que no le encuentro sentido a no poder llamarte cuando me apetece hacerlo o tener miedo a que creas que me precipito si te digo que quiero estar contigo. Entiendo los motivos y estoy poniendo de mi parte para solucionar mis faltas pero… tienes que remar conmigo o esto no va a ningún sitio. Con sexo o sin él.

—Ya…

Holly subió con un gorjeo a la cama y se acomodó sobre la colcha acurrucándose. Hundí la mano en su pelaje y la acaricié. Ojalá todo fuera tan fácil como hacerla ronronear…

—Yo también te echo de menos —susurré.

—Pues ven a verme. Quiero enseñarte esto. Quiero que formes parte.

Y yo quería verlo. A él, lo que estaba construyendo y si quedaba espacio en su vida para mí. La pregunta era… ¿sería correcto? ¿Entraba dentro de la lógica de lo que estábamos haciendo?

—Si piensas tanto las cosas, Sofía, dejarán de tener sentido —musitó.

—¿Te va bien la semana que viene?

Sentí que sonreía a pesar de no verlo y se me caldeó el estómago con una sensación de paz. Sabía lo que pasaría si lo veía pero… quería verlo porque tenía razón. No tenía sentido tanta distancia y cuidado si no acercábamos posturas.

—¿Por qué no esta?

—Porque… tengo planes. —Como tener la regla, pero me lo callé.

—Lo prepararé todo —me dijo—. Te mandaré la dirección exacta esta semana que, por cierto, se me hará eterna.

—Y a mí.

—Buenas noches.

—Buenas noches —respondí.

—A no ser que… ya puestos, te apetezca un poco de sexo telefónico, por desfogar un poco de energía sexual antes del encuentro.

—Buenas noches, Héctor. —Me reí.

—Estaba de coña.

—Ya lo sé.

—Aunque si tú quieres, te digo cosas que me estoy imaginando y…

—Buenas noches.

—Buenas noches, Sofía.

Cuando me arropé en la cama, lo hice con una sonrisa en los labios por primera vez en muchos días. Era fácil darse cuenta de que, aunque en mi mundo, lo conocido y el Alejandría sabían cómo hacerme feliz, nada alcanzaba a acariciar la parte de mí que quedaba expuesta ante Héctor… en muchos sentidos.

Al día siguiente las mariposas que Oliver decía que me salían de las bragas al pensar en Héctor subieron hasta mi estómago y casi no me dejaron respirar. Con ilusión. Con la sensación de ir por buen camino. Con la foto que colgó en su nueva cuenta de Instagram con el reflejo del amanecer en una ventana y el texto: «Preparando mi vida para que formes parte de ella». Me hubiera parecido exhibicionista por su parte y vergonzoso que compartiera parte de lo nuestro en una red social si no fuera porque… solo tenía un seguidor: Sofía Bueno. Y el perfil privado.

Una nueva ventana, Héctor, en eso convertiste tu teléfono móvil: en otra ventana empañada en la que dibujar un idioma secreto que solo entendiera yo.

29

No vayas a pensar que Oliver se sintió confuso y torturado por haberse enrollado en sueños con Mireia, alias su archienemiga de Dolce & Gabbana. Solía tener ese tipo de sueños constantemente y con un montón de tías diferentes. No era importante y no le dio ni media vuelta. Quiso olvidarlo, supongo. Y la paja onírica a medias puede que se esfumase de su cabeza, pero ella no, porque, sin saber por qué, la veía por todas partes. En la puerta fumando antes de entrar, en el descanso para el café, cruzándose por el pasillo con un vasito en la mano y los labios concentrados en soplar el contenido. Cada vez que iba al baño, la observaba reinando en su stand como una especie de kraken pelirrojo y despeinado que mascaba chicle y se pintaba los morros de fucsia.

—Comes chicle como un camello —le dijo una de las veces que pasó por allí de camino al baño.

—Te ha cagado un pájaro en la chaqueta.

¿Lo peor? Que era verdad. Debió pasar cuando salió a fumarse un pitillo. Asco de animal mitológico de las profundidades del mar.

He llegado a pensar muy seriamente que todo aquello que tememos y que odiamos se siente atraído por nuestra animadversión y terminamos por encontrárnoslo en la vida por más que queramos evitarlo. Es posible, incluso, que el hecho de intentar sortearlo nos acerque a ello. Como yo con el tema de una relación con terceras personas de por medio (y, horror, más aún habiendo terminado siendo yo la amante bandida), Abel con el ex que se comió su corazón y lo escupió de vuelta en el felpudo de casa o Mamen con el grupo de Whatsapp de las madres del colegio al que tan pronto conseguía escapar, volvía a ser invitada. Pues así, de la misma forma, Oliver se encontró a Mireia donde no se la esperaba.

El viernes la cena de «cuéntame tus mierdas» se vio sacudida por el «horrible infortunio» de que me bajara la regla sin previsión como si hubiese reventado la presa Hoover y manchase una silla. No he oído a nadie gritar tanto ni siquiera en el parto de Mamen. No, no entré en el paritorio. Se la podía escuchar desde el pasillo.

El sábado Oliver esperaba algo más emocionante que tener que soportarme sanguinolenta como Carrie al final de la película, así que convocó a su jauría de amigos para hacer algún roto por Madrid, pero todos tenían algún plan: «He quedado con Valeria, lo siento, chicos», respondió Víctor. «Tengo follo-noche con mi follamiga», contestó otro. «Hay fútbol y tengo entradas», escribió aquel en el que más esperanzas había puesto Oli. Al final llamó a su rollete para ver si le apetecía hacer algo.

—¿Te has quedado sin plan, verdad? —adivinó ella.

—Por Dios, Raquel, qué suspicaz.

—No pasa nada. Yo también. Mi mejor amiga me ha dejado plantada con la mesa reservada porque la ha llamado un tío. ¿Quieres que reciclemos la reserva?

Era divertida, directa y no quería nada de él que no fuese su cuerpo, así que sabía que se entretendría sin compromiso, de modo que dijo que sí, claro. Era mejor que quedarse en casa conmigo en pijama comiendo torreznos de cerdo. Juro que me quitan todos los males del mundo, incluyendo los dolores menstruales.

Se colocó los vaqueros negros que siempre decía que le hacían buen culo, un jersey negro que le marcaba pechito y el abrigo del mismo color y se vio bien, así que después de retocarse el peinado, se dirigió hacia la puerta.

—¿Adónde vas? —le pregunté desde el sofá, con un torrezno en la boca.

—A cenar y a echar un polvo.

—Planazo.

—Tienes… —hizo una mueca y me señaló la cara— como un montón de…, ¿de qué?

—Virutas de cerdo frito, seguramente.

—A Héctor le encantaría —se mofó.

—Coge bufanda, imbécil. Hace mucho frío.

La cogió y se marchó.

Hermosos y Malditos le encantaba. No hablo solo de la novela de Fitzgerald, sino del restaurante madrileño. Se había puesto muy de moda en los últimos meses y encontrar mesa un sábado por la noche era motivo de admiración. Y con esta misma miró a Raquel, su ligue sin compromiso, cuando se vieron en la puerta.

—Me has impresionado.

—Y eso que nunca te he enseñado que puedo atar rabitos de cereza con la lengua —se burló ella.

—Me consta, me consta.

Se abrieron paso entre el gentío que abarrotaba el local y él le quitó la chaqueta mientras aprovechaba para decirle al oído alguna guarrada que ella recibió con risas. El *maître* los interceptó y les indicó con un ademán su mesa, que no era de las mejores pero tampoco de las peores. Nunca he entendido lo que ha de tener una mesa para ser mejor que otra, pero no le daré pie nunca a que me lo explique porque la puedo liar muy parda.

Se sentó dándole la espalda a la pared y con una panorámica bastante buena del restaurante y del ambientazo.

—¿Pido vino? —le preguntó ella.

—Blanco no, por favor. Me da acidez.

Mientras ella recitaba en voz alta los nombres de los vinos que proponía la carta, él paseó la mirada por la gente que se movía de aquí a allá y en los otros comensales. Estaba distraído cuando un culazo apretadito dentro de una faldita negra ceñida se coló en su ángulo de visión y no pudo evitar suspirar un poco por dentro. Tanta belleza femenina en el mundo y él sin el don de la ubicuidad. El culo…, o mejor dicho, la dueña de aquel trasero, se volvió en su dirección y se sentó sustituyendo la visión de sus posaderas por la de su cara… pelirroja, melena algo salvaje y labios pintados de fucsia.

—¡No me lo puedo creer! —se le escapó a Oliver.

—¿Qué? ¿Rioja no?

—¿Qué? —Miró confuso a su acompañante, que seguía repasando los vinos—. ¡Ah! Nada, nada, es que… ese, ese que has dicho me gusta.

—¿Admiración?

—Ese. Buenísimo.

Ella dejó la carta de vinos a un lado y cogió la de platos. Él la imitó, pero no pudo evitar lanzar una miradita detrás de Raquel, donde Mireia sonreía a un chico que estaba de espaldas a él… hasta que lo vio. Y le cambió la cara. Si hubiera podido (si hubiera estado solo, si no fuera Hermosos y Malditos o si sufriera un conveniente dolor punzante que se le pasase en cuanto saliera de allí) se hubiera marchado, pero… ¿quién se levanta y se pira antes de cenar? Estaba condenado a ver al kraken alimentarse.

—¿Qué te pasa? —una voz femenina lo devolvió a la mesa.

—¿Qué?

—¿Que qué te pasa?

—Nada. Ehm…, no tengo mucha hambre. —Se inclinó hacia ella—. De comida al menos. Dentro de un rato a lo mejor… me entra otro tipo de apetito.

Raquel pestañeó y volvió los ojos a la carta. Cuando se incorporó de nuevo mientras ella le proponía algunos platos para compartir, vio a Mireia clavándole la mirada con un rictus de desagrado en el rostro que le hubiera borrado a base de tobitas en la frente. Por si alguien no ha tenido el dudoso honor de escuchar a nadie hablar de «tobitas» aclaro que son golpecitos en la cara con la chorra. Yo solo lo explico…

Nunca había tenido tantas ganas de irse de un restaurante que le gustaba sin tener la polla dura. Y sin estar comiendo con su familia hablando de política en la misma mesa. Los separaban unos tres o cuatro metros pero la presencia de Mireia intoxicaba el ambiente de lo que podría haber sido una cena divertida. No le hacía falta mirarla. Sabía que estaba allí. Mirándolo. ¿Y qué haces cuando sabes que tu archienemigo te está mirando? Disimular y fingir que estás pasándotelo teta. Raquel a punto estuvo de barajar la posibilidad de apuntarse al Club de la comedia a juzgar por cómo se reía él de cada una de sus bromas. Desplegó, más que nunca, todas sus armas de seducción sin compasión, porque necesitaba que Mireia lo viera molar. Sí. Lo viera molar. Yo me voy del mundo…

La odiaba. Con toda su alma. Con ganas de callarla a pollazos. La odiaba. Sin embargo, cuando la vio levantarse para ir al baño, pies para qué os quiero, la siguió, interrumpiendo lo que su cita le estaba contando.

—Enseguida vengo.

Dejó la servilleta en la mesa y salió en su busca sorteando mesas.

La encontró apoyada en la pared que iba hacia los cuartos de baño, con expresión chulesca.

—¡Lo sabía! ¿Por qué me sigues? —exclamó Mireia.

—¿Yo? —Oliver fingió sorpresa e indignación—. Mucho vino, cielo. Empiezas a flipar.

—¿Qué haces aquí?

—¡Vengo al baño!

En su sueño… ¿no habían estado metidos en una especie de baño? A oscuras. Los dos. Pegados. Con las manos entre las piernas y las lenguas dentro de la boca. Hostias. Qué viaje más raro le estaban dando las hormonas…

—¿No hay restaurantes en Madrid? ¿Por qué te tengo que encontrar aquí? —se lamentó ella sacándolo de sus pensamientos de golpe.

—¡Ni que fuera a sentarme en tu mesa!

—¡Solo faltaba!

—Ni me mires. —Oliver dio la sensación de marcharse hacia el baño de caballeros, pero en realidad ni se movió—. Olvídate de mí y ya está. ¿O es que no puedes, cariño?

—Pero ¡si no hago más que pillarte con los ojos puestos en mi mesa!

—¿Mis ojos? ¿En tu mesa? Tú te drogas. Deja de prestarme tanta atención o el pobre tío al que has engañado para cenar contigo se dará cuenta de que…

—¿De qué? ¿De que un idiota está cenando en la otra parte del salón?

—A ver si el idiota va a ser con el que estás sentado, nena. O a lo mejor lo que te pasa es que matarías por estar cenando conmigo.

—¿Contigo? Sí. Para escupirte en el plato.

Escupir. La visión de sus dos labios escupiendo saliva lentamente sobre la punta de su polla antes de volver a metérsela en la boca… Pero… vamos a ver.

—Te estás poniendo muy tontita y muy nerviosa, ¿sabes? —soltó Oliver.

—Pues sí, porque no hago más que verte en todas partes.

Cazó los ojos de ella, con las pestañas cargadas de rímel, en su boca y la humedeció con la lengua para provocarla. Hubo un momento de tensión, un silencio. Espera, espera…, la había visto tragar con dificultad. ¿Eso era posible? Volvía a quedarse sin palabras pero no iba a volver a ser la que tuviera la última palabra…, necesitaba ganar tiempo, así que dijo lo primero que se le ocurrió:

—¿Sabes lo que creo, Mireia?

Dio un paso hacia ella para parecer más seguro de sí mismo y Mireia dio otro a su vez, chocando la espalda contra la pared en la que había estado apoyada hacía un momento. Sus tetas vibraron en el escote de su vestido negro y él tragó saliva.

—Lo que tú creas me importa una mierda —le respondió.

—¿Ese tío es tu novio?

—¿A ti qué te importa?

Eso… ¿y a él que le importaba? ¿Por qué había hecho esa pregunta estúpida?

—Tú estás loca por mí —se escuchó decir.

—¿Yo? ¿Por ti? El loco eres tú, sin duda. Nunca me fijaría en un tío que se follaría a sí mismo si tuviera la oportunidad.

Joder con el vestido de terciopelo negro. Cómo llamaba a sus dedos. Cómo le apetecía acariciarlo por la zona de la espalda en dirección al culo, para llenar sus manos con las nalgas de Mireia y…

—¿Y si tiro de ti hasta el baño de hombres, qué pasaría?

—Que te metía un puñetazo en el estómago —respondió ella con un hilo de voz.

—Tienes las manos muy pequeñas.

—Pero muy hábiles.

—¿Es una invitación?

Mireia fue la que se quedó sin palabras esta vez. Solo negó con la cabeza y apoyó las palmas de las manos en su estómago en un gesto que podría ser igual una muestra de incomodidad y una caricia. Oliver se creció y se inclinó un poco más hacia su boca, atrapándola entre su cuerpo y la pared.

—Te callaba de un pollazo —susurró con los labios casi pegados a su boca.

—Inténtalo…

—¿Quieres?

La mano derecha de él se deslizó por la cintura de Mireia hacia abajo hasta colarse por debajo del vestido y agarrarle el culo con un gruñido. Sintió el suspiro de ella caldearle la garganta y pegó la cadera a su cuerpo que se acomodó para que las formas encajaran. Los dos jadearon cuando ella lo acercó más tirando del bolsillo de su vaquero.

—La tengo durísima —susurró en su oído.

—No te puedo soportar —gimió ella de vuelta.

—Follar no implica simpatía.

—Tú alucinas si crees que voy a ser otra muesca en tu revólver.

—Tengo la mano en tus bragas —dijo maniobrando hasta que un par de dedos se frotaron sobre la ropa interior de Mireia—. Dime por qué no me has dado ya un puñetazo si no es porque tú también tienes ganas.

Mireia abrió la boca para contestar. Oliver olió su perfume dulce y fresco. Se fueron aproximando cada vez más. La mano derecha de ella se coló entre los dos y palpó su pantalón hasta que encontró lo que quería y lo apretó. Él abrió la boca también. Se inclinaron. Respiraron profundo a la vez. El *mâitre* carraspeó.

—Perdonen la intromisión pero... estoy seguro de que hay lugares mejores que este pasillo para dejarse llevar. Si me hacen el favor de volver a sus mesas se lo agradeceríamos...

Oliver dio un paso atrás y ella se escabulló hacia el salón visiblemente consternada. El *mâitre* desapareció a tiempo de que él pudiera cazarla aún por la muñeca y acercarla.

—En la puerta. En cuanto terminemos la cena.

Cuando se sentó de nuevo en su mesa le costó disimular su turbación y su erección. Una de cal y otra de arena. Se sentía, además, avergonzado. Él se consideraba un Casanova... pero como Casanova quería dejar buen sabor de boca en todas sus amantes. No le gustaba ser un cerdo que está a punto de tirarse a nadie en un pasillo con otra chica esperándole en la mesa.

—Pero ¿qué te pasa hoy? —le preguntó Raquel.

Levantó la cara del plato que acababan de traer y, a pesar de saber que si decía de más iba a condenarse a la cena más violenta de la historia, se dejó hablar:

—Es que... yo ya no sé si...

—¿Qué pasa? ¿Te arrepientes de haberme llamado?

—No. Bueno, no pero...

—A ver..., voy a serte sincera, ¿vale? Esto está siendo un desastre y creo que la culpa es casi más mía que tuya. Tú te has aburrido de follar conmigo y a mí también me aburres un poco. Eres majo y jodes como un campeón, pero no tenemos nada en común. Y para follar bien se necesita más que un coño y una polla. No tenemos química. Iba a decírtelo al final de la noche pero... me estás poniendo nerviosa con tanto titubeo y tanta cosa rara. Ya está. Relájate. Ahora... vamos a cenar, ¿vale? Tengo que escribir una reseña de este sitio para mi blog y no me voy a ir sin probar los platos.

Definitivamente Oliver estaba perdiendo facultades... se estaba haciendo común eso de que le dejaran sin palabras.

La cena se le hizo eterna a pesar de que creyó llevarlo bien. Con los ojos puestos en la mesa de Mireia pero bien. Él terminó antes que ella, así que hizo tiempo pidiendo café. Su acompañante alucinaba. Habían sabido capear la incomodidad de cenar con alguien con el que acababan de tener una conversación que incluyera frases como «tú también me aburres», pero de ahí a alargar la velada...

Pidieron la cuenta a la vez y a pesar de que después de pagar se precipitó a hacerlo todo con prisas, Mireia se escabulló por la puerta antes que él. Se despidió de Raquel con los ojos puestos en todas partes menos en ella, lo que le valió un «vete a la mierda» bien dicho en mitad de la despedida y que sirvió de pistoletazo de salida para que él saliera corriendo en dirección hacia donde creía que se había marchado «su kraken».

«Si es que se veía venir», se dijo. Era lo típico: «Te odio, qué asco me das, no te puedo soportar y bla bla bla» antes de confesar que le ponía como un perro en celo. ¿Cómo era posible? Le caía mal de verdad. Siempre con la respuesta preparada, la marisabidilla de los cojones. Y no se peinaba. Y el color de pintalabios le parecía choni. Pero...

Alcanzó a verla a lo lejos, andando sola y rápido hacia la boca del metro cuando ya estaba pensando en llamar a su compañera de trabajo para que le diera el número de Mireia. Una vez que llegó junto a ella jadeaba tanto que le faltaba la respiración, pero no se dio tiempo para tomar aliento... la agarró por la muñeca de nuevo y de un tirón la metió en el vano de un portal a la vez que la acercaba hasta su boca. La reacción no fue la esperada, al menos en un primer momento. Esperaba dos labios abiertos, unas manos inquietas, una dirección susurrada a media voz al oído... y se encontró con un bofetón como un piano.

—¡Eres imbécil! —exclamó ella.

—La imbécil eres tú, que te niegas por orgullo.

—Es que me das un asco que no lo puedo soportar.

—Y tú me caes de culo.

—Pues ya está. Todo aclarado.

Embistió de nuevo con todas sus ganas, preparado para encontrar otro bofetón en la dirección contraria y abandonar definitivamente, pero Mireia recibió el beso sin apartarse. Oliver no se lo podía creer. Cerró los ojos, abrió la boca y la provocó con la lengua hasta que ella le rodeó el cuello con los brazos, tiró suavemente de su pelo y abrió los labios también. Durante un momento todo fue saliva, lengua y manos que recorrían un cuerpo que no conocían, hasta que Oliver sintió que, literalmente, iba a reventar.

—¿Tu casa, la mía o este portal? —le preguntó él con la voz tomada.

—Aquí. Y lo olvidamos en cuanto terminemos.

Enajenación mental transitoria. Sin duda. No podría ni recordar de dónde sacó el condón, si lo sacó ella del bolso o él de su cartera. Solo sabe que se lo puso, la cargó en brazos contra la pared y se la metió después de romper las medias y apartar las bragas.

—¡Joder! Estás empapada —gimió cuando se coló hasta lo más hondo.

—Me ha puesto cachonda la cita que me has jodido.

—Lo único que voy a joder esta noche es tu coño.

Se besaron con más ganas de callar al otro que emoción, pero el siguiente empellón de las caderas de Oliver se los llevó del todo hacia la pasión. Cinco minutos de empujones, unas uñas clavadas en el cuello, un montón de gemidos dejados campar a sus anchas en plena calle y la luz del portal encendiéndose fueron los catalizadores de un orgasmo brutal que les puso los ojos en blanco y que no pudieron absorber del todo porque un vecino estaba a punto de salir y pillarles.

Una bandada de jóvenes salió del portal y ellos disimularon buscando sus paquetes de tabaco. El condón descansaba ya debajo del coche que había aparcado enfrente, pegado al asfalto.

Cuando el griterío cesó y estuvieron solos, cruzaron una mirada que lo dijo todo. Mireia se encendió un pitillo y tras echar el humo le soltó:

—Te odio con todo mi ser.

—Con todo no... hay una parte que ahora me quiere. Y mucho.

Se encendió el pitillo con su propio mechero, se subió el cuello de la chaqueta y bajó el escalón que los separaba de la calle.

—Más vale que olvides esto —amenazó ella.

—Ni siquiera sé de qué me estás hablando.

Con la segunda calada inició la vuelta a casa. Había cumplido, sin duda: había cenado y echado un polvo. Las vueltas que da la vida, oiga.

30

Me mandó una foto de un cristal empañado en el que alguien, probablemente él, había dibujado con la yema de su dedo un copo de nieve. La acompañaba un texto corto: «Trae prendas de abrigo; aquí hace frío. Aunque si no quieres, prometo darte calor». Estábamos a punto de comprobar cuánto calor podíamos darnos. Cometí el tremendo error de llamar a mi padre para preguntarle cuál era la ruta más rápida para ir a La Cumbre, Cáceres. Como durante años fue comercial y casi vivió en el coche, pensaba que podría darme la opinión más fiable y no me equivocaba. Con lo que no conté es con que es mi padre y exigió, a su galante manera, una explicación.

—¿Me puedes explicar a qué vas a un pueblo de menos de mil habitantes?

—¿Lo has buscado en Google? —le pregunté. Ni siquiera yo sabía su población. ¿A qué santo iba a saberlo él?

—Ehm…, ¿no? ¿A qué vas?

—A ver a un amigo.

—¿Qué amigo? Creía que conocía a todos tus amigos.

Qué tiernos son los padres que creen que sigues teniendo trece años a pesar de tener treinta.

No hablamos mucho más, debo decir, porque Mamen saltó como un resorte cuando escuchó «La Cumbre» y «amigo» y también corrió a pedir explicaciones, claro, pero ella con nombre propio.

—¿Vas a ir a ver a Héctor?

Escuché a lo lejos a mi padre quejarse de que le hubiera arrancado el teléfono de las manos, pero ella hizo oídos sordos.

—Sí. Hablamos el otro día y…

—¡¿Y cuándo pensabas decírnoslo!?

No les había querido decir nada aún porque cabía la posibilidad de que me echara atrás antes del fin de semana, ¿no? (No, en realidad no, es que me daba miedo la conversación que vendría después).

—Pues… en cuanto decidiera si iba a ir seguro.

—¡¡Mentirosa!!

La madre…, qué cabreo se pilló. Porque no le había contado mi conversación, porque no le había avisado de que no habría cena de «cuéntame tus mierdas» y porque no sé qué hostias de que era como mis hermanas: «Una adolescente hermética».

—¡Y el silencio en un adolescente es peligroso, Sofía! ¡Peligroso!

Le colgué. No tenía ganas de su charla de amiga que de pronto se acuerda de que es la madre de tus hermanas. Ni de eso ni de contarle a mi madre nada sobre mi de pronto «ajetreada» vida sentimental, así que cuando hizo su habitual llamada para enumerar todos los motivos por los que soy una mala hija sin decirlos abiertamente, simplemente mentí.

—¿Tienes planes para el fin de semana?

—Lo de siempre. Nada especial.

Nada. Moco de pavo.

Oliver debía olérselo. Eso y que estaba más raro que un perro verde desde el sábado por la noche, pero no sabía nada de lo de Mireia, de modo que pensé solamente que se lo olía. Y yo debía decírselo… porque era mi mejor amigo, porque vivíamos juntos y tendría que delegar en él los cuidados de Holly durante mi escapada y porque me sentía mal escondiéndole aquel tipo de información. Finalmente el miércoles me armé de valor para confesarle que iba a pasar el fin de semana con Héctor y como contestación un rayo destructor recién salido de sus ojos me partió por la mitad. Después se repuso, al menos aparentemente y con un suspiro levantó las cejas y respondió:

—Pensaba que estabas entrando en razón, pero ya veo que ese tío te agilipolla hasta por teléfono.

—No es ese tío. Me agilipollan tus nulas ondas cerebrales.

Después me fui dando un portazo para salir dos minutos más tarde y gritarle que era un insensible y un cabrón. Ni se inmutó. Solo me preguntó muy dignamente si me apetecía cenar tirabeques al vapor.

—¡Encima mátame de tristeza con esa chufla que no dejan de ser judías verdes! ¡Ju-dí-as!

Se nos pasó, como siempre, un rato después. Pero él no se retractó ni yo tampoco: estaba seguro de que era un tío que me haría daño y yo que era lo que quería hacer. Chimpún.

Dediqué más cuidado y mimo que en toda mi vida a la «sencilla» tarea de hacer la maleta. Intenté hacer memoria por si alguna heroína de novela había dado las claves sobre qué llevar en la maleta para una escapada con el que quieres que sea el hombre de tu vida, pero no hubo respuesta literaria. Hasta me compré una revista de moda, cosa que no solía hacer muy a menudo, para ponerme al día sobre si habían inventado algo hiperfemenino, seductor y favorecedor sin lo que no pudiera seguir viviendo. No saqué nada en claro, así que me vi unos cuantos tutoriales de Youtube de chicas con millones de seguidores sobre cómo hacer el equipaje para pasar el fin de semana con «tu chico». En ninguno se hablaba de la posibilidad de que el término «tu chico» no fuera aplicable, pero supongo que no tenía la menor importancia. Vamos, que sé que no la tenía, pero estaba nerviosa y me tranquilizaba disparando bromitas absurdas a media voz dentro de mi habitación. Eso sí, apliqué mi conocimiento aprendido a fuerza de experiencias: la ropa interior conjuntada, por favor y a poder ser sin tanga. No me favorecen, esa es la verdad.

El viernes me monté en mi Twingo tan nerviosa que pensé que me desmayaría al volante. En el maletero mi pequeña bolsa de viaje con unos conjuntitos escogidos después de horas de examen a mi armario, un pijama tan mono y delicado que me daba miedo romperlo al darme la vuelta en la cama y ropa interior… nueva. En realidad creo que cogí muchas cosas que después no me hicieron ninguna falta. No entiendo por qué estaba tan nerviosa…, habíamos dormido juntos muchas veces. Héctor me habría escuchado hasta roncar. Habíamos follado y hecho el amor. Habíamos hundido la lengua en zonas húmedas, por el amor de Dios. Pues nada, yo estaba nerviosa. Como si acabáramos de conocernos. Como si… tuviera que seducirlo. ¿Y los reparos? ¿Y los miedos? ¿Y el frágil equilibrio sobre el que se sostenía mi confianza en él? En la carretera. Allí me los encontré.

Conduje por la A5 una hora y media antes de parar en un área de servicio. Había puesto gasolina en Madrid, no necesitaba ir al baño ni quería beber algo. Pero necesitaba respirar. Salí del coche escopeteada, como si dentro faltara el oxígeno y tuviera que escapar para no morir asfixiada. Era el terror a estropearlo del todo lo que me había llevado a tal estado. El terror que había serrado mis esperanzas y las había hecho parecer los sueños estúpidos de una colegiala.

Me tranquilicé sentada en un bordillo con la cabeza entre las piernas, viendo cómo se iba haciendo de noche. Era diciembre y los días se acortaban. No serían más de las seis, pero del día solamente quedaba una franja rosácea allá a lo lejos, en el horizonte. Mucha gente iba y venía y todo el mundo comentaba que hacía mucho frío mientras mentalmente agradecía las bajas temperaturas que me congelaban la presión interna y se llevaban el fuego que había prendido mi miedo. Cuando subí en el coche de nuevo estaba segura de que esa primera toma de contacto, después de la decisión de alejarnos para que él tuviera por primera vez en años un espacio de crecimiento personal propio, era decisiva. Era el momento en el que sabríamos si nos quedábamos con ganas de más, si iniciábamos un acercamiento tímido o si, por el contrario, nos convencíamos de que la distancia era lo mejor. La suerte estaba echada.

Llegué a La Cumbre sobre las siete y cuarto de la tarde. El GPS me hizo dar un par de vueltas, recalculando ruta sin cesar, hasta que comprendí que no iba a encontrar la calle donde se situaba la casa de Héctor. Pasé dos veces por la plaza del pueblo donde, seamos sinceros, mucha vida no había. Pero los dos vecinos, que sumarían unos trescientos años, me miraban con mucho interés. Una forastera rondaba por el pueblo... era cuestión de tiempo que se enterara todo quisqui viviente.

Paré el coche lo más cerca de la plaza que pude y llamé a Héctor, que contestó al segundo tono:

—¡Ey! ¿Todo bien?

—Sí, sí.

—Te esperaba hace ya un rato —me cortó—. Estaba preocupado.

Y sonaba exactamente así.

—Es que entre que fui a recoger la maleta a casa y luego al garaje a por el coche y... Madrid estaba de locos... serían casi las cinco cuando... en fin, que, verás, estoy en la plaza, pero el GPS me ha dejado tirada. No encuentra tu calle.

—Normal. —Se rio. Su voz grave y supermasculina hizo vibrar el aire junto a mi oreja y unos pelillos en la nuca se me erizaron—. No te preocupes. Voy a por ti.

—No, no. Solo... indícame. Soy buena siguiendo indicaciones.

—Uhm. Vale. Dime..., la iglesia a qué lado te queda... ¿derecha o izquierda?

Se limitó a darme instrucciones concisas sobre el recorrido que debía hacer y yo las obedecí pero... me recibió la oscuridad total y creí que me habría perdido otra vez. Hasta que una bombilla solitaria brilló sobre la puerta de una casa de una planta y la figura de Héctor apareció recortada por la luz del interior. Dentro de mi cuerpo se vivió un momento de gravedad cero y todas mis vísceras flotaron un segundo en mi pecho para volver en caída libre a su lugar. Héctor, el magnetismo de la tierra; yo, la brújula, siempre señalando en su dirección.

Aparqué como pude, puse el freno de mano, apagué el motor y las luces y respiré profundamente. Ahí iba. Un reencuentro sin sorpresas, con ganas, con las decepciones emborronándose en el estómago. Salí del coche.

Héctor salió a la calle vestido con un jersey de ochos presumiblemente nuevo. ¿Marrón? ¿Gris? ¿Negro? ¿Azul marino? Estaba demasiado oscuro como para distinguirlo. Llevaba también unos vaqueros rectos, conocidos, discretos. Seguro que llevaba su cinturón viejo que no era de piel, como sus botas. Se acercó un poco, alejándose del foco de luz y sumiéndose en la misma oscuridad en la que nadaba yo. Me cruzó la cabeza la idea de que no sabía cómo debía saludarlo: ¿dos besos? ¿Un abrazo? ¿Un beso en la boca? Porque nos habíamos separado para darnos espacio en el que crecer, pero el hilo seguía allí, tirando. Quería un beso, pero me daba miedo dárselo y que no tomara en serio aquella «ruptura», de modo que me volví bruscamente hacia el maletero en cuanto se acercó lo suficiente.

—Espera, te ayudo.

—No te preocupes, no pesa.

Cogió la maleta. Cerré el capó y el coche y caminamos hacia la puerta de nuevo. No me atreví ni a mirarlo porque ya me estaba arrepintiendo de lo frío que estaba convirtiendo nuestro reencuentro.

—¿Has tenido buen viaje? —musitó con un hilo de voz.

—Sí. Muy tranquilo.

—Estarás cansada.

—Un poco.

—Va a ser un fin de semana tranquilo. Te lo prometo.

¿Tranquilo? ¿Eso qué quería decir? La imaginación volvió a dispararseme. Malditos libros; como vivía con la cabeza metida en ellos tendía a pensar que el mundo funcionaba con sus mismas reglas y que me esperaban dos días de pasión desmedida que me devolverían a mi realidad del Alejandría con los músculos doloridos de tanto amor. Las sábanas revueltas y nosotros dos sin encontrar el camino de salida en una cama en la que querríamos quedarnos para siempre. En las novelas, la pareja que se reencuentra se funde en un beso desesperado y después hace el amor durante horas. ¿Qué digo horas? Días. Tuve que respirar profundo para frenarme: aquello no era una novela y por más que desease que la parte de la cama y la pasión se materializase, debíamos hablar. Con calma. Sin prisa. A poder ser sin cama… a pesar de que empezaba a dudarlo mucho y muy fuerte.

Héctor se aclaró la garganta y se paró frente a la puerta entreabierta.

—Mi casa —murmuró.

Lo miré. Un mechón rebelde caía sobre su frente a pesar de que se había peinado con cierto esmero hacia un lado. Los ojos le brillaban en la semioscuridad y sus labios se deslizaban húmedos entre sus dientes. Estaba muy guapo. Nada había cambiado, al menos de manera sustancial. Seguía siendo terriblemente masculino, con su nariz rotunda, su ceño fruncido en tres líneas y su sonrisa canalla que formaba unos hoyuelos bajo su barba. Nada había cambiado pero nosotros éramos diferentes. Es estúpido esperar que lo vivido no nos deje huella.

En medio de la tímida luz que dejaba escapar la puerta entreabierta vi los ojos de Héctor fijos en mis labios. Sus oscuros ojos azules que me parecían tan extraños en alguien que no hubiese nacido muy lejos. Miré su boca también y recordé la sensación de besarla. Suave. Con la espesa barba cosquilleando sobre mi piel. Con su lengua húmeda invadiendo con premura mi boca y el sabor de su saliva, su sabor, fundiéndose con el mío sobre mis papilas. Sentí la tentación de alargar la mano y acariciar su cara, acercarlo, respirar al lado de él porque el aire olía diferente si él estaba muy próximo pero… otra vez el no saber, el miedo, la parálisis…, no lo hice. No me acerqué. Solo acerté a respirar profundo y el momento se rompió. Él apartó la mirada. Yo fijé la vista en mis pies. Ambos reanudamos el paso. Supongo que Héctor entendió mi suspiro como una muestra de impaciencia. Es verdad que hacía frío y que seguramente desde las ventanas iluminadas de alrededor un escuadrón de cotillas vigilaban para dar al día siguiente la versión de los hechos desde todas las perspectivas posibles, pero a mí no me importaba.

—Pasa. —Y en su voz brillaba una nota de orgullo porque es posible que fuera la primera vez que se sentía tan orgulloso de algo suyo.

Lo primero que pensé sobre su casa es que olía increíblemente bien. Lo segundo, que las lámparas que iluminaban el salón daban una luz preciosa, de un naranja casi aterciopelado y que invitaban a acurrucarse en el sofá. En el pequeño pasillo que dividía en dos la casa, una puerta abierta de par en par mostraba el salón cuadrado, donde un sofá tan antiguo que ya rozaba lo moderno, una mesa baja de madera, un mueble lleno de cedés y vinilos y unas cuantas estanterías reinaban sobre una alfombra y junto al crepitar del fuego que brillaba dentro de la chimenea.

—¡Tienes chimenea! —exclamé ilusionada. Ni en mis mejores fantasías lo había imaginado tan… romántico.

—Limpiarla y que el salón no se llenase de humo fue un drama. Ven. Te enseño el resto.

La cocina daba un poco de risa porque, aunque había colocado una mesa pequeña con dos sillas que daban el toque actual, los azulejos te llevaban en un viaje sin escalas hasta los años setenta. Tenía una nevera pequeña y vieja que producía un zumbido intermitente, una pila de mármol cuadrada y un horno sobre el que tenía dos fogones de gas. La armariada era nueva, eso sí, de madera clara a conjunto con la mesa y las sillas. Me pregunté si la habría montado él mismo con ayuda de su hermano…

El cuarto de baño era del mismo estilo: años setenta profundos. El suelo era de azulejos de color azul marino y todos los sanitarios blancos de formas redondeadas. La pared estaba revestida hasta media altura de tablones de madera pintada de blanco y el resto lucía una pintura beige. Sobre el lavamanos, un espejo ovalado con marco del mismo color que todo lo demás.

—Es bonito —le dije.

—Está habitable —respondió con una sonrisa canalla—. He hecho lo que he podido.

El dormitorio daba al mismo patio interior que se intuía tras el ventanal del salón y las cortinas que cubrían los cristales de la puerta corrediza tenían también pinta de haber sido cosidas por su madre. Eran blancas, tupidas, de las que cuando se corrían, llevaban la estancia hasta la oscuridad. Pocos muebles ocupaban la habitación: una cama sencilla, apoyada en la pared que había enfrente de la cristalera y dos mesitas de madera con una sola balda. Alrededor del vano de la puerta había instalado unas estanterías repletas de libros que enmarcaban la salida de la habitación. Un gran cactus alargado, en una esquina, reposaba en su maceta de color cobre y una pequeña planta de hojas pequeñas y oscuras dejaba caer algunas ramas desde la parte alta de uno de los estantes. Apoyadas en el suelo, en otro rincón, dos láminas con sencillos marcos del mismo color que las macetas: en una, un grabado de *Alicia en el País de las Maravillas*, en el otro, un dibujo de Apollonia Saintclair con la imagen a trasluz de una pareja follando. Un poco gráfica pero discreta.

La señalé y sonreí:

—Muy bonito.

—Estoy especialmente orgulloso de este dormitorio.

En la sonrisa que me devolvió encontré muchas cosas, entre ellas un puñado de besos descarados y caricias por debajo de la ropa. Cosas que deseábamos pero que deberían vivir atadas en una sonrisa por el momento.

—Ahora el patio no luce demasiado pero ya verás mañana. —Dejó mi maleta junto a la cama y metió las manos en los bolsillos—. ¿Necesitas sacar algo de la maleta?

—El neceser, pero luego; no corre prisa.

—¿Alguna percha? —insistió.

—No traigo nada que se arrugue.

—¿Quieres ponerte cómoda?

—Estoy bien. —Sonreí.

—Pues… ya está. —Me devolvió la sonrisa—. Vamos al salón entonces. Estoy deseando dejar de estar tan nervioso.

31

La chimenea encendida era una estampa que no tenía la suerte de disfrutar a menudo, de modo que lo mejor sería guardar una foto, me dije. Encuadré, disparé y después abrí la aplicación de Instagram. Tanteé un par de filtros hasta que me decidí por «Reyes» y un poquito de aumento en el contraste. La colgué junto con el texto: «Fuegos que uno no sabe —ni quiere— apagar».

Dejé el móvil sobre la mesa baja y suspiré. Me encantaba el pequeño aparador lleno de discos y vinilos que tenía en el salón. Me concentré en mirarlo, intentando averiguar en las líneas de colores de las carátulas qué música albergarían. El fuego templaba la habitación y la temperatura era cálida allí dentro, donde esperaba sentada en el sofá. Tenía las manos sobre las rodillas y casi ni me movía. Yo también deseaba dejar de estar tan nerviosa.

—¿Tinto o blanco? —me preguntó desde la cocina.

—El que prefieras.

Entró con dos copas en la mano y una botella preciosa de color azul oscuro con letras y florituras doradas.

—Blanco entonces. Es muy dulce —me dijo mientras apoyaba las copas en la mesa—. Te gustará. Es de la tierra.

Abrió la botella con diligencia y sirvió. Solo se escuchaba el ladrido de un perro en la lejanía y el crepitar del fuego en el hogar.

—Vale. Entonces, ¿por qué brindamos? —preguntó.

—Uhm... ¿por pasar un buen fin de semana?

—Vamos a brindar por dejar de estar tan siesos. —Sonrió canalla.

—Toda la razón.

Me cedió una de las copas y las chocamos con una risita nerviosa. Después bebimos sin poder despegar la mirada. En realidad Oliver tenía razón..., Héctor me idiotizaba un poco.

—Voy a poner música. ¿Qué te apetece escuchar?

—No sé. Sorpréndeme.

—Ponga lo que ponga seguro que acierto, ¿no? Porque creo recordar que siempre hay una buena canción en cada disco.

—Pensaba que me habías tomado por loca cuando te lo dije.

—A veces uno aprende cosas sin darse cuenta. Supongo que de alguna manera contigo es siempre así..., sin darme cuenta.

Cierta vergüenza se asomaba a su voz mientras hablaba pero Héctor intentaba disimularla concentrándose en buscar entre los cedés algo que sonara y nos caldeara un poco los huesos. Después de pasear los dedos sobre las carátulas un par de veces algo pareció satisfacerle y, con mucho protocolo, colocó un cedé en la minicadena. Una guitarra rasgó el aire acompañando una voz algo fosca y el inconfundible sonido arenoso de las grabaciones musicales con muchas décadas.

—¿Sixto Rodríguez? —le pregunté al reconocerlo.

—¿No te gusta?

—Me gusta. —Sonreí en su dirección mientras se acercaba—. Aluciné con *Searching for Sugar Man*.

Héctor se sentó a mi lado en el sofá y se frotó la barba mientras se reía.

—¿Qué he dicho? —Me reí también.

—Nada. Es que... soy un idiota.

—Lo sé —me burlé—. Pero ¿por qué te hace gracia lo idiota que eres ahora mismo?

Levantó las cejas, se humedeció los labios y desvió la mirada mientras le daba un trago a su copa, pero no le dejé escaquearse y golpeé su rodilla con la mía.

—Es que... he puesto este disco pensando que no lo conocerías, que te descubriría algo nuevo y que mientras te contaba la historia de Sixto Rodríguez me iría relajando..., ya sabes. Quería ganar tiempo. Tiendo a olvidar que eres...

—¿Qué soy? —pregunté divertida.

—Más lista. Más rápida. Más... mágica.

Jugueteaba con el pie de la copa cuando me lanzó una mirada y una sonrisa avergonzada que hundió su hoyuelo bajo la barba recién recortada. Tenía el pelo revuelto. ¿Cuándo le había dado tiempo a despeinarse de aquella manera? Di permiso a mis dedos para que alcanzaran su pelo y lo mesé entre ellos, apartándolo de su cara al tiempo que él se volvía hacia mí con todo el cuerpo. La sonrisa se fue desvaneciendo cuando se acercó un poco más.

—Contigo me pasa como en esta canción... —susurró. Sonaba «I wonder» haciéndonos viajar, junto a los muebles pasados de moda y la luz aterciopelada de las lámparas, hacia los setenta—. Siempre me pregunto cosas.

—¿Qué cosas?

—Cosas como por qué me apetece tanto besarte si está claro que no es lo que más nos conviene.

Ambos compartimos una sonrisa y prendimos los ojos en las bocas que las esbozaban. Estábamos enamorados, eso estaba claro, pero aún no sabíamos cuánto ni por qué.

—¿A quién no le gusta lo prohibido? —respondí tras el silencio.

—Discúlpame…, no vi ninguna señal. —Y le tocó a él el turno de burlarse de mí.

—Pues el camino estaba lleno de ellas.

—Será que era inevitable.

De alguna manera lo fue, ¿no? Inevitable. Un choque. Una colisión de esas que mueve la tierra y desplaza tu propio centro de gravedad, que lo vuelve ligero en el golpe, ese momento en el que todo flota. Flotamos nosotros, las prohibiciones, las señales y cuando pusimos los pies en el suelo, estalló todo. Cayeron los pedazos de los muros que rompimos, las ventanas a través de las que nos conocimos, las barreras y las normas que destrozamos. Fue inevitable. O no quisimos evitarlo. O sencillamente teníamos las manos atadas por el hilo rojo del destino y solo obedecíamos, como marionetas.

—Es verdad —asentí—. Lo hicimos inevitable.

Mi mano, la que acariciaba su pelo, se quedó apoyada en su cuello y el pulgar dibujó un pequeño círculo en su piel. Héctor apartó mi pelo hacia atrás para dejar que su pulgar dibujase la frontera de mi labio inferior.

—Lo va a ser siempre. Tú y yo…, tú y yo somos inevitables.

Héctor me acercó ciñéndome las dos manos a la cintura, suavemente, dejándome espacio para no hacerlo si no quería. Pero quería. Apoyé la frente en sus labios y él me envolvió entre sus brazos.

—Eres justo lo que necesitaba. Lo que no sabía que quería. Y no soporto tenerte tan lejos —susurró.

Levanté la cara hacia él y sonreí. Estábamos tan cerca que el aire que respiraba terminaba colándoseme a través de los labios entreabiertos. Sabía tan, tan, tan dulce...

—¿Y si no sabemos estar juntos?

—Pues aprenderemos. —Y la seguridad con la que lo dijo me quitó un peso enorme de encima. Los hombros se aflojaron, la boca se entreabrió.

Apoyé la mejilla en su mejilla y suspiré y vertí en ese suspiro todo lo que no cabía en palabras.

—Necesito decirte que te quiero —dijo despacio—. Y besarte. Y quitarte la ropa y sentir tu piel pegada a la mía. Necesito que lo sientas porque, Sofía, esta conexión no va a desaparecer jamás. Es posible que incluso juntos nos equivoquemos, pero es lo único que podemos hacer.

Su mano, inmersa en los mechones de mi pelo, me llevó hacia su boca hasta dejar entre los dos apenas un espacio invisible. Me sentí en una película antigua, de esas en las que un beso lo arregla todo y ellas caen desmadejadas en los brazos del galán que lo hará posible, aunque supiera que esas cosas, en la vida real, no pasan. Tragué saliva muerta de miedo, porque seamos sinceras, querida, lo que me daba miedo no era la cercanía, la piel, follar como perros hasta empañar los cristales de toda la casa como en la jodida *Titanic*; lo que temía era sentirme de nuevo a merced de aquello: la conexión, lo irremediable, el destino.

Héctor me alejó un poco y su ceño se frunció en tres pliegues mientras me estudiaba detenidamente, como si buscase poder leer en mis gestos la clave que me hiciera dejar de estar aterrorizada. Y debió encontrarla porque sonrió:

—Lo dejé todo por ti una vez y volvería a hacerlo cada día de mi vida.

Su cara se inclinó unos grados y nuestras bocas encajaron a la perfección. De nuevo la colisión. El choque. Lo inevitable.

El «nosotros» que tanto miedo nos daba explotándonos en los labios. Cerré los ojos para dejarme a su merced pero, como no quería dejar de mirarle, lo recorrí con las manos. El cabello desordenado. La frente fruncida. Las mejillas cubiertas de una barba que en esa zona se volvía más rala. Las orejas con lóbulos suaves que inmersas entre tanto pelo castaño parecían pequeñas. Su mandíbula tensa moviéndose al compás de una lengua que no dejaba de recorrerme la boca, jugando con la mía. Su cuello, fuerte. Su pecho que subía y bajaba acompañando su respiración acelerada. Ya no pude mover mis manos de allí porque bajo el tejido esponjoso del jersey, bajo la piel que se adivinaba cálida, bajo el músculo en tensión... bombeaba enloquecido su corazón. Y me gustaba pensar que eso se lo hacía yo.

No fue suave al agarrar mis muslos y acomodarme a horcajadas sobre él pero me gustó que no separase sus labios de los míos. Y como habían hecho las mías con él, sus manos recorrieron mi cuerpo. Los muslos con los que le envolvía las caderas. Las caderas que se movían sinuosas, despacio, sin mi consentimiento. La espalda, bajo el jersey. Y los pechos sobre este. Mierda. Era imposible frenar.

Sus labios se separaron para coger una bocanada de aire y después fueron a parar a mi cuello, donde dejaron que los dientes se clavaran suavemente en la piel.

—Ah... —gemí—. Dios...

—Te quiero.

Fuimos recostándonos en el sofá con él sobre mí. Todo bocas que se muerden. Todo lenguas húmedas. Todo piel deseando ser acariciada. Con su aliento cálido bajo mi oreja. Con sus manos encontrando el borde del jersey y colándose dentro. Con su polla dura frotando entre mis muslos a pesar de la ropa. Con... unos nudillos golpeando la puerta de casa hasta hacerla temblar.

—¡¡Héctor!! —gritó una voz masculina—. ¡¡Abre!! ¡Hace un frío de pelotas!

Abrimos la boca, jadeando, mirándonos. Héctor se sostenía con sus brazos sobre mí y había apoyado una rodilla en el sofá, entre mis piernas.

—Es mi hermano —susurró bajito—. Vamos a ignorarle, ¿vale?

—¡¡Héctor, coño!! —insistió la voz detrás de la puerta.

—Fuera hace frío —le respondí.

—Y aquí dentro mucho calor.

—Deberías abrirle.

—Debería cogerte en brazos y llevarte a la cama. O tirar de ti y tumbarte sobre la alfombra. Delante del fuego. Y desnudarte. Del todo.

Iba a tirar de su jersey hacia mí para volver a llevármelo a la boca, pero su hermano blasfemó con furia mientras golpeaba otra vez la puerta.

—¡Me vas a hacer echar la puerta abajo, hostias, que me estoy preocupando, joder!

Un gruñido ronco sonó dentro del pecho de Héctor antes de que se incorporara y se levantara. No hizo amago de esconder la erección que se marcaba en su pantalón vaquero en una especie de saludo ancestral ni de peinarse con los dedos lo revuelto (más que de costumbre) que le habían dejado mis manos el pelo. Solo abrió. Sin amabilidad, sin cerrar la puerta del salón, sin protocolo.

—Me voy a cagar en tu puta alma —le rugió—. ¿Qué quieres?

—Mi viy i quiguir in ti piti ilmi. ¡Creía que te habías electrocutado en el baño, joder! ¿Tanto te cuesta abrirme la puta puerta? ¿Te he pillado sentado en el trono?

Héctor se apartó para dejar que su hermano me viera. Gracias al cosmos, me había dado tiempo a sentarme en el sofá y recuperar la compostura. Su hermano, que creí que lo fuera porque él mismo lo había dicho, no porque se parecieran lo más mínimo, abrió la boca sorprendido y después deslizó los ojos hacia Héctor.

—Hostias…, ¿venía hoy?

—Venía hoy —confirmó aún más la evidencia.

—Ehm…, encantado. —Levantó el brazo a modo de saludo.

—Igualmente… —Hice amago de levantarme, pero él negó vehementemente con la cabeza.

—No, no, no te molestes. Me voy, me voy. Esto…, toma. Mamá me dijo que te trajera esto. Lasaña. De verduras. O de setas. No sé. De algo que crece en el monte. Ale. A más servir.

Héctor cerró la puerta lanzándola con brío en un solo ademán y lo hizo con tanta fuerza que casi la volvió giratoria. En su pantalón ya no había nada que saludara. En su cara, una mueca de disgusto mal disimulado.

—Un detalle el de tu madre —musité.

Lo vi dejar la bandeja envuelta en papel de aluminio y venir de nuevo hacia el salón frotándose la cara. Entendía lo que sentía. La interrupción no había sido muy… oportuna. Si su hermano, cuyo nombre yo por aquel entonces ni recordaba, no hubiera aparecido aporreando la puerta, probablemente ya lo tendría dentro. Estaría tendida en el suelo, sobre esa alfombra limpia pero desgastada y mis dedos podrían estar hundidos en sus nalgas. Y Héctor estaría bombeando en mi interior, gimiendo, humedeciéndome, mordiendo mi hombro, diciéndome al oído todas esas cosas que yo necesitaba escuchar…

—Tiene el don de la oportunidad. —Entonces me desperté y la visión de nuestros cuerpos desnudos, convertidos en un amasijo de carne sudorosa, se desvaneció en el aire.

Héctor se dejó caer en el sofá a mi lado y se inclinó hacia mí con intención de besarme de nuevo, pero apoyé la palma de mi mano en su pecho para alejarle.

—Sofía... —se quejó, dejando la frente en mi hombro—. Por favor...

—A mí también me apetece.

—¿Entonces? —Se irguió y me miró con las cejas arqueadas, suplicante.

—Entonces es momento de parar y mirarnos. Vamos a demostrarnos que es mucho más que piel.

Su ceño fruncido fue relajándose a medida que su boca convertía un gesto incierto en una sonrisa y asintió.

—Vale.

—¿Vale? —Quise asegurarme.

—Somos más que piel.

32

Héctor apartó los platos con los restos de la cena y, antes de marchar hacia la cocina para dejarlos en el fregadero, sirvió más vino.

—¿Saco otra? —me preguntó alzando la botella vacía.

—Por protocolo debería decir que no.

—A la mierda el protocolo.

Cogí lo que quedaba sobre la mesa, excepto las copas y le seguí. Mientras él remojaba los platos y maldecía no tener lavavajillas yo me detuve a mirar con detalle el espacio.

—Me gustan las armariadas.

—Gracias. —Me miró y sonrió mientras se secaba las manos con un paño—. No quiero parecer petulante, pero han quedado genial.

—Cualquiera diría que las has construido tú.

—Las he construido yo.

Arqueé una ceja y abrí una puerta para ver los acabados. Dentro encontré unos paquetes de pasta y de arroz, unas galletas y azúcar bastante desordenados pero él cerró antes de que pudiera decir algo.

—La carpintería se me da bien. El orden no es lo mío.

Me eché a reír.

—Has visto mi dormitorio. Tampoco es lo mío —respondí.

—No eres desordenada. Es que tienes muchas cosas.

—Y están todas por en medio.

—Exacto. —Sonrió indicando con la cabeza el salón—. ¿Cómo está Holly?

—Sobrellevando la marcha de Roberto como puede.

—Las rupturas son duras.

—Lo son.

Ambos nos miramos con cierta seriedad cuando nos sentamos. Héctor abrió la boca para hablar, pero le interrumpí.

—No hace falta que…

—Sí, hace falta, Sofía.

—Pero es que…

—Nunca creí que me vería diciendo esto pero… creo que es imprescindible hablar de ello. De cómo terminó todo y…

—Siento si no supe comprender lo duro que estaba siendo para ti romper con todo —solté a bocajarro.

—Sofía, no… —Negó con la cabeza.

—Lo he pensado mucho, ¿sabes? Y debí abordar el tema de las llamadas de Lucía de otra forma. Pero me pudo el… celo o el miedo y…

—Fue cosa mía. —Cerró los ojos un momento y después de frotarse la barba cogió su copa—. Si lo hicimos mal fue por mi culpa. Soy la prueba fehaciente de que hacer las cosas a medias es siempre sinónimo de hacerlas mal. No te lo merecías y nunca te pedí perdón.

—No quiero que esto se convierta en un mea culpa de dos días —le rogué.

—Y no lo será, pero tienes razón cuando dices que tenemos que demostrarnos que somos más que… piel. Y para eso necesitamos hablar. Contarnos cosas de las que no nos sentimos orgullosos. Y yo tengo muchas…

Cogí la copa de vino y él se acomodó mirando al frente, buscando las palabras con el labio superior atrapado entre los dientes.

—Siento no haber convertido esto en una historia que contar orgulloso. Debí volar a Ginebra ante la primera duda. Debí estar solo primero. Y nunca debí besarte teniéndola aún en mi vida y convertir algo… bonito… en una vergüenza. Como no lo hice así… a partir de ahí todo fue mal. No debí ocultarte las llamadas de Lucía, el miedo a repetir los errores, la sensación de vértigo y la precipitación. Y sobre todo, no debí decidir que le debía más lealtad a ella y dejarte tirada —apoyó los codos en las rodillas y resopló mientras se cogía la cabeza entre las manos— con una mierda de nota. Y el problema de todo esto es que puede que un día me lo perdones, pero no creo que yo pueda hacerlo.

—Héctor…

—Una nota. Con una cita de Bukowski.

—Ya lo sé. —Le sonreí con pena—. Pero lo más difícil no fue que dejases una nota, sino que la nota no decía nada. De nosotros, de lo que habíamos estado a punto de ser… Era una nota que podías haber copiado a otra persona. No servía para nosotros. Y el silencio. Que te fueras con ella. Fue como si intentases borrarlo todo y yo lo llevara tatuado.

Héctor se inclinó hacia atrás con la copa en la mano y apoyó la nuca en el borde del sofá. Parecía de pronto ido, como si estuviese reproduciendo en su cabeza la película de cómo lo rompió.

—Hay algo que no te he contado.

Hostias. Me entenderás cuando te diga que me cortó la respiración. Tardé unos segundos en reponerme.

—¿Y quieres contármelo? —le pregunté cuidadosa, consciente de estar moviéndome en arenas movedizas.

—Sí. Quiero que el domingo te vayas con la sensación de que está todo preparado para empezar. Y esto no me va a dejar ser libre hasta que no te lo diga.

—Pues... dilo.

—En Ginebra... los meses que..., bueno, antes de volver. Justo antes de volver otra vez... Yo..., a ver... —Dejó la copa en la mesa y se mesó el pelo, tirando ligeramente de las raíces en ese tic tan suyo—. Estaba deprimido. Supe que la había cagado en el mismo momento en que la cagué pero de alguna forma sentí que no había marcha atrás. Apechugué como un imbécil. Y un día, me..., me crucé con una chica que... se te parecía mucho.

Tragué saliva. Él me miró como si intentase hacerme llegar al final de la historia sin tener que decirlo en voz alta.

—¿Y?

—Me acosté con ella.

Asentí despacio.

—Fue como..., como volver contigo un instante. —Desvió la mirada hacia el suelo—. Pero a la vez fue como demostrarme que podía haber algo que no fueses tú. No espero que me entiendas pero... con Lucía no..., no se me levantaba. —Se encogió de hombros, avergonzado—. Y de pronto otra me hacía sentir vivo. Aunque eras tú. En el fondo eras tú.

Cogí aire. No lo negaré: me dolió. Por una estúpida razón, me dolió. Supongo que estaba ya acostumbrada a la idea de que Héctor se acostara con Lucía pero la irrupción de otra me hizo sentir celos y rebajó la intensidad del brillo que tenían algunos recuerdos para mí. Porque de alguna enfermiza manera, yo era especial por haber sido la única otra. Solo nos había tenido a Lucía y a mí en su vida. Y ahora a otra. Parecía que de pronto se me olvidaba que yo también me acosté con otro cuando intentaba olvidarle y que a punto estuve de salir con un chico que no tenía ninguna culpa del daño que él me había hecho.

—¿Cuánto tiempo…? —empecé a decir.

—Solo una vez. Seguramente sonaré como un loco pero lo siento mucho, Sofía. Lo siento —negó con la cabeza— porque a la que engañé con esa chica no fue a Lucía. Fue a ti. Y nos robó algo. A ti y a mí.

Me acerqué, apoyé la cabeza en su hombro y cogí su mano.

—También hubo otros cuando te fuiste.

—Estabas en tu derecho.

—No estábamos juntos —insistí.

—Siempre lo estuvimos. Para mí… no te fuiste.

Entrelazamos nuestros dedos. La chica sin cara, sin nombre, la que nos robó algo, no importaba. No estaba allí. No lo estaría.

—Los errores se nos deben olvidar, Héctor, y convertir lo mal que nos sentimos en cautela. Aprendamos de lo que pasamos y vayamos despacio. Culparnos no servirá más que para mantener vivas un montón de cosas que no nos pertenecen y que no merecemos.

Como respuesta solo una mirada, de esas que no hace falta que se acompañen con palabras y que vino a decir: «por fin».

Cuando salí del cuarto de baño, Héctor ya estaba en el dormitorio. Cargaba mi maleta mal cerrada hacia un rincón, donde no chocáramos con ella. Se había puesto un pantalón de algodón y llevaba una sudadera vieja. Hacía frío en la habitación y se me marcaban los pezones endurecidos en la tela de mi pijama negro, fina como papel de fumar. Es posible que incluso los dejase ver parcialmente. Sin embargo, él no me miró. Tenía que hacer una pregunta que le avergonzaba y no sabía cómo abordar el tema.

—¿Quieres que traiga una estufa?

Evidentemente, no era esta la pregunta que le preocupaba.

—No hace falta —le respondí deseosa de meterme bajo las mantas.

—Hay dos mantas. Y las sábanas son… —se frotó la frente y se rio— horrorosas y de franela. Pero son calientes. Ehm…, ¿quieres agua?

—No.

—Y… ¿quieres que…? Quiero decir…, puedo dormir en… el sofá. Si quieres. Aquí solo hay una cama y…

—¿Cuántas quieres que haya?

Le entró la risa viendo cómo me deslizaba bajo una montaña de mantas. Tenía razón. Las sábanas eran horrorosas, pero eran calentitas y olían de maravilla.

—Dicen —dije sacando la cabeza de entre tanta tela— que ante el riesgo de hipotermia el calor humano es de mucha ayuda.

—¿Me estás pidiendo que me meta?

—Es tu cama. Ya estoy dentro. Debe haber unos sesenta grados bajo cero. —Me reí de mi propia exageración—. ¿Tú qué crees?

—Que si me meto ahí la lío.

Se humedeció los labios conteniendo la carcajada y yo me tapé por encima de mi cabeza. Las luces de la habitación se apagaron. Las pisadas de sus pies descalzos se encaminaron hacia la cama y una corriente de aire penetró entre las mantas cuando las apartó y el colchón cedió bajo su peso. La cama chirrió un poco y los dos nos acomodamos boca arriba. La luz de la luna se colaba en el patio interior y dejó ver la silueta recortada de los muebles de exterior cuando los ojos se acostumbraron a la penumbra. La habitación olía a madera nueva, a suavizante de lavadora y a su perfume. Se oía el frío. Sí, no pienses que me he vuelto loca. El frío se siente, pero también sabe, se huele y se oye. Y allí, en un pequeño pueblo de Extremadura, a su lado, el frío se escuchaba como un suave ulular del viento, el crujir de la madera que se aprieta con las bajas temperaturas y el silencio que la ausencia de personas en el exterior dejaba en las calles.

Me pasó otra vez, ¿sabes? Dibujé una escena en la cabeza y creí a pies juntillas que la realidad recrearía algo muy similar. Imaginé que nos abrazaríamos con la excusa del frío y que nos daríamos un beso de buenas noches a sabiendas de que sería más bien el beso que detona la carga explosiva del sexo. Y que tendríamos sexo lento. Conmigo encima. Con él encima. De lado. Siempre bajo las mantas. Pero…

—Mierda.

La luz de su mesita de noche se encendió, oscureciendo en el acto lo que había al otro lado de la ventana y Héctor se levantó.

—¿Qué pasa?

—No me gusta dejar la chimenea a su aire. Y no he cerrado con llave.

Escuché sus pasos sobre el suelo y casi sentí el pinchazo del frío bajo mis pies. Paró en el salón unos minutos y después se oyó el cerrojo de la puerta, aunque no creo que en un pueblo tan tranquilo hiciera falta tanta cautela. Cuando volvió, traía prendido en la ropa el aroma del humo y… no le gustó. Así que cogió el borde de la sudadera y tiró de ella hasta quitárselo. Me cago en mi alma.

No te puedo describir el cosquilleo de ver su pecho. Su torso. Como en las portadas de esas novelas que leía mi madre a escondidas sin razón para esconderse. Faltó que una brisa imaginaria le agitara el pelo. Me tapé con la manta hasta la nariz y él fijó la mirada en mí sin modificar su expresión. Serena. Segura. Con su sempiterno ceño fruncido. Agarró la goma del pantalón y tiró de ella hacia abajo…, sorpresa. Allí estaba. Desnudo. Completamente desnudo. Bajo el ombligo unas venas serpenteaban por debajo de la piel. Una discreta uve se dibujaba en sus caderas, atrayendo la atención hacia más abajo. Hacia su polla, que no estaba dura, pero tampoco dejaba de estarlo.

Héctor no medió palabra. Solo apartó el cobertor y se metió de nuevo bajo las mantas a las que yo estaba agarrada, lo admito, impresionada por el despliegue. No había sido ningún alarde. Conozco a Héctor y sé que no es consciente de lo que provoca su desnudo. Así que lo hizo porque, aunque no es un narcisista orgulloso de su físico, es honesto con él. Como si dijera: Aquí estoy, este soy yo.

No se anduvo con medias tintas, ni con protocolos, ni con mierdas de las que alimentan la imaginación y los cuentos. Él, completamente desnudo, se colocó encima de mí sin apartar sus ojos de los míos.

—¿Quieres que apague la luz? —me preguntó.

Negué con la cabeza. Y ese dar por hecho lo que iba a pasar, ese no querer darle vueltas, en lugar de repatearme u ofenderme, terminó de seducirme. Íbamos a darnos por completo aquella noche. No era una imposición…, era inevitable.

Me quitó primero la parte de abajo del pijama. En realidad la bajamos entre los dos. Después la de arriba. Las braguitas fueron lo último. Mandó las sábanas a un lado para poder quitarlas como quien desenvuelve un regalo cuyo envoltorio le parece precioso. Despacio. Con cuidado. Disfrutando. Abrí las piernas y él se acomodó entre ellas antes de besarme. Los besos que vinieron después fueron la mezcla perfecta entre hambre, entrega y piel…, pero piel de la que templa y reconforta, además de excitar y humedecer.

No tuvo que tocarme, ni hizo falta que jugáramos: me empapé enseguida, solo con sentir su peso encima de mí. Dejamos, no obstante, un tiempo para que las lenguas se recorrieran, se reconocieran y se susurraran cosas húmedas. Después, abrió el único cajón de la mesita que quedaba a mi lado de la cama y sacó un preservativo. Abrió el envoltorio con cuidado y sacó el látex entre los dedos pulgar e índice. Sopló. Frunció el ceño. Le dio la vuelta. Volvió a soplar. Se lo colocó en la punta, cogió mi mano y fue desenrollándolo con ella. Pero... ¿qué hizo de aquello algo tan erótico? Supongo que la pequeña espera. El interludio. El saber que ya no tendríamos que parar hasta que yo me apretara a su alrededor y él explotara dentro de mí, en la barrera.

Cuando se recostó, me acomodé bajo su cuerpo y levanté las caderas para recibir la primera penetración, que ya fue deliciosa. El sonido que la envolvió fue un gemido suyo, con la boca cerrada, que nos animó a seguir moviéndonos. La boca pegada a la del otro. Sus manos agarradas a la almohada, una a cada lado de mi cabeza; las mías hincando los dedos en su espalda y su nalga izquierda.

Él subía y bajaba encima de mí, sin amago de cambiar de postura o susurrar guarradas que nos pusieran más a tono. No iba de eso. Era más. Pero cuando empujaba en mi interior y sus músculos se contraían, lo adornábamos con gemidos. Porque no iba de eso pero iba envuelto en placer. Así que abrí más las piernas, me arqueé cuando me agarró el pecho izquierdo con su mano y pellizcó el pezón entre sus dedos, con las yemas clavadas en la carne. Disfruté, le besé y mis caderas siguieron el vaivén de las suyas en busca de más.

A los sonidos del frío se unieron los de la respiración agitada que se me escapaba de entre los labios, el ruido de la cama que acompañaba cada embestida y sus jadeos secos. Un «ah, ah, ah» sordo, áspero, con el que aspiraba mi oxígeno, mi dióxido de carbono, mis ganas de gritarle que no parase y la necesidad de cerrar los ojos. Asumí el placer con la misma honestidad que él su desnudo. Solo... lo dejé recorrerme entera. Me di. Y él supo devolver el regalo con más placer hasta que no pude más y me llevé hasta el orgasmo con su polla empujando dentro y mis dedos frotando con suavidad entre mis labios empapados.

No tardó mucho en correrse también. Dejó de sostener su peso con los brazos, se recostó sobre mí y empujó con las caderas sin parar hasta que me azotó una réplica y él se tensó entero, coronando la condensación de su respiración en mi cuello con un gruñido.

¿Cómo te describo el sonido de los jadeos cansados que llenaron la habitación entonces? Los ah, los joder, los mmm y el rugido al salir de mi cuerpo. El vacío del placer ya consumado y consumido en mi interior. El deslizar húmedo de su músculo aún duro saliendo del condón. El beso de después, retorciéndonos mientras recuperábamos la manta bajo la que no habíamos hecho el amor. Es difícil describírtelo, como la satisfacción de que no se dijera absolutamente nada entonces y que bastase con acurrucarse, oler, besar con suavidad y dejarse arrullar por el sueño.

Creo que ambos llegamos a la misma conclusión antes de caer redondos: éramos piel. Claro que lo éramos. Pero éramos mucho más.

33

Lo último de lo que fui claramente consciente antes de dormirme fue de la desnudez de Sofía que, en aquel momento, después del sexo, significaba intimidad. Después caí. Estaba cansado porque es agotador pasar cuatro días nervioso. Sofía ya estaba allí. Y la había besado. Y habíamos hecho el amor. Y había sido mágico como siempre.

Lo primero que vi cuando me desperté fue su pelo revuelto contrastando sobre el blanco de la funda. Entraba por el ventanal que daba al patio exterior una luz gris muy densa, como humo. Luz de día de tormenta. Y fui feliz. Esa clase de felicidad que solo puedes disfrutar sin pensar demasiado.

Salí de la cama desnudo y me pareció que Sofía se revolvía, agitando el sueño para quitárselo de encima, pero al volverme seguía dormida. En otra posición, pero dormida.

Me di una ducha. Me arreglé. Limpié la chimenea. Miré el reloj: las ocho y media. Sofía me quitaba el sueño porque a su lado los días nunca eran suficientemente largos.

No quería despertarla y no me sentía cómodo con la posibilidad de esperar a que lo hiciera mientras la miraba como un jodido acosador, de modo que me abrigué y salí a comprar algo recién hecho para el desayuno.

¿Y quién estaba en el horno? Mamá. Comprando pan. Pero pan como para dar de comer a toda Corea del Norte.

—No te hacía despierto a estas horas —me dijo con una mueca—. ¿Tanto trabajo tienes?

—No. —Le sonreí mientras me inclinaba para darle un beso e intentar que la confidencia no llegase a oídos del resto de vecinos que esperaban su turno—. Tengo a Sofía en casa.

El susurro le llegó perfectamente porque se apartó, me dio una palmada ilusionada en el brazo y le brillaron los ojos.

—¡Nos la vas a presentar!

—Shhh —le pedí que bajase la voz—. ¡Claro que no! Tenemos aún que…, mmm…, establecer los términos.

—¿Y eso qué significa? Porque suena mal.

—Pasar tiempo juntos. Y ver cómo lo hacemos. Los pormenores. A ver si me perdona.

—Si ha venido hasta aquí será porque te perdona, ¿no?

—Ojalá. Sofía y yo somos… complicados.

—Tráela a tomar café —suplicó pero en tono de imposición—. Quiero verla.

—No. —Me reí—. Ni de coña.

Se disponía a replicar ante mi negativa, pero la hija de la panadera, que acababa de ponerse el mandil (y con la que fui a clase, por cierto), me preguntó qué quería.

—Pues… a ver…

Mi madre me dio un empujó y se asomó al expositor.

—Ponle una barra de pan y dos bollos calentinos.

—Podía pedirlo yo, ¿sabes, mamá?

—Héctor… —Miró a nuestro alrededor, me agarró del brazo y clavó sus dedos en mi piel con fuerza como cuando de pequeño me regañaba y yo no le hacía ni puto caso.

—¡Au! ¿Qué? —le pregunté mientras sacaba monedas del bolsillo.

—Si no me la vas a presentar, no la pasees por el pueblo. Se va a reír todo el mundo de mí.

Puse los ojos en blanco, dejé el dinero sobre el mostrador y salí asumiendo que, me gustase o no, si no quería darle un disgusto a mi madre sería mejor que nadie me viese con Sofía por el pueblo. No le di la razón en voz alta porque, seamos sinceros, no la tenía, pero entendía sus razones, que era otra cosa.

Sofía seguía profundamente dormida cuando llegué, así que pude terminar de prepararlo todo. El cielo había oscurecido y aun sin confesármelo deseé que nevara hasta bloquear las carreteras durante días y aislarnos allí. Ella, yo y la cama desecha. No necesitábamos más. Mi madre no debía preocuparse: yo era el primer interesado en no salir de casa porque dentro de ella siempre seríamos solo ella y yo.

Cuando entré en el dormitorio para despertarla, mi plan de desayunar en el patio interior ya era inviable porque el cielo se había convertido en un techo congestionado con nubes densas y tan oscuras que parecían violáceas. Tanto daba. Esperaba que volviese muchas veces. Tendríamos sol, más lluvia, quizá nieve y niebla. Tendríamos truenos y días ventosos. Lo tendríamos todo si ella quería.

Me recosté a su lado en el colchón y deslicé los dedos sobre su frente. Sofía era preciosa en una medida que no tenía nada que ver con el orgullo de que otros la vieran a mi lado. Era preciosa en absoluto y en concreto. En abstracto y en sus formas. Su nariz respingona y pequeña. La sonoridad de su risa. Sus ojos rasgados. Lo afilado de su sentido del humor. Los pómulos altos. Sus frases perfectas. Las cejas desordenadas. La magia brillando en su piel, donde quisiera que la miraras. La melena morena siempre peinada con la raya en medio. Los suspiros llenos de deseo que se le escapaban de entre los labios cuando me colocaba sobre ella. Sus pechos grandes pero altos. Lo bien que conocía sus límites. Sus muslos carnosos pero firmes. Me gustaba quién era, pero estaba seguro de que también hubiera adorado a la Sofía que fue y que me volvería loco quién iba a ser.

—Sofía… —susurré cuando, reaccionando a mis caricias sobre su cara, pestañeó—. Morena…, son casi las nueve y media.

¿Sabes? El amor es un cabrón con un curioso sentido del humor. Nos aturde, haciéndonos dar bandazos entre las seguridades y los miedos y, de pronto, en el momento en el que menos lo esperamos, nos golpea el estómago hasta que vomitamos mariposas. Todas. Hasta las del primer amor, porque ya nada que perteneció a otra persona nos cabe dentro. Solo ella. Y así fue.

Sofía abrió los ojos perezosa y cuando me miró y sonrió, el amor me golpeó hasta marearme, borrarlo todo e implantar en medio de mi pecho la certeza más intensa de mi vida: era ella. Y no podría ser nadie más. ¿Lo peor? Que había tardado demasiado en encontrarla y no tendría toda la vida que necesitaba para darle. Que los días eran finitos y nosotros dos envejeceríamos. Que no podíamos volver a nacer para enamorarnos antes.

Ajena a todo lo que estaba pensando, Sofía ensanchó su sonrisa. Truenos en mi cabeza y un jodido huracán en mitad del pecho, cortándome la respiración.

—Buenos días… —musitó con los labios hinchados.

Quise contestarle que la quería, a lo loco, sin medida. «Te amo, Sofía. Te cielo, como decía Frida, a la que tanto admiras, porque como ella sintió, no hay verbo que nos identifique, acción que nos envuelva ni tópico que nos alcance». Pero no quería asustarla, así que me incliné y besé su cuello. Olía a sexo. A su perfume de flor de algodón. A su casa.

—¿Qué me echaste en el vino? —bromeó buscando un rincón de mi cuello para besarme también—. Creo que hace treinta años que no dormía tanto.

—A lo mejor es que llevabas treinta años sin estar tan a gusto.

—¿Crees que es cosa del colchón? —me preguntó con malicia.

—O de la compañía.

—O del vino.

—O del amor.

A los dos se nos dibujó una nueva sonrisa a la vez…, una sonrisa tonta, de enamoramiento, de edad del pavo y del que sabe que aún tiene horas por delante.

—¿Quieres el desayuno en la cama o en el salón? —le pregunté.

—En tu ombligo.

Desde la cocina, el pan recién hecho y los bollos desprendían un aroma cálido y atrayente que aún me olía en las manos, pero habría tiempo… Me levanté de la cama, me quité el jersey, me desabroché el pantalón y me desnudé del todo, como la noche anterior. Durante los siguientes veinte minutos, mientras fuera estallaba la tormenta que el cielo prometía desde buena mañana, nosotros dos no hicimos más que el amor e inventamos un montón de verbos locos hasta que gritó entre mis brazos y yo me desmoroné en su hombro, gimiendo casi con lástima por perder el tacto de ese orgasmo que tal y como apareció, se desvaneció.

Calentamos el café después de otra ducha. Y envueltos en prendas gruesas, desayunamos delante de la chimenea, que fui preparando con la taza de café en la mano.

—Así quiero que sea la vida —le dije, buscándola por encima de mi hombro—. Siempre.

Vi brillar en sus ojos la ilusión de que aquel deseo se convirtiera en un pacto y su boca desdibujarse con una mueca porque allí siempre le faltaría algo. Su Alejandría. Y lo sabíamos. Los dos. Aunque no quisiéramos pensar en ello.

El sábado fue increíble. No dejó de llover ni un instante y la lluvia se convirtió en la percusión difusa de cada canción que sonó en aquella casa. Y sonaron muchos discos. Comimos con las manos. Bebimos vino en copas que compré solamente para ella. Le gustó Jessie Ware cantando «Sweetest song» y para que le gustase más, besé cada rincón de su espalda frente al fuego antes de dibujar con la punta de los dedos su piel erizada. Las horas se nos fueron de las manos, acortándose a su antojo cuando mejor lo estábamos pasando. Con los recuerdos de cosas que no le habíamos contado a nadie. Con las lenguas unidas. Con su pelo enredado en mi puño mientras arqueaba su espalda, para alcanzar su boca mientras la carne vibraba en cada embestida. Porque aquel sábado todo fueron canciones, amor lento, confesiones e intimidad. Casi sin luz. Con la lluvia haciéndolo brillar todo fuera y Sofía con unas braguitas que todavía hoy recuerdo por las noches y mi jersey, abrazándose a sí misma cuando se asomaba a la ventana.

Me preocupé también, pero a ratitos pequeños porque ella hacía que se me olvidase todo. Y si me preocupé fue porque no tenía ni idea de cómo podríamos hacerlo funcionar, pero tenía que averiguarlo.

—Te quiero —le dije cuando la habitación se oscureció, se nos olvidó encender las luces y todo brillaba naranja como el fuego—. Dime cómo y lo haré posible.

—Solo quiéreme bien.

Se lo prometí. Besé la palma de su mano y lo juré. La querría bien. Y para siempre. Aunque no tuviera ni idea de qué significaba en realidad. ¿Cómo iba a imaginarlo? Estaba enamorado, sí, pero aún no me había dado cuenta de que cuando se quiere tanto y bien, cuando se es honesto con ella y con uno mismo, cuando ninguno exige sacrificio del otro… a veces es imposible hacerlo realidad. Una lección que la vida aún nos tendría que dar.

34

El hecho de que Héctor se mudase a su pueblo facilitó que volviéramos. Si hubiese estado en Madrid, si hubiéramos podido vernos cada día, habríamos necesitado más tiempo para reponernos, más esfuerzo para que las cosas fueran lentamente y las heridas curasen. Pero a tantos kilómetros, con cinco días a la semana para nosotros mismos, para construirnos, para saber qué queríamos y cómo lo queríamos y dos días para tender el puente y afianzarlo, las cosas parecían mucho más fáciles. Lástima llegar a conocernos tan bien a nosotros mismos…

Cuando llegué a Madrid, Oliver estaba esperándome con la cena hecha. Bueno…, estaba esperándome con algo que un repartidor acababa de dejar en casa, pero algo es algo. Nos bebimos unas cervezas, a pesar de que por la mañana, con cierta resaca de vino blanco, había jurado y perjurado, apoyada en el pecho desnudo de Héctor, que no volvería a beber. No hablamos demasiado, porque no lo necesitábamos y porque nada de lo que yo fuese a contarle iba a gustarle. Solo compartimos lo justo:

—¿Ha ido bien? —me preguntó.

—Sí.

—¿Y cómo te encuentras?

—Enamorada —respondí, concisa y clara.

—Malas noticias, entonces.

Él no insistió. Yo tampoco. Mamen sí. Por teléfono, suspirando algodón de azúcar mientras yo añadía más leña al fuego contándole ensimismada cómo me había abrazado Héctor en la despedida.

—Me da miedo que sea lo que he querido escuchar y no la realidad —le confesé.

—¿Cómo no va a quererte, Sofía? Ese chico ha estado buscándote toda su vida y ni siquiera lo sabía.

El amor siempre tendrá algo mágico y como cualquier magia es inexplicable para la razón humana.

Vale. Todo era de color de rosa, ¿no? Entonces, ¿por qué tenía la sensación de que algo se interpondría entre nosotros? Algo a lo que no sabríamos decirle que no: nosotros mismos.

El lunes el Alejandría me recibió con sus olores y colores habituales pero me parecieron más dulces y más agradables aún. Fue como volver a casa después de unas vacaciones increíbles pero que te han dejado agotado. Decepción porque se acabó lo bueno mezclado con lo reconfortante de estar de vuelta. Y el aroma de las partículas de café y cacao, de la bollería dorándose en el hornillo y las reminiscencias del tabaco que llevaba Abel consigo brillaron tanto como el paisaje cuando llueve, aunque quizá fui la única en apreciarlo.

—Ha ido bien, ¿no? —Sonrió Abel.

—Sí. Pero con calma. Despacio.

—No hay manera de no ir despacio si él está allí y tú aquí.

—Equilicuá. —Le guiñé un ojo mientras me ponía el mandil—. Por ahora así está bien. Él tiene que encontrarse y yo estoy bien así.

—Uhm —murmuró.

—¿Uhmm, qué?

—Nada. —Se encogió de hombros—. Supongo que es una medida eventual.

—Lo es, pero bueno… no tiene que ser tan difícil mantener una relación a trescientos kilómetros cuando todo va bien, ¿no?

—De optimismo vas sobrada —se burló—. A mí, desde luego no me fue bien. Soy de los que opinan que el amor hay que trabajarlo hombro con hombro porque si no se convierte en otra cosa.

—¿Qué otra cosa?

—En compañerismo práctico.

—¿En qué? —pregunté con una nota de alarma en la voz.

—A ver…, que no tiene por qué ser siempre así. Hablo de lo que me pasó a mí.

—¿Y qué te pasó a ti?

—Nada que os vaya a suceder a vosotros.

—Estás tirando la piedra y escondiendo la mano —me quejé.

Abel no dejó la tarea que tenía entre manos cuando siguió hablando, como si no quisiera mirarme a la cara mientras me contaba algo que podría terminar sufriendo yo misma.

—Nosotros —dijo refiriéndose a su primer novio al que dejó en Valencia— lo intentamos pero con el tiempo construimos dos vidas, la que tenía cada uno y la que compartíamos… y la segunda no resistió lo sólida que se volvió la primera.

—Yo siempre creí que rompisteis porque tú conociste a…

—No. —Sonrió triste—. Dejamos de querernos porque aprendimos a querer nuestras prioridades…, las propias…, y ninguno supo dejarlas atrás ni pedir al otro que lo hiciera. Encontrar lo que quería cada uno significó perdernos. Era incompatible. Nosotros no pudimos tenerlo todo.

Me quedé apoyada en la barra del Alejandría con la mirada perdida y el ceño fruncido. La madera lustrada bajo mi mano estaba suave y desprendía ese olor tan característico al producto con el que Lolo la mimaba. Los sonidos de la cafetería, vasos, cucharillas sobre loza, el pitido del horno, las conversaciones, el pasar de las hojas del periódico... ensordecieron un momento mis pensamientos y suspiré.

—Es una medida eventual, Sofía —insistió—. No te vayas ahora a angustiar por eso. Dicen en mi tierra que «avanç de rot que no siga agre».

—¿Y eso quiere decir que...?

—Que no sientas lo agrio antes de tirarte el eructo.

Me quedé mirándolo con el ceño fruncido y se me escapó la risa.

—Vaya asco.

—El refranero popular, chica. No es cosa mía. Pero tú hazme caso.

—Suerte que Héctor sea diseñador gráfico freelance, ¿no? —Le sonreí y él lo hizo de vuelta.

—Suerte que tienes de que sea un jamelgo con pinta de leñador del Báltico, de los que cazan con las manos y talan con el rabo.

No pude más que reírme. Y todo dejó de importar, como siempre en el Alejandría. Porque había aprendido una cosa. Una importante: los fantasmas no pueden darnos miedo, porque son visiones borrosas de algo que no está. Ni los del pasado ni los del presente ni los del futuro. Los fantasmas existen, supongo, pero somos nosotros los que los convertimos en un problema de tanto temerlos.

Eso no nos pasaría a nosotros. Y... ¿ya está?

35

liver consiguió evitar a Mireia con éxito tal y como Mireia consiguió evitarle a él después de lo que pasó cuando se encontraron en aquel restaurante. Encontraron rutas alternativas para no tener que pasar por delante del puesto de trabajo del otro. Dejaron de salir a fumar por si se encontraban. Dejaron de tomar café en el descanso por si al otro se le antojaba un expreso bien corto en aquel mismo momento. ¡Ah! Y nunca nadie antes miró con tanto interés la alfombra roja que, por Navidad, El Corte Inglés instalaba en todos sus pasillos. Mirada gacha. Aire distraído. Allí no había pasado nada.

Bueno… o sí. Porque una cosa era que se esquivasen y otra muy distinta que no se vieran. Evitaban el encuentro, pero no la mirada cuidándose mucho, eso sí, de que el otro lo advirtiera. Y es que Oliver apenas se lo podía quitar de la cabeza. Había sido lo más excitante que le había pasado en años y ya había perdido la cuenta de la cantidad de veces que lo había recreado en su cabeza con la mano dentro de la ropa interior. Y le preocupaba porque... en realidad no había dejado de «odiarla». Lo pongo entrecomillado porque no tenía razón lógica con la que cimentar su animadversión pero... no la podía ni ver. Esa es la realidad. Le daba rabia que esos labios que lo habían besado con tanto ahínco, esos dientes que se clavaron en su lengua y en su cuello, esas piernas que le rodearon las caderas... pertenecieran a la jodida pelirroja más despeinada de la parte que él conocía del universo.

Preguntó a su amigo Víctor así como quien no quiere la cosa. Entre hombres no se cuentan estas penas o al menos nos hacen creer que no lo hacen, pero en esta ocasión no pudo evitarlo y en una salida a tomar una copa, viéndolo cabizbajo y meditabundo, aprovechó e intentó sonsacarle con el único propósito, eso sí, de poder desahogarse con él después. La historia con la chica de la que se había colgado Víctor era complicada: estaba casada, era la mejor amiga de una exfollamiga... y todo parecía salirles mal.

—No te preocupes, tío. Se arreglará. Si es para ti... lo será.

Víctor apuró la copa y chasqueó la lengua, como si tuviese sus dudas. Después pidió otro gin-tonic a la camarera, se apoyó en la barra y le preguntó:

—¿Y tú qué?

Ahí iba.

—¿Has follado alguna vez con alguna tía a la que odias?

—Te acuerdas de Verónica, ¿verdad? —respondió Víctor.

—Sí. Pero no hablo de eso. Hablo de verla y tener ganas de ahogarla. De que todo lo que diga te irrite y... sin embargo no puedas quitártela de la cabeza.

Víctor frunció el ceño, hizo una mueca y abrió mucho los ojos.

—Me reconforta pensar que aún hay quien está peor que yo.

Fui la siguiente en su lista, por supuesto. Como su amigo no había sido capaz de empatizar con él (creo que la naturaleza, cuando hizo el reparto, dejó un poco menos de empatía en los sujetos con cromosomas XY), probó conmigo.

Estábamos cenando y yo masticaba sin prestarle atención, atendiendo a las noticias con reparo porque uno nunca sabe cuándo sacarán una imagen terrible con tal de ganar audiencia. Oliver carraspeó, pero yo no le presté atención, así que me dio un codazo.

—Oye, Sof…

—¿Qué? ¿Tiene ternilla? —Señalé su filete, que estaba casi intacto en el plato.

—No. Está seca como el demonio, pero no es eso…, escúchame.

—La próxima vez vas a hacer la compra tú —refunfuñé.

—Oye, Sof… —insistió—. El otro día un amigo mío me dijo que…, que se tira a una tía que le cae fatal. ¿Tú crees que eso es posible?

Dejé el tenedor y el cuchillo sobre la loza y me limpié la boca con la servilleta. Ay, Dios. La vieja artimaña de «es para un amigo».

—Uhm…, es posible. Sobre todo porque me imagino que «tu amigo» —impuse cierto tonillo a la expresión— es un machote, así como tú, de esos que de sentimientos saben lo mismo que de cantar en esperanto. De modo que… quizá es que no se ha dado cuenta de que no le cae tan mal…, a lo mejor asume la idea de que le cae mal porque, no sé…, le planta cara, no se comporta como el resto de las chicas a las que ha intentado seducir, es difícil, requiere esfuerzo…

—Uy, vamos, un esfuerzo para bajarle las bragas que *pa'qué*.

Me quedé mirándolo con el ceño fruncido y se dio cuenta de que acababa de desenmascararse él solo, por lo que se apresuró a añadir:

—O al menos eso cuenta él…

—Ya…

Mi teléfono móvil empezó a sonar en el dormitorio y como me imaginé que era Héctor (mi madre solía llamar a esas horas pero siempre al fijo) me levanté para contestar. Eso sí… antes de desaparecer quise… «ayudar».

—Dile a tu amigo que lo mejor que puede hacer es aproximarse. Desde lejos esas cosas no se ven claras. De cerca ya es otra cosa…

Y se acercó.

Sigilosamente. Es Oliver. Su mente funciona de alguna forma perversa y le hace creer que es horriblemente irresistible, de modo que su «acercarse sigilosamente» se tradujo en pasear ufano por delante del stand de Dolce & Gabbana y coquetear con las chicas de los de alrededor. Risitas. Tonteo. Falsas esperanzas. Como un pavo real gritando y desplegando las plumas en una llamada de apareamiento. Extravagante. Rozando lo ordinario. Alejado de lo que él solía hacer. Día tras día. Sabiendo que ella terminaría saltando de una u otra manera. Desmedido. Tanto y tan evidentemente que… Mireia no se pudo contener… pero no exactamente como Oliver esperaba.

Unos días después de iniciar su plan de acercamiento (tan mal planteado), se encontró de bruces con las consecuencias de este. Andaba hacia la salida cuando alguien agarró de malas maneras su traje y lo arrastró hasta más allá de la puerta.

—¡Eh! —se quejó—. ¡El traje! ¡Que me lo arrugas!

—La cara, sin embargo, te la voy a planchar a hostias. ¿Qué se supone que haces? —dijo ella apretando los dientes.

Mireia jadeaba y estaba visiblemente cabreada. Lo había conseguido.

—¿Yo? —Oliver se hizo el inocente.

—Sí, tú. El mismo que se pasa el día pavoneándose delante de mi trabajo, coqueteando con todo lo que se mueve y mirándome después, como si fuera a morir de celos.

—Ah —fingió sorprenderse—. Muy pendiente estás de mí, querida.

—¡¡Te pasas el día riéndote a carcajadas en el puto stand de enfrente, Oliver!!

—¿Y no serán celos, Mireia?

—¡No! No son celos.

—¿Segura? —Intentó hincarle el dedo en el costado para hacerle cosquillas, pero ella le apartó la mano con un ademán certero.

—Lo digo en serio. ¡Deja de hacerlo! Al final terminará dándose cuenta todo el mundo de que...

—¿De qué? —le plantó cara él—. Dime, ¿de qué se va a terminar dándose cuenta todo el mundo?

—De que patiné una noche, como todas las pavas de este puto centro comercial.

—No me he tirado a todas las tías de este centro, ¿sabes?

—Lo primero, la manera en la que lo dices ya da un asco que flipas. «Tirarse a alguien» es probablemente la expresión más asquerosa del mundo y, además..., ¿quién dice que no son ellas las que te han follado a ti en lugar de tú a ellas?

—¿Te estás poniendo tontita, Mireia?

La pelirroja se agarró las sienes como si estas fueran a explotarle y rebufó. Después se quedó mirándolo unos segundos, pero como no encontró las palabras adecuadas para todo lo que necesitaba decir, no pensó y... tiró millas:

—Eres mono. Te lo digo de corazón, Oliver. Eres un chico mono. Y lo sabes, joder. Tienes estilo, una cara bonita, un cuerpo que luce... y tienes carisma. El resto..., nada de nada. Lo gestionas muy mal. Y te lo digo en serio. Lo gestionas fatal. Porque podrías ser el tío por el que todas suspiraran y no eres más que la polla con piernas que se quieren tirar. Y me saco del grupo porque, aunque admito que me atraes, aunque follas bien y me corrí, siento una vergüenza horrible cada vez que pienso en lo que pasó entre nosotros. Y no quiero que nadie se entere. Porque no eres mi tipo, porque vacías más que llenas y porque no tengo nada que hacer contigo que no sea desnudarte y montarme encima. ¿Me has entendido ya?

—Pero…

—Olvídame, Oliver. Marca mi casilla con una equis de triunfo y olvídame.

Oli no supo qué decir pero esta vez no sintió rabia por no ser capaz de decir la última palabra. Se sintió extraño. Decepcionado. Angustiado, si me apuras. El corazón le latía desbocado y tenía un regusto amargo en la garganta. ¿Era el rechazo? ¿Era el reto no superado? ¿Era que no le gustaba que los planes no salieran bien? O… ¿o era el recuerdo, el eco, la reminiscencia en boca de Mireia del discurso con el que Clara le había dejado? No era lo mismo pero se le parecía. O sencillamente lo relacionó porque Mireia era la segunda chica en decirle que no era suficiente para ella. Fuera lo que fuera, lo que sintió Oliver fue que no era suficiente en general. Para la vida. Para las circunstancias. Para quien siempre quiso ser. No tenía noticias de su jefa en relación a su traslado a oficinas, no había conseguido que la relación con Clara funcionase, no había hecho que Mireia se derritiera de amor, no sabía expresar sus emociones con sus amigos ni estaba seguro de que le gustara la persona en la que se había convertido. Por primera vez en su vida… Oliver no lo tuvo claro. Y se fue a casa hecho una mierda.

36

Iba a dejarme la marca de sus dedos en las caderas, estaba segura. Mi piel terminaría moteada con marcas en forma de lunas llenas blancas que irían enrojeciéndose hasta adquirir un matiz morado. Pero no me importaba. Nunca había visto a Héctor tan desatado, tan sexual ni tan desinhibido. Y me estaba llevando al infinito y más allá.

Gruñía con los dientes apretados mientras me llevaba con fuerza donde quería, dirigiendo mis movimientos desde abajo. Estábamos ya empapados porque la calefacción central estaba a tope y llevábamos al menos veinte minutos follando como animales. El pelo se me pegaba en la espalda y a él el suyo en la frente, pero no parábamos ni a coger aliento. Estábamos en el punto de no retorno, cuando lo único que te pide el cuerpo es un jodido orgasmo.

—No pares de follarme —demandó—. Joder, Sofía, no pares de follarme así.

Su voz sonaba densa y un poco sucia. El placer me hacía entornar los ojos pero me forzaba a abrirlos para poder verlo allí tumbado, gruñendo con los dientes apretados, susurrando guarradas con voz grave y baja.

—Fóllame hasta que no pueda ni correrme —insistía.

—Dios…

—Gime mi nombre…, córrete tan fuerte que hasta te duela.

Me dejé llevar por el cosquilleo que había ido creciendo desde hacía minutos y cerré los ojos. Sus manos se hincaron en mis nalgas y apretaron la carne lanzándome, con aquella mezcla entre dolor y gusto, a un orgasmo brutal que me hizo jadear a gritos y que se lo llevó con él, como una riada. No pudo más y con mi pecho entre los labios y los dedos clavados en mi culo, gimió hasta derretirse en tres sonoros empujones de cadera que me lo clavaron más hondo de lo que nadie había llegado.

La cabeza me daba vueltas. De sobresaliente. No. De matrícula de honor. De aplauso. De ovación. Un polvo para el recuerdo al que acudirían cientos de pajas en el futuro, cuando estuviéramos solos.

—Bffff —resoplé incapaz de decir nada aún.

—Mmmmm —contestó.

Y sin movernos, allí, conmigo encima… nos entró la risa. Una risa entre la vergüenza de descubrirte tan desinhibido y la intimidad de poder estarlo. Héctor salió de dentro de mí con una mueca pero sin poder parar de reírse ni con esas e hizo un nudo en el látex usado antes de dejarlo sobre su funda en la mesita de noche y echarse en la cama de nuevo con un gemido.

—Joder —murmuró.

Su mano derecha agarró mi pecho y se mordió el labio inferior con cierta pereza, lo que convirtió el gesto en algo mucho más deseable. Sonreí.

—Follas como una bestia.

—Lo mismo digo, señorita. —Sonrió sin dejar de mirar mi pecho.

No me bajé de encima de él a pesar de estar cansada. Quería recuperar el aliento sin tener que moverme. Las vistas eran espectaculares: Héctor. Con su pecho definido por el ejercicio de joderme y cubierto por una cantidad discreta de vello desordenado. Brillando húmedo de sudor. Con la boca hinchada de tanto morderme y besarme.

—¿Puedo hacerte una foto? —me preguntó aún jadeante.

—¿Estás loco?

—No sabes lo guapa que estás. Sudada, cansada y sucia.

—Nada de fotos. En todo caso una ducha.

—¿Sola? Ah, no.

Desde que lo vi aparecer en la puerta del Alejandría después de mi turno, el mundo entero había desaparecido para cedernos el protagonismo absoluto a nosotros dos.

Se nos olvidaba que no éramos las únicas personas habitando el mundo en aquel momento. A decir verdad, se nos olvidaba que yo no vivía sola, que Oliver no tenía ni idea de que Héctor andaba por allí y que era viernes. Pero solo era cuestión de tiempo que los enamorados se toparan con la realidad.

La realidad, personificada en Oliver, que debía de haber llegado a casa en aquel mismo instante y que seguía sin ser capaz de adoptar la norma de llamar antes de entrar, apareció en la puerta, que se abrió de par en par. Nada de un toquecito de nudillo y un resquicio.

—Oye, Sofía, la cena de hoy…

No dijo más. Es posible que el olor a sexo de la habitación lo inmovilizara, como una cerbatana tranquilizante para caballos. Se quedó agarrado al pomo de la puerta, mirándonos traumatizado perdido. Y yo allí, en pelota picada encima de Héctor, que estaba en las mismas condiciones, aunque mucho más tranquilo a pesar de que creo que desde donde Oliver estaba se le veía el pene.

—¡¡CIERRA LA PUERTA!! —vociferé fuera de mí.

Escuché a Holly derrapar en el pasillo, seguramente asustada por mi grito, pero Oliver ni se movió. Por un momento creí que le habíamos provocado un shock.

Eché mano de la sábana, pero como nos habíamos dado un buen meneo, esta estaba allá, en los cojones de las moreras, lejos de mi alcance. Y Oliver seguía allí parado.

—¡¡Tú estás tonto o qué te pasa!! ¡¡Cierra la puerta!! —Y me tapé las tetas con las dos manos antes de lanzar una especie de quejido mezcla de rugido y de rabieta infantil con los ojos cerrados.

La cerró de golpe y, acto seguido, le escuchamos aullar como si le hubiesen atacado con ácido.

No tardé ni dos segundos en ponerme unas braguitas y una bata (no te imagines que era sexi, no tuve tanta suerte... era azul pitufo) y salir a regañadientes de la habitación..., a regañadientes porque Héctor estaba para comérselo y quería seguir oliendo a guarrería bien hecha.

Me encontré a Oli con la frente apoyada en la pared, balbuceando cosas ininteligibles.

—Eran mis tetas, no un accidente de tráfico. Tampoco te pases.

—Estoy completamente consternado. Es como si hubiese pillado a mis padres follando.

—No estábamos haciendo nada. Al menos... cuando has llegado.

—No, claro. —Se giró, apoyando esta vez la espalda en la pared—. Estabais rezando la novena, que sin ropa, sudados y uno encima de otro se llega antes a Dios.

—¿Qué querías? —Crucé exageradamente mi bata sobre el pecho, empezando a perder la paciencia.

—¿Desde cuándo está aquí?

—Desde ayer.

—Pues no tenía ni idea. —Y pareció una queja.

—No sabía que tuviera que notificártelo. Si no andas por casa, pues lo normal es que se me pase.

—¿Y la cena?

—¿Qué cena? —Arqueé una ceja.

—¡¡La cena de nuestras mierdas, Sofía!! Que te idiotiza, te lo digo de verdad. Ese tío te idiotiza.

—Pues la cena… —Me froté la frente tratando de disimular mi turbación porque, la verdad, se me había olvidado—. Está controlada, claro. Como siempre.

—¿Con él?

—Con él. Claro que con él.

Oliver resopló y clavó la mirada en el techo teatralmente.

—¡No me jodas! —me quejé—. La puta cena a la que hasta hace nada parecía que te obligábamos a asistir es ahora el centro de tu universo, ¿no?

—Tenía cosas que contaros, ¿vale?

—¿Y no has tenido momento? Pero ¡si eres tú el que nunca está en casa, por Dios santo!

—No. No he tenido otro momento. O a lo mejor no he querido porque esas cosas nos las contamos en la cena de los viernes.

—No tenemos quince años.

—Es nuestra cena.

Fruncí el ceño cuando me pareció que le fallaba débilmente la voz. Pero… ¿qué perra le había entrado?

—Pero a ver, Oliver, ¿estás bien? Quiero decir… ¿es por lo de Héctor o… hay algo más?

Supongo que se planteó decirme que no, que estaba hecho una mierda sin poder explicarse a sí mismo por qué la opinión de la jodida pelirroja kraken le importaba tanto, pero finalmente decidió que lo mejor era mantenerse en su postura. Así que se incorporó bastante digno y resopló.

—Dile a mi amiga Sofía que la echamos de menos. Pero díselo cuando se harte de rabo. Antes no creo ni que escuche.

Qué maravilloso es el amor que te impide estampar la cabeza de alguien a quien en el fondo quieres contra el cuadro del pasillo.

Cuando entré en la habitación, Héctor seguía echado en la cama con un brazo detrás de la cabeza. Con el olor a su sexo y el mío. Con su sempiterno ceño fruncido y una sonrisa canalla. Suspiré y algo de alivio alcanzó mis pulmones.

—Qué bueno estás —se me escapó.

—Dijo ella, antes de lanzarse a los brazos de su sudoroso novio.

—Ojalá. Tengo que organizar la cena o habrá represalias, creo. No quiero un juicio militar el lunes. Vamos a… socializar.

Héctor asintió y sonrió como contestación. Pues nada, ahí se acababa nuestra tarde de follar y lamer, de decirnos guarradas y después difuminarlas con para siempre y te quieros a tutiplén. Abrí las persianas y la ventana y Héctor se incorporó para alcanzar su ropa.

—Voy a por unas botellas de vino. Compro algo para la cena también si quieres —se ofreció—. Luego me doy una ducha.

—Eres el premio a toda una adolescencia de sufrir por pringada —solté.

Se subió el pantalón (sin nada debajo) y se acercó a besar mi nariz. Lo era. O al menos así lo sentía yo en aquel momento.

Hice unos huevos rotos con jamón, una ensaladilla y unas tostas de jamón y queso. Luego me acordé de que Héctor es ovo lácteo-vegetariano y entré en crisis, pero él lo solucionó haciendo una tortilla de patata mientras me daba una ducha caliente. Estaba nerviosa y no podía esconderlo pero no tenía nada que ver con que fuera la primera cena de «cuéntame tus mierdas» a la que acudía Héctor en condición de mi pareja. Era más bien el tono y el ambiente que intuía que se iba a respirar. No hacía tanto que yo andaba soñando por los tejados de Madrid, como una gata desvelada, con cenas de los viernes que el tiempo llenase con participantes que no imaginamos y que enriquecieran cada carcajada. La gente viene a llenar, hasta cuando vacía porque la experiencia es un grado que no se alcanza sin heridas. Y no me importaba que existiera la posibilidad de llevarme un chasco, de verdad que no me importaba, porque pesaba más la alegría de vernos convertidos en personas que no se juntaban para espantar la soledad, sino para sentirse parte de algo mayor. En lo que no caí cuando soñaba es en que el resto de los miembros de ese grupo podían entenderlo de otro modo.

El hecho de que el único que supiera que Héctor iba a estar allí fuera Abel, que lo había visto con sus propios ojos venir a recogerme al Alejandría y había atado cabos, me hizo sentir mal. Era evidente que había dejado de lado mis «obligaciones/devociones» habituales en cuanto pegué mis labios a los suyos. Y siempre pensé que no sería de esas. Qué curioso. Siempre pensamos que no seremos de «esas».

Mamen lo acogió con alegría. Fue cariñosa, como con todo el mundo a quien quería. Le dio un abrazo y le regaló una sonrisa sincera mientras le explicaba el funcionamiento de la noche con gran detalle, preocupada por que sintiera que estaba más integrado de lo que realmente estaba en el grupo. Abel fue natural, como siempre, porque nunca había que inquietarse por él. Oliver, sin embargo, no lo puso tan fácil.

—¿Este no sale de su habitación hoy? —preguntó Abel, intuyendo el ambientillo.

—Ni idea. —Miré hacia la puerta con cierta cautela—. Pero no voy a ir a buscarle. Os habrá escuchado llegar así que... ya es mayor.

—Bueno..., si va a estar de mal rollo a lo mejor prefiere quedarse en su cuarto y no montar numeritos.

—Uhm. No es su *modus operandi.*

Y no. No lo era. En absoluto.

Salió de su dormitorio cuando le salió de los colgantes y después de una de las sonrisas más falsas que he visto en mi vida, agarró la botella que Héctor acababa de dejar respirando sobre la mesa para servirse una copa casi rebosante de vino que tragó sin saludar, respirar ni mediar palabra.

—Qué bien lo vamos a pasar —ironizó Abel mientras ponía la mesa.

Repartimos la cena en los platos y, al parecer, estaba buena. Digo al parecer porque viendo cómo Oliver se servía en silencio otra vez vino, las papilas gustativas decidieron dejar de funcionar y fue como masticar corcho bajo en sal. Estaba muerta de ganas de decirle que mucho se le llenaba la boca hablando de «nuestra cena de amigos» cuando ni siquiera se había preocupado por ayudar. Él siempre era así, me dije, él siempre caminaba por la vida como si los demás hubiéramos nacido con la obligación de servirle. Pero era mejor respirar profundo porque no quería que Héctor me viera pegándole como una niña en plena rabieta.

Carraspeé para romper la tensión y Abel recogió el testigo para empezar con la tradición, como si no notásemos cuánto le molestaba a Oliver que Héctor estuviera allí. No hacía falta que dijese mucho, la verdad…

—¿Puedo empezar con mis mierdas, por favor? —fingió estar impaciente—. Porque os aviso que las de esta semana no tienen parangón.

—Sorpréndenos. —Le sonreí.

—He confundido al hijo de un cliente con su nieto, al hijo de Juan —me aclaró—. Lo he mirado y así, sin dedicar ni un solo momento a pensar que quizá no era buena idea le he dicho: «¡Hala! A qué sitios tan chulos te trae tu abuelito». He quedado de puta madre. Pero ahí no acaba la cosa, porque el martes felicité por su próxima maternidad a la cajera de la tienda…

—¿A Piedad? —Fruncí el ceño.

—A la misma. Respuesta recibida: «No estoy embarazada, estoy gorda y tú imbécil». Y oye, me tuve que callar.

—*Ouch.* —Se rio Héctor—. Buena respuesta.

—Yo también respondí algo así una vez en el Alejandría. Pero de buen rollo.

—Pues Piedad debió dejar el buen rollo en el quirófano la última vez que le operaron el juanete, porque le faltó hacerme cariñitos con el gancho de colgar jamones.

—Os recuerdo que una vez le dije a mis hijas que una niña era una tonta presumida y esa niña estaba delante.

—Ya ganaste tu premio a la mierda de la semana aquella vez. Ahora vas a tener que traer material nuevo —la pinchó Abel.

Miré de reojo a Héctor que, mientras cenaba, sonreía divertido. Me recordó a aquellos tiempos en el Alejandría cuando aún no participaba de las conversaciones pero no se perdía ninguna. Levantó la mirada hacia mí y al encontrarme embobada me guiñó un ojo.

Oliver se sirvió más vino.

—Oye, le estás dando buen tiento al vino, ¿no? —le pregunté.

—Hay otra botella —respondió esquivo—. Que la vaya abriendo tu novio, así le damos algo que hacer y no se aburre.

Héctor no hizo mucho más que humedecerse los labios y retener la respuesta que, seguro, tenía dispuesta en la punta de la lengua.

Mamen se apresuró a contar su mierda para evitar silencios y situaciones de estrés entre su niño del alma (con el que se hubiera escapado a una isla desierta si alguien le hubiera ofrecido la posibilidad) y su «hija adoptiva». Y estuvo bien, lo admito: había descubierto el diario de una de las gemelas y no había podido evitar la tentación de leerlo. Sabía que estaba mal, pero había pasado, palabras textuales, la mejor media hora de su vida.

—Esta niña tiene talento para el drama. En un «episodio» en concreto en el que cuenta una pelea en el recreo, pensaba que iban a anunciar por megafonía que había un caso de peste bubónica en el colegio. ¡Ríete tú de Ana Karenina! Pero como no hay pecado sin castigo…, me ha pillado. Y tiene un rebote de cojones. Con toda la razón, vaya.

—Ya lo sabía —me burlé—. Me ha escrito hecha un basilisco. Le he dicho que te perdone, que empiezas a estar chocha.

—Ah, ¿con tus hermanas sí hablas cuando está «tu novio»?

Todos miramos a Oliver, que miraba a su vez el líquido burdeos deslizarse por las paredes de cristal de su copa.

—Claro. Y si tú me hubieras llamado para decirme que no dormías en casa anoche, también te lo hubiera cogido.

—Como si te importase.

—Hombre, si pasas la noche fuera, con tu currículo y a tu edad, me cuesta preocuparme. Lo más fácil es imaginar que estás empujando entre las piernas de alguien.

—Como tú. —Me sonrió con tirantez—. Que al parecer también te lo pasas en grande. Mi mierda de esta semana —se giró hacia los demás copa en mano— es que he pillado a Sofía follando.

—No estaba follando —aclaré a los presentes.

—No. Claro que no.

—Pues no.

—Ah, no, es verdad. Debía de ser una escena postcoital. También he tenido el honor de verle el cipote al caballero. Gracias. —Levantó la copa a modo de brindis.

—De nada, hombre —respondió Héctor.

—¿Algo más que compartir? —le disparé a Oliver—. ¿Alguna frustración que provoque este comportamiento de mierda y que quieras contarnos?

—No. Con tu estupidez tengo bastante.

—Oli, cariño… —terció Mamen.

Miré a Héctor, que empezaba a moverse en la silla incómodo y negué con la cabeza, pidiéndole que no entrara en la discusión.

—¿Y tú, Sofía? ¿Y tu mierda de esta semana? —insistió Oliver—. Aprovecha y nos cuentas también las de la semana pasada y las de la que viene, porque supongo que perderás el culo por ir al pueblo… si no viene este aquí.

Y la palabra «este» sonó muy mal.

—¿No tienes ninguna cita hoy? —le pregunté.

—No. ¿Te molesto aquí?

—A decir verdad estás molestando a todo el mundo.

—¿Tu novio se está sintiendo ofendido? —Se colocó la palma en el pecho, fingiendo sorpresa—. No sabes cuánto lo siento. Yo que quería que se sintiera como en casa. No queremos que se dé cuenta de que sobra como un cero a la izquierda.

Héctor dejó los cubiertos sobre el plato y se pasó la servilleta por los labios antes de dejarla también sobre las sobras. Me adelanté.

—Te estás pasando —amenacé a Oliver.

—¿Ah, sí? Con el aguante que tienes tú. Fíjate. Pensaba que te iba eso de tragar mierda y luego sonreír. Como lo vienes haciendo desde hace tiempo.

—Oli… —Abel le negó con la cabeza—. Mal. Mal plan.

—Oye, vamos a brindar por Sofía, ¿qué os parece? —Levantó la copa—. Por Sofía, que se ha convertido en lo mismito que yo: proveedora de servicios sexuales.

Fue imperceptible para todos, incluso para mí. Durante el resto de la noche estuve castigándome en cierta manera por ello porque seguro que Lucía habría sido capaz de ver el momento en el que Héctor se cansó de tonterías. Pero yo no. Porque, era verdad, aún nos conocíamos poco…

—Oye, Oliver. —Se inclinó hacia delante y dejó la copa en la mesa—. Dame un segundo. Vamos a hablar un momentito en privado.

—¿Me estás amenazando? —Se irguió.

—Para nada, pero esta conversación es de dos.

—Qué romántico.

Héctor se levantó y se alisó el jersey.

—Cuanto antes te levantes antes me iré. Cinco minutos y seguís la cena con normalidad.

—¿Ves lo que haces? —me quejé mirando a Oliver—. ¿Lo ves? Héctor, tú no tienes por qué irte.

—Ni por qué quedarme —respondió seco. Después sonrió con cierta tristeza hacia Abel y Mamen—. Un placer, como siempre. Sofía, gracias por la cena.

Oliver se levantó y esperó mirando al suelo mientras Héctor se ponía la chaqueta; después ambos se encaminaron hacia el rellano. Con calma. Fríos. Sin la apariencia de dos vaqueros que van a batirse en duelo pero sin camaradería. Nos quedamos viéndolos salir con cara de gilipollas, la verdad, y yo con la sensación de no haber podido controlar una situación que no debería terminar de aquel modo.

Abel se marchó de puntillas hacia la puerta para intentar cotillear, pero habían bajado al portal y, claro, no le dejé seguirles.

—Tenía que haberle atizado con la bandeja —susurré mientras hundía la cara en mis manos.

—Era cuestión de tiempo —me tranquilizó Mamen frotándome la espalda—. Oliver es muy de hacer estas cosas. Se están midiendo. Ya verás como después de hoy va mejor.

—Sí. Mejor. De cabeza al infierno vamos a ir después de esto.

—Me los estoy imaginando peleando sin camiseta. ¿De verdad que no puedo bajar?

Me quité las manos de la cara y lancé una mirada a Abel que tardó poco en convertirse en una carcajada.

La puerta volvió a abrirse apenas diez minutos después, pero el único que entró fue Oliver, con cierto gesto de triunfo mezclado con vergüenza, claro.

—¿Y Héctor? —pregunté con una nota de histeria en la voz.

—Tomándose algo por ahí. Dejándonos espacio.

Me quedé mirándolo alucinada de que, en algún rincón de su cabeza, aquello supusiera un triunfo. Cuando me levanté de la silla, juraría que se apartó como si creyera que iba a pegarle.

—Eres un gilipollas, ¿lo sabes? —le reproché.

—Tu novio opina lo mismo.

—Pues me alegro. Así no tendré que convencerle.

Pasé de largo de donde estaba y agarré el abrigo del perchero.

—¿¡Qué haces!? —me preguntó Oliver levantando la voz.

—¿Que qué hago? ¡Irme con él! ¿Qué esperabas? ¿Que me iba a quedar aquí a tu lado, viéndote esa cara de imbécil? Mira, Oli, voy a decirte las cosas muy claras: te quiero, pero estás empezando a ponérmelo muy difícil. Héctor no te cae bien, vale, lo acepto. Pero esto no hace falta. Te lo dije una vez y lo vuelvo a repetir: con esto solo sale ganando él, porque tú pareces más idiota y él más sensato.

—¿No te preguntas por qué ha querido hablar a solas? A lo mejor tampoco ha sido muy amable conmigo…

—¿Sabes lo peor, Oli? Que esto ni siquiera va con él. Ni conmigo —ignoré su intento de chantaje emocional—. Esto va contigo, como siempre. Con tu ombligo, con tus decepciones y con tus mierdas y con esa manía que tienes de callarte las cosas pero sacudirnos a todos con las consecuencias. Mira, tío, estaba aquí si querías contarme algo, pero decidiste no hacerlo así que… lo siento. Yo tengo vida. Ya tengo vida aparte de adorarte. Debe ser eso lo que te tiene fuera de juego.

Agarré el manojo de llaves y antes de que pudiera marcharme Oliver sentenció la discusión. Y, de alguna manera, el futuro:

—Vale. Vete. Así nos vamos preparando para cuando te acabes de convencer de que tener vida propia es seguirle como su perrillo faldero y dejes todo lo que quieres para ir tras él. Así ya no nos sorprenderá ni nos decepcionará ver que, de nuevo, tus cosas no importan si luchan frente a una polla.

37

EL GERMEN DE LA DUDA

Es hora de que te ponga sobre aviso. Es posible que hayas notado que a estas alturas de los recuerdos, me voy poniendo intensa. Lo admito con la mano en el pecho: se me da fenomenal interpretar el papel del personaje torturado por sentimientos que la azotan con vehemencia. Lo que quiero decir con esto es que… me perdones si todo gira alrededor de cuánto y cómo sentí, pero necesito que me comprendas, aunque no compartas mi actitud para que… entiendas lo que nos pasó. Y lo que nos pasó empezó en el mismo día en que convertimos en rutina las idas y las venidas. Los viajes. Las dudas. La contradicción. Y el silencio.

Aquella noche, cuando volvimos de madrugada a casa después de tomarnos un respiro (y unas copas fuertes) en uno de los bares que seguían abiertos en el barrio hasta esas horas, hablamos. De mi mundo. Del suyo. De lo nuestro. De los porqués y las razones, pero cometimos el error de hacerlo medio borrachos. Hablamos de la posibilidad de mandarlo todo a la mierda y de que volviera ya. Los fantasmas de la precipitación asomando la patita, me temo, empujados por el gilipollas de Oliver, al que quiero pero al que juro que hubiera abofeteado en aquellos momentos.

Soñamos un poco. Nos permitimos el lujo. Y soñamos sin ton ni son, sin orden ni concierto y sin ningún sentido porque lo hicimos planteando un mundo ideal en el que yo no tenía que dejar el Alejandría ni él su nuevo sitio en el mundo, pero podíamos estar juntos. Un *totum revolutum* alcoholizado y demente en el que tenían cabida todas las cosas de este mundo como si unas no implicaran la imposibilidad de otras. Y al llegar a casa, sentimos que todo nos daba igual excepto el otro.

A la mañana siguiente, Oliver no estaba en casa. Probablemente no volvería hasta el domingo, cuando estuviese seguro de que Héctor se había ido. Vendría con esa mezcla suya entre ingratitud y vergüenza con la que no haría falta que me pidiera perdón, pero aun así lo haría. Y cenaríamos algo grasiento que significaría la pipa de la paz, a pesar de que mi novio y mi mejor amigo no se aguantasen. Ya me preocuparía por aquello más tarde. Era problema de mi yo futuro y ya estaba harta de angustiarme por ello.

No era él quien me preocupaba. Me preocupaba Héctor, que no es que estuviera serio pero tampoco brillaba demasiado. Estaba… ¿meditabundo? ¿Cabizbajo? ¿Reflexivo? No lo sé. Estaba raro. Parecía un poco ido, como si tuviese la cabeza a kilómetros de allí y, dada la historia que llevábamos a cuestas…, entenderás que me preocupara.

Nos preparamos un café con intención de volver a la cama a abrigarnos bajo las sábanas mientras nos lo tomábamos y, cuando cerramos la puerta de mi habitación, no aguanté y… le pregunté.

—¿Estás bien?

—¿Eh? —Se giró a mirarme con el ceño fruncido y después negó—. No, no es nada. Estoy bien.

—¿Es por lo de Oliver? —le pregunté.

Contestó con una mueca apoyándose en mi escritorio.

—No fue bonito. Pero bueno...

—Anoche no quise preguntarte pero... ¿qué hablasteis?

—Uhm..., pues... nos lo dejamos todo claro. Para evitar más pullitas. Cuando todo está dicho no hay necesidad de repetirlo.

—Y eso quiere decir que...

—Es que es tu mejor amigo, Sofía. —Chasqueó la lengua—. Dejémoslo estar.

—Va a intentar manipularme con esto. Prefiero tener las dos versiones.

Suspiró y claudicó evitando mi mirada.

—Le dije que me caía como el culo. —Se rio avergonzado—. Que era un niñato de trajes caros con ínfulas y que había conocido a muchos como él en Ginebra. Gente con ese aire de superioridad a la que la vida terminaba por dar la hostia que me iba a ahorrar darle yo. —Abrí mucho los ojos y me parapeté detrás de mi taza de café para disimular mi turbación—. Le acusé de estar celoso. Él a mí de estar a punto de obligarte a elegir entre toda tu vida y yo. Le pregunté si había pensado alguna vez en la posibilidad de estar enamorado de ti y ser un mierdas y él me respondió que su educación le impedía vomitarme en la cara.

Buen circo, desde luego.

—¿Y ya está? —insistí, como si me pareciera poco.

—Pues él me contestó que te voy a joder la vida, que antes de que llegara estabas a punto de ser feliz y que te había mareado desde el primer día por egoísmo. Nos enzarzamos unos minutos en una discusión absurda sobre quién de los dos era más egoísta y terminamos por decidir que como no podíamos rompernos la cara, lo mejor era ignorarnos.

—Coño…

Un pinchazo en el estómago me dijo que aquello no tenía pinta de terminar con los dos siendo superamigos, hermanos, abrazándose emocionados el día de nuestra boda. Espera… ¿nuestra boda?

Me senté en la cama con la espalda apoyada en la pared. Sonaba un disco de Lo Fang un poco marciano que escuché por primera vez en su casa y que, a fuerza de repetición, había empezado a apreciar y… me encontraba como la canción: extraña. Sentía una mezcla de muchas cosas dentro: pesar, ilusión y nostalgia. Mezcla de ese amor desmedido del que acaba de convencerse de que puede permitirse querer y la pena de quien sabe que terminará por pasarle factura.

—Oye, Héctor…, ¿qué quieres de la vida? —solté de pronto.

—Caerle bien a Oliver no entra en mi saco de deseos. Espero que no te importe pero… me la suda un poco.

—No te la suda —le respondí con una sonrisa conforme—. Pero no me refería a eso. Me refería a la vida. En general.

—Pues… —Echó de dentro de su pecho una bocanada de aire y miró hacia el techo. La luz que entraba a través de la ventana recortaba el perfil de su nariz rotunda y me dio rabia que estuviera tan guapo—. Dedicarme a algo que me haga sentir útil, algo que me haga saber que de algún modo ayudo a que el mundo gire y un lugar donde pueda respirar profundo y estar en calma… —me miró— a tu lado.

Sonreí pero solo por fuera. Por dentro algo me angustió, aunque no supe darle forma al miedo. Tardaríamos aún muchas semanas en darnos cuenta de que el lugar y la persona con la que queremos habitarlo no siempre son compatibles.

Héctor también sonrió y me pareció detectar que de igual manera por dentro no sentía aquella sonrisa.

—¿Y tú? —me preguntó al fin.

—¿Yo? Estar tranquila. Y magia.

—Suena muy general. ¿No te importan los detalles?

—Los detalles son siempre los culpables de que nos decepcionemos.

—Venga… —me animó con una sonrisa—. Concreta.

—El Alejandría. Holly. Tú.

De vuelta a la sonrisa enigmática. La suya. La del principio. La de cuando no sabía qué escondía, quién era, qué sueños me haría cumplir y cuáles destruiría. La de Monalisa.

Héctor se acercó a la ventana con su paquete de tabaco de liar y un mechero y la abrió. Frente a nosotros, la que fue su ventana y a través de la que tendimos los puentes.

—¿Sabes que ahora en mi habitación vive una chica?

—Lo sé. —Sonreí—. ¿Quieres que quedemos con Estela después de comer?

—Uhm. —Humedeció el papel con la lengua y enrolló el cigarrillo para encenderlo después—. Sí. Hoy te toca a ti dosis de amigos tróspidos.

Me eché a reír por fin genuinamente y me tiré sobre la cama. Desde allí el aroma del cigarrillo de Héctor llegaba debilitado como el eco que le quedaba en la ropa después de fumar. Entraba frío a través del cristal abierto y el sonido de los cláxones, de gente hablando en la calle y de alguna sirena que recorría una calle a lo lejos a toda velocidad. Madrid es así. Nunca hay silencio. Incluso cuando lo hay, se oye algo. A mí siempre me tranquilizó porque, de alguna manera, ese sonido continuo había sido la banda sonora muda de mi vida y significaba que las cosas seguían funcionando, que todo seguía su curso, que cualquier cosa que llegara, pasaría. Menos la ciudad.

Héctor, sin embargo, fruncía el ceño. Más de lo habitual, quiero decir. Sin hoyuelo bajo la barba, con la mirada perdida y los brazos cruzados sobre el pecho. Dicen los que entienden de lenguaje no verbal que quien cruza los brazos se retrae momentáneamente en un estado introspectivo, creando una barrera tanto física como psicológica. No sé si es cierto, pero en aquel momento, de alguna manera, Héctor se daba cuenta de algo. De algo en lo que no había caído.

—Bufff. Madrid me agobia —dijo al fin.

Y no tuvo que decir nada más porque en tres palabras desmintió todo lo soñado. Todo lo que imaginamos que podría ser posible la noche anterior, encomendándonos al amor como si este fuese una hada madrina capaz de encoger Madrid hasta darle la medida que Héctor necesitaba en aquel momento y trasladar su nueva casa, sus pasiones redescubiertas y el olor del campo que rodeaba su pueblo hasta allí. O de recortar el Alejandría del plano de la ciudad y arrancarlo de raíz, con sus parroquianos y todos los artistas circenses que le dábamos vida para llevarlo al regazo de la montaña en la que quisiera establecerse Héctor. Pero no. Los cuentos…, cuentos son. Aún era pronto para volver. Aún no estaba preparado. Aún no tenía ganas.

—En un mundo ideal lo tendríamos todo —añadí—. Lo que te gusta del pueblo y lo que te gusta de Madrid.

—A lo mejor de Madrid solo me gustas tú…

Y a pesar de que lo dijo con una sonrisa y un guiño, la sensación que me dejó en el cuerpo no me gustó. Porque de alguna manera Madrid contenía demasiadas cosas que yo consideraba mías y para las que él no estaba preparado.

38

Cuando entré en casa después de mi fin de semana en Madrid esta estaba muy fría y no hablo solamente de una temperatura física y real. Medible. Hablo de algo más. Algo que llevaba probablemente prendido al pecho. Tuve que encender todas las luces para sentirme menos solo... y todo para terminar buscando el abrigo del dormitorio que como era pequeño, me daba tranquilidad. Era como sentir agorafobia después de estar tan cerca de Sofía. Era como sentir que se trasladaba el centro de gravedad de mi mundo dependiendo de si ella estaba o no a mi lado. Y siempre terminaba mareado.

Puse el radiador cerca de la cama y me desnudé, dejando la tarea de deshacer la maleta para el día siguiente, cuando me sintiera algo mejor. Y lo haría. Porque al despertar el patio interior estaría tímidamente iluminado por las luces del cielo cuando amanece y todo sería estéticamente precioso. Por delante tendría un día de hacer mucho, de trabajar con las manos, de cansarme y eso me reconfortaría.

Cuando me eché encima de la cama con el pijama, que aún olía un poco a ella, estaba deseoso de escucharla, así que en lugar de enviarle un mensaje…, la llamé. Pero no me lo cogió. Debía estar arreglando las cosas con el memo de Oliver a quien, por aquel momento, no tragaba, sin paños calientes. Así que… de vuelta al Whatsapp: «Morena, te llamaba para decirte que ya he llegado y que tienes el culo más glorioso del planeta. Y que echo de menos hasta lo fríos que tienes siempre los pies. Y que te quiero. Eso también. Empieza la cuenta atrás. Faltan cinco días para vernos».

Después, al dejar el teléfono sobre la mesita de noche y respirar profundo…, me quité de encima la piel de Madrid. Esa que me ponía para soportar de nuevo el barullo, las hordas de gente caminando por todas partes. Me quité de la piel el olor al humo de los tubos de escape que ensuciaba hasta las ventanas y de los ojos el picor que provocaba la maldita contaminación atmosférica. Me quité la ansiedad de sentir que no era de allí y sentí que por fin estaba en un lugar al que reconocía como casa. Y dormí como un bendito.

Los lunes de invierno mi madre solía cocinar un plato de cuchara, de los contundentes, y alrededor de la olla humeante nos reuníamos los cuatro. Mi cuñada trabajaba fuera del pueblo y mi hermano es medio inútil con eso de la cocina así que, aprovechando que los niños comían en el comedor del colegio, era un día de la familia genuina. «El origen». Aquel día tocaron lentejas y mi hermano no dejaba de quejarse de que por mi culpa flotaban trozos de cosas verdes y no pedazos de tocino y morcilla.

—Tus arterias en realidad me lo están agradeciendo. Un día te vamos a encontrar tieso en el taller —le respondí acercando la silla en la que estaba sentado a la mesa.

—De eso nada. He decidido que moriré comiendo.

—Como si eso sirviera para algo. Yo quiero morirme con una joven de veinticinco encima y no creo que se vaya a cumplir —terció mi padre.

Mi madre tardó una milésima de segundo en atizarle con el paño de cocina como un maestro de alguna arte marcial complicadísima.

—Estamos buenos... —refunfuñó—, el comeflores, el tragaldabas y el pervertido. Algo he hecho mal.

Me serví un chatito de vino mientras me reía y noté que mi hermano me miraba con una sonrisita mientras partía pan con la mano.

—¿Pan para las lentejas, Sebas? —le riñó mi madre.

—¡No! Es para el salchichón que tienes en la despensa. Oye, Héctor..., ¿qué tal el fin de semana?

—Muy bien. —Asentí llevándome el vaso a los labios—. ¿Y el tuyo?

—Yo tengo cuatro hijos. Me interesa más el tuyo, entre los brazos de tu desconocida valkiria. —Y levantó un par de veces la cejas.

—Sofía no tiene pinta de valkiria, ya lo sabes. —Me reí—. Es... —solté el vaso y mareé las lentejas en el plato— morena. Un poco pálida. Tiene la cara cubierta de unas pequitas pequeñas que no se ven demasiado si no te acercas. Y tiene los ojos marrones y la nariz muy pequeñita.

Levanté los ojos del plato y vi a los tres mirándome intensamente.

—¿Qué?

—Voy a vomitar bebés disfrazados de caracol —se burló mi hermano—. Cuánto amor.

—¿Te la traes para Navidad? —me preguntó mi madre.

—No —negué—. Ella tiene que pasar las fiestas con su familia.

—Nochebuena con ellos y Navidad con nosotros. Igual pronto también somos familia, ¿no? —insistió mi madre.

—Sus padres están separados. Y aún no es el momento.

—Cae en fin de semana. ¿Aguantarás dos semanas sin verla?

—No. —Cogí una cucharada de lentejas y antes de metérmela en la boca sentencié—. Ya encontraré la manera.

Ahí estaba la diferencia entre lo que sentí con Lucía tras los años y el amor cálido y agudo que me daba Sofía.

Después de las lentejas, un flan, un café y un pitillo, Sebas se quedó dormido en el sillón y yo revisé los mails pendientes desde el móvil y wasapeé con Sofía hasta que se hizo la hora de volver al taller y conseguí arrancar a mi hermano de su siesta.

Las jornadas en el taller tenían algo que no recordaba haber disfrutado en mi trabajo nunca. Algo. Indefinido. Aclaraba las ideas, como si fuese capaz de poner cada cosa en su sitio. Me relajaba. Me abstraía. Si algo no salía a la primera, no me ponía nervioso como con mi trabajo real. Soy consciente de que era de aquel modo porque no me ganaba la vida con ello; mi seguridad económica no dependía de la madera, de modo que la disfrutaba como solo se puede hacer con aquello a lo que le dedicas un puñado de tus mejores horas. Mi hermano sí se desesperaba. Si no entraban pedidos. Si al instalar una armariada en alguna casa las cosas no salían rodadas. A veces le crispaba hasta el serrín dentro de los bolsillos. Pero para eso estaba allí, pensé. Para recordar cuáles eran mis metas y para hacer que sus obligaciones fueran menos… ¿aburridas? No. Las obligaciones casi siempre lo son. Menos… frías. Solitarias. Allí estaba yo, cobrando en negro por horas una miseria simbólica que permitía que el trato se sostuviera sin que Sebas se sintiera violento, porque es muy machote como para admitir que, desde que mi padre estaba tomándoselo con calma con el taller y dejando gradualmente de trabajar, se sentía algo solo. Podía con el trabajo porque es un animal de granja y en mi casa nunca nadie tuvo miedo de dar el callo, pero era demasiado social para ser feliz allí siempre solo.

—Está bien esto —me dijo uno de los primeros días—. Los días que vienes tengo con quien hablar de titis y de mis cosas.

—Y del tiempo —me burlé yo—. Se está quedando buena tarde.

—Y si no vienes —siguió él ignorando mi broma—, disfruto de escucharme los pensamientos, coño, que también está bien un poco de silencio teniendo cuatro críos.

Y lo entendía. Porque yo no tenía críos pero tenía una relación de dieciocho años rota que asumir en mis ratos de flaqueza, un polvorín de magia del que me había enamorado con el que intentaba hacer las cosas bien y un trabajo de diseñador gráfico práctico pero que nunca llegó a llenarme. Así que su conversación tres tardes a la semana me venía genial. El dinero que ganaba, pues para algún capricho… como ese que quería regalarle a Sofía por Navidad. Y las tardes de soledad, miel sobre hojuelas para dialogar conmigo mismo sobre qué cosas era lícito añorar de Ginebra, qué recuerdos podía atesorar y qué planes podía permitirme hacer con Sofía. Se avecinaba complicado pero yo aún no me había dado cuenta de cuánto. Ella sí, claro.

Así que cuando la llamé por la noche, después de una ducha que me quitase el polvo de encima y le conté, orgulloso y ufano, que había conseguido ensamblar un mueble yo solo, cuando le conté que las lentejas de mi madre revivían un muerto y que había olvidado cuánto me reía con mi hermano y lo inquietos que eran mis sobrinos, no localicé en ello ningún problema, pero ella sí. La Sofía de su subconsciente, la que iba recabando información para dar forma al fantasma que se nos comería, reconoció cada obstáculo y convirtió el miedo a algo real que aún no tenía nombre en una sensación de vacío y añoranza que achacamos a la distancia.

—¿Es mejor que Madrid? —me preguntó antes de colgar, con la voz algo trémula.

—¿Cómo?

—El pueblo… ¿es mejor que Madrid? ¿Me gustaría?

—Bueno… —dudé—, es que no se puede comparar. Es diferente. Madrid es genial si… te gustan las ciudades descomunales. Yo lo llevo bien durante meses pero luego me atosiga. Para eso Ginebra era más… cómoda. Al menos a mí me lo parecía. El pueblo es… para quien se siente parte, supongo.

—Ya…

—Te lo enseñaré bien este fin de semana, ¿quieres?

—Creía que no podíamos pasearnos demasiado. Si te ven los padres de Lucía…

—Tendrán que hacerse a la idea algún día. Esto es lo que hay. Y lo que habrá.

—Porque tú y yo somos reales —respondió con un hilo de voz.

—Claro. Oye, ¿estás bien? ¿Con Oliver mejor?

—Sí, sí. Sé cómo llevarlo, ya sabes. Es solo que… te echo de menos.

—Y yo a ti.

Nos quedamos callados. La escuchaba respirar. Una respiración que de suave parecía superficial. Imaginaba sus bonitos labios entreabiertos, jadeando despacio una pena. ¿Era yo? Esa pena… ¿era yo? ¿Era mía? En realidad daba igual lo que la angustiara porque, fuera lo que fuera, no lo quería para ella.

¿Te enamoraste en la adolescencia? Sí, claro que sí. Qué pregunta tan tonta. Más bien en lo que quiero que pienses es en… cómo te sentiste. Si fuiste correspondido. ¿Lo recuerdas? Esa sensación de que podrías con todo. El atrevimiento, diría yo, porque a esa edad te crees eterno, invencible. Como me hacía sentir ella a mí. Su magia era la mía siempre y cuando ella brillara. Y la amenaza de que se apagara era más de lo que podía soportar. Criptonita.

—Te quiero. No trabajes mucho esta noche —se apresuró a decir cuando yo tampoco respondí nada más.

—Mi amor —me apresuré a llamar su atención antes de que colgara—. ¿Quieres que pasemos juntos las Navidades?

Y la pena se calló y aguantó la respiración hasta que creímos que se había marchado. Y lo aliviamos, convencidos como estábamos de que, joder, ¿para qué esperar para aquello si éramos los definitivos?

—Pero es pronto… —respondió.

—Para lo inevitable no hay tiempo que valga. Y tú y yo lo somos.

Al día siguiente pasé por casa de mis padres para tomar el café a la hora que sabía que ellos lo tomaban. El sol casi ni se había asomado y seguro que mi patio interior se veía precioso pero fue mejor aún ver la sonrisa de mi madre al escucharme decir que Sofía pasaría con nosotros el día de Navidad.

—¿Y a qué viene ese cambio de opinión? —me preguntó conteniendo la sonrisa con los labios apretados.

—A que no tiene sentido esperar. Es ella.

Lo era. Dame un segundo. Que siga ella. Aún me cuesta un poco hablar de lo felices que fuimos.

39

Canta una canción de Silvio Rodríguez que «ojalá que las hojas no te toquen el cuerpo cuando caigan». Puede resultar un mensaje confuso pero también sirve para muchas ocasiones. Sirve para cuando, como cuenta la canción, quieres tanto a alguien que lo empaña todo y ya no hay vida ni muerte que no tenga su nombre. No obstante, sirve también como definición de vida: no dejes que nada te toque o podrá hacerte daño. Nunca me planteé que fuera la versión que encajaba más con Oliver.

Hay algo de Oliver que no te he contado quizá porque acabo de caer en la cuenta de que tuvo algo que ver en cómo fue, es y será. Sus padres se separaron cuando él era muy pequeño. No tiene demasiados recuerdos del matrimonio de sus padres con los que sigue teniendo contacto, claro. Con los dos. A veces le pesa tener buena relación con su padre a pesar de que no fue un buen marido, pero entonces recuerda que sí fue un buen padre y deja de culparse. El matrimonio se terminó, acabó sabiendo, no porque mamá y papá discutieran mucho, como le dijeron, sino porque papá tenía tantas amantes, tantas vidas paralelas que un día dejó de poder compaginarlas y todo se estrelló contra la ventana tras la que mamá le esperaba. Con los años, el padre de Oliver sentó la cabeza con una buena mujer que se quedó viuda muy joven y que Oliver no termina de tolerar a pesar del tiempo que ya llevan juntos. Le cuesta admitirlo, pero el problema con ella fue que sumaba a la relación dos hijos como dos soles para los que su padre terminó siendo eso mismo también... un padre. Y Oliver, el hijo único, dejó de alguna forma de serlo. Y por si no te has dado cuenta con la historia entre Héctor y él... a Oliver no le gusta tener competencia.

Pero a pesar de todo esto, de la buena relación, de los dos hermanastros sorpresa, de los celitos y de los esfuerzos de su padre por ser el «más molón» él siempre ha sido muy consciente de que su madre sufrió y no volvió a casarse porque con uno tuvo suficiente.

Bien. ¿Y por qué todo esto ahora? Bueno..., para que entendieras por qué, después de mucho pensar, se dio cuenta de que lo que más le dolía de lo que Mireia le dijo fue... recordarse a su padre. Al joven. Al encantador de serpientes que repartía sonrisas y que en casa no llevaba más que silencio y disgustos, pocos duros y una mancha de carmín en el cuello de la camisa que, finalmente, terminaba lavando su madre. Si fueran finales de los setenta, él también se habría casado. Y sí, también habría hecho sufrir a su mujer. Porque en el fondo, se decía, lo llevaba dentro.

Fue más allá. Más allá del recuerdo rancio de su padre y la parte de su vida que no quería imitarle. Más allá del Oliver hijo único o hermanastro de dos rubios con pinta de jugadores de rugby del equipo de Nueva Zelanda. Fue hacia..., hacia lo que sí quería ser.

Cuando teníamos dieciocho años le regalé una biografía de Casanova. Al principio me refunfuñó y por poco no me la tuve que comer con patatas, pero una tarde de verano aburrida debió ser lo único que tuvo a mano y... terminó por convertirse en una biblia para él. No le digas que te lo he contado pero... lo tiene subrayado. Le impresionó mucho.

—Era un buen tío, ¿sabes, Sofía? Así que ser un Casanova mola porque el tío no engañaba a nadie. Todas quedaban con buen recuerdo suyo. Compartía ratitos de amor con las mujeres y después zarpaba con una nueva sin que nadie se mosquease porque... las hacía sentir mágicas. Las trataba como iguales y las desnudaba como si fueran un ser superior. He ahí donde está el verdadero encanto.

Oliver nació para las mujeres. Desde muy joven se llevó siempre su atención, allá donde fuera. Las volvía locas, excluyéndome a mí. Hasta las profesoras, cuando no tenía más de dieciséis años, caían rendidas si él pestañeaba. Era un animal erótico. Un hombre, un caballero, un Casanova... o mejor dicho, alguien que había creído serlo porque en el camino se había perdido. ¿Cuándo pasó a no dejar un buen regusto en sus amantes? ¿Cuándo empezó a ser odioso? ¿Cuándo se convirtió en una caricatura de sí mismo o de quien quiso ser?

Visto lo visto, se convenció de que hablar con otros hombres sobre ello no le haría sentir mejor. No aprendería porque, si compartía su angustia con sus amigos, estos o se burlarían o le quitarían importancia porque, seamos claros, sus pecados eran los del resto de la pandilla. La panda del pene, les llamaba Abel, porque todos habían nacido para usarlo sin medida. Conmigo las cosas se habían tranquilizado un poco, pero tampoco estaban para echar cohetes, así que pasaba de correr a mi regazo a preguntarme si yo creía que era un mal tío. Necesitaba una mujer, sí, pero que hubiera..., ehm..., compartido sus encantos.

Una con la que se hubiese acostado. A la que creyera haberle dejado buen sabor de boca.

Pensó en sacar de la chistera el número de alguna exfollamiga pero… como que no. Así que… solo quedaba una posibilidad. La primera. La única recurrente. Su prima. Toma castaña.

Cuando llamó a su prima Arancha, esta no se sorprendió. Solían hablar de vez en cuando. Menos desde que se había casado, es verdad. Pero aún recordaba con una sonrisa el final de su despedida de soltera. ¿En serio hay gente que hace esas cosas con sus propios primos? Por el amor de Dios. Qué repelús.

Pues sí. Así que, con la excusa de que hacía mucho que no se veían ni veía a su hijo (al de ella, él era muy mirado con eso de eyacular dentro de mujeres sin goma de por medio), se vieron en una cafetería lejos del Alejandría, donde nadie pudiera verlos y preguntarle… «Oye, Oli, ¿qué hacías con tu prima?».

Al principio fue todo bien, se dijo a sí mismo. Rodado. Natural. Hablaron de la familia mientras el crío se entretenía con el teléfono móvil de ella, que estaba guapa, guapa, guapa.

—Joder, Arancha, aún estás más buena que antes de tener al crío —le dijo.

—¿No me habrás llamado para echar un polvo?

—¡No! —le respondió resuelto—. No… a menos que tú…

Ella se echó a reír.

—¿Qué quieres?

—¿Cómo? —respondió Oliver asustado.

—Que qué quieres, pendón. Algo te pica, eso está claro. ¿A qué santo ibas a llamar a tu prima ahora que tiene hijos y es aburrida?

—Y ya no quiere follar conmigo.

—Cállate. —Se rio a carcajadas—. Escupe. ¿Qué pasa?

—Ehm. A ver. —Se apoyó en la mesa y acarició su superficie—. He estado pensando sobre mi vida…, supongo que por eso de tener treinta y…

—Sin rollos, por favor.

—¿Yo… te dejé buen recuerdo?

El niño lanzó un grito y ella le endosó con maestría un chupete salido de la nada sin poder apartar los ojos de su cara.

—¿Perdona?

—Sí. Si te dejé buen recuerdo o por el contrario…

—Pero es que tú y yo nunca fuimos novios.

—A nuestras madres les hubiera dado algo.

—Y a ti también —le dijo ella—. Creo que no había vez que nos viéramos en la que no dijeras que no querías una novia que te atara.

—Ya, pero tú tampoco querías…

—A ver…

—A ver, ¿qué? —Se rio él—. No me irás a decir ahora que te enamoraste de mí.

—No. Pero tú tampoco diste nunca margen. Quiero decir… nunca fuiste más que un chico mono que follaba muy bien. Y familia, pero corramos un tupido velo. El hecho es que… solo te esforzabas para seducir, no para enamorar.

—Entonces no dejé cadáveres —consultó a un paso de sentirse aliviado.

—Cuando dices lo de los cadáveres te refieres a todas las amigas que te presenté y que terminaron en tu cama, ¿verdad? ¿O a todas las chicas a las que dejaste de llamar sin explicación? Quizá a aquellas con las que te acostaste sabiendo que ni siquiera te gustaban demasiado…

—Joder.

—A mí no me cuentes. Para mí eras como… un placer culpable. Me dabas vergüenza porque… eres mi primo. Pero quitándome a mí, Oliver, emocionalmente eres un cuadro de comedor.

Cuadro de comedor. De los de bodegón con la perspectiva digna de un niño de guardería. De los pintados por un cuñado. Cuadro de comedor. Él, que se creía un Rodchenko, no era ni un «Ikea».

De camino a casa pasó por una tienda y se compró una botella de vodka. La marca le dio igual porque… ¿a quién quería engañar? Él mismo era garrafón.

No le vi el pelo hasta la mañana siguiente cuando me encontré la botella vacía en la puerta de su habitación y el contenido, mezclado con el de su estómago, saliendo a toda pastilla y precipitándose dentro del váter donde tenía la cabeza metida.

Y a pesar de que todos creímos que un día de pellas le iría genial, se marchó del Alejandría con dos tostadas con mantequilla y mermelada en el estómago y diez litros de café para darse una ducha rápida y llegar por los pelos al curro. Y no porque sintiera la santa devoción de acudir, sino porque…, porque el vodka le dijo cosas. Sí. El vodka Yurinka mezclado con zumo de naranja del que sabía a culo de mono, en mitad de una intoxicación etílica de la polla, le susurró cosillas que él no pudo más que tener en cuenta. Cosas como no repetir aquello que le hacía sentir vacío. Cosas como cerrarle la puerta a eso que desde hacía tiempo sentía que no encajaba con su vida. Al vacío emocional. A darse cosas que no necesitaba y negarse otras sin las que empezaba a no concebir la vida. Asumir que los demás se enamoraban y que lo de Clara no fue un error… solo la punta del iceberg de su soledad. Y entre tanta filosofía, el vodka le dijo que debía disculparse con el kraken, aunque no tuviera ni idea de que la hubiera apodado así.

Joder con el vodka. Qué sabio. Aunque ahora que lo pienso… igual el vodka solo fue el culpable de la potada y el mal cuerpo y todo lo demás se lo dijo su tímida madurez emocional, que empezaba a salir del cascarón.

Mireia no se lo esperaba, pero tampoco pareció sorprendida cuando apareció en su stand. Se limitó a mirarlo con cara de póquer y preguntarle con frialdad si podía ayudarlo en algo.

—Estoy en mi descanso. ¿Puedes tomarte el tuyo ahora? Me gustaría comentarte unas cosas mientras tomamos un café.

Y eso sí que la sorprendió. Tanto que... mezcla de las pocas ganas de volver a montar un numerito y el regusto amargo de la última conversación, asintió.

Tomaba el café expresso. Pero expresso de verdad. Amargo. Sin azúcar. Se preguntó si su lengua después sabría amarga también o si algo en su saliva daría un toque dulce al sabor. Después, viéndola mirarlo fijamente, se apremió a quitarse de encima aquello y empezar de cero por fin. Sin cadáveres. O al menos... sin cadáveres recientes.

—He estado pensando.

—Y bebiendo. Hueles a taberna de puerto inglés del siglo pasado —apuntó Mireia apartando la mirada hacia su café.

—Muy amable. Sí. He estado pensando y bebiendo. Y entre una cosa y otra, tu discurso del otro día no ha dejado de..., uhm..., venirme a la cabeza.

—¿Y eso? —Y no le pasó desapercibida la nota de chulería de su voz.

—Pónmelo fácil, por favor.

—No tengo por qué.

—Vale. Es verdad —asintió y miró la madera de la mesita de Starbucks en la que estaban sentados—. Tienes razón. El caso es que... me hiciste pensar. A pesar de la falta total de tacto y la dudosa educación de tu discurso...

—Oliver, no me toques el coño —dijo con soltura—. Porque me levanto y me voy, pero antes te estampo la cabeza contra la mesa.

—¿Podemos centrarnos un segundo? Solo quiero... pedirte perdón.

—¿Por qué exactamente?

—Por mi comportamiento contigo.

—¿Qué parte?

—Buff, Mireia, de verdad… solo quiero disculparme, ¿vale? Solo eso. No debí meterme con tu pelo, ni llamarte choni ni…, ni seducirte en el restaurante.

—No me sedujiste. Me calentaste. Es diferente.

—Bueno, como quieras llamarlo. Calentarte, vale. Estabas con otro tío. Debí saludarte con educación y desearte una buena noche. No…, uhm…, todo lo que vino después.

Mireia tragó el café y después lo paladeó. Oliver esperaba un «acepto tus disculpas», pero supongo que aún no se había dado cuenta de que Mireia no entraba en sus esquemas.

—¿Sabes lo que creo, Oliver? Que me estás pidiendo perdón porque, de alguna manera, simbolizo para ti a todas las tías con las que has sido un puerco. O todas las personas con las que te has comportado como un pene con patas. ¿Estoy en lo cierto?

—A lo mejor. —Paseó la lengua sobre todos sus dientes y desvió la mirada.

—No me debes nada. Asunto arreglado.

—Pero…

—No pasa nada, chico. Disculpas aceptadas. Ya está.

—¿Y por qué te comportas como si no se hubiera solucionado? —le preguntó.

—Porque que aprecie tu gesto no quiere decir que me caigas bien. —Oliver frunció el ceño y a ella una carcajada de sorpresa se le escapó de entre los labios pintados de fucsia—. Vamos, Oliver, por Dios. No tienes que caerle bien a todo el mundo, supera esa fase. Ya eres mayor.

—No quiero caerle bien a todo el mundo.

—¿Entonces?

—A lo mejor es que quiero caerte bien a ti.

Ella levantó las cejas sorprendida y pestañeó.

—Esto sí que no me lo esperaba. Olvídate, son los remordimientos.

—A ver si me explico. —Se apoyó en la mesa y se quedó mirándola unos segundos, ordenando pensamientos—. No tengo remordimientos por haber pasado unos buenos diez minutos contigo en aquel portal. Quiero borrar el modo en el que lo he hecho, pero no el acto en sí. Somos dos adultos que se sintieron atraídos hacia el otro en un momento dado. Pero ahora, reflexionando, soy consciente de que debería haber sido completamente diferente.

—No te entiendo.

—¿Sabes algo sobre Casanova?

—Ay, Oliver, por favor, que me voy a morir de vergüenza ajena... —se quejó Mireia mirando hacia todas partes menos a él.

—No, no. Escúchame. Casanova era un hombre que amaba a las mujeres por encima de todas las cosas. Decía que había nacido para «el bello sexo». Se entregaba total y absolutamente a sus amantes, a las que consideraba...

—¿Qué me estás queriendo decir? —le interrumpió ella.

—Hay dos formas de decirlo: o no me he enamorado nunca o me he enamorado tantas veces que es complicado contarlas. Yo respeto a todas las mujeres con las que me acosté o besé. Lo que me apena es no haber sabido trasladárselo a cada una de ellas, no convertir los encuentros en algo enriquecedor más allá del placer. Lo hice mal. Quise ser Casanova y me quedé en una versión de los chinos..., ¿me explico?

Mireia, que jugueteaba con sus labios entre los dientes, asintió. Oliver siguió hablando porque..., básicamente, no podía evitar hacerlo.

—Me preocupa el hecho de haberme convertido en un juguete vacío y que chicas como tú o como, no sé, Mónica, me veáis como un tirano que usa el sexo para sentirse superior a las mujeres con quien lo hace. Soy un tío de treinta años como cualquier otro. Con mis angustias y con mis placeres. Buscando mi sitio. No me paso el día pensando en si estaré guapo o si se me caerá el pelo…

—¿En serio?

—¡Claro que en serio, Mireia! —se desesperó—. Dime, ¿tendría que pensarlo de ti?

—¿De mí? ¿Por qué?

—Eres guapa. Te preocupa tu aspecto. Siempre vas perfumada y arreglada… me guste o no el look que llevas. ¿Debería pensar que eres una presumida que no piensa más que en sí misma? Porque no lo pienso.

—No es mi problema lo que proyectas, Oliver.

—No te estoy responsabilizando. Te estoy diciendo que voy a cambiar mi forma de proceder si es eso lo que comunica. Así que, gracias, supongo. Gracias por decírmelo y hacerlo en la cara.

Las uñas de Mireia, cortas y pintadas de color porcelana, golpearon la tabla en un gesto de… ¿inseguridad? ¿Impaciencia?

—Lo siento. Te aburro. Puedes marcharte cuando quieras. —Y Oliver se recostó en el respaldo de la silla—. No quiero hacerte perder tiempo. Ya he dicho todo lo que tenía que decir.

—Vale.

Se levantó y cogió su chaqueta pero antes de marcharse hacia la salida, donde seguro que fumaría un pitillo que, cuando apagara con la punta de su zapato, tendría la boquilla manchada de carmín, se volvió hacia él de nuevo.

—Gracias por el café.

—De nada. Un placer.

—Y… esto… —se revolvió un poco el pelo— ha estado bien. La conversación. La biografía de Casanova y… tu disculpa. Suerte con lo tuyo.

Oliver asintió en silencio y humilló cabeza en un intento de desaparecer. Estaba avergonzado y un poco desanimado. Aquello no le había hecho sentir tan bien como se imaginaba.

No había supuesto la inyección de alivio inmediato que esperaba y eso le angustiaba.

Sin embargo, no escuchó los tacones de Mireia alejándose y levantó los ojos curioso. Allí seguía, de pie apoyada en la silla en la que había estado sentada. Lo miraba con una mueca.

—¿Qué?

—¿Te he dejado hecho polvo?

—Tampoco te pases. —Le sonrió—. Mi mundo no gira a tu alrededor. A lo mejor es que tengo más mierdas que solucionar.

—Ahm. Que se te dé bien.

La sonrisa se le ensanchó, un poco canalla al ver que los labios de Mireia tironeaban de sus comisuras hacia arriba, aunque quisiera contenerse.

—Oye, artista… —le susurró—. Si tengo dudas sobre cómo no ser un capullo… ¿puedo preguntarte?

—Inténtalo. Será un placer llamarte idiota de vez en cuando, para no perder las buenas costumbres. —Sonrió ya ampliamente—. Pero antes… dime una cosa.

—Lo que quieras.

—¿Qué le pasa a mi pelo?

Oliver lanzó una carcajada y ella se rio también con sordina, pasándose la mano por encima de la melena suelta.

—Nada. —Le sonrió.

—¡Venga, escupe!

—Que no, que no le pasa nada. Es solo… un pelo con personalidad.

Ella suspiró y se dio la vuelta.

—No te pases de suavón, Oliver, o perderás el atractivo.

Los tacones bajos de Mireia marcaron, ahora sí, su marcha tranquila hacia la salida, donde fumaría. Y donde la boquilla manchada de carmín de su pitillo quedaría aplastada.

40

Tuve que parar un par de veces en el camino, así que lo que pude haber recorrido en tres horas se alargó una más. Porque, como ya me pasó la primera vez que viajé al pueblo para ver a Héctor, el interior del coche se convirtió en una cabina presurizada con una bomba de vacío que aspiraba hasta el oxígeno de mis pulmones y me paraba de tanto en tanto el corazón. Lo que me ponía nerviosa no era conocer a los padres de Héctor, ni a su hermano y su familia... era lo que significaría: que éramos de verdad, más allá de las cuatro paredes de mi habitación, fuera del encanto que producía en los sentidos el Alejandría. Fuera de mi pecho y de sus labios. Éramos tan de verdad que todo el mundo debía saberlo. Y nosotros teníamos que sentar las bases de lo que sería el futuro..., un futuro en el que no podríamos aislarnos de todo lo demás y ser solamente nosotros dos. Me asustaba abrirle las puertas de mi relación al mundo y que sus idiosincrasias lo desordenaran hasta dejarlo irreconocible y nosotros dos nos diéramos cuenta de que pretendimos ser reales sin saber aún quién era el otro.

Llamé a Héctor en la segunda parada. Le llamé en un ataque de debilidad muy poco propio de mí y de la forma en la que había decidido tomarme la vida desde hacía años. Me había prometido no necesitar la reafirmación de nadie para nada que me tuviera a mí como protagonista. Pero necesité de manera desesperada que él ratificara que ciertas cosas eran sencilla y llanamente verdad. Sin vuelta de hoja.

—¿Has llegado? —preguntó. Sonaba muy despreocupado.

—¿Y si no sabemos quiénes somos en realidad? —jadeé sin previo aviso—. No nos hemos visto en todas las situaciones necesarias para tener una opinión objetiva bien formada. No me conoces estando enferma. Y me pongo insoportable. No hemos convivido. No sé cómo gestionas tu dinero.

—Sofía...

—Ni siquiera sé cómo tratas a tu madre y si me gustará plantearme ese viejo dicho que dice que tal y como trate a su madre te tratará a ti en el futuro... No sabemos mucho. Solo que nos queremos. Pero yo también quise a Fran. Y a ese chico con el que salí en tercero de ESO y a quien solo le di un beso en la boca. Eso no significa que...

—Sofía... —volvió a interrumpirme—. Sofía, escúchame. ¿Qué pasa?

—Creo que me está dando un ataque de pánico. —Apoyé la frente en el volante y me maldije por no haber querido hacer frente a la baja temperatura que azotaba el impersonal parking de aquella estación de servicio.

—Son mis padres, no la Gorgona. No tienes que batirte en duelo ni impresionar a nadie. Solo tienes que venir, sentarte y comer. Ya está.

—No lo entiendes.

—Claro que lo entiendo, Sofía. Pero tienes que calmarte. ¿Qué te asusta? ¿Que sea pronto, no gustarles, que las cosas se nos compliquen en el futuro, peleemos y las personas que de pronto sepan de lo nuestro juzguen la situación…? Me da igual. No importa.

—No es eso. Es que si voy…

—Que vas a venir.

—Si voy… será real.

—Ya es real —respondió de pronto mucho más serio—. ¿A qué viene esto ahora?

—Es real para nosotros. Pero el mundo aún no importa en lo que tenemos. No juega. No le hemos dado voz ni voto. Y después de esto… lo tendrá.

—No sé si te entiendo.

El sonido de la palma de su mano acariciando a contrapelo su barba me centró. Me centró como si fuese uno de esos sonidos blancos que algunos estudiosos usan para inducir el estado de concentración.

—Héctor, voy a entrar en la única faceta de tu vida que aún era solo tuya. En todo lo demás, de alguna u otra manera, me has implicado. Después de esto, ya está. Seremos una pareja. Mi novio. Y tendremos que enfrentarnos a cosas que hemos querido ir escondiendo bajo la cama.

—¿Como qué?

—Como cómo vamos a vivir esto. Como que nos dimos un tiempo que no hemos respetado pero que ha servido para que te plantearas de nuevo la vida y como consecuencia te has instalado en un pueblo a trescientos kilómetros de Madrid.

—Ey… —y sonó suave entonces, como acariciar unas gruesas cortinas de terciopelo, como las que había en casa de una de mis abuelas—. Déjame hablar un segundo.

—Pero…

—Shh…, déjame. Verás. Tú y yo… somos reales. E inevitables. Aprenderemos a gestionar lo que el mundo nos traiga. La distancia es solo parte de las circunstancias y las circunstancias cambian. Hablaremos con calma de esto esta noche cuando no podamos ni movernos de tanta comida que tendremos en el estómago. Lo hablaremos en la cama, mientras te peino con los dedos. Y te diré, para tu tranquilidad, lo que va a pasar antes: mamá ha cocinado para vosotros caldereta de cordero, su plato estrella. Y pestiños para el postre. Beberemos vino. Mi hermano Sebas nos hará sentir incómodos con algún chiste verde. Mi padre se dormirá después de comer apoyando la barbilla en la barriga porque…, que conste, puede. Mis sobrinos jugarán con lo que Papá Noel les haya dejado y… ya está.

Al abrir los ojos de nuevo, solo quería llegar para hundirme en el tejido esponjoso del jersey que estaba segura que llevaría puesto.

Me recibió en la puerta, apoyado en el quicio con los dos brazos; me faltaron manos para salir del coche cagando hostias. Las mismas que debía estar cagando mi madre, a la que había dejado tirada con la comida anual con toda mi familia materna. Me abrazó muy fuerte y su olor a madera, lluvia y cítricos me calmó. Por primera vez noté en su perfume una nota a vainilla muy sutil que destacaba junto a la del humo de una chimenea y comida casera que llevaba prendidas en la ropa.

—Ay, morena —suspiró con una sonrisa—. Me traes por la calle de la amargura. ¿Preparada?

—Espera, tengo que coger cosas del coche.

—Deja la maleta; dormiremos en mi casa.

—Eso espero. Pero no es la maleta.

Abrí el maletero y saqué un par de bolsas.

—Vino, unos dulces que hice ayer por la mañana y unas tonterías para tus sobrinos.

Su ceño fruncido sonrió junto con su boca.

Se oía jolgorio; griterío de niños, una dulce voz maternal pidiéndoles calma, trasiego en la cocina y cubiertos entrechocando. Estarían empezando a poner la mesa.

—Dios, voy a desmayarme.

—Calma. Estás muy guapa. Me gusta ese vestido —me dijo en un susurro con la mano en mis nalgas para levantar la voz después—. Mamá...

Su madre llevaba un mandil a cuadros, de los tradicionales y unas perlas en las orejas que relucían bastante menos que sus ojos, que me recorrieron de arriba abajo un par de veces con cierto recato.

—Hola... —saludé tímida—. Es un placer conocerla.

—¿Sofía? —me preguntó extrañada.

—Sí.

—Oh. —Miró a su hijo con un gesto que no supe si era de reconocimiento o de estupefacción—. Qué guapa.

—Muchas gracias.

Y todos los huevos del mundo pudieron freírse en ese momento en mis mejillas.

—Toma, mamá, Sofía ha traído esto.

—No tenías por qué. Hay de todo.

—Lo imaginaba pero no sé ir a ningún sitio con las manos vacías. Es herencia paterna, me temo.

Cogió lo que Héctor le tendía y se quedó allí, mirándonos cuando él, con las manos por fin libres, me rodeó el hombro con el brazo. Quise ver una sonrisa cuando se dio la vuelta para seguir con sus quehaceres en la cocina.

—Disculpe, me gustaría ayudar. ¿Puedo ir haciendo algo?

—Te mancharás —afirmó rotunda.

—No me importa. No hay mancha que no salga.

En nada estaba poniendo la mesa junto a la que iba a ser, si todo salía bien, mi cuñada.

Sebas me encantó. Era transparente. Una versión un poco más tosca de Héctor. Divertido, con un humor políticamente incorrecto, de los que cuentan chistes de pedos y que se ríe y se queja de todo en la misma proporción, pero siempre con palabras malsonantes. Su mujer se divertía a muerte con él y se veía a la legua. Eran un matrimonio de los que se da palmadas al culo y se besa delante de sus hijos. Y los niños…, niños. Encantadores, ruidosos, tímidos al principio y preguntones después. Su padre, un hombre parco (pero contundente) en palabras, que se cagaba en todo, incluyendo unas cuantas blasfemias cada pocas frases y comía que daba gusto, aceptó mi presencia con normalidad, como si no tuviera que dudar ni por un segundo que a partir de aquel momento sería siempre así.

Su madre fue la única que sentí que tenía que ganármela con esfuerzo, pero no me preocupó porque, con los postres, ambas hicimos una declaración de intenciones en la cocina, sin testigos.

Mientras yo dejaba algunos platos en la pila y tiraba las sobras a la basura, aprovechó que Héctor acababa de salir de la cocina y me preguntó a traición:

—Dime, Sofía…, ¿y tú quieres casarte?

—Con su hijo sí.

Ni siquiera nos miramos. No hizo falta. El marcador de Sofía… subía.

Héctor abrió la cama en un solo ademán. Se acababa de tomar un vaso de sal de frutas de pie en la cocina mientras farfullaba que no volvería a tener hambre en dos o tres lustros. Estábamos hinchados de tanto comer y tanto beber. Había ido bien.

—Me cago en la hostia —se quejó cuando se quitó la ropa y dejó el torso al aire—. Soy mi hermano.

Se palmeó el estómago y a mí me dio por reírme.

—Me da hasta vergüenza quitarme la ropa ahora mismo delante de ti. La papada se me junta con las tetas, las tetas con la barriga y la barriga con el mondongo.

Héctor arqueó una ceja mientras se ponía la parte de arriba del pijama.

—Perdona mi ignorancia. ¿Qué es el mondongo?

—El chocho gordo.

Tuvo la consideración de tirarse en la cama para reírse a gusto de mí. Después se giró en mi dirección y con cara de pena añadió:

—Me ha hecho tanta gracia que ahora tengo ganas de vomitar.

—Bien merecido lo tienes.

Nos tumbamos en la cama y suspiramos.

—Nunca había estado en una comida de Navidad que terminara siendo cena —comenté mirando al techo—. Ni ningún padre me había intentado servir tantas veces orujo en la copa.

—Bienvenida a casa de los «De la Torre Serrano». Si te sirve de consuelo creo que lo has hecho muy bien. Hacía tiempo que no veía a mi madre tan… conforme.

—¿Conforme?

—Sí.

Como no añadía más, me coloqué de lado, sujetando la cabeza con la palma abierta de mi mano.

—Vas a tener que explicarte, campeón.

—Para hacerlo tengo que hablar de Lucía —siguió mirando al techo.

—Pues habla de Lucía. Hace muchas horas que he imaginado que debe estar a unas casas de distancia…

—No —negó—. Su madre le dijo a mi cuñada que este año lo pasan en Ginebra. Al parecer se ha mudado a un piso a la zona pija y quería celebrarlo por todo lo alto. Habrá regalado billetes de avión a cholón con tal de no cruzarse conmigo.

—¿Y eso te molesta?

Me miró alucinado.

—¿A mí? Para nada. Ella verá. Su dinero. Su vida. Su familia.

—Vale. Pues ahora explícame lo de la conformidad de tu madre.

—Ahm…, pues… con Lucía siempre tenía alguna petición que hacer. No sé. Siempre tenía una cruzada que emprender para convencernos de algo. De casarnos, de bautizar a los hijos si los teníamos, de… ya sabes. Y hoy: nada. Calladita. Observando. Sin preguntar si tenemos intención de vivir en pecado ni lanzando al aire la petición de tener más nietos pronto, aclarándole a mi hermano que suyos ya tiene suficientes. Te ha visto y, coño, ha parecido conforme con todo. Sofía llegó, vio y venció.

Mmm…

—Igual no es eso.

—No seas modesta. —Sonrió—. Le has encantado.

—Igual he hecho algo para gustarle más…

—¿Has drogado los dulces?

—No. Me preguntó si quiero casarme y le dije que contigo sí.

Héctor tosió y se enderezó.

—¿Qué?

—Sí. —Me reí, quitándole importancia—. Dijo: «¿Y tú quieres casarte?» y yo contesté: «Con tu hijo sí».

Su ceño fruncido no se relajó cuando sonrió de oreja a oreja.

—No tienes vergüenza ni la has visto de lejos en toda tu vida, ¿lo sabes?

—Lo sé —sentencié convencida.

—Has engañado a mi pobre madre.

—¿Y si no la he engañado?

—¿Quieres casarte conmigo?

—No —me descojoné.

—¿En qué quedamos? —Se partió de risa.

—Ahora no quiero casarme contigo.

—¡Ah! —Levantó las cejas—. Ya. Repito la pregunta entonces... ¿querrás casarte conmigo algún día?

—Cuando me asegure de que cumples los requisitos, quizá. Y soy la primera sorprendida, que conste, porque las bodas siempre me han horrorizado. Un montón de gente mirándote pasear vestida de repollo y tú ahí, como monito de feria...

—Sí que te gustan las bodas, ¿eh? —se burló.

—En absoluto.

—¿Entonces?

—Héctor, cuando tu madre pregunta si me quiero casar en realidad lo que pide es una confirmación de intenciones. Y las mías contigo son buenas e inevitables, ¿no? Pues se lo tendré que decir en términos que ella entienda. Es el equivalente de lo que siento en su..., digamos, idioma.

—Joder, qué lista eres. —Me besó y después, arqueando una ceja, se apartó—. Ahora explícame lo de los requisitos que debo cumplir.

—Hay muchas cosas que debo comprobar con el tiempo. Las típicas cosas que se van relajando.

—¿Como qué?

—Como si te cortas las uñas de los pies lo necesario, si escupes por la calle, te suenas bien los mocos, te pones insoportable cuando estás enfermo o si...

—Si... —insistió comidiéndose la risa.

—Si te pedorreas mucho y muy a menudo.

Las carcajadas volvieron a llenar la habitación y esta vez terminó tapándose la cara con la almohada para sofocarlas.

—Nada de lo que me jures y perjures ahora servirá de nada. Solo el tiempo lo dirá —añadí.

—Vale, vale. —Soltó la almohada para que volviera a su sitio y se frotó los ojos—. Qué loca estás, mi amor.

—Qué frío hace aquí, joder —me quejé tapándome hasta el cuello.

—Esto parece un secadero de jamones.

—Probablemente lo fue. Tu casa es muy mona pero…

—Nuestra casa, no la mía.

—No es mi casa. Solo paso por aquí unos días al mes.

—Qué raro… —musitó—. Para mí estás a todas horas y en cada rincón.

Me giré a mirarlo y sonreí.

—Nuestra casa —insistió—. Para los dos. Y para nada más. Esta puerta es a prueba de todas esas cosas que dices que pueden entrar en lo nuestro y revolverlo. Esta casa es todo lo que necesitamos: un sitio para querernos y estar tranquilos.

No le contesté. Solo le besé el hombro y le dije: «Lo hablaremos», porque había sido un día genial, todo había salido bien y yo le quería aún más ahora que sabía cómo trataba a su familia, cómo actuaba con sus sobrinos, cómo hablaba cuando estaba con los suyos y lo difícil que era para él imponer un espacio entre los dos, no mirarme y hablarme solo a mí. No dije nada pero supe que ahí, justo ahí, donde estaba tumbada y donde me sentía tan a gusto, nacería el problema que nos daría muerte.

41

A veces tengo la sensación de que somos nosotros mismos los que llamamos a ciertos demonios para que nos visiten. Nosotros inventamos el apelativo con el que nombrar a esos fantasmas o monstruos que se apoyan en nuestra almohada por las noches y nos impiden el sueño o disfrutar más de lo que tenemos o ser sencillamente felices. Los problemas acudieron a mí de tanto que los invoqué en mis angustias. Ese preocuparme antes de que sucediera no era premonición, era cobardía porque temía no saber salir o asumir las consecuencias. Así que al volver, después de pasar el segundo día de Navidad, que Lolo había apañado para que pudiera descansar, metida en la cama con Héctor sin hacer nada más que besarnos, soplar, acariciar y dormir, no volvía henchida de amor, sino desinflada de miedo. Porque eso era lo que podía perder y sabía qué cartas eran las que me podían hacer fallar la mano. Ningún sentimiento de triunfo por haber superado las expectativas mínimas del encuentro con sus padres. Ninguna palmadita en la espalda y ningún suspiro de alivio. Solo miedo, en cantidades ingentes.

¿Sabes lo peor de saber qué falló en la relación anterior de tu pareja? Que tienes mucho sobre lo que pensar. Es fácil mirar con lupa esos mismos engranajes en tu situación actual y es posible incluso adelantarte a los acontecimientos, porque ya sabes por dónde puede que lleguen los problemas.

Héctor me había contado muchas cosas sobre su relación con Lucía y sobre por qué fue muriendo. El resto de conclusiones las saqué yo por mi cuenta y riesgo, pero en resumen, digamos que lo suyo se fue a pique porque no supieron entrelazar sus dos proyectos de vida…, dos proyectos diferentes que hubieran sido compatibles si no culparan al otro por tener sus propias aspiraciones. Eso por una parte. Héctor, además, pecó de inmovilismo, de conformismo, de convertir medidas eventuales en definitivas por no hacer el esfuerzo de plantearse cosas incómodas y que dan miedo… preguntas como «qué necesito DE VERDAD para ser feliz». Si ni siquiera nosotros nos preocupamos por ello, ¿cómo esperamos que la vida responda?

Así que… resumiendo. ¿Qué había aprendido? Que Héctor podía ser muy cómodo, que temía las grandes confrontaciones de pareja, que era capaz de transigir en cosas que ni siquiera se había planteado que fueran a hacerle infeliz. Héctor era un hombre con pocas prioridades… a la vista.

Si algo aprendí de Héctor y Lucía es que las grandes decisiones de la vida nunca deben tomarse por otro.

Buenos estábamos.

¿Cuál era el problema?, te preguntarás. El problema era yo, que no quería dejar el Alejandría ni plantearme quién ganaría si situaba en cada parte de una balanza el lugar donde me entregaba en sagrada ofrenda y la persona con la que quería pasar el resto de mi vida y hacerme vieja. El problema era él, que nunca quiso salir del pueblo y tener una vida complicada pero lo hizo porque tampoco tenía demasiado claro que quedarse fuera una opción. Una tarada anclada a un bar y un trotamundos con ganas de quedarse en casa. Y una relación. Un hilo rojo uniendo el Alejandría y el pueblo como si pudiera acercarlos. Pero ¿sabes una cosa? Estaban muy lejos y entre ambos había demasiadas cosas.

No le dije a nadie que creía a pies juntillas que terminaría habiendo algo que rompiera el hilo de cuajo porque decirlo era…, pues eso, hacerlo más real. Qué lío, ¿verdad? Sintetizando: yo no quería dejar el Alejandría y no quería que él lo dejase todo por seguirme porque estaba segura de que no era lo que deseaba pero… no estaba segura de que una relación a distancia nos sostuviera.

¿Y qué es lo que querría él? Bueno, era tan fácil como preguntarle, ¿no? Pero se me hacía un mundo llenar la línea de aquella tensión estática que me cargaba la voz si me planteaba esas cosas cuando hablábamos por teléfono. Me dije que lo hablaría con él en persona, pero la semana siguiente a Navidades, no lo hice. No lo hice, en parte, porque era Nochevieja y no me apetecía ni terminar ni empezar el año con preocupaciones. Qué curioso… nunca me planteé que su respuesta fuera a aliviarlas.

La Nochevieja fue sencilla. Mucho. Oliver intentó convencerme de que fuera con él a una fiesta que alguno de sus amigos había organizado, pero no me apetecía. Con sus otros amigos siempre me sentía de prestado y muy tensa. Y a ver quién era la chula que juntaba a Oliver y a Héctor después de los experimentos hechos con la cena de «cuéntame tus mierdas». *Nah*. No sería yo.

Mamen me invitó a pasarla en su casa con mis hermanas y mi padre y en un primer momento le dije que sí, pero luego me acordé de que había estado con ellos en Nochebuena y que si me tocaba estar con alguien de la familia… esa era mi madre.

Pero no me apetecía en absoluto… y menos con Héctor en Madrid. Así que descartado.

A mí la Nochevieja, en pocas palabras, me la sudaba. Así que dijimos a todo que no y la pasamos los dos solos. Nos pusimos guapos, nos gustamos, follamos en el sofá como dos animales y después de una necesaria (créeme, más que necesaria) ducha, nos pusimos más cómodos. Cenamos, brindamos, nos comimos las uvas, nos besamos y empezamos el año acurrucados en mi cama, viendo un maratón de esas películas que, nadie sabe por qué, siempre apetece ver en Navidad…, ninguna del gusto de Héctor, pero no abrió la boca. *Amelie*, *Pesadilla antes de Navidad*, *El hobbit*… Morimos de sueño uno encima del otro en la calidez de mi habitación mientras el resto de Madrid se quedaba afónico y brindaba.

Y más o menos lo mismo para el primer día del año.

Reyes fue diferente. Para todos. La noche de Reyes, que cayó en viernes, fue otra declaración de intenciones y la enésima muestra de que las cosas empezaban a cambiar sin posibilidad de dar marcha atrás. Y por más nostalgia que me apuñale al decirlo, tengo que admitir que si alguien hirió de muerte nuestra cena de los viernes fui yo. Los fines de semana ya eran míos de otro modo… Uno que, con honradez y sinceridad, prefería pasar con Héctor. Aunque nos dimos cuenta un poco más tarde de que la tradición caería pronto porque entonces… eran fiestas y todos andábamos un poco alborotados.

Para Reyes me tocó a mí viajar de nuevo al pueblo según nuestro acuerdo. Y además me apetecía, la verdad. Y sin que fuera parte de una estrategia ni nada raro, hice una parada corta en casa de los padres de Héctor, antes de llegar a la suya, para darle a su madre una cajita con las sobras de una tarta de zanahoria que había salido muy feíta y que nadie se pedía pero que estaba muy buena y unas cuantas galletas de Nutella.

—Hola —saludé a la alucinada madre de Héctor, que abrió con una bata acolchada de lo más clásica—. ¿Qué tal? Feliz año. Vengo a pasar el fin de semana con Héctor y he pensado en traerles unos trozos de tarta de la cafetería. Están un poco chuchurríos del viaje, pero está muy rica.

Cuando le di la caja, pensé que era una repipi de mierda y que debía haberme tragado el impulso con todo el confeti que debía mear para ser tan ñoña, pero cuando esbozó una sonrisa pequeñita, lo di por bueno. No sé por qué lo hice. Supongo que la respuesta más sencilla es que me apeteció. Y Héctor, cuando llegué, ya lo sabía, porque en los escasos diez minutos que tardé en volver a subirme al coche, llegar hasta su casita, sacar la bolsa de viaje y llamar, su señora mamá ya le había contado todo por teléfono.

—Sofía Bueno —me dijo muy serio—. Eres un arma de destrucción masiva. Una puta bomba de purpurina que empapa a quien te conoce.

—¿Me he pasado?

—¿Pasarte? Me has hecho la vida muchísimo más fácil. Y ahora ven…

—¿Ven? ¿A qué? —jugueteé.

—Tú ven…, no te digo nada más.

Y fui. Fui con sus labios entre los míos y sus manos metidas ya entre mechones de pelo y ropa. El corazón en la garganta.

Creí que estaba preparándose para una sesión maratoniana de cama. Ya sabes cómo son las parejas que empiezan, siempre a punto, como si se les fuera a caer la cuestión del sitio y tuvieran que aprovechar. Y lo cierto es que tenía la regla e iba a tener que pararle pero… no hizo falta porque donde me llevó no fue a la cama, fue al salón, donde brillaba el fuego encendido y donde nos esperaba una botella de vino junto a dos copas.

Soñamos un montón aquella noche, allí en el sofá, con los dedos entrelazados y la mirada perdida en la chimenea. Soñamos sin hacer planes y sin promesas. Soñamos escuchando discos y compartiendo información insustancial de la que se nutren las parejas cuando creen que todo será por siempre bonito.

El día seis, nos levantamos pronto. Empezaba a brillar el sol y derretía el hielo en el que se había convertido el rocío de la noche anterior, pero aún hacía un frío tremendo, de modo que abrigados con jerséis sobre los pijamas, hicimos el desayuno y nos volvimos a la cama. Nos encantaba. Era nuestro pequeño placer culpable y era como nosotros: sencillo. Pero aquella mañana, junto al café y un par de tostadas con mermelada casera de mi ¿suegra?, intercambiamos nuestros regalos. Insistió en que primero el mío, pero me moría de vergüenza, así que lo insté a que fuera él. En realidad supliqué mientras me contorsionaba en la cama, lanzando grititos y risas nerviosas hasta que cedió. Encontrar el regalo perfecto para Héctor me había costado muchos dolores de cabeza pero estaba segura de haber dado con él. Me había costado casi doscientos euros que, oye, con mi situación económica era todo un lujo, pero valdría la pena por la cara que pondría al verlo. Era el mejor regalo de todos los tiempos, me dije… pero aún no había abierto el suyo.

Héctor era de los que no rompía el papel de regalo, sino que despegaba el celo con cuidado e iba descubriendo con calma lo que había debajo. ¡Dios, cómo tardó! Pasó una eternidad hasta que sacó la caja de la cámara de fotos Lomo instantánea pero en décimas de segundo ya la tenía en las manos y estaba colocando el carrete y leyendo las instrucciones.

—¿Te gusta?

—Me encanta… —musitó entretenido en los entresijos de la cámara.

—Tiene unas tinturas que puedes añadir para que las fotos aparezcan teñidas de unos tonos y… —empecé a repetir lo que me había contado el dependiente de la tienda cuando la compré, pero no recordaba el resto del discurso de modo que lo dejé ahí.

—Es genial. Y —levantó los ojos hacia mí— va que ni pintado con tu regalo. ¿Por qué no lo abres?

Una cajita pequeña, de unos veinte por diez centímetros, ligera, envuelta con un sencillo lazo de tela rojo que deshice con ilusión.

—Guardaré el lazo junto al hilo rojo de nuestro destino —me burlé.

—Ábrelo ya.

Destapé la caja y encontré unos folios plegados en tres. Lo miré con las cejas arqueadas y él insistió para que los desplegase. Una carta.

—Eh…

—Totalmente decepcionada. Contaba con ello. —Se rio—. Lee. Hasta la última página. Te dejo un momento para que lo hagas.

Cogió la cámara y las instrucciones y los pasos de Héctor, descalzos a pesar del frío, se diluyeron ya en mi cabeza con las primeras palabras de la nota:

Querida Sofía:
Si hay una cita de Bukowski que quiero usar contigo no es la que utilicé en el pasado. Esa quiero borrarla porque la única, la de verdad, es que «estás loca, pero no hay mentira en tu fuego». Y por eso yo me he vuelto loco de amor también. Eres la mujer más increíble que he conocido en mi vida. Y me das un miedo horroroso. Por eso quiero pasar cada día de mi vida contigo, porque el hombre que se enamoró del miedo olvidó ser cobarde.

Si me lo permites, me gustaría pedirte algunas cosas a cambio de mi alma… como que me enseñes todas las cosas preciosas que llenan tus ojos de luz. Quiero aprender a ilusionarme. Quiero ser bueno. Quiero besarte y hacerte sentir las cosquillas que tú dejas sobre mis labios cada vez que lo haces.

Me gustaría también que me prometas que nunca dejaremos de buscar la canción perfecta. Quizá ninguna hable de nosotros pero a lo mejor encontramos nuestra historia por capítulos en un puñado de ellas.

Tienes que jurarme que siempre hablaremos claro y dejaremos los juegos para la cama, donde créeme… quiero jugar mucho y donde aún nos quedan mil cosas por probar. Pero fuera de la cama no nos preocuparemos por si un «nada» puede significar «todo». Ni tácticas ni protocolos. Un único idioma, sencillo y conciso.

Por último, debes prometerme también que soñaremos mucho y muy fuerte. Soñaremos y lo haremos porque de ti he aprendido que si uno no cree en la magia, es imposible que la encuentre por muy cerca que la tenga.

A cambio yo:

Prometo echarte de menos cuando no estés.

Prometo recordar todas aquellas cosas que te hacen feliz.

Prometo ser fiel.

Prometo aprenderme tu cuerpo, centímetro a centímetro.

Prometo hacerte sonreír tanto como pueda.

Prometo que te haré entender lo preciosa que eres.

Prometo contarte los lunares y unirlos con mis dedos.

Prometo meter la cabeza entre tus piernas todas las noches si me dejas.

Prometo no ser celoso, un imbécil patológico, hermético ni prejuicioso.

Prometo no odiar a tu gata. Quererla ya no puedo prometerlo, al menos hasta que ella me quiera a mí.

Prometo llevarte a dar la vuelta al mundo alguna vez, aunque tengamos que hacerlo por pequeños tramos.

Y eso mismo es mi regalo: la primera parada... Pasa la página.

Tuyo,
Héctor

El siguiente folio estaba lleno de letras y números. Me costó fijar los ojos en alguno después de leer aquella nota, pero sus labios, apoyados de pronto sobre mi oído, lo aclararon todo:

—Nos vamos a París. En dos meses tú harás que parpadee la ciudad de la luz.

El miedo, el terror, el que tenía como nombre «distancia» y como apellido «necesidad de elegir» se quedó fuera de aquella casa de nuevo. Así que... no. Aquel fin de semana tampoco lo hablé con él. Aquel fin de semana hice todo lo contrario... dejarme llevar y permitirme, de nuevo, soñar.

Lo que sí hice fue elaborar la lista mental de promesas que yo debía hacerle a él, aunque mudas. Algo con lo que responder a una declaración de amor que, sinceramente, no esperaba. Redacté mentalmente muchas y todas prometían cosas bonitas y de corazón que me juraba en silencio darle para siempre. Qué curioso... la única que resonaba fuerte en mi cabeza cuando cogí el coche para volver a Madrid fue: «Prometo no presionarte para que tomes decisiones por los dos que te fallan a ti mismo». Un epitafio, en realidad. O mejor dicho... lo que acabó con todo.

42

Fue gradual. O no tanto. Quizá la noche en el restaurante lo cambió todo de golpe sin posibilidad de echar marcha atrás. Quizá solo fue la confirmación de muchas cosas que se veían venir.

Las miradas. Eso fue lo primero que cambió. Las miradas que Oliver lanzaba al stand de Dolce & Gabbana mutaron de hostigamientos y provocaciones a… algo escurridizo que no entendía por qué no podía evitar. Andaba siempre buscando sin darse cuenta ni siquiera de lo que quería encontrar.

Que Mireia le gustaba bastante le quedó claro cuando tuvo la irrefrenable tentación de portarse como un idiota con tal de buscar un enfrentamiento que la acercara. Como los niños pequeñitos que chinchan y tiran del pelo a la niña que más les gusta. Pero no lo hizo. Sería irrefrenable, pero tuvo que frenarla. Así no. No volvería a ser el gilipollas que solo servía para lucir un traje.

Pasó unos días tontos porque se resistía a intentarlo. Oliver…, el seductor, no quería pedirle una cita a una chica porque estaba seguro de que iba a decirle que no. Y no se equivocaba mucho... porque finalmente él llegó a la misma conclusión y se dijo que de cobardes nunca se escribió jamás nada. El caballero andante al habla..., la madre que lo parió.

No se hizo el encontradizo: fue directo. Abrochándose la chaqueta del traje, tragando saliva y diciéndose «yo puedo» mentalmente. Mireia, que lo veía acercarse con cara de circunstancias, no lo recibió con una sonrisa sino con su habitual cara de palo.

—¿Qué se te ofrece, idiota?

—Cuánta amabilidad...

—Creía que venías a por tu dosis de insultos diaria para que no se te olvidara portarte bien. ¿Qué? ¿Tienes tentación de hacer creer a una virginal princesa que serás el hombre su vida?

—No. Ehm..., yo... venía a... —Miró el stand buscando una excusa—. A comprarle un regalo a mi mejor amiga.

—¿Su cumpleaños?

—Reyes atrasados —inventó sobre la marcha.

—¿Qué te ha regalado ella?

—Un novio al que no trago.

—¿Quieres una colonia que huela a peste para que la deje?

—Algo menos hostil. Tengo que conseguir que piense que soy la polla para que confíe en mi criterio cuando le digo que eso va a terminar mal.

—Vale. ¿Color de pelo y de piel?

—Morena con tez blanca. Y pecas.

Mireia fue al expositor de maquillaje y se probó unos labiales en la mano.

—Este rojo favorece mucho.

—Ya tiene un rojo de labios.

—Los tíos no tenéis ni idea. Tú déjame a mí, cretino. Este pintalabios..., estas sombras, que quedan bien con todo y... la polvera de edición limitada de polvos bronceadores. ¿Te lo pongo de regalo?

—Sí, por favor.

—Por favor y todo. Si ya pareces hasta humano. Muy bien, muy bien.

Sacó de debajo del mostrador una cajita, la rellenó con papel de seda de la marca y extrajo del cajón del expositor los productos para colocarlos dentro con mimo. Después dejó caer unas cuantas muestras estratégicamente entre ellos y la cerró.

—¿Lazo?

—Vale. Oye, Mireia…

—Bonito, ¿eh? Estoy que me salgo.

—Sí, sí. Oye… me preguntaba si…

—¿Tique regalo? Vale.

Pulsó en la caja táctil y se giró hacia él decidida:

—Ciento cincuenta y tres con veinte.

—¿Perdona? ¿¡Ciento cincuenta pavos!? Pero ¿con qué están hechos? ¿Con polvo de cuerno de unicornio?

—No. Con saliva de ángel. Venga, suelta la mosca. Si esa chica te aguanta habitualmente merece un buen regalo.

—Con ella soy bueno. —Sacó la cartera a regañadientes de dentro de la americana y le pasó la tarjeta—. Adiós a mi camisa de Carolina Herrera.

—No necesitas una camisa de Carolina Herrera —masculló Mireia mientras tramitaba el pago—. Pon tu número secreto.

—No mires.

Ella se dio la vuelta teatralmente y él pulsó el número dándose ánimos para entrar en materia.

—Mireia…

—Dime —contestó dándose la vuelta.

—¿Has comido?

—Piqué algo en el descanso.

—En la zona gourmet hay un puesto de comida japonesa que siempre he querido probar.

—Los tallarines con gambas están muy buenos. Te lo recomiendo.

—¿Y si te invito a comer?

Mireia le dio el tique de compra y pegó con un trocito de celo a la tapa de la caja el tique regalo. Después levantó la cara hacia él, inexpresiva.

—¿Que si me invitas a comer? ¿Por qué?

—Porque… me apetece.

—¿Con qué fin?

—Con el fin de socializar. Es una costumbre humana. Irás haciéndote a ello.

—Vete a cagar. Toma, tu regalo.

Carita le salía la broma de haber olvidado cómo se entraba a una tía con maestría. Pero bueno. A ello.

—Lo digo en serio.

—Me parece fenomenal. Pero dime una cosa… ¿de qué íbamos a hablar tú y yo comiendo?

—Comiendo no se habla. —Sonrió pillo—. Entre bocado y bocado podemos estar callados o… contarnos cosas.

—¿Qué tipo de cosas?

—Cosas como…, no sé. Como cuánto llevas trabajando aquí, si te gusta, si eres de gatos o de perros…

—Un año. No. Perros —respondió ligera—. Listo. Ya me contarás si le gusta. Dile que puede pasar a que le hagamos un maquillaje exprés el día que quiera, pero que tiene que llamar para pedir cita.

—¿La maquillarías tú?

—Si estoy libre, sí.

—¿Eres maquilladora?

—Sí —asintió empezando a comedir una risa—. Ale, Oliver. Buen día.

Oliver asintió y se dio media vuelta, pero volvió, cogió una tarjeta de encima de la caja, metiendo la mano dentro y se la guardó.

—Por si quiere llamar para que la maquilles.

—No vuelvas a meter la mano aquí sin permiso —advirtió ella.

—¿O qué? ¿Le pintarás los labios de fucsia a Sofía?

Se marchó riéndose. Había fallado, sí, pero tenía un plan.

Recibir un regalo de parte de Oliver que no fuera un pequeño electrodoméstico era raro, raro, pero acepté la caja de lo que creí un perfume como una torpe manera de intentar darme las gracias por no retirarle el saludo y desangrarlo por la noche para hacer embutido con él por el modo en el que había tratado a Héctor. Sin embargo, al abrir la caja…, aluciné. Todo era precioso. Me encantó. La polvera estampada, el pintalabios rojo oscuro, vibrante y las sombras, de esas que usas solamente cuando tienes una situación especial. Levanté la mirada hacia él sorprendida.

—Joder, Oli…, ¡muchísimas gracias! ¡Me encanta!

—Tienes que ayudarme.

Respuesta concisa que me dejaba claro que ni ofrenda en busca de perdón total ni detalle altruista. Supongo que no cambiamos de la noche a la mañana. Pero accedí. Por él. Y porque no solía pedir ayuda.

Mireia tenía un color de pelo precioso que obviamente no era natural, pero quedaba espectacularmente bien con sus facciones suaves. Tenía la nariz muy respingona pero con personalidad. Los labios carnosos. Los ojos grandes y castaños. La mirada felina y traviesa. La piel impecable y luminosa. Entendí que le gustara en cuanto la vi elegantemente apoyada en su stand, revisando unos precios. Llevaba un soso uniforme de trabajo que, no obstante, favorecía sus formas. Era alta, de pecho pequeño, delgada pero con caderas redondeadas y culito firme.

—Hola, ¿en qué puedo ayudarte? —Me sonrió cuando llegué frente a ella.

—Soy Sofía… Tenía… cita para maquillarme.

—¡Ah! Claro, Sofía. Bienvenida a Dolce & Gabbana. Siéntate en esa silla. Voy enseguida.

No tardó en localizar a su compañera para que retomara la tarea de comprobar precios mientras ella me atendía.

—¿Es la primera vez que vienes?

—Sí —asentí—. Me regaló un amigo unas cositas de aquí y me dijo que podía venir a maquillarme.

—¿Tienes alguna cita especial? —Se armó con unas brochas de maquillaje y me sonrió mientras miraba con ojo profesional mi piel.

—Viene mi novio esta tarde. Nos vemos solo los fines de semana.

—Pues se va a quedar muerto cuando te vea, porque vas a estar guapísima. ¿Me dejas libertad?

—Claro.

—¿Qué vas a ponerte?

Las bragas y durante poco tiempo, pensé. Me entró la risa y ella lo entendió.

—Antes. Antes de eso…, ¿qué vas a ponerte?

—Pues creo que estos vaqueros con una blusita negra.

—Genial.

En unos minutos, tenía la piel jugosa y preparada para ser maquillada. Tampoco era tan mal plan ayudar a Oliver…

—Y dime… —empezó a decir—, ¿vais a salir? A cenar o algo…

—No. Estamos ahorrando. Me ha regalado un viaje a París y aunque los billetes y el hotel ya están pagados… París es caro y…

—Ya. Qué monos… —Arrugó con gracia la nariz.

— ¿Tienes novio?

—¿Yo? No —negó.

—¿Y eso?

—¿Es guapo tu novio? —contraatacó.

—A mí me lo parece.

—Pues verás…, yo tenía un novio muy alto y muy guapo que terminó siendo muy aburrido. Y me cansé de guapos.

—Siempre que alguien te guste para ti será guapo.

—También tienes razón. Pero… que sea más feo que yo —bromeó.

—No es difícil. Eres muy guapa.

—Muchas gracias, Sofía. Tú también. —Sonrió.

Maquillaba con mano rápida, sin dudar. Olía a violetas y me jugaba la mano a que su perfume no salía de uno de los frascos que se vendían allí. Era algo más… especial y artesano.

—¿A qué te dedicas, Sofía?

—Soy camarera en un sitio genial. El café de Alejandría, ¿lo conoces?

—No.

—Pues tienes que venir. Te invitaré a un trozo de tarta.

—Ah, qué bien.

Se alejó un momento para mirar cómo me había quedado el eyeliner que me había dibujado en un ojo y siguió con el otro.

—Pues es un local superespecial —insistí—. A mi mejor amigo le encanta pero claro… lo disfruta poco, allí solo. Necesita una cita para aprovechar la magia del lugar.

—Ya. ¿Y te ha mandado Oliver para que me la pidas tú por él?

Dio un paso atrás de nuevo y estudió el resultado de su trabajo, sin que aparentemente aquello le turbara lo más mínimo. No me pudo caer mejor.

—Como Celestina no tengo precio.

—Lo que tienes es el cielo ganado. —Me sonrió—. ¿Te gustó el pintalabios?

—Me encantó. Quiero ponérmelo esta noche para recibir a Héctor.

—Le encantará.

—Oye…, ¿y no… aceptarías?

—¿Quedar con Oliver? Uhm…, no creo.

—¿Por qué?

—Pues porque me cansé de guapos, querida. Hace ya tiempo que decidí que para salir con alguien era completamente necesario que se mirara en el espejo menos que yo.

—Es coquetón, sí. —Me reí—. En el fondo, te confieso que me va a dar un poco de placer maligno decirle que no has aceptado.

—Menudo liante. —Lanzó una carcajada mientras me ponía el colorete—. Qué pómulos más bonitos tienes.

—Gracias. Pues la verdad es que es la primera vez que me lía para una hazaña de estas. Normalmente no participo ni activa ni pasivamente de su vida…, mmm…, personal. A pesar de que vivo con él.

—¿Vives con él? Madre mía, pobre. ¿Y… cómo es?

—Pues con la casa un guarro de narices. Lo deja todo por el medio y he llegado a creer que es fisiológicamente incapaz de fregar la vajilla que usa. Cada vez que se arregla llena el cuarto de baño de una nube de laca que lo deja todo pringoso. Desde que está en casa hay que frotar más. Pero… plancha de muerte. Y cose bien. Los botones, las cremalleras rotas, descosidos y hasta los bajos de los pantalones. Muy apañado el señor. Su madre es costurera, quizá es por eso. Y por mí es capaz de cualquier cosa.

—Y tú por él.

—Es como mi hermano. —Me encogí de hombros—. A la familia uno debe cuidarla.

Mireia volvió a sonreír y guardó las brochas. Me pidió que mirara abajo y cargó mis pestañas de rímel hasta que yo misma las veía agitarse en cada parpadeo.

—*Voilà*. Mírate qué guapa.

Me pasó un espejo y sonreí al verme.

—Muchísimas gracias. Hacía tiempo que no me veía tan favorecida.

—Espero que tu novio te trate como una princesa.

—¿Para qué queremos que nos traten como princesas, si ya somos unas reinas? —Me bajé del taburete y le guiñé un ojo—. ¿Te debo algo?

—Nada. Espera, te voy a dar unas cuantas muestras, a ver qué tengo bueno por aquí. Habrá que agradecerte el esfuerzo.

Cuando pasé por la boutique de Miu Miu, Oliver estaba a punto de subirse por las paredes. Me pareció horriblemente tierno y me supo mal no llevarle buenas noticias. Me encogí de hombros:

—Lo siento. Me parece que esta es dura de roer.

—La madre que la parió. —Se plantó en jarras en mitad de la tienda y exhaló un suspiro—. Vale. Pues nada.

—A lo mejor puedes pedírselo otra vez tú, por si acaso.

—Eso sería arrastrarme. Y no ha nacido aún chica que me haga arrastrarme.

—Qué triste, Oliver, con lo bonito que es arrastrarse por la causa acertada.

Le di un beso y me marché. Había tenido que pedir unas horas en el trabajo para poder hacerle el favor y no parecía haber servido de mucho, pero me alegraba de haberlo hecho y de demostrarnos que aún éramos capaces de ser Oliver y Sofía.

A las cuatro Oliver hizo el cambio de turno y se preparó para irse a casa. Y lo hubiera hecho sin más, arrastrando un poco los pies y algo desanimado pero directo a su habitación, si no hubiera sido por la idea que anidó entre sus mechones cobrizos. Algo sobre la tristeza de no haberse cruzado con nadie que le demostrase que, a veces, vale la pena olvidar el orgullo.

Mireia y Oliver se encontraron en la puerta, ambos con un pitillo entre los labios. Él encendió el de ella y una espesa nube de humo los envolvió durante un segundo.

—Muy maja Sofía. —Sonrió burlona Mireia.

—Ya. La has dejado muy guapa.

—Es guapa. Díselo más. Me da que se lo merece.

Oliver asintió con aire distraído mientras daba una calada y después aplastaba el cigarrillo en la papelera para, acto seguido, robar el de ella de entre sus labios y hacer lo mismo.

—¡Eh! ¿Qué haces? —se quejó.

—Tenemos prisa, Mireia. No tenemos tiempo de fumar. Ahora tenemos que ir al café de Alejandría a comernos un sándwich y un trozo de tarta mientras me enseñas a no ser un imbécil.

—No hay horas en el mundo para tan ardua tarea —le respondió ella.

—Bueno. Tengo constancia. Además… cualquier día es bueno para dejar de fumar.

Le tendió la mano sabedor de que se acababa de echar el farol más grande de su vida y lo más lógico era que ella siguiera andando de camino a la boca de metro que tenían enfrente, pero… a esas alturas, ¿qué más daba? Solo quería probar. Quería asegurarse de que la corazonada que llevaba a su garganta el nombre de Mireia solamente era una tontería. Quería… ser un chico de treinta años sin la seguridad de que todo iría según lo acordado.

La mano de Mireia estaba calentita cuando rodeó tres de sus dedos y tiró de él. Lo hacía con fingido aire de disgusto y una sonrisa de superioridad, porque sabía quién dominaba la situación. Oliver la miró encantado. Bien. Una tarde. Solo necesitaba una tarde para empezar, para implantar el germen de la duda y que ella se fuese a casa sin la seguridad de que era un idiota. Solo necesitaba una oportunidad para esforzarse. Lo demás lo diría la vida.

—Venga, tonta, que te va a gustar —le dijo risueño.

—¿El sitio o estar contigo?

—Las dos cosas. El secreto está en la combinación de las dos.

—No intentes nada raro.

—¿Y si te pido un beso?

—Te lo negaré. Que conste que esto lo hago más por esa chica que por ti.

—Se lo diremos el día de nuestra boda.

Comieron dos sándwiches, bebieron agua con gas y compartieron un trozo de tarta «muerte por chocolate» junto a los cafés. Se contaron la vida… al menos parte de esta. Se rieron. Él no fue gilipollas y ella le dejó espacio para ser un «él mismo» que aún no conocía bien. Por supuesto, le pidió un beso en la puerta de casa, hasta donde lo acompañó, pero no se lo dio. Le dijo: «¿Y si te pido que me beses?» y ella respondió: «Idiota» antes de marcharse, pero con una sonrisa.

Cuando Oliver llegó a casa no le molestó tanto que Héctor estuviera allí; en realidad se la sudó porque había tenido una primera cita genial, sin beso ni sexo, y no sería la última.

43

Veintidós minutos. Eso tardaba en llegar desde la estación de Méndez Álvaro, donde me dejaba el autobús, hasta Callao, el metro más cercano al Alejandría y a casa de Sofía. Veintidós minutos, dirás, no es tanto. La gente en las grandes ciudades invierte una buena cantidad de tiempo en los traslados. Estela me dijo una vez que había calculado a ojo las horas que, a lo largo del año, pasaba metida en el metro: veintitrés días y medio. Pensé que estaba loca, pero luego repasé sus cálculos y... no soy muy bueno con los números pero diría que no se había confundido. Por eso, veintidós minutos cada dos fines de semana puede parecerte nada. Y lo es. Pero eran veintidós minutos con condicionantes. Porque iba directo desde un trayecto de cuatro horas largas en un autobús. Porque venía de un lugar donde rara vez pasaba nada. Porque me había acostumbrado de nuevo al sonido, los olores y las personas de mi hogar. Y llegaba a Madrid, donde todo pasaba a la vez. Atronador. Sirenas, voces, el pitido de algún coche. Cegador, con sus luces por todas partes, con un cielo sucio. Asfixiante, mezcla del humo de los tubos de escape y la polución acumulada. Todo ello quedaba mitigado dentro del vagón de metro pero… este siempre estaba lleno de gente, olía a humedad o humanidad y siempre había alguien con mal gusto musical obligando al resto de los viajeros a escuchar su lista de canciones con el altavoz activado. Codazos por todas partes. Un caos de voces. Músicos callejeros. Jóvenes compartiendo unas litronas de camino a ninguna parte. Un día aquello me gustó, pero ahora no era más que ruido.

Así que eran veintidós minutos de repetirme con los dientes apretados que valía la pena volver al menos tres días para encontrarme con Sofía. No tendría que hacer el trayecto a la inversa, porque ella y su pequeño coche me acompañarían hasta la estación, donde nos despediríamos con pena, porque setenta y dos horas pasan volando para dos personas que se quieren. Y yo me callaría el alivio que me producía pensar que, cuando subiera al autobús, Madrid dejaría de gritar.

Supongo que de alguna manera es paradójico. Tenía una relación de amor/odio con la capital que había ido escondiéndose y dando la cara durante los años de manera cíclica. Igual necesitaba sus calles siempre llenas y sus noches de desvelo que lo aborrecía. Durante los tres primeros años de carrera, me encantó. Fue como una droga que me descubrió muchas cosas que yo intuía que existían pero que no me quedaron claro hasta que no salí de casa de mis padres. Mi pueblo es pequeño y Cáceres capital ya me parecía grande… hasta que llegué a Madrid y me di cuenta de que los límites de la ciudad están a menudo muy difuminados.

En cuarto, sin embargo, algo hizo crack y se rompió mi idilio con la urbe. Quizá fue mi situación emocional, que empezaba a acusar la soledad o que se pasó la novedad. Ya se sabe, los amores jóvenes pueden ser poco constantes… así que me pasé el año preguntándome por qué cojones no habíamos decidido estudiar en Cáceres en lugar de en Madrid. La respuesta estaba en la misma pregunta: «habíamos decidido». Lo tendría que haber decidido yo, yo solo, como individuo, confiando como un tonto en que la relación con Lucía soportaría la distancia, aunque luego no fuera verdad.

Cuando Lucía me informó de que se encontraba en pleno proceso de selección de una importante banca privada en Suiza, volví a cometer el mismo error de dejar que otra persona decidiera por mí, pero en el fondo lo hice a gusto porque a esas alturas ya odiaba Madrid hasta las vísceras. Odiaba Ciudad Universitaria, odiaba el piso de mierda que compartíamos Estela y yo, odiaba el barrio en el que estaba y odiaba lo que me iba a tocar hacer si me quedaba: buscar trabajo en un lugar en el que no quería vivir. Tampoco sé muy bien por qué me molestaba tanto, la verdad. Creo que odiaba Madrid porque no me permití aborrecer lo borrego que era, la relación envenenada que mantenía y el desconocimiento hacia mis propios sueños. No me di la oportunidad de ir más allá.

Pero, la vida, que es muy sabia, suele hacernos tragar a menudo nuestras palabras. Llegué a Ginebra, me encantó, me enamoré, me aficioné hasta a correr (¡correr! ¡Yo!) a orillas del río y me quedé prendado de las calles del barrio de Carouge y a los dos años…, a pesar de que me seguía gustando, echaba rabiosamente de menos Madrid.

Pensarás que soy un lunático, un culo de mal asiento que nunca está contento con dónde se encuentra pero te diré que, a pesar de que tengo muchos defectos, este no es uno de ellos. Lo que sucedía era que yo no decidí marcharme del pueblo. Me convertí en un esclavo de lo último porque como quería a Lucía pensaba que mi deber era acompañarla en su camino. De modo que, siguiendo decisiones de otros, el lugar al que llegaba me encantaba en su novedad para ir perdiendo interés cuando me daba cuenta de lo mucho que echaba de menos lo que siempre di por hecho en La Cumbre.

Ahora bien… en este momento yo había tomado la decisión de regresar a mi pueblo y establecerme allí, con mi trabajo de diseñador freelance que, ya asentado, no me implicaba viajar para tener reuniones. Yo había construido mi carrera. Yo había decidido sacrificar lo que más me gustaba hacer por lo más práctico y no me arrepentía.

Yo había hecho la mejora de la casa que ahora tenía alquilada. Yo la había amueblado (y hasta había montado algún que otro mueble) y yo mandaba en mis decisiones. Y era mi decisión que no fuera Sofía la que tuviera que viajar siempre en mi busca. Así que si Madrid empezaba a desagradarme de nuevo, era porque definitivamente no era mi sitio. Ya no dependía de decisiones ajenas. No podría culpar jamás a Sofía porque gracias a ella le cogí el gusto a ser autosuficiente.

Madrid me encantaba en pequeñas dosis, en lo básico, en lo externo. Su singularidad, ves, me venía grande.

Los primeros fines de semana que viajé a Madrid fueron casi como esas excursiones del colegio que, de emoción, casi no te dejan dormir el día anterior. Estaba nervioso y me pareció que todo pasaba lento y rápido a la vez. Los labios de Sofía recibiéndome eran todo lo que me importaba. Y las horas. Y no salir de su habitación. No me refiero solo al sexo. Me refiero a tenernos el uno al otro como única opción. Pero hacíamos planes: salíamos a cenar, íbamos a algún garito de moda y hasta aprovechaba para comprar cosas que me hicieran falta y que no tuviera a mano en el pueblo: una moleskine de repuesto para mis dibujos, varios rotuladores de punta fina, un jersey grueso de algún mercadillo de segunda mano… de los que no terminaban de gustar a Sofía porque no dejaba de preguntarse quién lo habría llevado antes que yo.

—Quizá fue Lord Byron —me burlaba yo.

—Claro. O Bob Marley, que tenía no sé cuantísimas especies diferentes de piojos.

El impulso y las ganas de salir fueron desapareciendo. No sé por qué el viaje desde el pueblo fue poco a poco pesándome más sobre los hombros. Supongo que, de nuevo, la novedad había aligerado de cargas negativas nuestros encuentros. Todo era idílico cuando nos encontrábamos hasta que empezó a ser parte de la rutina y salió lo malo: las horas de autobús. Su piso compartido con alguien que no me soportaba. El ruido de Madrid. El aire cargado. Los locales abarrotados. La comida que no sabía a nada. La aparente necesidad de tener mil planes si queríamos quedarnos con la sensación de haber aprovechado el fin de semana. Por Dios Santo. Para mí, aprovechar el fin de semana era que Sofía no se pusiera encima más que unas bragas y mi jersey. Comer queso. Beber vino. Fumar cigarrillos liados con calma mientras sonaba alguna canción que intentaríamos hacer nuestra. Sus pies siempre fríos calentándose entre los míos. Un fin de semana perfecto era para mí aquel en el que podía hacerle un cunnilingus, cenar en el sofá, fumar en la ventana, follar en su cama y ver una buena película. Si su gata se dejaba acariciar una milésima de segundo sin intentar arrancarme un dedo de un mordisco… apaga y vámonos. La hostia. Y no es que me contente con poco, es que era AMOR. El que se escribe en mayúsculas e intentas convencerte de que no existe cuando no lo tienes. Y a eso no hay nada que añadirle. El problema: que no se lo dije nunca. Al contrario. Yo mismo le planteaba, por miedo a que se aburriera de mí, que saliéramos a cenar, a tomar una cerveza o a una exposición. Yo, porque temía encontrarme un día en los ojos de Sofía lo mismo que durante muchos años vi en los de Lucía: la sospecha de que yo era un garrulo de pueblo sin grandes aspiraciones. ¿Y si para Sofía mi tranquilidad era sinónimo de mediocridad?

Sofía ya estaba en casa cuando llegué. Al contrario que la última vez que fui, llevaba puesto un pijama y ni gota de maquillaje. Tenía las aletas de la nariz un poco enrojecidas porque acababa de pasar un catarro que la tuvo pegada a la caja de kleenex, pero ya se encontraba mejor. No me pareció que estuviera menos bonita sin el pintalabios rojo y el maquillaje que esa chica que le gustaba a Oliver le había puesto. Me pareció ella, tal cual.

Nos besamos y su aroma a flor de algodón me envolvió y se me quedó entre la nariz y los labios. Era calmante. Era mi Sofía. No quería nada más, pero seguramente estaría bien que saliéramos a cenar ahora que ya se encontraba mejor.

—¿Qué tal el día, morena?

—Bien. Como siempre. —Sonrió—. Pero Gloria se ha retrasado un poco hoy y no he podido pasar por el supermercado, así que en la nevera hay fiambre de pavo y unas cervezas.

—¿Quieres que vayamos a cenar al B13? Es barato, vegano y llena.

Le guiñé un ojo y traté de sonreír. Me encanta el B13, pero siempre estaba llenísimo de gente. Tendríamos que ir pronto y sacar dinero antes, porque seguro que seguían sin aceptar tarjeta.

Pasamos a su dormitorio y cerró la puerta para impedir que Holly saliera corriendo. Quería que se acostumbrara a mí y a mi olor.

—¿Pones mala cara? —me preguntó cuando dejé caer la mochila con mi ropa y demás junto a la cama.

—Estoy cansado —me froté los ojos.

—¿Mucho trabajo?

—No. Qué va. Esta mañana me levanté como un toro. Es el autobús, que me chupa la energía. O Madrid en general.

Me senté en la cama con un suspiro a tiempo de observar en su rostro una mal disimulada mueca de turbación que cambió enseguida por una sonrisa seductora.

—Vaya, vaya… ¿y qué hace nadie que no sea yo chupándote nada?

Me eché hacia atrás con una risotada y noté cómo se acercaba. De pronto estaba de rodillas entre mis piernas y desabrochaba mi cinturón.

—Morena…, te vas a ahogar —le dije apoyándome en los codos para poder verle la cara.

—La tienes grande, pero tampoco nos pasemos, que no es un obús.

—Los mocos —le aclaré con una sonrisa—. Si no puedes ni respirar, ¿cómo pretendes combinarlo con chupar?

—No me subestimes. No me he pasado toda la semana amorrada a esa solución marina que te metes por la nariz para nada.

Sus manitas manipularon el pantalón hasta abrirlo y sacarme la polla. Dejé escapar una exhalación de placer anticipado mientras me endurecía con sus caricias, poco a poco. Me incorporé un poco más justo para ver cómo Sofía la hacía desaparecer entre sus labios. Golosa. Juguetona. Llevándola hasta el fondo de su garganta para deslizarla hacia fuera otra vez mientras presionaba levemente con los labios hasta que la punta reaparecía y ella la lamía despacio.

—Dios… —gemí—. ¿Cómo hemos llegado tan rápido hasta aquí?

—Con hambre.

El sonido húmedo de su lengua y su garganta cuando mi erección llegaba hondo. La saliva empapándome hasta la base. Sus dientes, cubiertos por los labios, mordisqueando mientras sus manos ayudaban. Y ayudaban a cada segundo a más velocidad a la vez que succionaba fuerte y se me ponían los ojos en blanco.

—¿Tienes hambre? —le pregunté con voz sucia.

Asintió sin dejar de chupar.

—Pues yo salivo si pienso en abrirte de piernas. Joder. Qué bien lo haces. Chupa. Mierda, Sofía, sigue chupando —jadeé—. Más al fondo.

Cerré los ojos y eché la cabeza hacia atrás. Su lengua recorrió el tronco en dirección descendente y le sujeté la cabeza cuando llegó abajo.

—Más, más…, no pares —jadeé.

Agarré mi polla y se la acerqué de nuevo a los labios antes de empujar y agarrar su pelo. El sonido de succión se amplificó y Sofía comenzó a jadear por el esfuerzo. Me mordí el labio y ella me miró con mucha intención manchándole las pestañas. Sucia, pervertida, entregada. Ladeó mi erección y la frotó contra el interior de una de sus mejillas. Aguanté su cabeza allí y golpeé un par de veces su cara con firmeza pero sin hacerle daño. Cerró los ojos en un suspiro de morbo. Las dos pulseras rígidas de metal que llevaba en la muñeca derecha resonaban chocando una contra la otra mientras ella se llevaba más carne a la boca.

—Dios… —gruñí—. Dios, Dios, Dios…

Sujeté su pelo un poco más fuerte y el primer latigazo de placer la pilló con mi polla dentro de la boca. Un gorjeo me avisó de que había llegado hasta la garganta y la aparté lo suficiente para mirarla.

—Abre la boca —le pedí entre gemidos—. Ahí, ahí…

Ella obedeció y yo seguí corriéndome sobre su lengua y sus labios hasta que no me quedó nada más dentro y Sofía… tragó.

Me hubiera dejado caer en la cama de buen grado y seguramente me hubiera dormido sin preocuparme por quitarme o abrocharme el pantalón, pero amor con amor se paga, de modo que me levanté, llevé a Sofía hasta el escritorio sin mediar palabra y la desnudé de cintura para abajo de un tirón antes de subirla sobre la mesa. Acerqué con el pie la silla y me senté frente a ella con una sonrisa maligna.

—Voy a hacer que te corras hasta que no tenga sentido.

Recibió mi lengua ya húmeda, gimiendo como si estuviera a punto de correrse desde el principio. Cuando lamía a Sofía, ella temblaba como una hoja. Desde la primera vez. No sé si es el placer lo que la hace tan vulnerable, pero me encantaba hasta el límite de no tener prisa, a pesar de haber solucionado ya lo mío y no estar cachondo. Solo quería hacerla sentir bien, como ella me hacía sentir a mí. Lamer despacio, como sabía que le gustaba y penetrarla con dos dedos, primero lento y después contundente hasta que chapoteaba dentro de ella y no podía más que comérmela entera y esperar a que se arqueara de gusto. Pegándome el sexo a la boca, dejando que me despidiera de él con besos y incorporándose, como siempre, para ver cómo me secaba los labios con el antebrazo. Y así fue. Como siempre. Húmedo. Delicioso. Con chapoteo y gemidos. Con sus dedos entre los mechones de mi pelo y los míos enterrados en ella. Con Sofía pidiéndome con un hilo de voz que no dejara de hacerlo. Y el orgasmo lanzó del escritorio su bufanda y unos guantes e hizo que Holly, que hasta el momento había dormido ajena a todo en su caja, corriera debajo de la cama en busca de abrigo.

—Dios… —me dijo cuando me limpié la boca con la manga del jersey—. Qué guarro.

—Si esto te parece guarro, espera a ver todo lo que quiero probar contigo.

Le guiñé un ojo, me levanté de la silla para volver a la cama y, esta vez sí, dejarme caer. El colchón me acogió cálido y cómodo y cerré los ojos. Olía a su pelo. Y a ella cuando no se ponía perfume. Mientras Sofía salía de la habitación, iba al baño y hacía correr el agua, yo me revolqué allí, en su nido, intentando hacerlo un poco mío. Madrid me asfixiaba, pero aquella habitación aún guardaba oxígeno para mí.

Después, cuando volvió, todo calma. Toda la calma que se puede tener en un piso céntrico en Madrid, claro. El claxon de algunos coches se colaba por la ventana de doble cristal y llegaba hasta nosotros el rumor de las conversaciones de la gente que fumaba frente al bar de la oreja y el Alejandría.

—Deberías comprarte un coche —suspiró Sofía mientras se acariciaba el pelo.

—¿Para qué cojones quiero yo un coche?

—Para venir a Madrid.

—Lo que me faltaba. Enfrentarme a la entrada y salida de Madrid cada fin de semana. No, reina. No quiero coche. A todos los sitios a los que me interesa ir puedo ir andando.

No contestó y me di cuenta de lo que habría entendido, de modo que me giré hacia ella y la miré.

—Eso no quiere decir que no quiera venir a verte, como ya imaginarás.

—Oye, Héctor, de todas formas no tienes por qué hacerlo. Puedo ir yo cada vez que pueda y cuando no… pues con más ganas nos cogeremos la semana siguiente, ¿no?

—No —negué—. Así no funciona, Sofía. Los dos tenemos que remar.

—Ya, pero es que me da la sensación de que tú remas con tendinitis.

Fruncí el ceño y ella suspiró sin cambiar de postura. No me miraba. Tenía los ojos fijos en la lámpara del techo.

—¿Y eso qué quiere decir?

—Que arrastras los pies cada vez que vienes, cosa que no pasa cuando soy yo la que va.

—Es que aquello me gusta más. No es que me suponga un esfuerzo inhumano venir hasta aquí, pero supongo que me he vuelto a acostumbrar a que no se escuche nada en la calle, a que huela a frío y que desde mi casa…

—Madrid no te gusta, me queda claro.

Lo dijo con un tono que no solía usar a menudo. Uno muy parecido a aquel con el que me atendió hacía ya un año, en aquel enfrentamiento que causó, paradójicamente, nuestro acercamiento.

—¿Estás molesta? —pregunté intentando tener tacto.

—Molesta a lo mejor no es la palabra.

—Estoy seguro de que vas a poder encontrar la adecuada —insistí.

—Lo que estoy es cansada, Héctor.

—¿De qué en concreto? ¿De venir al pueblo? ¿Es eso? Porque…, no sé, podemos encontrar la manera y…

—¿Sí? ¿Cuál? —Abrí la boca para contestarle pero no se me ocurrió nada, de modo que ella siguió hablando—. De todas formas no es por eso. No estoy cansada de coger el coche y recorrer unos kilómetros para verte.

—¿Entonces? ¿Qué pasa?

—Que te empeñas en hacer algo por mí que no quieres y no pierdes oportunidad de hacérmelo saber.

Levanté las cejas sorprendido.

—Estás exagerando un poco, ¿no?

—Sí, seguramente será eso —respondió muy cínica.

—Me estoy perdiendo, Sofía. Hoy pasa todo muy rápido o yo voy muy lento. Cálmate, vamos a hablarlo.

Se me quedó mirando y creí que estaba barajando la posibilidad de respirar hondo y dialogar, pero por el contrario se incorporó como un resorte.

—Voy a darme una ducha.

—Pero ¡si acabas de darte una! —me quejé.

—Me he lavado por partes. Ahora quiero una ducha. Ya sabes. Esta ciudad de mierda te hace sentir muy sucio.

Me saltó sin miramientos para cruzar la habitación a grandes zancadas y por si no estaba lo suficientemente alucinado, terminó con un portazo que me sentó fatal. Lucía siempre daba portazos. Una vez reventó el cristal que decoraba la puerta de nuestra cocina y me dieron ganas de hacerle comer cada pedazo. Odio los portazos. Los odio con toda mi alma, de modo que me calenté. Y en lugar de ir a hablar con ella, me quedé acostado, rumiando a media voz exabruptos y quejas hasta que me di cuenta de que el agua había estado cayendo mucho tiempo en el cuarto de baño y hacía ya rato que había cesado pero Sofía no volvía. Sofía, que nunca se enfadaba. Al menos nunca sin razón. Desde que la conocía, solo la había visto salirse del tiesto en aquella primera ocasión y con el tiempo terminé entendiéndola. Soy un tío reflexivo… y me dio por pensar que era yo quien lo había hecho mal.

El cuarto de baño estaba hasta los topes de vaho. No cabía más. Apenas se veía a un palmo de distancia, pero no me costó encontrar a Sofía, que estaba sentada en el borde de la bañera envuelta en una toalla y con el pelo empapado.

—Sí quiero hacerlo por ti —le dije de golpe—. Siento no tener más cojones para hacerlo en silencio.

No contestó. Apoyó la frente en los dedos crispados de su mano y suspiró. Que la mujer que siempre tenía respuesta para todo no contestara me puso nervioso. Insistí.

—Quizá es que me estoy asilvestrando allí. A lo mejor debería plantearme venir más.

—No, Héctor —sentenció seria—. No pasa nada.

—No digamos que no pasa nada cuando sí pasa, por favor. —Me apoyé en el lavabo y crucé los brazos.

—Pasa pero no tiene solución así que, ¿qué más da? A ti no te gusta Madrid. Ya está.

—¿Entonces…? Porque no he dicho que no quiera venir y ni siquiera lo he pensado. Me iría a cualquier parte para pasar tres días contigo, Sofía.

—Si me molesta es porque me lo llevo al terreno personal y pienso en todas las cosas que siento mías de esta ciudad —bajó el tono un momento para añadir con cierta vergüenza—. Y todas las cosas que son nuestras. Por el amor de Dios, Héctor,

¡hay una puta pared con una pintada sobre la magia en la calle de al lado! Nos esforzamos por hacer este rincón nuestro y me raya pensar que…

—¿Qué? Porque no ha cambiado nada.

—Ha cambiado que tú ya no…, no quieres estar aquí. No quieres volver. Pero no me lo dices.

Cogí aire. Fue un golpe escucharla decir aquello y darme cuenta de que tenía parte de razón. No podía decirle más, sobre todo, porque entendía el motivo por el que estaba tan molesta: tenía pavor.

—Me gusta… —intercedí—. Madrid me gusta. Estás tú, para mí es suficiente, pero en este momento de mi vida me apabulla. No sé. Me viene grande. Y tú misma lo dijiste…, no quiero repetir errores que ya sé dónde terminan. Contigo no. Ojalá pudiera tenerte siempre allí.

Levantó la mirada entonces y sonrió con lástima, pero no añadió nada más. Aún fue peor que verla enfadada porque Sofía sabía identificar una batalla perdida de antemano nada más verla y yo no soy tonto. Lo vimos allí, de frente: yo en su cara y ella en mis palabras. Lo único que teníamos en común era querernos.

44

Mi abuela era una de las personas más especiales del mundo. Nació con algo, llamémosle magia porque no hay más palabras para definirlo. Fue la primera persona en mi vida en conceder a los libros la categoría de regalos. Era moderna, divertida, imaginativa, inteligente…, llevó pantalones cuando estaba mal visto que una mujer lo hiciera y fue la primera de la familia en cursar estudios superiores. Ella decía que tenía la suerte de haber nacido en una familia pudiente, a lo que yo le contestaba que si no lo hubiera hecho, habría encontrado la manera de aprender. Era curiosa como una niña, incluso a sus muchos años. Inquieta e independiente, se fue con una sonrisa de la noche a la mañana.

Que estaba enferma era algo que todos sabíamos pero creo que su vitalidad nos engañó. Nos creímos ese dicho de que «mujer enferma es mujer eterna» y cuando, días antes de morir, apareció en casa derrochando energía y carcajadas, todos pensamos que… estaría allí para siempre. Pero se fue.

¿Por qué me acuerdo ahora de mi abuela? Por ese despunte de actividad frenética que nos despistó y que hizo tan difícilmente asumible la noticia de su muerte.

La mejoría de la muerte se le llama. Yo ya había visto lo que significaba en una vida y me fue fácil diagnosticarla en una relación que, para más señas, era la mía. A nuestra mejoría la llamamos París. Y fue un oasis.

Durante las semanas previas a nuestro viaje los problemas y las incompatibilidades enmudecieron. No se las veía por ninguna parte. No existía complicación ninguna en estar separados tantos días a la semana ni en que él no se sintiera de pronto cómodo en Madrid. Dejó de importar si me marcharía con él, si él me lo pediría o si sería yo quien le suplicaría que volviera. Todo carecía de interés. Todo excepto nuestro viaje de tres días a la ciudad del amor. A la capital de la luz. A un rincón del mundo repleto de gente donde solo existiríamos él y yo. Ni nuestras circunstancias nos perseguirían hasta allí, estábamos decididos.

Las llamadas diarias pasaron de los típicos: «¿Qué tal el día?», «¿Qué has hecho?», «Pero ¡cuéntame algo!» a ser conversaciones animadas sobre el planning de nuestra escapada. Eran muy pocos días para recorrer la ciudad por entero, así que debíamos escoger qué queríamos ver para poder planificarlo bien y no perder tiempo. Teníamos, por un lado, las cosas obvias como los Campos Elíseos, la Torre Eiffel, el Trocadero, el Arco del Triunfo, Moulin Rouge, Notre Dame, Sacré Coeur y Montmartre, el barrio latino, el puente de Alejandro III... y los rincones especiales, como la librería Shakespeare & Co, esa terraza en la plaza de la Sorbona, el cementerio...

En su siguiente visita a Madrid, le acompañé a comprarse un abrigo, porque durante la primera semana de marzo en París aún hace frío y su clásico chaquetón gris desgastado empezaba a estar demasiado sobado. Nos hicimos con una guía de París, bebimos café en un rincón del Alejandría mientras tomábamos notas y nos reíamos imaginándonos allí y me regaló un libro titulado *La parisina: guía de estilo* de Inès de la Fressange que me encantó y del que intenté aprender cómo debía ir vestida a la ciudad de la moda. ¿Y sabes? Ni siquiera recordé que Madrid le agobiaba. Él tampoco pareció acordarse. Pero es que teníamos un plan. Hubiera sucedido lo mismo con nosotros si el horizonte hubiese tenido mejor pinta y alguno de los dos una decisión tomada que implicase de manera madura un sí.

Entonces, si todo iba sobre ruedas, aunque fuera en apariencia, ¿cómo me di cuenta yo? Pues porque era evidente. Y porque las despedidas eran cada vez más duras, el humor empeoraba con más facilidad, la distancia nos acosaba como los dolores lo hacen al cumplir años y porque se respiraba un leve tufillo al temor con el que esperas el final del verano. Sabes que vendrá, irremediablemente, por más que tú exprimas los días. Te pones triste antes de tiempo y parece que se alarga la angustia. Como a mí, que me agobiaba una relación a distancia que apenas acabábamos de iniciar.

Además, me di cuenta de que él también lo sabía. La situación había sido más o menos llevadera hasta entonces, pero ver en sus ojos la desesperanza y el desespero de no encontrar ni con esfuerzo la manera de hacer posible algo que era bueno, bonito y que debería poder funcionar solo, se llevaba de un plumazo la poca esperanza que me quedaba.

Me inventé una mentira para los ratitos en los que los preparativos de París no me salvaban: no era nuestro momento, pero vendría. La vida lo haría posible. Sencillamente, no era el momento, pero los días pasaban y podríamos encajar el golpe y trasladarlo todo a un futuro feliz donde, sencillamente, no tendríamos ni que plantearnos los problemas. Él sentiría la necesidad de volver a recorrer las calles de Madrid de madrugada en busca de una cerveza, un trozo de pizza y un banco de piedra donde sentarse conmigo a hablar sobre la «insoportable levedad del ser» y el tiempo ya habría hecho por nosotros lo que no podíamos hacer por nosotros mismos. En ningún momento me planteé que fuera yo la que desplazara lo que sentía en el Alejandría a otro lugar que podría ser especial cerca de él. Solo me creí que teníamos miedo por un momento que terminaría. El final de una «era» personal que se llevaría los recuerdos de Lucía, Ginebra y una relación de dieciocho años junto a los miedos, las reticencias, los vacíos de saber y de poder y ese ejercicio introspectivo de volver al origen y encontrarse. Héctor terminaría con ello, joder. Se encontraría y… volvería. Porque de otra manera, lo haríamos imposible. Pero no era la verdad. Y lo sabía. En el fondo. Muy en el fondo.

La verdad era sencilla: quería a Héctor, pero no quería dejar Madrid, mi gente ni el Alejandría. Héctor me quería a mí, pero no quería volver a tomar la decisión de establecer su residencia en función de una mujer. Y no se puede tener todo.

El problema era que mi novio había encontrado el hombre que quería ser en un lugar que no me satisfacía. Y que yo era más cría de lo que creía, claro.

Al despedirnos junto a mi coche el fin de semana anterior al viaje, Héctor me besó por primera vez diciendo adiós. La diferencia era mínima y probablemente imperceptible para nadie que no fuéramos nosotros. Pero cuando apretó su boca contra la mía, agarrando mi cara, lo hizo con una necesidad nueva. Como si no quisiera quedarse en los labios las ganas, el ímpetu y el cosquilleo de un beso de amor. Lo hizo como lo hace alguien que no sabe si tendrá la oportunidad de volver a besar. Y después besó mi frente y mi pelo mientras me estrechaba.

—¿Qué pasa? —le pregunté.

—Que tengo miedo —confesó—. Me da miedo echarte demasiado de menos.

Mamen se hubiera enternecido, pero porque no sabría como sabía yo lo que escondían esas palabras. Porque demasiado es malo siempre. Querer demasiado, también. Demasiado es el exceso, no el equilibrio. Y en el exceso solo sobreviven pecados capitales.

Cuando llegué a casa, a Madrid, encontré a Oliver sonriendo con el móvil en la mano y una conversación de Whatsapp abierta.

—Ey —me saludó—. ¿Qué tal el camino?

—Aburrido. He escuchado tantas veces los cedés que tengo en el coche que creo que podría cantarte todas las canciones mejor que sus intérpretes.

—Creo que no quiero comprobarlo.

—¿Se ha portado bien Holly? —Me acerqué a ella, que dormía repantingada en una mantita y la estrujé—. ¡¡¡Mi gordita!!!

—Maulló un poco a tu puerta el otro día, pero la convencí de que no había nadie y se vino a la piltra conmigo. Qué calorcito más bueno da, la muy hija de perra.

Puse los ojos en blanco sin que me viera.

—¿Qué haces?

—Nada. Hablar con Mireia.

—Uhhhh —me burlé—. Eso suena bien, ¿no? ¡Me da que gano la apuesta! Voy a ir avisando a Mamen para que prepare la pasta.

—No te adelantes Ya te lo diré más adelante. ¿Qué? ¿Preparada para París? Qué puta envidia me das, cerda.

—Cerdo tú —respondí asomándome a la cocina—. Esto lo quiero como los chorros del oro mañana si no quieres que Sanidad nos clausure el garito.

—Si me dieran un euro cada vez que dices lo de Sanidad...

—¿Qué? ¿Ya me habrías regalado un Miu Miu?

—Materialista rencorosa. Te regalo mi amor.

—Sí. A mí y a mi novio.

—A tu novio se lo regalaré el día que me convenza de que no va a atropellarte como un tren de mercancías.

Me dejé caer sentada a su lado y suspiré mesándome el pelo. Eso mismo me temía yo…, que íbamos a ser arrollados por lo que sentíamos y no conseguíamos hacer posible.

—¿Qué pasa? —preguntó.

—Lo de la distancia va a ser un problema.

—¿Por su parte?

—A ratos creo que solo por la mía.

—Pues que se vuelva. Ya me contarás qué hace en un pueblo de mil habitantes teniéndote aquí.

—Hay gente que no está hecha para vivir aquí.

—¿Porque no molan suficiente?

—Porque esto les ahoga, Oliver.

Frunció el ceño y, por primera vez desde que había entrado en casa, pareció tomarme en serio.

—¿Lo dices de verdad? ¿No vendría por ti?

—Sí. Pero yo no voy a pedírselo.

—Qué gilipollez. Si es lo que necesitas es justo que lo pidas. ¿Por qué no vas a pedírselo?

—Porque le quiero de verdad. —Encogí las piernas sobre el sofá y las abracé contra mi pecho.

—De todas formas, supongo que se ve a la legua y que él ya lo sabe, ¿no? No tendría que hacer falta que se lo pidieras.

Me volví a mirarle y con una sonrisa y aire maternal le acaricié el pelo.

—Oli…, cuando quieres mucho a alguien, no dejas de quererte a ti mismo. Si no te tienes a ti mismo, ¿qué mierdas vas a ofrecerle al otro? Ahora piensa… ¿qué es peor? ¿Fallarse a uno mismo o a la persona a la que quieres?

—Sofi. —Sonrió también—. Eres demasiado romántica. Y la vida no está hecha de algodón de azúcar. Si quieres algo, tienes que cogerlo.

—Aplícate el cuento.

Le di un beso y arrastré la bolsa con la ropa del fin de semana hacia mi habitación.

—Te ayudaré a hacer la maleta para París —dijo desde el sofá con los ojos puestos de nuevo en el móvil.

—Genial. Que no se nos olvide un vestido negro.

—Claro que no. Es esencial.

—No me has entendido...

Al llegar a mi habitación me tiré boca abajo en la cama y, aunque nunca dejaría de tener ganas de escuchar su voz, se me hizo un mundo llamarle.

45

A los treinta años Oliver aprendió algo sobre la complejidad del ser humano: era posible sentirse contento y frustrado a la vez. Él era un ejemplo con patas. Con patas largas.

Estaba contento, no podía esconderlo. Llevaba semanas sin ser un imbécil con nadie (incluso le había dicho «buenos días» a Héctor cuando se lo había cruzado) y se sentía bien. Además, estaba pasando cada vez más tiempo con Mireia y ya era capaz de aceptar, al menos consigo mismo, que le gustaba. Le gustaba la sonoridad de su risa desvergonzada, lo macarra que era para bromear y lo femenina en sus movimientos. Le gustaba ese pequeño «tic» que había descubierto hacía poco, con el que se acariciaba las uñas con la yema del pulgar y lo bien que le quedaba el color rojo en los labios…, color que solo usaba fuera del trabajo. Sus piernas. Su olor. Recordar la fuerza con la que su interior se aferraba a él cuando follaron en aquel portal. Y la persona que conseguía ser con ella. Un pleno al quince, sin duda.

Pero estaba frustrado, también era fácil verlo. En ninguno de esos ratos que habían pasado juntos en el Alejandría, fumando en el descanso, volviendo a pie a casa para compartir parte del camino que tenían en común y hasta en una sesión de jazz fusión que le horrorizó a la que ella le invitó... había pasado nada. Habían ido cogiendo confianza, derribando ciertas barreras físicas y averiguando cosas del otro pero... ni un beso. Por no hablar de cosas que le apetecían mucho a la parte inferior de su cuerpo, y no me refiero a bailar bachata.

Se hacía llevadero porque había conseguido sonsacarle información de valor, como que no salía con nadie, que ningún (otro) chico le rondaba, que no había vuelto a saber nada del tío con el que cenó aquella noche en Hermosos y Malditos y que no había recuerdo de ningún ex que la azotara especialmente. Le gustaban los planes sencillos, salir a cenar de vez en cuando, la comida tailandesa y la música indie folk. Soñaba con ser maquilladora freelance y poder vivir de ello. Le encantaría dar clases de automaquillaje y seguía mil canales de beauty bloggers en Youtube. Sabía muchas cosas de ella, pero no había habido beso.

Oliver se autoconvencía cada mañana de que aquel iba a ser el día en que se atreviera a invitarla a cenar a casa y ya había encontrado la fecha perfecta. Aquel viernes yo me iría a París y él tendría nuestro piso en exclusiva hasta el lunes a primera hora de la mañana. Era el momento. Así que no podía seguir dejando pasar oportunidades o se le chafaría el plan. El día había llegado.

Sintió unas cosquillas extrañas en el estómago cuando se acercó al stand en el que Mireia estaba apoyada y ella le sonrió. Se preguntó qué cojones había cenado para estar tan revuelto... porque no estaba acostumbrado a sentir mariposas en el estómago. Con Clara sintió algo, pero era diferente.

—¿Vamos? —le preguntó dando por hecho que pasaban juntos el descanso.

—Sí. Qué ganas de que llegue el viernes, por Dios.

Oliver no podía estar más de acuerdo.

—Me muero por un pitillo —musitó él desconcertado por los nervios que sentía en el estómago.

—Y yo. Pero acompáñame a Starbucks primero. Tengo hambre.

Oliver respiró hondo cuando la dejó pasar delante de él con la mano puesta en su espalda.

—No sé si quiero un sándwich o un rollo de canela.

Él asintió perdido en sus pensamientos que eran, básicamente, una visión de sí mismo multiplicado por diez en una especie de coro que lo animaba a invitarla de una puñetera vez a una cena íntima: «¡¡¡Vamos, machote!!!».

—Igual es mala hora para comerse un sándwich —siguió comentando ella.

—Ajá.

—O a lo mejor se la como a Matías, el que nos atiende siempre.

—Como veas —respondió más allá que acá.

—¡Oliver!

Mireia se paró con una expresión burlona.

—¿Qué? —preguntó él asustado.

—¿Qué te pasa?

—¿A mí? Nada de nada.

—Estás como ido.

—Estaba pensando…

Mireia refunfuñó y siguió avanzando y él se quedó mirándole el culo. «Por Dios, qué buena está. Céntrate Oliver. Va a oler tu desesperación».

Cuando llegaron a la barra de Starbucks ella cogió un sándwich y le preguntó si quería compartirlo. Él le dijo que no y pidió los cafés. Cuando tuviera la boca llena se lo diría. Así se aseguraba de tener tiempo de prepararse para la negativa o la fresca que ella le respondería. ¿Cómo debía pedírselo? ¿Formal como una cita? ¿Burlón como si en realidad no fuera gran cosa? ¿Sin darle importancia como dos amigos que acostumbran a hacer esas cosas?

—Oye, Oli… —Mireia interrumpió sus pensamientos mesándose el pelo pelirrojo desordenado—. ¿Tienes planes hoy?

—No, ¿por?

—Porque hay un restaurante indio brutal en mi barrio.

—¿Estará abierto aún cuando salgamos?

—No creo. Estaba pensando más bien en esta noche. Podíamos pedirlo a domicilio y cenar en mi casa.

Oli cogió el café que le ofrecía el barrista y se giró hacia ella con una ceja arqueada.

—¿Me estás invitando a tu casa a cenar?

—Sí. ¿Algún problema?

—No —negó con una sonrisa—. En absoluto.

El coro de Olivers mentales celebró el tanto como si su equipo de fútbol acabara de marcar un gol en el último minuto. Un Oliver imaginario se quitó la camiseta y corrió en círculos. Otro descorchó una botella de champán. El resto hizo la ola. Mireia le lanzó una miradita suspicaz y él sacó del bolsillo interior de su chaqueta el paquete de tabaco para ocuparse en algo y que no se le notara demasiado la alegría. Se encaminaron hacia la salida.

—¿Y esa sonrisita? —preguntó ella clavándole el codo en las costillas.

—Nada. Me parece un buen plan.

—Lo sé. Como no te animabas…, he tenido que coger las riendas.

—¿No me animaba?

—A la vista está.

Le guiñó un ojo y el ambiente se cargó durante unos segundos de expectativas. Miró sus labios. Quería besarla despacio, darle tiempo para que enloqueciera de ganas antes de quitarle una sola prenda. Quería recorrer su estómago con la punta de su nariz y susurrarle al oído que se moría por despertar con ella. Pensó en preguntarle si tenía que coger una muda de casa, pero no quería cagarla, así que se limitó a fingir que no tenía demasiada importancia.

Cuando entró en casa lo hizo tipo «diablo de Tasmania», dando vueltas sobre sí mismo con el abrigo colgando de un brazo, las llaves en la mano y trastabillando con los muebles.

—¿Qué haces? ¿A qué viene este revuelo? —le pregunté asustada.

—¡¡Tengo cita esta noche!!

—¿Con Mireia?

—Sí, por fin. Por fin, Sofía. Esta noche, POR FIN. ¡Tengo que prepararme!

—¿Qué vas a hacer? ¿Bañarte en leche de burra? —Me reí.

—¡Tengo que afeitarme las pelotas!

Por poco no caí muerta en el sofá.

A las nueve y media de la noche, un Oliver que no se había bañado en leche de burra pero que parecía haberlo hecho en colonia, llamaba al timbre de casa de Mireia. En la mano una botella de vino y en la cartera dos condones..., por si acaso. Pero si ese «por si acaso» no llegaba le iba a dar algo.

Se había puesto guapetón pero en plan informal: unos vaqueros negros y un jersey de cuello de pico de color gris oscuro que... le quedaba muy bien. Ella, sin embargo, llevaba el pelo recogido en un moño deshecho, unas gafas de pasta negras, una sudadera y unas mallas de yoga..., el clásico uniforme de «recibir a un amigo en casa».

—¿Vino y todo? Muy amable.

Le dio un beso en la mejilla y se llevó el vino a lo que se imaginó que era la cocina. Era un piso pequeño en la zona de Bilbao, que olía a lavanda y donde se escuchaba la televisión encendida en el salón.

—Espérame allí. —Le señaló en dirección al lugar de donde provenía el sonido—. Es el salón. Ahora voy.

Oliver se quitó el abrigo y entró para quedarse parado al encontrar a otra chica, con gafas y un moño, en pijama, viendo *First Dates* y comiendo directamente de un tupper con fideos.

—Hola —farfulló—. Soy Esther. Su compañera.

—Ah. Eh…, hola. Encantado.

Pintaba mal.

—Pedí la cena hace un ratito —dijo Mireia detrás de él cargada con dos copas de vino—. Pollo tikka masala, arroz con champiñones y naan de queso. ¿Te parece?

—Estupendo. Estaba aquí… conociendo a Esther.

Levantó las cejas significativamente, esperando que ella le diese una mínima explicación del motivo por el que no iban a ser solamente dos. Algo como: «Acaba de romper con su novio y no quiero dejarla sola», pero Mireia se limitó a pasarle la copa y preguntar a su compañera si quería vino.

—Qué va. —Cargó el tenedor con más tallarines y se los metió en la boca—. Nunca me puedo beber solo una y paso de currar mañana con resaca.

Oliver frunció el ceño cuando Mireia se acomodó en el sofá junto a la tal Esther y le señaló el sillón que quedaba libre al lado.

—¿Qué tal la tarde?

—Eh…, bien. —«Bien, me he estado afeitando las pelotas seguro de que ibas a estar muy cerca de ellas, pero ya veo que soy imbécil»—. ¿Y tú?

—Bien. He ordenado el armario y he ido a pilates. Me acabo de dar una ducha caliente, traes vino y está a punto de llegar la cena. Planazo.

—Sí, planazo.

No estaba seguro de si su ironía sería palpable, pero le traía sin cuidado. Aquello no era ni de lejos lo que esperaba de una cita en casa de Mireia. Si lo que quería era cena de amiguetes… ¿por qué había dicho eso de «como tú no te animabas…»? Puta mierda. Le dio un buen trago al vino mirando cómo la compañera de piso metía más tallarines en la boca y se reía a carcajadas con el programa que estaba viendo. Número uno en su ranking de citas extrañas. Citas extrañas que no terminan en cama.

Llamaron al timbre y Mireia saltó del sofá para abrir al repartidor. Oliver le pidió que esperara para pagar, pero ella anunció que había pagado ya al hacer el pedido. Se volvió a quedar solo con su compañera.

—Sería incapaz de presentarme a este programa —le dijo ella—. Incapaz. Seguro que me traerían a un tío al que le encantara la magia.

—Y eso sería horrible —respondió Oliver.

—Horrible —ratificó ella sin mirarle—. ¿Tú irías?

—¿Yo? Pues… visto lo visto a lo mejor tengo que apuntarme.

Mireia apareció con una bolsa que olía fenomenal y dos platos.

—Echan *Amelie* en Cosmo —anunció Esther.

Oliver ya se imaginaba viendo *Amelie* mientras aconsejaba sentimentalmente a la tal Esther y Mireia le hablaba de otro tío, pero esta le dio un golpecito en el hombro.

—¿Vamos?

Un rayo de esperanza lo atravesó como en una especie de éxtasis teresiano. ¡Menos mal!

La habitación de Mireia era grande en proporción al resto del piso. Una estancia cuadrada con una cama grande, un armario empotrado, una cómoda y un espejo de cuerpo entero. Todo estaba limpio y despejado. No había demasiados objetos a la vista… a excepción de unas velas en tarritos de cristal.

—Espero que no te moleste cenar en el suelo —le dijo ella extendiendo una manta junto a la cama y acomodando unos cojines encima—. Odio comer en el salón con la tele encendida. En realidad… odio un poco la tele en general.

—Ya somos dos. —«Tres si contamos con el alivio que siento», añadió mentalmente.

—Se me ha olvidado la botella de vino. Siéntate.

Se llevó con ella la bolsa vacía en la que había llegado la comida y cuando volvió, Oliver había abierto los tuppers de comida. Se miraron con una sonrisa y ella se sentó en el cojín frente a él.

—Te has asustado. Pensabas que era una «cita a tres» —le dijo.

—No me he asustado.

—Claro que sí. Y ha sido genial ver tu cara de pánico.

—Cabía la posibilidad de que la cita a tres terminara bien para mí, ¿no?

—Me da que no, machote.

Le guiñó un ojo y se concentró en servirse en el plato un poco de cada cosa. Oliver no pudo evitar quedarse mirándola. Se movía tan cómoda…, tan poco nerviosa. Le gustaba la sensación de que ninguno de los dos llevara la batuta porque todo fluía sin necesidad de postizos o protocolos. La vio sonreír y le entró la risa.

—Te gusta verme sufrir —la acusó.

—Sufrir no. Me gusta descolocarte. Me da la sensación de que es nuevo para ti.

—Lo es.

—¿A que te gusta? —preguntó antes de llenarse la boca de comida.

—Sí. Me gustas.

Mireia se rio tapándose los labios con una mano.

—No sé cómo tomarme esa risa…

—Cena, Oliver. Coge fuerzas.

Y él obedeció.

Y comieron. Y hablaron de cine. Y de música. La conversación con ella nacía de manera tan natural que ni siquiera se lo planteaba. Salía un tema y otro y ambos tenían tantas cosas que decirse que se atropellaban a menudo para terminar riéndose a carcajadas. Mireia tenía la fuerza de un ciclón y él lo notaba en su estómago, centrifugando sentimientos que creía ser incapaz de tener.

Cuando terminaron de comer y mientras recogían para llevar las sobras a la cocina ella conectó el móvil a un pequeño altavoz y puso una lista de indie folk liderada por The Lumineers. Con todo aseado de nuevo, le preguntó si quería quedarse un rato más y él asintió mirándola a los ojos. No sabía por qué, pero tenía la sensación de que se quedaría la vida entera si hacía falta.

Encendieron las velas y con las luces apagadas, la trémula iluminación de las velas bailaba sobre ellos en el techo. Sonaba la canción «Ophelia».

—Ponte cómodo —le invitó ella.

Se quitó las Adidas Classic impolutas y las dejó junto a la cama antes de sentarse en la cama. Mireia, de pie delante de él, lo miraba callada.

—¿Tú no vienes? —Palmeó la cama, a su lado.

—Dime una cosa, Oliver. Si esta noche no pasara nada entre nosotros… ¿querrías seguir quedando conmigo?

—Claro. Tienes muchos grupos aburridos que descubrirme aún.

—Lo digo en serio.

—Y yo.

—¿Y si pasa? —volvió a preguntarle arqueando sus finas cejas desordenadas.

—¿Si pasa? Pues... es posible que me desmaye al terminar.

Los dos se echaron a reír.

—Me refiero a...

—Ya sé a lo que te refieres. —Él la acercó y la colocó entre sus piernas abiertas—. Y yo tampoco sé qué vendrá después pero tengo entendido que eso es lo emocionante.

Notó la mueca de fastidio en la boca sin maquillar de Mireia y se dio cuenta de que, quizá, ella no lo había interpretado como lo que él había querido decir y estaba sonando a gilipollas otra vez, así que se apresuró a añadir:

—Llevo todo el día pensando que quiero quedarme a dormir. Independientemente de si, por fin, te beso.

—Ya me besaste.

—Me refiero a besarte en condiciones.

Tiró de ella hasta que se sentó en sus rodillas.

—Tengo la sensación de que si dejo que pase algo contigo, toda mi vida va a cambiar —le confesó, mirándola desde muy cerca.

—¿Y eso qué quiere decir?

—Que estoy a punto de saber a qué viene tanto jaleo con eso del amor.

—Tú no me quieres.

—Aún.

Cerró los ojos cuando se inclinó hacia sus labios. Sintió el aliento cálido de Mireia sobre su boca y no pensó en nada más. Se tiró de cabeza y ella lo recibió con los ojos cerrados también. El beso fue... especial porque, a pesar de las ganas que no podría negar jamás, no hubo ni pizca de sexo en él. Hubo mucho, pero poco. Fue. Y fue increíblemente íntimo. Cuando despegaron los labios y abrieron los ojos, los dos sonreían.

—¿Y si eres tú? —susurró—. ¿Y si solo te estaba esperando a ti?

—Quédate a dormir.

Mireia se levantó, lo instó a hacer lo mismo y se quitó la sudadera. Él su jersey. Los pantalones de los dos. Los calcetines. Los brazos de él la envolvieron y la levantaron en volandas. Se rieron. La música seguía sonando y los besos sirvieron como bajo y ritmo. Y las manos, que no se quedaron quietas, el contrapunto. ¿Y sabes una cosa? No pasaron de besos y caricias porque, de pronto, él sintió que para ella sería importante. Así que no insistió… hasta que a las cuatro, ella lo despertó con los labios en su cuello y Oliver, por fin, hizo el amor por primera vez. Pero no por última.

46

A veces las horas son un poco difíciles, pero se soluciona. Con París es tan fácil. (…) París son los días lindos, los aires ligeros, graves o dulces. (…) París son mis amores y mi corazón no puede evitarlo», cantaba Edith Piaf. Y así lo sentí yo. Como otras tantas veces, alguien, muchos años atrás, sintió lo mismo que nosotros y pudo ponerlo en palabras de un modo mucho más sabio. Así, sonando nostálgico y dulce, con sus erres ronroneadas y el sonido de esas melodías que evocan tiovivos antiguos y luces de colores. Y, de nuevo, saber que no era la única, que mi emoción no era nueva, me hizo sentir reconfortada porque el mundo seguía y tras nosotros, otros muchos se enamorarían.

Salimos del aeropuerto Madrid-Barajas Adolfo Suárez a las siete de la mañana con nuestras maletas de mano llenas e ilusionados como niños. No menguó la emoción el descubrir que no era la primera vez que Héctor visitaba París…, estuvo dos veces con Lucía en el pasado, pero me daba igual, porque nosotros reescribiríamos cada calle para que solo existiera nuestro recuerdo. Estaba segura.

Pensé que los nervios me tendrían todo el vuelo dando por saco, pero en cuanto el avión despegó, me quedé dormida con la guía de París en el regazo y la cabeza apoyada en el hombro de Héctor.

Me despertó un suave zarandeo y sus labios en mi cuello bajo el lóbulo de mi oreja.

—Sofía…, despierta. Mira por la ventanilla.

Y allí, bajo el amarillo del tímido sol de primavera, estaba París. Y la Torre Eiffel. Y sus avenidas. Y las calles que pisó la historia con sus propios pies descalzos.

Cogimos una furgoneta lanzadera que nos recogió, junto a tres parejas más, en la terminal y que nos llevó, después de llevar a una de ellas a su hotel, al nuestro. El hotel Londres et New York era pequeñito. Un edificio estrecho que hacía chaflán entre la rue Saint-Lazare y la rue du Havre. Al entrar, la recepción me pareció de juguete. Todo era muy rojo y muy estrecho, como imaginaba que sería nuestra habitación, en el tercer piso. Pero no. A pesar del ascensor minúsculo, de las escaleras de caracol cubiertas de alfombra roja y del angosto pasillo, nuestra habitación no era tan pequeña ni tan colorada. Un pequeño pasillo enmoquetado, donde se encontraba la puerta del baño minimalista pero bonito, con baldosines blancos y negros; tonos grises en cortinas, paredes y accesorios, paredes blancas, cuadros con fotografías de Nueva York y una estancia cuadrada con un armario y una cama enorme vestida con sábanas blancas.

Héctor dejó la maleta en el suelo y abrió las cortinas para descubrir las vistas a la calle principal, donde la gente se movía con ese nervio que precede al fin de semana. Pensé en el Alejandría, donde todos los clientes habituales estarían servidos; seguro que los despistados ya habrían preguntado por mí, aunque conté a todo el mundo, emocionada, mis planes para la escapada con Héctor.

—¿Es una terraza? —pregunté.

—Es un..., uhm..., bordillo con barandilla. —Se rio.

—Me gusta.

Me puse de puntillas para besarle y él derritió una sonrisa en mis labios. Insistí en vaciar el equipaje porque no quería tener que planchar y en menos de media hora, volvíamos a estar abajo, cogidos de la mano, como dos turistas que se resisten a echar mano al mapa.

La primera parada fue para desayunar a precio de oro frente a la iglesia de la Madeleine, en la terraza. Abrigados hasta arriba, bebimos café, nos comimos unas tostadas con esa maravillosa tradición de sentarse de cara a la calle para no perderse detalle, codo con codo, y compartimos uno de sus cigarrillos de liar. Héctor llevaba unos mitones que al principio me dieron risa pero que eran prácticos para fumar sin tener que quitarse los guantes. Y el papel beige se fue oscureciendo conforme el tabaco iba quemándose en su interior..., un tabaco dulce, con cierto regusto a vainilla y a uva pasa que recordaba el olor del de pipa.

—Es increíble que estemos aquí —le dije emocionada—. Es París.

Héctor sonrió con cierta indulgencia, como seguro que lo haría viendo a sus sobrinos ilusionarse por cosas que para los adultos carecían de tanta emoción.

—Bueno —me expliqué—. Para mí es increíble. Tú ya lo conoces y...

—No conozco nada que no haya pisado contigo. Es todo nuevo. No existe si no has estado allí.

Y entonces a mí se me olvidó de golpe que él ya había recorrido París cogido de la mano de otra mujer que lo quiso.

Habíamos decidido unos recorridos un poco sui géneris. No teníamos ganas de convertir aquello en un fin de semana a matacaballo para intentar verlo todo; teníamos bastante asumido que si queríamos ver todo París tendríamos que volver en al menos otra ocasión (o dos más), de modo que no nos importaba andar de arriba abajo cogiendo metros sin aprovechar con carácter más pragmático cada desplazamiento. Así que nos sacamos la tarjeta de metro para tres días y nos fuimos al Sacré Coeur donde... me sentí pequeña, minúscula. Y mientras Héctor subía los escalones de acceso al templo a grandes zancadas de sus eternas piernas, yo me quedaba rezagada, sacando fotos de todo como cualquier turista.

Comimos en Montmartre, en una pequeñísima terraza sobre una de sus calles adoquinadas. No recuerdo ni lo que pedimos, porque lo que más comimos fue al otro a besos. Estaba fuera de mí. Creo que nunca he estado más cariñosa que aquellos días. Perdimos el tiempo por allí, cogidos de la mano, haciendo eso que hacen todas las parejas de turistas: mirar a otros iguales que ellos sintiéndose completamente diferentes.

Pasamos la tarde en el Louvre, recorriendo pasillos y pasillos y pasillos y más pasillos, para terminar sentándonos en cualquier lugar a descansar un rato cuando no pudimos más. Nos besamos frente a Eros y Psique y, como Héctor no conocía el mito, se lo conté despacito, al oído.

—Había en una ciudad de Grecia un rey con tres hijas. Las dos mayores eran muy hermosas, pero no había palabras para explicar lo bella que era la pequeña, que se llamaba Psique. Tanto que muchos dijeron que era más bella que la propia Afrodita y la diosa, muerta de celos, encargó a su hijo Eros que la castigara. Por ello, el oráculo indicó a sus padres que debían dejarla en lo alto del monte, donde la devoraría un «ser ante el que temblaría el propio Zeus». Pero Eros, al verla, se quedó fascinado y se enamoró. Y la desposó, pero siempre a oscuras, para que no supiera quién era. Le hizo jurar que nunca encendería una lámpara junto a él pero las hermanas de Psique, celosas del marido que la llenaba de joyas y le hacía el amor apasionadamente, la convencieron de lo contrario y una noche… lo hizo. Y Eros enfureció. Y la abandonó. Porque donde no hay confianza, no puede haber amor.

Al alejar mis labios de su oído vi a Héctor sonreír.

—¿Y la historia acaba así?

—No. Psique intentó ganarse la bendición de Afrodita y esta le hizo pasar un calvario… del que la salvó Eros de nuevo. Zeus les permitió vivir en el Olimpo y la hizo inmortal. Y tuvieron una hija. ¿Sabes cómo la llamaron?

—¿Cómo?

—Placer. Hija del amor y el alma.

Me quedé mirándolo y él sonrió.

—¿A quién cuentas tus historias cuando no estoy?

Y sonó tan triste… que no pude más que apoyar mi sien en su hombro y cerrar los ojos.

Se hizo de noche sin que nos diésemos cuenta. Cuando salimos, Héctor parecía tener prisa y tuve que apretar el paso para seguir su ritmo mientras nos dirigía hacia el metro. Cuando le pregunté dónde íbamos, solo dijo: «Sorpresa».

Cerca de la parada de metro de Bastille hay un embarcadero hasta el que bajamos tras enseñar en el control de seguridad unos papeles impresos que Héctor llevaba con él.

—¿Qué es esto? —pregunté divertida.

—Me dijiste que esto te parecía una horterada pero… no lo va a ser. Recorreremos el Sena y veremos París a sus orillas.

—Pero… ¿por qué? —Me reí.

—Porque yo ya lo he visto y el recuerdo no vale una mierda si no es contigo. Hazme caso.

No es que no me molestase la referencia a Lucía cuando hacía horas que la había olvidado y borrado de nuestro viaje, pero parecí entenderlo. Y le hice caso…, menos mal.

Nos sentamos en la primera fila en los asientos de la cubierta. Abrochamos nuestros abrigos hasta arriba y enroscamos alrededor del cuello las gruesas bufandas cuyo calor nos había sobrado en muchos momentos del día. El barco se deslizó despacio, saliendo hacia el Sena, que nos recibió refulgiendo luces por todas partes, oscuro e incierto. Héctor me rodeó con su brazo y yo me apoyé en su hombro dejándome arrullar.

El agua brillaba salpicada con el reflejo de los edificios iluminados y sonaba una suave música antigua que nos mecía. Canciones francesas que no entendí pero que, con total seguridad, cantaban a amores pasados y sabían a melancolía en el paladar de quien las repitiera.

—Qué bonita es París —musité casi en trance.

—Es una de esas ciudades que lo hace brillar todo.

—Entonces aquí la gente se querrá más, ¿no?

—Lo bueno y lo malo. —Besó mi cabello con la mirada perdida en el paisaje—. Lo potencia todo.

Fruncí el ceño, imitándole ese gesto tan suyo y le obligué a mirarme.

—¿Qué pasa? Suenas muy triste.

—No estoy triste. —Sonrió—. Es imposible estarlo aquí contigo.

—¿Entonces?

—Entonces... —cogió aire, hinchó su pecho y después lo dejó salir con la vista al frente de nuevo—, administro lo triste que va a ser volver para que no duela tanto.

—Eso es una tontería.

—No lo es.

—¿Quieres amargarte el viaje para que no te dé tanta pena volver? No tiene sentido.

—No me has entendido. Solo... me recuerdo que esto es transitorio. Que volveremos. Que no tendremos todas las noches para pasear y que pronto te estaré echando de menos. Lo hago para que esto sea más real, para que no sea un cuento porque la realidad es que el lunes tú volverás a tu casa y yo a la mía y no te veré hasta el viernes por la noche cuando volveremos a fingir que somos capaces de parar el mundo.

No pestañeé por miedo a llorar. Me sentí como una niña pequeña a punto de descubrir que la princesa a la que acaba de abrazar es solo una actriz que alguien de Disney ha pagado por disfrazarse.

—No me gusta —musité separándome un poco de él—. No me gusta escucharte decir esto y menos aquí y ahora. No es sitio ni lugar.

—No te gusta porque es verdad. Pero ven. El lunes por la noche nos arrepentiremos de no haber estado más pegados.

Rodeó de nuevo mis hombros y me miró con las luces de París brillando en sus ojos azul oscuro.

—¿Puedo decirte algo al oído?

—¿Es triste?

—Si estás lejos sí.

Juntó sus labios a mi oreja y los escuché despegarse antes de que susurrara:

—Cada vez que pienso que no puedo quererte más, sonríes. Y me muero, Sofía…, me muero…

Nos perdimos parte del paisaje de París de noche desde el río porque hay ciertos besos, casi todos en verdad, que deben darse con los ojos muy cerrados.

Aquella noche hicimos el amor para entrar en calor en muchos sentidos. Teníamos el frío y la humedad del río metidos en el cuerpo y dentro, más hondo, la sensación heladora de que, de alguna manera, habíamos comenzado una despedida. Yo no estaba despidiéndome, lo juro, porque no concebía nada, ni los planes que tenía para el futuro, sin él a mi lado. Es sorprendente cómo alguien que antes no estaba se convierte en lo más fiable de nuestra vida.

Hicimos el amor muy lento, como si el placer fuera solamente consecuencia, como en el mito de Psique y Eros, de la unión entre amor y alma.

Dios…, ¿estoy sonando como creo que estoy sonando? Déjame respirar profundo un segundo, por favor. Creo que me estoy ahogando en purpurina.

Déjame destensar el ambiente con la imagen de Héctor, sonriente, fumando uno de sus pitillos en la oscuridad de la habitación asomado a la ventana… solo con el pantalón del pijama.

El sábado fuimos dos turistas más recorriendo los monumentos más emblemáticos de París. Y te diré que cualquiera hubiera dicho que era la primera vez que Héctor los veía, porque se mostró igual de emocionado que yo al subir a la Torre Eiffel o en las fotos que nos hicimos desde el Trocadero. En mi foto preferida de aquel día yo, con el pelo suelto y revuelto por la brisa y vestida con mi abrigo, mi jersey de cuello alto negro y mis vaqueros capri del mismo color, lo miro embelesada mientras él, todo de negro también pero con su chaqueta color verde militar y con sus gafas de sol, me mira a mí y su pelo le cubre parte de la cara. Estamos tan guapos…, parecíamos tan felices. ¿Y sabes una cosa? Las fotografías nunca mienten. Si lo parecíamos es porque lo fuimos.

Comimos en una terraza al sol, cerca del Arco del Triunfo, en una avenida perpendicular a los Campos Elíseos. Me comí un sándwich de salmón y él uno de queso, compartiendo unas patatas y brindando con cerveza fría. Y después paseamos frente a los locales elegantes y las tiendas fuera de nuestro alcance mientras nos contábamos qué era lo más caro que habíamos comprado nunca. Él, un ordenador. Yo, mi coche. Soñamos con gastar mucho dinero en algo loco. En un capricho que de imposible que era nunca nos habíamos planteado. Héctor decidió que lo haría en una moto antigua pero que aún corriera y yo soñé más alto.

—Un piso en París —le dije con su brazo rodeando mi cintura—. Para los dos. En un sitio bonito y con un balcón donde tú fumes y yo mate las flores de cada maceta que compremos de tanto regalarlas.

Eso nos cambió el humor. Un poco. Solo un poco. Hasta que decidimos que tener dinero en el banco no sirve de nada si no puedes gastar una cantidad vergonzosa en emborracharte con vino en una terraza. En esa, en la plaza de la Sorbona, de donde nos fuimos trastabillando como alumnos de intercambio, labio con labio y la promesa de ser muy guarros al llegar al hotel. Y lo fuimos.

Nunca lo había hecho. Él tampoco, me dijo una vez estuvo dentro, arqueándome para volver a golpear mis nalgas con sus caderas al empujar un poco más dentro. Sus dedos dentro de mí. Su polla dura resbalando hacia dentro y hacia fuera, como los gemidos, jadeos y las palabras sucias que vertía en mi cuello humedecido. Fue grosero, duro y obsceno, diciendo cuánto le gustaba hacer lo que estaba haciendo y prometiendo llenarme de semen al terminar. Y yo me corrí tantas veces que perdí la cuenta, hasta que terminé dolorida y exhausta tirada entre las sábanas y él fumando con expresión lasciva y sobrada junto a la ventana.

Aquella noche nos valió un bocado rápido en uno de los locales que había en la misma calle del hotel frente a la Ópera. Una cena que nos supo a gloria porque estábamos cansados de tanto andar y tanto follar, pero que no valía, ni de lejos, lo que pagamos por ella.

Comenzamos el domingo en el cementerio Père Lachaise. Lo sé. Visitar un cementerio si no es para presentar tus respetos a alguien querido es extraño, pero hay una parte de mí que disfruta recordando la volatilidad de la vida. Tengo un rincón, morboso y romántico a la vez, al que le gusta sentir el frío en los huesos y pasear bajo árboles que se alimentan de lo que dejamos cuando nos vamos, entre lápidas viejas y estropeadas, cubiertas de musgo. Me encantó, porque el día acompañaba y en el cielo pesaban las nubes densas que lo convertían todo en gris; las tumbas parecían más oscuras y el verde de los árboles que las acompañaba brillaba más.

Fuimos encontrándonos nombres célebres entre los difuntos: Balzac, Apollinaire, María Callas, Corot, Delacroix o Edith Piaf. No hicimos fotos, por supuesto, porque nos parecía una falta de respeto. Solo miramos la tumba muy juntos, en silencio. Yo pensaba en las cosas que hacen que ciertas personas sean eternas y que las mantienen vivas en la boca de la gente.

—¿Crees que hace falta ser famoso para ser eterno? —le pregunté sin mirarlo.

—No. Solo que te quieran mucho.

Y cuando encontramos la tumba de Oscar Wilde casi tuve ganas de llorar porque él fue quien dijo que «lo menos frecuente en este mundo es vivir. La mayoría de la gente existe, eso es todo». Gracias a él pensé y sentí ciertas cosas que creí que solo había que dejar pasar. Porque «a veces podemos pasarnos años sin vivir en absoluto, y de pronto toda nuestra vida se concentra en un solo instante».

—Dicen que era un poco misógino —comentó a mi lado Héctor con las manos en los bolsillos y los ojos entrecerrados para soportar la luz grisácea y potente del día.

—Se dice mucho sobre muchos. De ti, por ejemplo, se comentaba que tenías pinta de partir leños con el rabo y creo que no es verdad.

—Estás loca —respondió—. Y eso tiene mucha pinta de ser un bulo nacido de tu propia boca.

—Ahora dudo si lo dije yo o fue Abel.

—Tanto monta monta tanto.

—«Cuando se está enamorado, comienza uno por engañarse a sí mismo y acaba por engañar a los demás. Esto es lo que el mundo llama una novela». Es suyo. Como que «la única manera de superar la tentación es caer en ella». Preséntale tus respetos a lo que queda de este genio.

—Mis respetos, señor Wilde —se dirigió en voz baja hacia la placa de metacrilato que separaba el mármol de los visitantes—. Muy de acuerdo con su idea sobre la inevitabilidad de la tentación. Ahora quiero casarme con ella.

No me pidió matrimonio, claro. Ni ganas. No era nuestro momento. No era nuestro momento para casi nada que no fuera besarnos sin pensar y caminar por París, siguiendo nuestro recorrido por Le Marais, los alrededores de Notre Dame y el barrio latino. Beber vino y comer queso. Comprar libros en inglés en Shakespeare & Co y hacernos fotos con cara de tontos enamorados, entre nosotros, de nosotros mismos y de la ciudad. Héctor tenía razón cuando decía que París potencia la luz de todo. Lo hizo de una manera tan salvaje que pronto fue imposible no ver el brillo que desprendía la idea de la separación, de la ausencia, de una rutina pobre que terminaría cansándonos. No era lugar para pensarlo pero esa era mi creencia. Héctor, como ya expresó, era más de administrar la pena, el desasosiego y la esperanza para no perderlo todo en un segundo y quedarse mirando al vacío como un bobo. Y así fue. Como lo nuestro. Inevitable. Como la tentación. Como besarnos en aquel rellano. Por más que quisimos espantar la idea a manotazos como un moscón, el domingo por la tarde, mientras paseábamos ya de noche por el barrio latino por el que andaba mucha gente, la idea y los sueños conspiraron en nuestra contra hasta entrar zumbando en una respiración y salir hechos palabras de su boca.

—Me quedaría para siempre —le dije.

—Quedémonos. —Sonrió.

—Claro. Llama tú al Alejandría y diles que necesito unos días de baja. Que estoy enferma de amor —me burlé.

—Lo digo en serio. Quedémonos.

—No vamos a vivir en París.

—¿Por qué no?

—Porque no. —Me reí—. Porque moriríamos de hambre. Es una ciudad preciosa que queda tan lejos de nuestro alcance que apenas podemos ni soñar con ella. Creo que nos cobrarán los sueños directamente a la tarjeta de crédito, para que los paguemos a plazos.

—Pues… —se paró en la calle de golpe haciendo que el grupo que caminaba detrás de nosotros casi chocara con nuestras espaldas y tuviera que esquivarnos—, no nos quedemos aquí. Pero quedémonos.

—Pensaba que solo te habías tomado una copa de vino.

—Quedémonos juntos —aclaró—. Busquemos el modo.

—Héctor… —miré al suelo—, ¿tenemos que hablarlo hoy?

—Mañana estaremos de vuelta, Sofía. Y yo tendré que irme a casa y tú a trabajar. ¿Cuándo quieres que te lo diga? Nunca es buen momento. Porque por no estropear los dos días que estamos juntos, nunca lo diremos.

—Si vamos a estropearlo, ¿por qué decirlo?

—Porque si no lo decimos va a ser peor. Yo no lo voy a soportar, Sofía.

Volví a mirarlo algo asustada.

—¿Qué no vas a soportar?

—Las vidas en paralelo. Ya lo he visto. Ya lo he vivido. Y ya sé lo que pasa al final… y no quiero. Yo quiero vivir contigo. A tu lado.

—Es pronto para nosotros y… hace nada que hemos vuelto. Tú acabas de salir de una relación muy larga…

—Déjate de mierdas y excusas, Sofía. Vamos a hablar claro. No te estoy diciendo hoy, ni mañana, ni el mes que viene. Pero necesitamos un plan. Todo el mundo tiene un plan. Excepto nosotros.

En cierta manera era como aquella cita de Oscar Wilde…, nosotros no estábamos viviendo. Estábamos existiendo. Despuntaban momentos que nos empecinábamos en mantener dentro de la cuarentena del fin de semana, pero el resto de días… respirábamos sin más.

—Contigo no es como con Lucía —insistió—. Siento sacar el tema, Sofía, pero es que así no va a funcionar.

—¿No quieres estar conmigo? —le pregunté—. ¿Estamos rompiendo?

—¡No! Te estoy pidiendo que tomemos una decisión. Te estoy pidiendo que vengas a vivir conmigo.

Ahí estaba. Sin máscaras, cadenas o sábanas. Detrás de las psicofonías que suponían la sospecha había una voz real, la de un problema de base. Que él quería que me marchara con él y yo no quería dejar Madrid.

—Lo que me estás pidiendo es que lo deje todo para ir al pueblo…, ¿a qué?

—Al pueblo o cualquier otro sitio. Podemos empezar los dos donde quieras. No voy a imponerte un lugar, Sofía. Solo quiero que estemos juntos.

Era el momento de responder, de proponer Madrid. «Oye, Héctor, creo que lo mejor, lo más coherente y cómodo es que vuelvas a Madrid. Aún es pronto para vivir juntos pero quizá podríamos esperar un poco, poner una fecha y… buscar un piso después de verano para los dos. Pero en Madrid. Porque no quiero irme… ni siquiera por ti». Pero me había prometido no proponerlo porque sabía que diría que sí. Y volveríamos otra vez a meternos en una rueda en la que no quería participar.

Como no contesté, Héctor se pasó la mano por el pelo y rebufó.

—¿Qué? —le pregunté hosca—. Es que no sé qué quieres que te diga.

—¿Cómo que no sabes lo que quiero que me digas? Que sí, Sofía. Que me digas que sí.

—Es que no puedo decírtelo. Yo no quiero irme. No…, no quiero dejar mi trabajo, mi gente, mi…

—Yo lo haría.

—Ese sería tu error, no el mío.

—¿Mi error? ¿Cómo que mi error? ¿Consideras un error facilitar las cosas para ser una pareja de verdad y no una por fascículos?

—Estás empezando a ser doliente —le avisé.

—¡Es que a mí me duele!

—Pero, Héctor…

—Escúchame, Sofía. Hice lo que querías que hiciera. Ser yo. Encontrar el hombre que podía ser, ¿no? Bien. Pues me fui y de pronto…, coño, de pronto todo está mejor. Menos tú, que no estás conmigo. Y ahora, con el resultado delante, mis conclusiones no te valen. Sofía…, piénsate bien si el problema no será que no te gusta el hombre que soy.

—No es eso. Es que lo que estás pidiendo es…

—Pídemelo tú.

Parpadeé.

—¿Que te pida qué?

—Pídeme que vuelva a Madrid. Pídemelo tú.

—Vas a decir que sí.

—¿Es que no quieres que lo diga?

—No.

Echó un paso hacia atrás y se frotó los labios con la palma de la mano.

—¿No quieres estar conmigo?

—Sí.

—Deja de jugar, Sofía. Te estoy hablando en serio —rugió.

Un par de viandantes nos miraron y me aparté junto a él en una acera. Le mantuve la mirada y respiré hondo.

—La cosa es esta, Héctor… Si me voy contigo, dejo de lado el resto de cosas que quiero. Por ti. Sería capaz de hacerlo pero mi trabajo pesa mucho en la balanza. Y si, por el contrario, eres tú quien deja por mí todo lo que has descubierto que te hace feliz, no serás el hombre del que estoy enamorada. Serás el tío que se equivocó con Lucía… otra vez.

—Saca a Lucía de esta conversación.

—Has sido tú quien la ha metido.

—No he sido yo quien… —respiró profundo—. ¿Cuál es el problema?

—Que estamos hablando de esto en mitad de la calle en París, Héctor. Ese es el problema.

—¿El problema es que no me quieres lo suficiente?

—Me estás poniendo en una situación muy difícil, Héctor.

—No. Te lo estoy poniendo muy fácil. Escúchame…, si al volver a Madrid estaría dejando de ser el hombre del que estás enamorada…, pongámoslo sobre la mesa, porque la realidad es que tienes que elegir.

—¿Elegir?

—Sí. El Alejandría o yo.

—¿No estamos haciéndolo posible? —levanté la voz—. ¿Tan mal te parece lo que estamos haciendo como para que tengas que ponerme en esta situación?

—No hay más vuelta de hoja, Sofía. Podemos tener esta conversación dentro de un año si quieres, pero nada habrá cambiado. Al final todo se resume en eso. El Alejandría o yo.

—No puedo elegir. Que me hagas esa pregunta ya es…

—¿Egoísta? Sí. Mira, lo es. ¿No es lo que querías? Pues acostúmbrate, Sofía. Las personas no seguimos un plan trazado por ti. Las personas padecemos y vivimos. Y yo te necesito. ¿Qué pasará cuando te canses de coger el coche cada dos semanas, cuando yo me canse de pasar ocho horas del fin de semana metido en un puto autobús? Te quiero. Y no pienso tener una relación que implique despedirme de ti todos los putos domingos. Otros podrán. Yo no. Tengo treinta y cinco años. Despierta, Sofía. Despierta...

Dicho esto... no había nada que añadir. Estaba todo claro. Ya estaba sobre la mesa. Ya no se podría ignorar más. Y ahí estaba, vomitado sobre los adoquines de una preciosa calle de París, lo que nos hirió de muerte.

Aquella fue la primera noche en la que a Héctor y a mí nos faltaron centímetros en la cama para no tocarnos.

47

Sofía no me dirigió la palabra cuando sonó el despertador a las cinco de la mañana. El avión salía a las siete y un coche pasaría a recogernos en media hora donde tendríamos que fingir que éramos una pareja más de las que vuelven a España más enamoradas aún después de visitar París. No quería respirar aquel aire tóxico durante las dos horas de vuelo y, menos todavía, despedirme de ella con aquello en el pecho.

Habíamos recogido las maletas ya y lo único que teníamos que hacer era darnos una ducha rápida. Así que aproveché cuando se metió en la ducha para hacer lo mismo y no precisamente para ahorrar tiempo. Quería tocarla, pedirle disculpas con los labios sobre su coronilla, sintiéndola mía. Todo lo mía que podía ser.

Y ella no se sorprendió cuando lo hice. Ni se apartó. Pareció reconfortada con mi calor cuando la abracé y pegué mi cuerpo al suyo. Joder…, lo único que yo quería era tenerla siempre. Era… tenernos.

—Sofía —le dije—. Yo…

—No pasa nada —musitó.

—Sí que pasa. No sabes cuánto lo siento. Estropeé nuestra última noche en París. Volverás a casa con un recuerdo que no quiero dejarte.

Se volvió entre mis brazos y sonrió con tristeza.

—No dijiste nada que no pensaras —aseguró.

—Lo dije todo mal. Y sobre todo te lo dije cuando no debía. Era una conversación para tener en casa.

—Pero es que tienes razón, Héctor, no tenemos casa.

Parpadeé. Quizá no estaba enfadada por la discusión. Quizá solo estaba… triste. Como yo.

—No fue el modo pero… ¿me entendiste?

—Claro que sí, Héctor. Pero… ¿me entendiste tú a mí?

—Sí —asentí—. Siento haberte dicho que tenías que elegir. No quiero que lo hagas.

—Pero es la verdad. Es el Alejandría o tú.

—No. —Esta vez negué con vehemencia. El pelo mojado se me pegaba a la cabeza—. Esperaremos. Y el tiempo dirá. Quizá en unos meses yo me canse del pueblo o me surja la oportunidad de comenzar algo en Madrid y ya no existirá el problema.

Me miró fijamente y asintió pero vi en ella tan poco convencimiento como el que albergaba yo. Solo estaba intentando ganar tiempo para buscar una solución antes de que los desplazamientos, las ausencias y el cansancio hicieran mella en nosotros. Y ella estaba dándomelo. Pero ninguno de los dos tenía demasiada esperanza.

—Sofía…, ¿dijiste de verdad que te decepcionaría que volviera a Madrid?

—Sí. —Se acercó y besó mi pecho—. Sentiría que estamos repitiendo la historia.

—Pero yo lo haría porque quiero. Porque te quiero.

—Como con ella.

Touché. Porque en el fondo no quería. Lo único que quería era a ella, pero aceptaba que no se puede tener todo. Dejé en la recámara, para próximas conversaciones, la contestación de que no era justo. No era justo que fuera a decepcionarla por tomar la única decisión que parecía que podría salvarnos a la larga. Sin embargo, ella anuló la posibilidad de usar ese argumento en el futuro con su siguiente frase:

—Si lo haces, te fallas a ti. Y no quiero ser la responsable de ello si vuelve a pasar.

No había más que añadir. Hasta el café del aeropuerto me supo a decepción. Y a ella el suyo, seguramente, a pena.

Durante el vuelo no hice más que pensar en ello: en todas las veces que me había fallado a mí mismo tomando decisiones por otros y cómo ni siquiera me había preocupado en preguntarme a mí mismo si era lo que quería. Como ir a Madrid a estudiar. Como cuando volví con Lucía después de que me dejara, cuando estábamos en la universidad. Como marcharme a Ginebra sin más, por estar con ella, sin preocuparme por mi propio futuro. Como asumir que debía decir que sí a lo de tener un hijo. Como cuando volví corriendo a sus brazos y dejé tirada a Sofía. Como haría si abandonaba todo cuanto había redescubierto que me hacía feliz lejos de Madrid.

Sin embargo, lo tenía claro. Nunca antes lo habría hecho con más razón. Y no sería fallarme a mí si tenía bien sopesadas las contras, la cara b, lo que vendría después. Asumir el agobio de Madrid como parte de mi vida, tener que establecer un coto privado de vida donde no entrara el ruido, dejar la carpintería, mi hermano y el resto de la familia para una vez al mes, gastar más dinero en menos… pero… a cambio: Sofía. Ser feliz. Yo no tenía duda. Maldita testaruda que se preocupó tanto por mí que confundió la teoría con lo que es en realidad, en la práctica, el amor.

No sabes con qué fuerza deseé que el puto Alejandría, tan mágico, tan especial y único se hundiera hasta dar con el otro jodido punto de la corteza terrestre. Sin nadie dentro, claro. Pero que se fuera a tomar por culo. Y no sabes durante cuánto tiempo me culpé, a sabiendas de que yo no había hecho nada malo, cuando todo pasó.

48

Mi gente entendió mi pena, aunque ahora, años vista, la veo diminuta. En este momento me parece todo distinto porque estoy convencida de que el final que nos tocó era el único viable, de modo que cualquier decisión nos hubiera llevado al mismo destino. ¿Qué más daba si él volvía a dejarlo todo por mí? ¿No nos han dicho siempre que esa es la máxima prueba de amor? El beso que nos despertará cuando estamos dormidos. El sacrificio. Pero es que, Sofía, mi niña…, era una relación, no el mandamiento de una religión. Me lo digo a mí misma, ¿sabes? Como si pudiera volver atrás y convencerme. De todas formas, me repito…, sé que hubiera cambiado muy poco. Es posible que hubiéramos acabado en la misma situación en la que estamos ahora…

Pero el caso es que mi gente me entendió, lo que me reafirmó en mi idea. Deseaba con toda mi alma que viniera pero sabía que si se lo permitía, me sentiría culpable por los restos por cada cosa que le saliera mal. Y eso no es vivir.

Nos convencimos a nosotros mismos de que una relación a distancia no era una mala situación. Solo una situación. Y pasaría. Ya encontraríamos la solución. Nos convencimos de que podríamos ser cigarras durante una temporada, ocultando que en el fondo éramos hormigas.

Héctor se esforzó desde que volvimos de París con todo lo mío porque probablemente se sentía culpable por haberme puesto entre la espada y la pared sabiendo, además, que no elegiría. Vino él a Madrid los dos fines de semana siguientes, aunque me tocara a mí, hizo planes por Madrid e incluso charló un rato con Oliver que como estaba a lomos del mayor alucinógeno del mundo (dícese, el amor) también fue amable. No creo que a ninguno de los dos les importase realmente lo bien que iba el Atleti desde que Cholo Simeone se había hecho cargo del vestuario, pero allí estaban ellos, fumando y bebiendo café junto a la ventana de la cocina como si tal cosa. Y aunque me dio risa, lo aprecié. Me creí que podríamos superarlo, alcanzarlo, sobrepasarlo... y por eso fue tan dura la caída.

Es curioso cómo nos pasamos la vida preocupados por cosas que siempre terminan teniendo solución, para bien o para mal. Tememos las malas situaciones como si fueran el final y no lo son. Final solo hay uno y ese..., ese sí que no tiene vuelta de hoja. Algo para lo que todos nacimos, que todos llevamos dentro y que nos encontrará por más que corramos. Ya sabes lo que quiero decir.

Es curioso cómo a veces la vida entera nos pasa por delante de los ojos en un instante y no nos damos ni cuenta.

Fue un día genial. Una de esas jornadas para recordar del Alejandría. Apenas unos días antes de mi cumpleaños. Abel y yo abrimos a las ocho, como venía siendo costumbre, y después de encenderlo todo, nos tomamos un café tranquilos, mientras sonaba «Feeling Good» en la versión de Muse. Los clientes fueron apareciendo algo perezosos y calmados.

Fue casi como una reunión de amigos en la que el anfitrión sirve sin prisa pero sin pausa. Abel salió a fumar su pitillo, se encontró con Lolo y después de que este se fumara el suyo, se fue a por cambio después, mientras yo horneaba en la pequeña trastienda cuatro cruasanes... cuatro porque no cabían más en el pequeño hornillo. Todo olía a bollería rica, a café, a cappuccino, a galleta.

Verónica, nuestra opositora, apareció hecha un polvorín, lo que es raro en ella, que suele ser más bien introvertida y silenciosa. Por fin habían publicado la resolución del último examen al que se había presentado y... había conseguido plaza. Descorchamos hasta una botella de cava e invitamos a todo el mundo. Cava y tarta, ¿qué más se puede pedir?

Héctor llamó a media mañana para preguntarme por enésima vez si estaba segura de querer ir el fin de semana al pueblo en lugar de que volviera a venir él. El sábado era mi cumpleaños y no se sentía cómodo, dijo, robándome a toda la gente que querría celebrarlo conmigo. Pero yo quería estar con él. Solo con él. Rememorar París con las fotos y los besos. Seguir jugando a ser inconscientes y a no tener memoria.

Abel y yo hicimos palomitas de maíz para acompañar las cañas que empezamos a servir a eso de las doce y el Alejandría cobró una atmósfera más circense aún. Como de cine antiguo. Y desde las mesas se escuchaba la algarabía residual de la buenísima noticia de Verónica y resultado también de nuestro buen humor.

Mi compañero preparó un par de sándwiches para los abogados de la mesa del rincón, esos que siempre cuchicheaban porque llevaban casos importantes y mientras tanto, yo le enseñé a Lolo las fotos de París que llevaba en el móvil.

—Eres el único a quien no he dado el coñazo con esto —le dije risueña—. Ven ahora mismo aquí a que te enseñe la cara de idiota que tengo en las fotos.

—La cara de cualquier idiota enamorado, querida. —Me sonrió él.

Me contó de nuevo aquella temporada en la que estuvo trabajando en Francia y la historia de cómo se escapó con su primer amor a París hasta que los padres de este le obligaron a volver.

—París es para los enamorados —le respondí mirando de reojo mi fotografía preferida del viaje, la que hicimos en el Trocadero.

—El mundo es de los enamorados, no te engañes.

Se hicieron las cuatro sin apenas darnos cuenta y Abel y yo decidimos quedarnos un rato en una de las mesas, tomándonos unas cañas. Nos las sirvió el propio Lolo, que se sentó un rato con nosotros. Estaba cansado, nos dijo, y algo mareado.

—La primavera, Lolo, que la sangre altera —bromeó Abel con él.

Se rio con nosotros durante un rato y después desapareció, como siempre, para pasearse por todo su Alejandría del alma, al que miraba como si fuera un eterno niño recién nacido. Suyo.

Oliver se sumó al rato y trajo a Mireia que al sentarse miró alrededor y musitó:

—Me encanta este sitio.

La magia del Alejandría alcanzaba a todo el que entrara en él. A viejos y jóvenes. A enamorados o renegados. A solitarios o amigos de cualquiera. Era su madera lustrada. O los cuadros que, muy juntos en algunas paredes, cubrían las superficies. Eran las flores naturales de unas mesas, en jarrones pequeños comprados en El Rastro. O los sillones algo polvorientos, a los que nunca conseguíamos quitarles los años que llevaban a cuestas. Era nuestra foto, sonrientes. O el propio Lolo, que recordaba tanto a cómo sería de más joven ese abuelo al que quisiste tanto. Algo era. Su perfume a café y comida. O sus conversaciones. Qui-

zá el día del bingo o el de «¿por qué esto se pasó de moda?».
Quizá éramos nosotros mismos los que lo llenamos de magia.

Y yo, que conocía cada muesca de la madera de la barra,
cada surco en el suelo, el tacto de cada tela que cubría los asientos.
Yo, que tenía almacenado cada aroma y catalogado un sentimiento que despertase con él, que sabía de memoria cada frase
de las pintadas en la puerta del baño, me fui sin mirar atrás,
porque el Alejandría era eterno, como las tumbas de los que
hicieron grandes cosas y se marcharon después. Fue uno de esos
buenos días del Alejandría. Y me alegro. Lo llevaré conmigo
siempre. Un regalo. El Alejandría vivió su último día con todo su
esplendor.

Una llamada me despertó. Miré el reloj asustada por la posibilidad de haberme dormido, pero solamente eran las seis y media
de la mañana. Era Abel, por lo que imaginé que había acabado
la noche muy bien e iría a decirme que llegaba tarde. O que
no podía venir. Contesté somnolienta.

—¿Sí?

—Sofía. —Abel, pero sonaba muy serio.

—¿Estás malo? —pregunté totalmente atontada.

—No. ¿Puedes estar lista y en la puerta del Alejandría en
media hora?

Miré el reloj otra vez, confusa.

—Sí. Pero ¿qué coño pasa? Son las seis y pico.

—Date una ducha y baja. Tengo que decirte una cosa.

—¿A qué viene tanto misterio, Abel, por Dios?

—Ha pasado algo.

Colgó. Ahora sé que colgó porque la voz le fallaba y no
quería tener que decírmelo por teléfono. Supongo que estaba
medio dormida aún y tardé en reaccionar. En la ducha, bajo el
agua caliente, empecé a preocuparme. Eso que había pasado…,

eso, debía ser serio. Abel no llamaba a las seis y media ni siquiera si había pasado una noche alegre y seguía pedo, ni si había pasado la noche con fiebre. Él siempre esperaba un poco más. Las seis y media es una hora dura, de noticias de las que nadie quiere dar. Ver a Oliver despierto y vestido cuando salí de la ducha no hizo más que ratificar la sensación.

—¿Qué pasa, Oli?

—Ponte la chaqueta. Bajamos un momento al Alejandría.

—¿Te ha llamado Abel?

—Sí.

No se había dado una ducha. Llevaba unos vaqueros sencillos, sus zapatillas impolutas y un jersey oscuro liso. No se había peinado. ¿Qué pasaba? Oliver no llevaba el traje puesto. ¿No iba a ir a trabajar? Pero... ¿qué había pasado? Me agarré el pecho sobre el jersey.

—¿Papá? —Sollocé sin poder aguantar la presión del momento.

—Tu familia está bien, Sofía. No te preocupes, ¿vale? Déjanos hablar contigo abajo.

Bajamos en silencio en el ascensor. Supliqué y recé todo lo que sabía, pero cuando llegamos a la planta baja ya estaba llorando. En la puerta del Alejandría no había nadie, pero la cortina estaba parcialmente subida. Dudaba mucho que fuera otra sorpresa por mi cumpleaños. Nadie gasta una broma tan pesada. Aun así, el recuerdo caldeó un poco mi pecho.

Sentado en una de las mesas estaba Abel. Tenía entre las manos una taza de café llena que temblaba entre sus manos. Los ojos rojos. Los labios hinchados. Se levantó al verme entrar y trató de sonreír con tristeza.

—Sofía, siéntate.

—¿Qué ha pasado?

—Siéntate —insistió Oliver muy serio, cogiéndome por los dos brazos.

No me senté. Me quedé mirándolos a los dos, que se pasaban con los ojos el testigo. Abel tragó y abrió la boca después de lo que me pareció una eternidad.

—Sofía, anoche... —le tembló la voz—. Lolo sufrió un infarto.

—¿Qué?

—Que anoche Lolo sufrió un infarto.

—Pero... ¿está bien? —pregunté quejumbrosa—. ¿Dónde está? ¿Quiere que..., quiere que vayamos? ¿O abrimos? ¿Está...? ¿Está...?

—No está —dijo en un balbuceo—. No está, Sofía. Lolo ya no está.

Abrí la boca para decir algo, pero no me salió nada. Ni un sonido. Ni aire. Me quedé allí, congelada.

—No —dije después de un momento. Veía borroso a través de todas las lágrimas que se acumulaban en mis ojos—. No puede ser. Ayer estaba aquí y..., Abel, lo has entendido mal.

Y lo dije enfadada. Él se dejó caer en la silla y se tapó los ojos para llorar.

—Oli... —supliqué—, lo ha entendido mal.

—Sofía, siéntate un segundo.

—¡¡No me quiero sentar!! —grité—. ¡¡Lo has entendido mal!! ¿Me oyes, Abel? Voy a..., voy a llamarlo. Eres un imbécil, ¿sabes? —Sollocé—. Estas cosas no se hacen, Abel. Un amigo no hace esto.

Empecé a rebuscar en el bolso que llevaba colgando en el costado mientras hipaba y temblaba. No encontraba el móvil.

—Sofía... —pidió Oliver.

—¡¡Déjame!! Tiene que..., tiene que estar aquí. Lo dejé aquí. Tengo anotado su móvil y el teléfono de su casa. Voy a llamarle.

—Sofía. No. —Oliver me agarró y negó muy serio—. No está.

—Pero es que no puede ser —me quejé entre lágrimas—. ¡No puede ser, Oli!

—Mamen viene de camino. Y Héctor —dijo dulce.

Me giré a mirar a Abel que lloraba amargamente con los codos apoyados en la mesa y me acerqué un poco más.

—Abel —le llamé—, Abel —mi voz sonó más rota—, Abel —y más—, Abel...

Me hundí junto a su silla. Oliver me sostuvo y me apartó hasta sentarme en el sillón de al lado y Abel se echó sobre mi regazo. Yo sobre el pecho de Oliver, que olía a su perfume, a nuestra casa y a limpio. Olía un poco a mí. Y al Alejandría.

Creo que sollocé mucho mientras me abrazaba. No estoy segura. Solo sé que cuando llegó Mamen me dolía la garganta y tenía las manos blanquecinas de tanto apretar la ropa de Oliver para que no se despegara de mí. Cuando apareció Héctor a través de la cortina medio echada, despeinado, con la barba un poco desarreglada y jadeante, el dolor ya había echado raíces dentro de mí y ni siquiera podía llorar. Solo quería entender, en silencio, cómo podía haberse ido así. Sin hacer ruido. Sin despedirse. Dejándonos atrás.

—Mi amor... —susurró Héctor al sentarse a mi lado—. No te preocupes. Estamos aquí. Estoy aquí.

Él estaba allí. Estábamos allí. Todos. Excepto Lolo. Y el Alejandría que se iba con él.

49

A Lolo un dolor en el pecho le despertó en mitad de la noche. Llevaba días cansado y le dolían las muñecas, de manera que supuso que la carga de trabajo del Alejandría, al que entregaba toda su vida, le había dejado de regalo un dolor muscular. Y se levantó a beber agua. Su pareja lo encontró tendido en el suelo de la cocina. Infarto masivo. No llegó al hospital.

El Alejandría mantuvo la cortina a media asta, como una bandera en duelo, durante todo el día. No dejaron de venir clientes a dar el pésame hasta que cerramos. Cerramos todos, como la familia que sentíamos que éramos. Estuvimos todo el día, todos, los seis, apoyados por los habituales parroquianos y las personas de nuestro entorno que iban y venían, preocupados por el pesar que se nos comía vivos. Cada poco alguien estallaba en llanto y el resto nos veíamos arrastrados sin poder evitarlo.

Manuel, la pareja de Lolo, pasó por allí a la hora de comer, aunque nadie comió. Traía una expresión estoica y dolida y…

juraría cualquier cosa del mundo a que no había llorado…, no aún. Estaba preocupado porque todo saliera adelante: el velatorio, la cremación, los temas legales, que se enterase todo el mundo que quería a Lolo. Abel lo abrazó pero el resto preferimos no hacerlo después de ver la tensión de sus hombros ante el contacto físico. A Manuel le escocía hasta la piel de pena viva. Había perdido al amor de su vida.

—¿Qué hacemos? —le pregunté con un nudo en la garganta.

—La gente triste necesita algo caliente que le asiente el estómago. Serviremos hasta la hora de cierre a cualquiera que quiera pasarse.

Y así lo hicimos, turnándonos para respirar, llorar, sollozar, quedarnos callados con la mirada perdida y atender. Se sirvieron cafés, muchos, infusiones y algún que otro trago fuerte cuando cayó la noche. Nunca había visto el Alejandría más lleno.

Manuel se despidió de nosotros poco antes de las nueve; tenía que ir a hablar con la familia de Lolo con la que la situación era más bien tensa. Nosotros prometimos cerrar a las doce. Se marcharon los clientes. Nos quedamos nosotros, con nuestra gente y todos lloramos al echar la cortina. Creo que, en algún momento del día, nos dimos cuenta de que no solo se había ido Lolo. Era cuestión de tiempo que el Alejandría cerrara para siempre.

Solo había estado en un funeral en mi vida: el de mi abuela. Todos estuvimos muy tristes y lloramos mucho pero nos consoló su edad. Era muy mayor, aunque creyéramos que estaba hecho del material del cosmos y bromeáramos entre nosotros con el tema, de modo que tuvo una larga y feliz vida. Así que no tuve ninguna experiencia previa a la que agarrarme para sobrellevar la pena conjunta de toda una familia que no lo era y que se despedía del padre que los unió.

La familia de verdad, la de sangre, no se juntó con los demás. No sé si lo que les molestaba era saber que Lolo había vivido siempre como había creído conveniente para ser feliz o el hecho de que todos apreciáramos a su pareja, a quien no tragaban. La verdad... nos dio igual.

En el momento de la cremación cada uno lo gestionó como supo. Hubo llantos, quejidos, sollozos, rabia sorda y manos que sostienen. Héctor y Oliver fueron mis hombros. El primero en silencio, sereno y muy serio y el segundo preocupado, cogiendo el relevo de mi novio en lo que al ceño fruncido se refiere. Oliver nunca lloraba; aquel día fue el que más vi brillar sus ojos.

Una marea de ropa negra se trasladó después al único sitio en el que nos encontraríamos protegidos en aquel momento: el Alejandría. Nuestra casa. Manuel vino con nosotros porque tenía algo que decirnos. Como habíamos presagiado la noche anterior, las malas noticias no se acababan allí.

Se quedó de pie, apoyado en la barra, con los ojos enrojecidos de tanto aguantar las lágrimas clavados en el suelo y todos nosotros nos sentamos por donde pudimos. Trabajadores y clientes más fieles.

—Si conocíais bien a Lolo no os extrañará saber que a Lolo no le gustaban las bodas. —Sonrió con mucha tristeza—. Por eso nunca se lo pedí. Él decía que el amor es libre y que no cabe en un anillo. A nosotros nos parecía romántico..., lo único que nos mantenía juntos era el amor, sin acuerdos ni firmas. Hoy eso... no son buenas noticias para vosotros. Todo lo que pertenecía a Lolo es ahora, por derecho, de su familia y eso quiere decir que... el Alejandría es suyo. Y... me temo que no tienen intención de mantenerlo abierto.

El silencio que provocó su confesión pitaba en los oídos hasta ser molesto. Nadie dijo nada. Nadie lloró. La plantilla miramos al suelo.

—Me han ofrecido el traslado del negocio pero… no puedo hacerme cargo. Ni pagarlo. Y… lo siento mucho. Me han comentado que…, bueno… —se frotó la cara—, no hay palabras adecuadas para decir esto: lo cerrarán mientras encuentran otra empresa que alquile el local.

—¿Cuándo? —preguntó Gloria.

—Os llamará el abogado para hablar de finiquitos y demás temas de papeles.

—¿Cuándo? —insistió Abel.

—Mañana es viernes. —Un nudo en la garganta le atenazó la voz—. Servid cuanto queráis. Por Lolo. Y por lo mucho que quería a este lugar. Mañana es el último día del Alejandría.

El último día del Alejandría, Abel y yo abrimos a las ocho de la mañana, como siempre. Nos recibió el olor a café, libros viejos y madera lustrada y ambos respiramos hondo y dimos un apretón al otro. Encendimos las luces, la cafetera y el horno. Sacamos del congelador toda la bollería precocida que había. Sonreí cuando me acordé de las veces que le pedí a Lolo que cambiara aquello, que hiciera un acuerdo con una panadería cercana para que nos lo trajera recién hecho. Nunca claudicó.

—El Alejandría es como es. No es perfecto y en eso reside su encanto.

Quizá ese fue siempre el secreto, que no era perfecto y no pretendía serlo.

El primer cliente en llegar fue Ramón, el jubilado que llevaba a sus nietos al colegio. Venía ocultando la pena bajo su sonrisa.

—No me quedo sin mi último café del Alejandría.

—Y un bollo —le respondí—. Hoy todo el mundo va a comer y beber en el Alejandría como si fuese una boda.

—Niña, ¿por qué no juntáis dinero entre todos y os lo quedáis?

—Porque de la plantilla solo queremos tres y es tanto dinero que no podríamos ni soñar pagarlo —respondió por mí Abel.

—Si tuviera treinta años menos…

Si yo tuviera dinero. Si el banco pudiera prestárnoslo. Si no pidieran una suma tan grande. Si no estuviera en tan buena zona. Si Lolo no hubiera pasado por alto sus dolores. Si…, Si.

Héctor bajó desde casa a media mañana para sentarse en la barra. Su mesa seguía libre pero él quiso quedarse allí para poder cogerme las manos.

—¿Estás bien? —me preguntó.

—Sí —mentí—. Pero… siéntate en tu mesa. Cada uno debe despedirse de su Alejandría.

No me costó convencerlo. Se levantó, cogió su chaqueta y el cuaderno que había traído consigo y se sentó en el sillón alrededor del cual construyó su reino hacía un año. La mesa de Héctor. Le llevé un café con espuma dulce y nata, un trozo de bizcocho y sus galletas.

—Gracias —susurró.

—Avísame si quieres algo más.

—Solucionar esto. Eso quiero —suspiró ya sin mirarme.

Los ojos de Héctor se perdieron más allá del ventanal. Un rato después le vi garabatear en una página de su libreta ese letrero que tanto me gustó cuando llegué para hacer la entrevista. El Alejandría era el motivo por el que escogí mi casa. El Alejandría era el motivo por el que me di cuenta de que cualquier pequeña magia puede hacernos feliz. Ojalá pudiera dibujarme en aquellos esbozos para que una parte de mí siguiera estando allí siempre.

Hicimos sándwiches. Tiramos cervezas. Hicimos palomitas de maíz. Y cuando Gloria llegó cargada con una tarta y repartimos un trozo a cada uno, Abel y yo nos dimos cuenta de que no queríamos quitarnos el mandil porque eso significaría que se acababa, de verdad.

—Quítatelo tú primero —me pidió.

—No. Tú.

Nos entró la risa tonta. Él tiró de mi lazo hasta deshacerlo y yo del suyo. Ambos guardamos la tela bien plegada junto a nuestras cosas.

—Ojalá nunca deje de oler así —deseó Abel.

Ojalá demasiadas cosas.

Nos sentamos en la mesa de Héctor con unas cervezas. Los chicos del fin de semana se unieron después de sus clases y brindamos. Por Lolo. Por los recuerdos. Una clienta se acercó a nosotros y repartió algunas fotos que había tomado a lo largo de los años allí y que tenía guardadas en el móvil. Las había impreso por la mañana para regalárnoslas. La mía era la instantánea de ese momento de debilidad en la que lo mandé todo al cuerno y me lancé con Héctor hacia mi casa, para follar como si el sudor pudiera arrancarnos de la piel la desconfianza, la pena y la traición. Qué curioso... lo había conseguido.

Conforme las copas de cerveza se vaciaban y volvían a llenarse empezaron a aparecer en las conversaciones las anécdotas de los años en el Alejandría. Mi primer día, cuando lo hice todo rematadamente mal, pero con gracia, como se empeñaba en decir Abel. O cuando me enamoré platónicamente del cura que venía a tomar café y que dejó de venir porque creo que lo acosé un poquito..., un poquito. Abel habló de las veces que se había enamorado entre aquellas paredes. Los chicos del fin de semana contaron historias sobre todas las ocasiones en que animaron a los grupos de chicas que iban a tomar una copa para que se tomaran cinco o las rondas de chupitos que habían compartido con Lolo antes de cerrar. Gloria y sus tartas. Félix con su alergia. Nos reímos recordando al jefe convenciendo a Abel para que dejara atrás su «sueño» de ser camarero acrobático. Y lo mucho que nos costó hacernos la foto de familia que colgaba tras la barra.

—¿Quién se la va a quedar?

—Sorteémosla.

Repartimos palitos. El más largo ganaba. Y gané yo. En lugar de alegría, me sacudió la pena y, abrazada a la foto, me eché a llorar de nuevo.

A las once de la noche solo quedábamos allí nosotros, la plantilla. Héctor se marchó a casa, a mi casa, donde me esperaría.

—Como tú dices, cada uno debe despedirse de su Alejandría.

Los rezagados, Abel, Arne, el sueco que había llegado a tomarse un café y se quedó para siempre y yo, olvidamos la compañía de los demás cuando nos tocó despedirnos de verdad del local. Lo recorrimos casi a oscuras, evitando chocarnos con los demás por pura intuición porque... no recordábamos que estaban allí. Solo importaba ÉL. EL CAFÉ DE ALEJANDRÍA.

Acaricié la superficie de la barra donde seguramente el lunes alguien entraría a sacar todo lo que siguiera teniendo valor o a organizar papeles para el... traslado. ¿Cuántas veces me había apoyado en ella a reírme? ¿Cuántos disparates conté detrás de ella? ¿La respetarían en el futuro como se merecía? Recé, con la palma de la mano sobre ella, para que ninguna franquicia se quedase con el local y arrancara la magia de allí para instalar su imagen corporativa. El Alejandría era más. Mucho más.

La cocina. Bueno... trastienda. Armario empotrado con hornillo, microondas y nevera. Hasta me reí. Lolo siempre decía que esa cocina conseguía que nos quisiéramos más, de tan pequeña que era. Abel siempre le contestaba que iba a hacer un butrón en la pared para tomar prestada parte de la tienda de al lado y ampliar el local.

—Por lo menos la cocina, no me jodas, Lolo. Que aquí no me caben ni los cojones.

—Si te caben en esos pantalones que llevas, no creo que tengas problemas con la cocina.

Los baños, donde mandé a Héctor fotos subidas de tono sin saber que él creía estar hablando con su novia… por la que me abandonó y a la que abandonó a su vez por volver a mi lado. Allí había encontrado una vez dormido a Lolo y casi me desmayé del susto.

La mesa de la entrada, redonda y flanqueada por dos sillones orejeros. La del rincón, un poco más grande pero baja, rodeada de sillas. Las barritas y sus taburetes. Los cuadros de las paredes. El del perro con cara de persona que no iba a echar de menos. El tapizado del sillón del fondo, de la mesa para grupos y el Chester, que resistía a duras penas con su piel cuarteada. Los pequeños jarrones con flores que fueron naturales hasta que la pena hizo que nos olvidáramos de cambiarlas y ahora parecían popurrí seco y oloroso. Las dos mesas cuadradas del rincón con sus sillas de comedor. Allí Vero había estudiado hasta conseguir aprobar su oposición. En la otra solía sentarme con mi madre cuando venía a verme. ¿Se alegraría cuando tuviera fuerzas para contárselo? ¿Vería en ello una oportunidad para cambiar de vida y dar el salto hacia lo que ella siempre deseó para mí? No. No nos llevábamos demasiado bien, pero era mi madre, y a ninguna madre por muy decepcionada que esté con sus expectativas le gusta ver a un hijo sentirse tan vacío.

Dejé para el final la mesa junto al ventanal. La mesa de Héctor. Donde se sentó los primeros días, que hizo suya, que convirtió en un territorio propio. Desde donde reclamó nuestra atención solo por ser nuevo, guapo, alto y serio. Donde fue quitándose la coraza de la timidez para entrar a formar parte de la familia del Alejandría.

Al sentarme allí y ver la calle iluminada por las farolas al otro lado del ventanal, me di cuenta de que fue allí, en el Alejandría, donde superé la desconfianza y la pena. No tenerlo iba a ser como andar desnuda. Sin fuerza. Sin escudo. Sin… un plan.

La puerta de la calle se cerró con tres vueltas de llave, como siempre. Después, la cortina metálica cayó para siempre y nosotros tres nos quedamos delante, pasmados, sin saber cómo asumir que allí acababa todo.

Así yacía el fantasma de tantas ilusiones que la magia lo convirtió en su hogar. Adiós, café de Alejandría.

50

Héctor se quedó unos días en casa conmigo. Y lo agradecí porque, aunque puede que te parezca una exageración, no podía ni levantarme de la cama. Se había desmoronado todo cuanto conocía. Mis planes, mis amigos, mi trabajo, mi alegría. Sentía que algo me lo había alejado todo. Y me consumía por dentro, como si a bocados me fuera engullendo y no quedara de mí más que lo malo, sucio y vacío. Y no podía. No podía porque con solo salir a la calle lo vería allí, como el cadáver megalítico de todo cuanto quise. Allí, como muestra de que la vida falla y que nosotros no podemos hacer nada por retener algunas cosas buenas. Lolo se había marchado y el Alejandría se había convertido en una especie de tumba. No. No quería salir de casa.

Mentiría si dijera que no sabía que Héctor callaba algo aunque agradecí que no lo dijera. Me despertaba, me daba cuenta de que no tenía dónde ir y me daba la vuelta en la cama donde seguía sumida en un estado de sopor similar al que supongo que producen los antidepresivos. Héctor, con paciencia, me obligaba a levantarme y me acompañaba a la ducha, donde siempre se metía conmigo. Y hasta me enjabonaba, no porque yo no lo hiciera por mí misma, sino porque sus manos eran más ligeras y aquello no parecía necesidad, sino un mimo. Y yo aceptaba el mimo con una sonrisa triste.

Después preparaba la comida y yo veía la tele. Ignoraba las llamadas de mi madre y le pedía a él o a Oliver cuando llegaba del trabajo que atendieran las demás. No quería hablar con nadie. Solo con Abel, si me apuras, que compartía mi pena y mi… «sinsaber». Si existe la palabra sinsabor, ¿por qué no «sinsaber»? Era lo que sentía. La muerte de Lolo se había llevado todo lo que creía saber y estaba allí… sin saber nada. Ni querer planteármelo, también te lo diré.

La situación no era sostenible, lo sé. Héctor tenía un trabajo que atender, aunque trabajase a saltos desde el sofá cuando yo me quedaba dormida después de comer. Y tenía una familia, una casa y que ayudar en el taller. Tenía una vida que había construido hacía poco y que le hacía feliz. Una vida en la que, según él, solo faltaba yo. Blanco y en botella.

No me imaginé lo que venía, la verdad. A pesar de saber que Héctor tendría que volver aunque fuese a por más ropa. No me planteaba nada más que ir de la cama al sofá y del sofá a la cama. Pero el quinto día Héctor se vio obligado a… abordar el tema. Después de la ducha, mientras me peinaba. Insistió en que nos vistiéramos y saliéramos a comer algo fuera.

—Airearnos. Te vendrá bien.

—No quiero —respondí.

Y él aceptó. Pero me pidió que me quitase el pijama y que me vistiese. Supongo que quería que me sintiese más persona. O que cuando recordara la discusión que vino después no me viera a mí misma con un pijama del Monstruo de las galletas.

Empezó suave. Muy suave.

—Oye, Sofía…, ehm…, ¿quieres una copa de vino?

—No. No mucho. Pero sírvete tú si te apetece.

—Sí. Creo que sí me apetece.

Fue a la cocina pero volvió con las manos vacías.

—¿No encuentras el sacacorchos?

—No. Es que… —Se colocó las manos sobre las caderas, miró al suelo y se mordió el labio superior—. Es que en realidad no quiero vino. Quiero hablar contigo de una cosa.

—Pues dime. —Seguí cepillando mi pelo húmedo.

—A lo mejor…, a lo mejor podíamos ir al pueblo unos días. ¿No? Para airearte. Allí puedes salir a pasear y…

—No me apetece mucho salir de aquí —musité.

—Es que creo que te hará bien.

—¿Necesitas ir?

—Necesito ir, sí, pero no es solo por eso. Es porque creo que… es momento de estar juntos. No quiero dejarte aquí.

—No te preocupes por mí, Héctor. Soy adulta.

—Eso ya lo sé, pero… es momento de estar juntos, insisto. Además, ¿qué vas a hacer aquí todo el día sola? Oliver se va a trabajar y vuelve casi a las cinco. Y… tendrá que retomar su vida. Sale con Mireia… y querrá pasar tiempo con ella.

—¿Ahora sois mejores amigos? —bromeé con cierta maldad.

—No. Pero esto de vivir en la misma casa… pues acerca posturas.

—Me alegro.

—En serio, Sofía. Vente conmigo.

—¿Y por qué no vas tú… —dejé el cepillo en mi regazo y lo miré de pie frente a mí— con mi coche, coges lo que necesites y vuelves?

—Porque si hago eso seguiremos así. Y tú tienes que salir de casa. Y tomar decisiones.

—No tengo que tomar ninguna decisión —negué—. Tengo el finiquito. Y dos años de paro.

—Bien, pero eso no es un plan de vida. Eso es… una ayuda.

—¿Y qué propones?

Y ahí estaba. El motivo de tanta vuelta a la conversación. El motivo por el que evitaba el contacto visual directo con mis ojos. El motivo por el que había estado callando algo. Tenía palabras acumuladas en la garganta y latiendo en su pecho; tenía una propuesta atascada en la lengua y planes por dibujar en las yemas de los dedos. Héctor estaba esperando, no consolándome. Esperando el momento.

—Ah —dije seria, sin necesidad de que abriera la boca para atisbar sus intenciones—. Ya.

—No estoy diciendo que sea la única opción. —Se aclaró la garganta y se apoyó en el escritorio con los brazos cruzados sobre el pecho—. Solo quiero que… sopeses la posibilidad. Porque llegados a este punto puedes salir a echar currículos o… venirte conmigo.

—¿Son mis únicas alternativas?

—No te pongas a la defensiva —me pidió en tono conciliador—. Solo quiero que esto termine.

—Es que esto no va a terminar.

—¿Cómo no va a terminar, Sofía? Esto es solo una de las primeras fases de la pena. Pero la pena se asume. Y un día pasarás por aquí delante y sonreirás.

—Seguro. Qué fácil…

Miré mis manos ofendida por la sencillez con la que exponía mi dolor. Claro, me dije, él estaba acostumbrado a decir adiós y reponerse pronto. Él, que últimamente todo lo dejaba sin pena. A Lucía, luego a mí, luego a Lucía otra vez, Ginebra, Madrid…

—Sofía… —interrumpió mis pensamientos—, ¿por qué no coges algo de ropa y nos marchamos a mi casa? Unos días. Probamos. Vemos opciones.

—Pero… ¿ya es tu casa? —pregunté con cierta inquina.

—¿Cómo?

—¿Es tu casa? Tu casa definitiva.

—Nunca sabemos dónde está nuestra casa definitiva. ¿Qué quieres decir con esa pregunta?

—Quiero decir que tú tampoco tienes demasiado claro el futuro.

Frunció el ceño y después levantó las cejas.

—Entiendo que ahora mismo te duele todo por dentro, Sofía, pero te quiero. Baja la guardia.

—Héctor, dime una cosa. Y, por favor, dímela con since-ridad. ¿Crees que la pena, que estar así, te hará más fácil con-vencerme para dejarlo todo y marcharme detrás de ti?

—No. Pero… la vida sigue, Sofía. Quizá algo tan triste puede, en el fondo, albergar nuestra solución.

—¿La solución?

—Sí. Tú misma expusiste el problema en París.

—¿Yo?

—Sí. Tú. Yo te pedí que eligieras y tú dijiste que no. Lo asumí. Pero ahora… no hay elección, Sofía. Es o morir de pe-na aquí, viendo lo que fue y ya no será, o retomar tu vida.

—¿Y de qué vivo?

—Es una medida eventual. Hace nada estabas diciendo que tienes dos años de paro. Iremos viéndolo.

—¿Iremos viéndolo? —le pregunté—. No quiero basar mi vida en eso.

—Pero es que en esta vida es así, cariño —dijo dulce—. Uno no sabe si no prueba. Al final es todo prueba error. No podemos escondernos con la duda porque entonces… existi-mos, no vivimos.

Querido Wilde, ¿qué hubieras respondido tú a esa refe-rencia a tu cita? Porque yo reaccioné bastante mal.

—No quiero ir detrás de ti como hiciste tú con Lucía —res-pondí.

—Y yo no quiero que lo hagas —aguantó la estocada—. Pero explícame dónde está el problema. Aquí sufres, no puedes ni salir a la calle porque no quieres ver el local cerrado y me hago cargo, debe ser muy duro pero… ¿qué vas a hacer?

—Lo pensaré.

—¿Y por qué no puedes pensarlo allí conmigo?

—Porque no quiero. Pero puedes irte cuando quieras, Héctor. No te tengo encerrado.

—Pero vamos a ver. —Empezó a desesperarse—. ¿Por qué te pones así? Te estoy dando posibilidades para que las sopeses. Te estoy apoyando. ¿No es eso lo que debo hacer?

—¿Es lo que te apetece? Porque parece que has aguantado estoicamente lo justito para soltar tu discurso pro pueblo. Y se me ha muerto un amigo.

—Sofía. Es eventual. —Y sonó muy seco esta vez—. ¿Qué no entiendes? Yo tampoco voy a encerrarte con llave, ¿sabes?

—No, pero eres capaz de arrastrarme y hacer que la medida eventual se convierta en mi modo de vida, como el tuyo.

—¿El mío?

—El tuyo, Héctor. Que o cedes o vas de apaño en apaño. ¿Cómo me voy a ir contigo? ¿A qué? ¿A fingir juntos que sabemos lo que hacemos?

Héctor encajó el derechazo moral con elegancia, respirando, cerrando los ojos y decidiendo que no sentía lo que le estaba diciendo.

—Vamos a dejarlo estar aquí. Estás nerviosa y…

—Sí, estoy nerviosa —volví a la carga—. Estoy nerviosa porque tú no asumes que esa es la verdad, que vives de ese modo como una especie de bohemio errante que se guía por la puta dirección del viento y que en esas circunstancias yo no voy a seguirte a ningún sitio. Yo no valgo para vagar.

—Tranquila —me dijo muy serio.

—¡Deja de pedirme que me tranquilice!

—Te lo acabo de pedir una sola vez. Pero te lo voy a repetir: respira.

—¡¡No me trates como una histérica!!

—Te trato en consonancia a como te estás comportando.

—Pues vete. Vete. —Me encogí de hombros—. Como siempre que discutimos. Vete. Quizá Lucía aún te esté guardando el hueco en la cama.

Héctor respiró hondo y recogió algunas de sus cosas.

—Estás siendo ruin —musitó.

—¿Y cómo quieres que te conteste cuando estás aprovechándote de esto para arrastrarme contigo?

—Lo primero, arrastrarte conmigo no creo que sea una definición demasiado fidedigna de la realidad. Y lo segundo, no me estoy aprovechando de nada.

—¿Ah, no?

—¡No! —levantó la voz—. ¡Claro que no! ¡Yo no he buscado esto!

—Pero ¡¡te viene de perlas!!

—¡¡Yo no he matado a Lolo!! ¡¡Yo no he cerrado el Alejandría!! ¡¡Y por supuesto no soy yo quien está prefiriendo quedarse tumbada en la mierda antes que empezar conmigo lo que nos merecemos!!

—¿Lo que nos merecemos? ¿En serio?

—¡¡Claro que en serio!!

—Sorpréndeme, Héctor, ¿qué mereces? ¿Qué mereces después de enrollarte con la primera que se te cruzó, engañar a tu novia de toda la vida, dejarla, dejarme tirada y volver con el rabo entre las piernas? Dime, ¿qué mereces? ¿Que lo deje todo por seguirte? ¡¡Claro!! —grité—. Porque eres lo más fiable de mi vida.

Abrió la boca y pestañeó dolido.

—Joder, Sofía.

—¿Qué? ¿Digo alguna mentira?

—Dices tu verdad. Me queda claro. Yo creía que esto iba de nosotros, no de las culpas que por lo visto tendré que arrastrar de por vida.

—No vas a poder esconderte siempre de lo que hiciste, Héctor. Tendrás que asumir la culpa algún día.

—Yo la tengo asumida. Al parecer tú no la tienes perdonada, por más que haya pasado desde entonces.

—Lo que ha ocurrido es que me presionas para irme contigo cuando estoy pasando mi duelo.

—¿Hago algo bien? —preguntó molesto—. Dime, Sofía. ¿He hecho algo bien contigo? ¿Te quiero como esperas que te quiera? ¿Eh?

—No estamos hablando de eso.

—¿¡Entonces de qué coño estamos hablando!? —volvió a gritar—. ¡Lo único que quiero es que vengas conmigo, que vivamos juntos, que…!

—¿¡Con qué plan!? ¿¡Con qué puto plan!?

—¿Y con qué plan te quedas aquí?

—Con lo que sea que decida. Que decida yo. ¿Sabes lo que es? ¿Eh? ¡¡¿Sabes decidir por ti solo?!! ¡¡¿Te has tenido que enfrentar a eso alguna vez?!!

—Yo me habré equivocado en el pasado pero tampoco te creas mejor porque estás siendo inmadura hasta el hartazgo. ¿Qué coño quieres de mí? Dime. ¿Qué quieres?

—Qué fácil, ¿eh? Te digo lo que quiero de ti y lo darás.

—¡¡¡¿Y qué más quieres que haga?!!! ¡¡No haces más que contradecirte!! ¡¡No hay Dios que te entienda, joder!!

—¡¡Con entenderme yo voy de sobra!!

—Bien —asintió—. Bien, Sofía. Decide tú cuándo cojones quieres tomar las riendas de tu vida y tomar la puta decisión. ¡No puedo venir a Madrid! ¡No puedes venir conmigo! ¿Entonces qué cojones quieres?

—¿Me acusas a mí de no querer tomar una decisión? ¿Tú?

—Te estás pasando, Sofía —me advirtió—. Pero mucho.

—Contéstame. ¿Me acusas TÚ de no querer tomar una decisión?

—Sí. Yo.

—Pues cálmate. Sea como sea, la tomaré. Nunca te he necesitado para ello.

—Ya veo que no me necesitas pero ¡PARA NADA! ¿Quieres vivir así? ¡Adelante! Porque cualquier cosa parece que es mejor que estar conmigo, ¿no?

—Cualquier cosa no, Héctor. ¡Cuando lo sepa, actuaré! ¡No vivo en el inmovilismo ni en la mediocridad! ¡No soy una persona itinerante sin planes a largo plazo, sin sueños ni aspiraciones! ¡¡No soy como tú!!

No me di cuenta en aquel momento de que Héctor se agarraba al tablero del escritorio con tanta fuerza que este crujía. No me di cuenta de que estaba abriendo la única herida que era capaz de hacerlo sangrar y que estaba diciendo lo único que podía rompernos.

—¿Es lo que piensas de mí? —preguntó.

Me callé, pero él insistió.

—¿Es lo que piensas de mí? Dilo ya, Sofía, porque si es eso no sé qué hago aquí.

—Estás aquí porque quieres —respondí sin mirarle.

—Estoy aquí porque te quiero pero esto es… una sorpresa.

—Pues no debería sorprenderte, ¿no? No soy la primera que te lo dice. No soy la primera que lo sufre.

—¿Hay algo más que quieras decir?

—Creo que ha quedado ya todo muy claro.

—Sí —asintió—. Me queda claro que no soy suficiente para ti, que no me has perdonado y que no quieres verte arrastrada por mi mediocridad.

—Exacto. —Aparté la mirada.

—¿Lo damos todo por dicho ya? ¿Es todo? Porque es el momento, Sofía. De las verdades en mayúsculas.

—¿Qué más verdades quieres, Héctor? Que eres débil, que sigues al rebaño, que eres cobarde, que no defiendes lo que es tuyo, que no tienes sueños y que ni siquiera sabes querer si no es en comparación a lo que viviste con Lucía. ¿Esas verdades?

—Pero, Sofía... —jadeó—. ¿Tú de verdad me quieres? ¿De verdad?

—Te quiero, pero al parecer soy una niñata y tú... mediocre. No hay más.

Durante unos segundos Héctor no añadió nada pero no tuvo que abrir la boca para que me quedase claro lo que estaba pensando: «No me lo esperaba de ti». Yo tampoco me lo esperaba. Al fin, asintió.

—No. No hay más.

Se frotó la cara, respiró hondo y cerró su bolsa de viaje. Durante unos segundos no se movió. Solo escuché su garganta tragar con dificultad y su respiración honda y alterada. Por fin, me miró. Me miró tan duro y desprovisto de cariño que supe que aquello se había ido definitivamente de madre y que... se había roto. Yo lo había roto.

—¿Recuerdas que te conté que Lucía y yo jamás volvimos enteros de una discusión? —No le respondí y él siguió hablando—. No fue nada al lado de esto. Ella hablaba peor que tú, pero la quería enésimamente menos.

—Siento la decepción —me atreví a decir.

—Y yo. Me va a costar convencerme de que te he escuchado decir todo esto. Me llegué a creer que no me haría falta más que tenerte al lado.

Miró alrededor recomponiéndose. Habíamos ido demasiado lejos. Quizá estaba esperando que yo me desdijera, que le pidiera perdón pero... no podía porque estaba todo demasiado revuelto y no sabía ni por dónde empezar. Y porque estaba enfadada, triste y tenía miedo. Pánico. Pánico de cometer los mismos errores que él en el pasado. No puedo negar que parte de mis palabras fueron por rabia tal y como no puedo decir que no pensase el resto. Doliente. Homicida. Violenta. Le escupí a él toda la rabia, la de la muerte de Lolo, el desvanecimiento del Alejandría, nuestra ruptura, la parte no romántica de su vuelta y hasta de mi fracaso anterior. Todo. Le hice culpable de todo y él se lo llevó a cuestas.

—Creo que lo he recogido todo. Si ha quedado algo por ahí… tíralo. ¿Qué más da?

Cuando se dio la vuelta y salió de la habitación lo hizo de mi vida. Por completo.

Adiós, Lolo. Adiós, Alejandría. Adiós, Héctor.

51

*O*liver no se enteró de nada de aquello. Había cogido una muda y había quedado con Mireia para pasar la noche juntos y así dejarnos «intimidad». Pensaba que Héctor arreglaría la pena con una noche de sexo o de mimos o de las dos cosas. Y él..., él necesitaba estar con Mireia, revolcarse en ese mismo sentimiento de intimidad que asumía que sentíamos nosotros cuando estábamos juntos y olvidar un poco todo lo que estaba pasando. La caída del Alejandría fue un golpe para todos porque, como he dicho muchas veces, cada uno de nosotros, de todos los que pisamos el Alejandría, guardábamos un recuerdo dentro al que debíamos un duelo. Oliver no quedaba exento de ello.

Era miércoles y no solía salir entre semana, pero acababa de descubrir el placer de salir a cenar en pareja, no como el preludio para el sexo, sino como un baile de conversación, de guiños, de confianza que podía acabar con él gruñendo de gusto o con él acurrucado en la cama, viendo una película. A veces le daba un poco de risa pensar en ello, pero ¿qué más daba? Suponía que el amor era así. Si alguien se lo hubiera echado en cara se hubiera partido de risa. Se la soplaba.

Así que después del trabajo fueron a casa de Mireia y se encerraron en la habitación, pero después de un asalto bien cumplido de sexo vigoroso, se le antojó salir. Pasearse un poco. Ser una pareja de esas acarameladas que muchos miran entre la vergüenza y la envidia. Y le propuso salir a cenar.

—¿Has estado en Habanera? —le preguntó Mireia—. Hablan muy bien y seguro que hoy miércoles conseguimos mesa.

—Pues entonces, Habanera.

Llamó y reservó él mismo. No se acordaba de que ya había estado allí. En realidad sí que le sonaba, pero no recordó con quién había ido. Es lo que tiene el amor, ¿no? Que destruye cualquier recuerdo de otra cosa que quisiera acercarse a lo que es él en realidad.

Mireia se puso un vestido negro con un poco de vuelo y unos botines con tachuelas. Estaba muy guapa. Y para rematarlo, se pintó los labios de rojo.

—Ya no voy a poder separar la boca de ti en toda la noche —le dijo él.

Estaba loco de amor. ¿Quién podía culparle? Mireia le plantaba cara, le sorprendía, sacaba de él cosas que no sabía ni que tenía dentro y se había aclimatado a su entorno. Me caía bien a mí, le caía bien (bueno, más o menos) a Mamen, era simpática y sociable en todos los sitios a los que la llevaba y estaba deseoso de presentársela a sus amigos. Era ella.

Los sentaron en una de esas mesas «malas» pero el secreto es que, cuando estás a gusto, te da igual que te sienten en plena cocina. Todo está bien. Tienes al otro. Pidieron vino y unos entrantes para compartir: unas alcachofas confitadas y unos saquitos de arroz a la cubana. Como principal, un plato para los dos: pappardelle trufados con huevo y bacon. Después... hicieron manitas. Y siguieron haciendo manitas mientras hablaban de cualquier cosa que, si lo hablaban entre ellos, parecía fascinante.

Todo iba bien. Todo iba perfecto. Hasta que ella tuvo que ir al baño y él se quedó solo en la mesa.

Para hacer tiempo sacó el móvil del bolsillo y empezó a mandarme un whatsapp para avisarme de que no dormiría en casa, pero alguien se sentó frente a él y lo dejó estar, creyendo que habría mucha cola en el aseo y que Mireia había preferido esperar sentada.

—¿Overbooking, cariño?

—Uhm. Cariño y todo.

Apartó alarmado los ojos del móvil para encontrar, sentada frente a él... a Clara. El estómago le dio un vuelco y sintió náuseas. Clara. Estaba guapa. Muy guapa. Más que guapa..., magnética, como siempre. La seguridad en sí misma le brillaba en los ojos y proyectaba un halo de algo que era sencillamente irresistible. Oliver la miraba tal y como la miraba el resto de hombres del local: con fascinación.

—Ey —le salió decir—. ¿Qué tal?

—Bien. Muy bien. Te he visto al entrar y... no me lo podía creer. Qué casualidad.

—Sí —asintió—. Cuánto tiempo.

—Pues... un año o así, ¿no?

—Sí.

Los dos sonrieron tensos.

—Quizá... —empezó a decir ella—, quizá me he venido muy arriba viniendo a saludarte de esta manera pero... me ha alegrado mucho verte.

—No, no. Es genial. Yo también me alegro mucho de verte.

—Cuéntame, ¿qué tal todo?

—Pues bien. Con el curro todo igual. Tengo fe en que haya alguna vacante pronto para oficinas y se acuerden de mí. Y ahora vivo con Sofía. Con mi mejor amiga.

—¿Ah, sí?

—Sí. Pero dime, ¿qué tal tú?

—Pues… bien. El trabajo como siempre, Paula muy mayor… ya pasa de los Gemeliers, creo. Y de mí. Así que tengo mucho más tiempo libre.

—Ya. Las niñas… —no supo qué más decir.

—Estás con alguien, ¿no?

—Sí. Estaba cenando con mi chica.

Clara intentó comedir su expresión de sorpresa, pero no pudo.

—¿Y tú? ¿Con tu marido? —insistió Oliver.

—¿Con mi…? Ah, no. Estoy con unas amigas. Aquello… no salió bien. Me di cuenta pronto de que íbamos a volver a lo mismo.

—Tu éxito lo castraba, ¿no?

—Sí. Y tenía la polla pequeña.

Los dos echaron una carcajada al aire. Una nerviosa. Oliver aprovechó para mirar en la dirección hacia la que Mireia se había marchado por si volvía. Aquello estaba siendo tremendamente tenso.

—Entonces —siguió ella—… tu chica. ¿Vais en serio?

—Sí —asintió—. Creo que…, que esta es la definitiva.

—Vaya. ¿Lleváis mucho tiempo?

—Apenas un mes y algo.

La expresión de Clara se relajó al instante y sonrió con condescendencia.

—¿Un mes? Ay, alma de cántaro. ¿Y ya es la definitiva?

—Bueno, nunca había tenido esta seguridad así que… sí. Creo que tengo bastantes razones para creerlo.

—Oli… —Clara se acercó a él para una confidencia—, tú no tienes «definitiva». Pero no es que no sea ella, es que no lo será nadie.

—¿Por qué? —Se encogió de hombros—. Soy humano.

—Eres un follador. Un puto Casanova. Créeme, sé de lo que hablo. No hagas que se ilusione demasiado. Seguro que está enamoradísima de ti y cuando te aburras de ella, vas a romperla entera.

Oliver no supo qué contestar pero una mano en su hombro le salvó de tener que hacerlo.

—Amor —le dijo Mireia.

—Hola, cariño. Esta es… Clara.

—Encantada, Clara. Soy Mireia.

—Un placer. Yo ya me iba. Os dejo terminar de cenar. Un gusto verte de nuevo, Oli. Llámame cuando quieras y nos tomamos algo.

Los zapatos de tacón de Clara marcaron el ritmo del silencio que sobrevoló la mesa entonces. Mireia y él habían hablado mucho y, evidentemente, había salido el tema de Clara.

—Era Clara…, Clara.

—Sí —asintió él.

—¿Y qué quería?

—Saludarme. —Oliver cogió el tenedor y siguió comiendo.

—¿Estás bien?

—Claro que estoy bien. ¿Por?

—No sé. Es tu ex. Te dejó ella. Te quedaste un poco hecho polvo según entendí.

—Pero eso está más que pasado.

Mireia asintió y él siguió comiendo.

—Oli… —volvió a musitar.

—Dime.

—¿Qué pasa?

—Nada.

—Quien nada no se ahoga. Venga, ¿qué pasa?

—Solo es que… —Se frotó la frente—. Me ha venido a la cabeza todo aquello. Y me he puesto un poco raro.

—¿No es por nada que te haya dicho?

—No —mintió.

—Es muy guapa. —Mireia cogió el tenedor también de nuevo, pero jugó con la comida—. Tienes muy buen gusto con las mujeres.

—No con todas. Solo contigo.

A pesar de que eso aplacó un poco la intuición de Mireia, no acabó de tranquilizarlos a ninguno de los dos.

¿Era verdad? ¿Era Oliver uno de esos hombres que nunca tienen bastante, que no encuentran jamás la mujer que no los termine aburriendo? Porque estaba entregado al cien por cien y sabía que Mireia estaba dejando caer cualquier barrera que en el pasado hubiera construido entre los dos. Todo iba bien. Pero… ¿y si volvía a ser un gilipollas?

—Oye, Mireia… Estoy pensando que igual me voy a dormir a mi casa. Sofía está hecha un moco y me siento mal pensando solo en mí.

—Pero… ¿no estaba con Héctor?

—Sí, pero… no sé. Soy su mejor amigo. No quiero que piense que me lavo las manos.

Mireia soltó el tenedor y dejó la servilleta sobre la mesa.

—Oye, Oliver, esto ya lo he vivido así que deja de marear la perdiz. ¿Qué pasa? ¿Vas a empezar a pasar ahora de mí? ¿Es por Clara? Porque lo que no voy a…

—Mireia, Mireia… —la calmó—, no es eso.

—¿Quieres irte a echar un polvo con ella? ¿Por los viejos tiempos? No uses a Sofía como excusa, ten cojones —rugió en voz baja.

—No es eso —repitió despacio—. No quiero volver a acostarme con ella. No sé por qué piensas eso.

—Quizá porque te has acostado con la mitad de la plantilla femenina del centro comercial en el que trabajamos y soy la relación más larga de tu vida... llevando un mes y dos días.

—¿Un mes y dos días? Pensaba que llevaríamos mes y medio o así.

—¿Se te está haciendo largo o qué, imbécil?

Su estallido le hizo un poco de gracia y no pudo evitar reírse. Mireia se contagió pero logró controlar la risa.

—Te ha dicho algo —sentenció la pelirroja—. Lo tengo claro. La bruja esa te ha dicho algo.

—Es que...

—Dímelo.

—No, Mireia. Vamos a dejar de darle vueltas.

—Me piro y no me vuelves a ver, te lo digo.

—Pero, ¡cariño! —se quejó.

—¡Que me lo digas!

Oliver suspiró y soltó el tenedor con el que aún jugueteaba en el plato.

—Dice que no tendré nunca una mujer definitiva en la vida, que soy un *folletas* que se cansa de todo y que terminaré haciéndote daño.

—Pero ¡será puta!

Si hubiera podido, Oli se hubiese echado a reír. Pero no era el momento.

—¿Y si es verdad? ¿Y si vuelvo a ser un gilipollas y termino haciéndote daño?

—Mírame. —Apoyó los codos en la mesa y él la miró fatal pero ella los afianzó—. El protocolo ahora me suda el papo. Mírame. ¿Habías tenido alguna vez la duda? ¿Habías temido alguna vez ser un gilipollas?

—No.

—Pues lo eras, querido. Así que quita esa cara de mierda y acepta que lo que tienes es miedo y responsabilidad porque las cosas que importan dan terror. Hazte mayor, Oli. No quiero estar saliendo con un chico de quince años que cree que me va a perforar un órgano con su enorme hombría.

Oliver se quedó mirándola anonadado. Esa mujer, esa pelirroja despeinada con la lengua de azada que acababa de echarle un rapapolvo. Esa diva, esa chica que disimulaba que le temblaban las manos. Mireia… quería estar con él. Estaba con él. Y quería hacer del gilipollas un hombre de verdad. Así que asintió, le cogió las manos frías por encima de la mesa y, por primera vez en su vida, lo dijo:

—Te quiero.

—Yo también —respondió ella—. Y ahora pide la cuenta. Vamos a pasar por mi piso a coger unas cosas y nos vamos los dos a ver cómo está Sofía.

Y ya estaba. No habría prueba más irrefutable en el mundo. Mireia era para él y él para ella con toda la seguridad que puede tener el ser humano cuando habla de amor. Aquella noche en Habanera, Oliver ligó su destino con un hilo rojo que no se rompería jamás.

52

Escribió Jorge Luis Borges que «hay derrotas que tienen más dignidad que una victoria». Así me sentí cuando me marché del piso de Sofía en parte porque estaba muy enfadado. Mucho. O al menos eso creía. En realidad estaba dolido y atravesado por la sensación de no haber conseguido ser suficiente. Pero todo se enmascaró durante horas bajo la rabia de haber tenido que soportar el asco con el que Sofía habló de mis flaquezas. No soy perfecto, lo sé. No soy un héroe de cuento. No vine a salvar a nadie. Yo, como tantos, solo quería querer.

Nunca entendí el amor como algo tortuoso. Si te hace sufrir, por norma general, no es bueno. Hay quien tiene totalmente confundido el amor con lo convulso. Yo no. Y tanto era así que pensé que las tormentas eran cosa de otro. Por eso me marché. Porque tenía que masticar las críticas descarnadas que apuntaban hacia mí con el dedo y me acusaban de ser mediocre y triste. De no querer nada de la vida. ¿Que no quería nada? Quería vivir, que es mucho más de lo que hacen algunos durante largos años. Y la vida, déjame que te lo cuente, la vida no está hecha de grandes escalones ni de cimas; la vida no va de coronar una montaña y clavar tu bandera. Son los guijarros de un camino, el polvo que lo cubre, el paso a veces seguro y otras veces incierto; es el sol que a veces te da de cara y que otras veces quema tu nuca. La vida es una balanza continua en la que una puta sonrisa, por muy desapercibida que pase para los demás, es capaz de devolverte el aliento. ¿Qué pasa cuando has alcanzado el amor, cuando estás bien, cuando solamente quieres disfrutar de lo que tienes y pensar, despacio, cómo mantenerlo y hacerlo posible en el tiempo?

Dime la verdad… ¿es mediocre una vida normal? No lo es. Mediocre es hacer creer que otro vale menos solo para poder sentir que tú vales más. Mediocre es ser dañino porque por dentro te gotea petróleo en lugar de sangre. Mediocre es no haber sabido querer a nadie bien en tu vida o no mantener ninguna relación sana que no fomente el odio o la rabia. Mediocre es pensar que eres el mejor pero que el mundo se empeña en no verlo. Yo no era mediocre. No tenía un gran trabajo, no tenía un coche bonito… ni siquiera tenía uno. A decir verdad, no había ninguna propiedad a mi nombre en el mundo, solo un alquiler y un dominio web. No tenía un bonito despacho, ni secretaria, ni trajes caros. No tenía vino caro en casa ni la cartera repleta de billetes. Pero tenía un trabajo que podía hacer en cualquier parte, a veces incluso sin conexión a internet. Era libre, no tenía ataduras. Era rico en decisiones, porque podía tomarlas todas. Cualquiera sería válida para mí. No tenía grandes necesidades y ni siquiera me importaba no tener televisor en mi casa. En mi vida solo sentía tener un requisito indispensable: Sofía. Pero a la mierda, porque Sofía no opinaba lo mismo.

Esa fase me duró… horas. Cuando llegué a mi casa ya estaba deshecho. Destrozado. Porque me dio por pensar… sin rabia y sin culpabilidad. Me dio por pensar que Sofía no sabía gestionar la frustración y la pena como ya demostró en aquella primera ¿discusión? en el Alejandría. Aquella conversación absurda en la que me acusó de ser un maleducado y que terminó por atarnos el maldito hilo rojo alrededor del meñique. Y digo maldito, porque no sentía que fuese fiable. Nunca lo había sido. Se supone que cuando te encuentras con tu destino este es inamovible y que soportará impávido todos los reveses, ¿no? Pues menudo destino de mierda que me había atado con aire a la persona a la que quería y que se disolvía con una mínima distancia, con la pena, con la equivocación…

Pero pensé en ella, no en mí. Pensé en que había perdido lo único contra lo que yo alguna vez tuve una mínima competencia. El Alejandría, su nido, su templo, el lugar donde todos íbamos a adorarla y ella iba a… brillar. La jodida Sofía creía, estoy seguro, que sin el Alejandría se apagaría. Y yo me había marchado quizá… confirmándolo.

Tuve que sofocar la repentina necesidad de marcharme corriendo de vuelta y cuando me senté en el sofá para tranquilizarme… lo vi. Éramos de esos. Yo era de esos. De los que van y vuelven. De los que a la mínima tienden a la acción sin reflexión, de los que se dejaban azotar por cualquier brisa que les alcanzara y se movían como si estuvieran a merced de un puto huracán. Por el amor de Dios, simplifiquémoslo todo. Tuve una relación de mierda, como tantas que hay en el mundo, que no me planteé terminar porque dentro de la mierda, cuando te llega al cuello, se está caliente, no hace falta admitir errores y hasta deja de oler. No sabía lo que me perdía, la verdad. Hasta que conocí a Sofía y algo dentro del pecho me dijo: «Hostia, a ver si esto va a ser el amor». A día de hoy no me arrepiento en absoluto de haber dejado a Lucía aunque lo habría hecho de otro modo: contundente, rápido, sin vueltas ni segundas oportunidades. «Esto te va a doler, princesa, pero ya no te quiero. Quiero a otra persona y va a ser para siempre. No me llames.

No me escribas. Si te es más cómodo, dame por muerto». Lucía se enamoraría de nuevo. Seguiría con sus grandes planes y no tendría un estorbo de metro ochenta y cinco gruñendo entre dientes porque ella quería un piso más grande, comprar un coche bonito y tener un bebé al que cuidaría una interna. Oye, chata, eran tus prioridades, ¿por qué coño tuve yo que juzgarlas? La pregunta principal es... ¿por qué nos empeñamos en cambiar a la gente?

Así que me enamoré de otra y la cagué. Me jodí de miedo y corrí, piernas para qué os quiero, al refugio de lo conocido. Error. Asumido. Pero volví. Y peleé. Joder, si peleé. Peleé hasta hacer pintadas en plena madrugada en una calle de Madrid. No lo habría hecho por nadie que no fuera ella. Peleé hasta sentirme ridículo, hasta comedir las ganas de astillarme las manos dando puñetazos a las paredes, hasta arrastrarme, pero sin flaquear. Y la conseguí. ¿Era eso mediocre? No. A la mierda los caballeros andantes de flamante traje con la puta polla chapada en oro y brillantes. Yo era un desastre en muchos aspectos pero era de verdad. Y me esforzaba. Y ella era la única prioridad. Si me dejaba, lo sería para siempre.

Así que... quieto. No podía volver corriendo a por Sofía y gritar bajo su ventana que la amaba aunque me hubiera insultado tratándome como un perro, sobre todo, por mí. Por ella también, que conste. Necesitaba un espacio que yo no sería capaz de darle si estuviera a su lado porque la quería y la quería como venía queriéndolo todo desde hacía años: YA. Así no. Que madurara. Que hirviera a fuego lento.

Pedí consejo. Claro que lo pedí. Llamé a mi hermano, pero en cuanto contestó supe que él no podría ayudarme con ello. Necesitaba alguien que no me quisiera, que supiera de nuestra situación y que, a pesar de apreciarla, fuera capaz de ser mínimamente objetivo con las cagadas que Sofía también podía cometer. Joder..., solo se me ocurría el nombre de Oliver.

Esperé al día siguiente para serenarme y pensármelo bien por si me arrepentía de algo tan loco como llamar a un tío que no me apreciaba lo más mínimo pero cuando, después de una ducha y de intentar trabajar con el café en la mano, no me la quité de la cabeza, decidí hacer la llamada.

Oliver no me lo cogió. Primero pensé que estaría disfrutando, el muy hijo de la gran puta engreído, viéndome arrastrarme otra vez para pedirle algo con lloriqueos. Luego caí en la cuenta de que estaría trabajando. Mediocre no, pero a ratos también puedo ser mezquino y mal pensado.

A las cuatro, hora a la que sabía que salía, no me devolvió la llamada, pero insistí, porque me interesaba hablar con él antes de que llegase a casa. Contestó al segundo intento, en el tercer tono, con voz calmada pero tensa.

—Héctor.

—Hola, Oliver. ¿Tienes un momento para hablar?

—Sí. Estoy de camino a casa.

—Supongo que estás al día —le dije queriendo acortar el protocolo.

—Sí. Me tuve que hacer cargo anoche del desastre que dejaste.

Respiré hondo y miré al techo. Y yo que creía que habíamos «acercado posiciones».

—Verás, te llamo por eso mismo.

—¿Quieres darme tu versión de los hechos?

—Como tú comprenderás, que tengas mi versión me la suda bastante —respondí tenso—. Quiero que me des tú la tuya.

—La mía es que te tienes que alejar.

—Oye, Oliver, te he llamado porque no sé qué otra cosa hacer. Podemos sacarnos las pollas y ver cuál de los dos la tiene más grande o puedes tomarte esto en serio.

Un silencio me ayudó a escuchar la respiración de Oliver y el susurro de una tercera persona que, probablemente, estaba a su lado. Sería Mireia pidiéndole que fuera cabal y se tranquilizara.

—Héctor, quieres un consejo, ¿no? Pues ese es el mío: que te alejes. La conozco. Cuando se desmorona no…, no hay nada que hacer. Es superior a sus fuerzas. Lo barre todo a hostias. Limpia con un lanzallamas. Es lo que está haciendo ahora.

—¿Entonces?

—Entonces eres tú quien debe decidir. O le das el tiempo que necesita para averiguar qué coño quiere hacer con su vida o haces la tuya sin vuelta de hoja. No te puedo decir más.

Me quedé callado.

—Oye, tío, sé que…, bueno…, que no vamos a ser amigos, pero tienes que entender esto como lo que es. Tú me preguntas y yo, viendo el panorama, te doy mi opinión. No hay más. No es una venganza ni un concurso de egos. Es que Sofía está hecha un asco y, sinceramente, no es momento para que tú la descoloques con más mierdas. Sé que no debió reaccionar bien pero quizá tienes que pensar que tampoco era momento para plantearle que lo deje todo y te siga. Ella tiene que encontrar el modo. Si es a tu lado, lo será. Si no, no. Pero presionar no tiene sentido. Y si vienes…, me temo que terminarás haciéndolo. Hay un momento para todo y ahora no es ese. Entiendo que tú tienes tus propias movidas y entiendo que si estás enamorado de ella quieras tenerla contigo y alejarla de lo que crees que le hace daño.

—¿Tú no lo harías? —le corté.

—Sí. Pero es que quizá no has entendido que esto le hace daño pero va a ayudarla a crecer. A hostias, lo sé, pero es su camino. Tomará una decisión lejos de ti que será la que ella quiera. Tú has tomado las tuyas. Ahora le toca a ella.

—Pero…

—Tendrás tiempo de perder la paciencia, Héctor, pero este no es el momento. Es lo único que puedo decirte.

—¿Y cómo voy a saber yo cuándo puedo ir a...?

—Tío, no soy un oráculo. Hasta aquí mi opinión. —Asentí, aunque no pudiera verme—. Espero que te vaya bien —me dijo.

—Ya. Cuídate.

—Lo haré.

Colgó. No me dio tiempo a darle un mensaje melodramático y ñoño para Sofía como que la amaba, que esperaría, que... bla bla bla. Solo colgó. Y durante las horas siguientes tuve que aceptar con madurez la idea de que, a veces, alejarse es la única forma de querer bien.

53

Estado general: lamentable. Sin entrar en detalles de aspecto, higiene, ánimo ni salud mental. Lamentable. Era como la canción de Rocío Jurado, «Punto de partida». Todos los días me levantaba con buenas intenciones para conmigo misma. Respirar profundo al abrir la ventana y que el aroma a primavera trajera recuerdos y ganas. Darme una ducha y desayunar algo sano. Salir a buscar trabajo. Pero la realidad era otra porque cuando abría la ventana me acordaba de que Lolo había muerto, y que del Alejandría colgaban carteles horteras con el nombre de una inmobiliaria y un enorme «SE ALQUILA» y había echado a Héctor de mi lado. Y lo había echado, llegué a asumir, porque cometió el error de querer pelear por aquello que quería cuando no debió hacerlo. Y le llamé de todo. Le dije que lo que quería darme, que la vida que quería compartir conmigo, no me satisfacía. Y lo sentí de verdad al decírselo porque, en realidad, no tenía ni la más remota idea de lo que quería. Bueno, miento. Quería a Lolo vivo, el Alejandría abierto y que Héctor no se hubiera ido jamás. Soñar se me daba tan bien que la vida real no alcanzaba a satisfacerme una mierda. Así que después de abrir la ventana iba a la cocina, cogía lo primero que pillaba con pinta de ser comestible y me lo llevaba a la cama, donde me lo comía debajo de la colcha. Mi cama empezó a tener más migas que palomitas en el suelo de un cine después de una sesión. Pero me daba igual. La salubridad de mi dormitorio no estaba entre mis prioridades.

Pasaron dos semanas hasta que supe de Héctor. Me escribió un mensaje por Whatsapp para preguntarme cómo me encontraba y decirme que, independientemente de cómo se dieron las cosas la última vez que nos vimos, podía llamarle cuando quisiera. «Nosotros siempre pudimos hablar de todo. Eso no ha cambiado», rezaba al final. Eso no había cambiado, decía. Eso. Lo que sí había cambiado se leía entre líneas, era la relación que nos unía que ya no era magia, en la que ya no había besos, carcajadas, cenas a dos, música ni discusiones sobre el futuro, porque no había futuro. El hilo. El puto hilo rojo. Se nos había roto.

Mi reacción a ese mensaje: tiré el teléfono contra la pared. Me hacía sangrar la certeza de que, a pesar de ser quien debía esperar la disculpa, Héctor había tomado la iniciativa para... ¿ser cordial? Resultado: desconché la pared, hice saltar la pintura y estropeé el móvil. Eso sí, los siguientes días fui tremendamente feliz sin ese cacharro infernal.

Al día siguiente sufrí una redada en mi habitación. Mamen, Abel y Oliver entraron como lo harían los GEO. Mamen cargaba debajo del brazo un rollo de bolsas de basura tamaño comunidad de vecinos, Abel traía una bolsa de papel con aspecto cuidado y Oliver la fuerza de los mares con la que me sacó de la cama a pesar de que me resistí. Me hizo un poco de daño, debo admitirlo, pero avisó.

—Si no te levantas de la cama por las buenas, lo harás por las malas.

No me levanté. Terminé tendida en el suelo con el pijama mugriento dejando a la vista mi tripa (que había vivido tiempos mejores), cogiendo pelusas del suelo de la habitación y viendo cómo Holly salía escopeteada y no precisamente para buscar ayuda. Deberíamos aprender de los gatos…, cuidan de sí mismos y de sus necesidades antes que las de cualquier otro ser, por más que lo quieran.

Allí olía a muerto, dijo Abel mientras aireaba la habitación agitando las cortinas.

—Normal. No me ducho desde hace una semana —exageré.

—Sofía, esto no hace gracia —terció Mamen mientras tiraba como poseída envases de comida vacíos y cajas de galletas—. Ninguna. Esto es lamentable.

—Estupendo —respondí.

Y me hice un ovillo en el suelo.

—¡Te lo digo solo una vez: ve y date una puta ducha! —me gritó Oliver visiblemente cabreado.

—¿O qué?

—O te la doy yo. Y soy muy capaz, pedazo de mierda.

Me asusté un poco. Y olía mal. Estaba muy deprimida pero seguía teniendo olfato.

Cuando salí de la ducha tuve que aceptar que me había sentado bastante bien. Colgando de la manilla de la puerta encontré la bolsa de papel que cargaba Abel al entrar en mi dormitorio donde había un conjunto de ropa interior nuevo, blanco y bonito, unos calcetines con estampado de ratoncitos, un jersey gris y unos vaqueros. Me lo puse todo sin rechistar. Los vaqueros sí que rechistaron un poco, pero abrocharon. Cuando salí, mi cama estaba hecha con sábanas limpias, la habitación al completo despejada y los tres me esperaban sentados sobre el colchón.

—Vamos a hablar —dijo en tono conciliador Abel.

—Gracias por la ropa pero no hacía falta. Tengo cosas dentro del armario.

—A veces estrenar un conjunto ayuda a empezar de nuevo —respondió.

—No puedes seguir así —añadió Oliver—. No solo porque estemos preocupados por ti, sino porque no tiene sentido. ¿Qué pretendes? ¿Qué crees que va a mejorar encerrarte aquí? Desde tu cama no ves el mundo, pero sigue girando, ¿sabes?

—No tengo ganas de esto. —Me apoyé en el marco de la puerta con los ojos cerrados.

—Nosotros tampoco.

Mamen le pidió el turno de palabra y dijo mi nombre con suavidad maternal. La miré. Tenía una mirada triste y sujetaba una bolsa de basura vacía.

—Vamos por partes, ¿vale? No tienes que comerte el mundo. Hoy será suficiente con que hagas limpieza aquí dentro y tires todo lo que es un lastre. Tira ropa que no te pongas, bragas viejas, recuerdos de cosas de las que no te quieres acordar… es simbólico. Un símbolo, Sofía, a veces ayuda.

—¿Puedo quemar la habitación?

—Total, no sería novedad. Es el modo en el que te comportas cuando todo sale mal. Pegas fuego a todo y te quedas a verlo arder —contestó Oliver.

—Coge la bolsa —insistió Mamen—. O ve diciéndonos qué quieres tirar. Cuando terminemos iremos a comer los cuatro a un sitio bonito. Y haremos algo. Podemos… ir al bingo.

Me cambió la cara.

—Al bingo no, idiota —le regañó a media voz Abel.

—Al cine. Quería decir al cine.

No sirvió de nada resistirse. Terminé tirando vaqueros que guardaba «por si un día volvían a valerme», sujetadores cómodos pero dados de sí, calcetines que empezaban a clarear, jerséis y vestidos que no me ponía desde hacía siglos, medias con tomates y… algún recuerdo.

—En el último cajón de la mesita hay una madeja de lana roja. Tiradla.

Nadie me preguntó dos veces. Y nuestro destino terminó en la basura.

Salir de casa me vino bien. Desde que todo había pasado había salido exclusivamente para arreglar papeleo en el INEM. La primavera había aterrizado en las calles con exuberancia mientras dormitaba escondida en mi habitación. Las calles olían a aire fresco y a cosas bonitas calentadas por el sol. Me acordé de que tampoco disfruté demasiado la primavera anterior. Héctor se había marchado dejando una única nota como justificación y ahora había sido yo quien le había echado.

Comimos en uno de esos sitios de moda de comida sana donde a todo le ponen quinoa y/o aguacate pero la comida estaba muy rica y los rayos del sol entraban a través de un ventanal que era inevitable que me recordase al Alejandría. Lo había visto al pasar, otra vez, allí, muerto, sin vida, oscuro, despojado de todo cuanto lo hizo especial.

—¿Creéis que pondrán un 100 montaditos en el local? —pregunté mientras removía mi café con desgana.

—Pongan lo que pongan, Sofía, hay que seguir —respondió Abel—. Eso me recuerda que…, espero que no te moleste pero he hecho de avanzadilla y…

Sacó de su bolsa de mano de cuero una funda de plástico transparente con un puñado de folios impresos. La dejó delante de mí y me permitió ver su contenido: era mi currículo. Maquetado, actualizado. Había quedado muy bonito.

—He empezado a moverme y he pensado que quizá te apetece acompañarme a empapelar Madrid con nuestro talento.

—Servir café no es un talento —musité.

—¿Que no? Será cómo lo sirves tú. Yo soy un hacha.

Sonreí. Oliver me miró de reojo golpeando la cucharilla con la taza de su café cortado.

—Tienes que echarle cojones, Sofía. Y adelante.

—Ya. —Bajé la cabeza.

—Pasó —musitó Mamen—. Y no son cosas que se puedan evitar. No dependen de nosotros. Nos viene muy grande. Lo único que tenemos que hacer es aprender a seguir.

Los tres se miraron entre ellos como si hubiera salido a colación algún tema peliagudo que no cacé.

—¿Qué? —les pregunté.

—Hay una cosa que… sí que fue por elección propia. Y que tienes que decidir si lo quieres dejar como está o si lo quieres retomar.

—¿Hablas de Héctor?

—Sí. Pero no destroces vajilla ni rompas tu móvil nuevo, por favor. Tu padre se gastó una fortuna en ese bicho —medió Mamen.

Sentí sus ojos estudiándome a fondo, tratando de averiguar qué me pasaba en la cabeza ahora que había dicho su nombre pero había poco que descubrir. Una profunda decepción por mí misma, por lo pronto que se rompió y por lo rápidamente que él se había hecho a un lado. Herí su autoestima pero… no. Lo mejor era que se hubiera terminado. Habíamos hecho las cosas mal sin parar desde que nos conocimos.

—Era imposible convertir eso en una relación sana —dije—. Es mejor que haya terminado. Quiero a Héctor pero… no éramos el uno para el otro. Y ya está.

—¿Segura? —insistió Oliver.

—Sí, Oliver, segura. Ya puedes decir «te lo dije».

—No voy a decir nada parecido. La persona con la que compartes tu vida es algo que solo te incumbe a ti, por más que a mí me dé por patalear.

—Da igual. Ya está. Se acabó.

—Quizá podías llamarle, aclarar las cosas para poder cerrarlo con cordialidad —apuntó Abel.

—No —negué—. Él ya sabe la parte de verdad y de rabia que había en lo que le dije.

—A veces pedir perdón quita lastre, ¿sabes? —apuntó—. Si la cosa se puso muy fea y dijiste cosas que no pensabas.

—Sí, las pensaba. Ese es el problema. Y además sé que…

Me callé y me apoyé en mi mano, tapándome la boca en el proceso, con la mirada perdida. Pensaba una parte de lo que dije y la otra… fue cosa del miedo.

—¿Y sabes… qué? —insistió Oliver.

—Termina la frase —me animaron Mamen y Abel.

—Sé que me perdonará. Y que sentiré la tentación de irme o de pedirle que vuelva él.

—¿Y qué problema hay en eso si es lo que quieres? —preguntó Oliver.

—En que huir o correr detrás de alguien… no es una solución.

No se mostraron de acuerdo conmigo, pero parecieron satisfechos cuando volvimos a casa y vimos una película. Al menos habíamos salido y me había comportado como una humana, no como el eslabón perdido que comía torreznos bajo la colcha de su cama.

El lunes iría a buscar trabajo junto a Abel, que había elaborado una lista de sitios a los que podíamos acercarnos. Y la rueda volvería a girar. Algo encontraríamos antes o después. Y me quedaban por delante semanas de vaciar aún más mi armario, de buscarme en algún trapo nuevo como si esto pudiera definir el rumbo de mi nueva vida, de redescubrir rincones que me gustaban y que no me recordaran a nada. Sin embargo, no fue sobre eso sobre lo que no dejé de dar vueltas mentales. Era Héctor, el modo en el que se fue, la manera en la que había tendido la mano hacia mí con su mensaje y cómo sentía que se nos iba el amor. Con los días. Con la distancia. Con el cansancio. Con la frialdad. Con la espera. Con las maletas en la puerta por si yo, por fin, decidía si alguna de las opciones era válida para nosotros. Estábamos allí, justo allí, porque temí demasiado y se me hicieron cuesta arriba trescientos tontos kilómetros y un plan de vida incierto y ahora…, ahora nos deshacíamos con un solo soplo de viento porque, en el fondo, no existíamos.

54

A Abel le llamaron de un café teatro de Malasaña para incorporarse a principios de mes. Era el trabajo perfecto para él porque, como se vería tiempo después, le permitió compaginar sus dos pasiones: el trabajo cara al público, que odiaba tanto como amaba, y la escena. Y se convirtió en una cara conocida en los círculos de teatro independiente y moderno de la ciudad. Y seguía sirviendo café, vino o cerveza con un consejo como tapa. Y si le pedías más, te hacía un malabar con la botella de Tía María.

A mí me llamaron poco después que a él, pero no tuve tanta suerte. Con eso quiero decir que el local en el que me incorporé a mediados de mayo no era un polvoriento local de Malasaña y no tenía demasiada personalidad. Era una franquicia que quería baristas con experiencia pero… en ningún momento nadie habló de magia porque no interesaba. Así que me dieron mi uniforme, un polo negro y un mandil verde, y me colocaron tras la barra de un local franquiciado con más normas que personalidad donde todo tenía su protocolo. Mi nombre en una placa en el pecho aunque nadie tenía el tiempo suficiente como para aprendérselo o decirme el suyo si no era para apuntarlo en el cartón de su vaso de café para llevar. El pelo recogido en una coleta. El horario convencional que rotaba de mañanas a tardes según el mes. El sueldo bajo. Los compañeros universitarios que soñaban en voz alta con ejercer en sus profesiones y volar lejos de allí.

Si hubiese encontrado otro tipo de trabajo hubiese sido diferente, pero date cuenta de que al entrar cada día a trabajar el olor a café también me azotaba. La barra también era de madera y tenía hilo musical. Era un Alejandría de pega, de los chinos, tan mal imitado que a veces costaba encontrarle el parecido, aunque allí estaba. Así que cada día, cada minuto, añoraba lo que tuve y lo añoraba con la sensación de haberlo tenido absolutamente todo durante un tiempo. No sabía si se acabó porque la felicidad completa es un espejismo o porque con mis dudas lo eché a perder. Pero echaba tanto de menos la barra de madera maciza, lustrada, oscura, llena de muescas con historia, el café molido de la marca que le gustaba a Lolo, nuestra foto, a Abel, nuestra música, la clientela fiel para la que pasábamos a formar parte de su vida… que el trabajo se convirtió en un sueldo con latigazos emocionales. ¿Compensaba? Poco. Pero al menos conservaba mi independencia. Y se acabó.

Una de las cosas que más me fustigaban de ese nuevo trabajo era ver lo diferente que era en esencia a lo que yo conocía del negocio de la hostelería. Claro, yo viví en una especie de mundo paralelo mágico donde eran posibles cosas que fuera eran sencillamente innecesarias. No era la falta de trato personalizado, que también. Era más bien el compromiso de los que trabajábamos allí. No entregábamos nuestras horas con ilusión, sintiéndonos parte de un todo. Íbamos a trabajar porque necesitábamos pagar el alquiler, la matrícula de la facultad, el abono transporte o la letra del coche. Pero no había magia, no había compromiso… era una medida eventual. Coño, la vida real, pero distorsionada por el hecho de haber vivido cinco años en una utopía. Mi nuevo trabajo era un paso intermedio para llegar a otra parte para todos excepto para mí, claro. Para mí era parada y fonda. Era el único sitio al que había podido ir. O eso pensaba yo.

Me acordé mucho de Héctor, cómo no. Sentir que se nos iba la magia no era incompatible con echar de menos hasta los huesos a quien te hizo creer que de verdad esta existía. Él, que fue solapando medidas eventuales y al que critiqué duramente por ello, no era más que un superviviente que hacía lo que podía para poder estar donde quería en el momento que quería. Aprendí cosas entonces, no solo de Héctor, sino de la noción de prioridad que cada uno tenemos dentro. De la escala de preferencias. De que nadie tiene potestad para ponerlas en duda siempre y cuando no formen parte de una venganza contra el mundo o… no sé. Espero que me entiendas.

Héctor tenía prioridades y grandes aspiraciones, pero no las supe ver. Yo era una prioridad, como en su día lo fue mantener lo que tenía con Lucía. ¿Ves la diferencia? A mí me costó verla. Yo era una prioridad en mí misma porque daba igual si decidía irme con él, marcharnos juntos a París o si le pedía que volviera a Madrid. Lo importante era estar juntos. Con Lucía, sin embargo, la prioridad era el *statu quo* y él el que debía sacrificar cuanto fuera necesario para que la manta no se estirase demasiado y dejase al aire las carencias y los desperfectos de una relación que era sencillamente calor. Darme cuenta fue duro y casi me tatúo en el acto la palabra «ingrata» en la frente. Pero ya ves. Es lo que hay.

¿Y sus aspiraciones? Las tuvo, claro. Y fueron cambiando como en toda persona que madura y le ve la cara de verdad a la vida. ¿Eran grandilocuentes? No. ¿Eran grandes? Sí. Porque primaba ser feliz y no crear dependencias y necesidades que le harían esclavo. La libertad de movimiento. Las alas. Héctor tenía alas donde yo vi un oportunismo pasivo. La única inmovilista de mente cerrada y mediocre fui yo.

Quise mandarle un mensaje o llamarle sin más propósito que el de suavizar las cosas. La última vez que lo vi fui ruin y, dejando a una parte el tema de estar enamorada de él, si es que se puede, no se lo merecía. Se merecía el título de Don Oportuno, pero nada más. El de Doña Cretina era todo mío.

¿Por qué no le escribí ni le llamé? Porque me dio vergüenza. Él hizo el esfuerzo de tragarse su orgullo para escribirme y yo había roto el móvil después de leerlo al estamparlo contra una pared, ¿por qué? Ni idea. Supongo que me jodió que fuera más valiente que yo. Ahora había pasado un mes y… ya había perdido mi oportunidad.

Así que con los ojos puestos en todas las parejas de enamorados que entraban en el local para pedir una bebida medio leche medio hielo y cargada de nata, nos veía a nosotros. A quienes fuimos y quienes estuvimos a punto de ser. En la ilusión, en los besos, en las risas y en el soñar con un futuro que, ¿quién cojones sabía si se cumpliría?

Vi a los demás seguir adelante con la magia brillando en los ojos pero no supe hacerlo porque no estaba tan preparada como Héctor para mimetizarme y hacer de cualquier sitio mi hogar… siempre que estuviera él. Lo eché a perder. Lo dejé morir. Y ya no estaba.

55

liver y Mireia estaban en el salón cuando llegué de trabajar asqueada y con ganas de quitarme la ropa de trabajo. Sin importarme nada más, me desnudé en la cocina, junto a la lavadora y crucé el salón en ropa interior para ponerme el pijama y olvidar el olor a sirope de vainilla y leche de coco.

—Bonitas bragas. —Se rio Mireia—. ¿Hace calor?

—He visto a gente freír choricillos en el capó de un coche. Poca cosa —dije desde mi dormitorio, donde encontré a Holly hecha un ovillo.

Me la comí a besos y salí ya vestida a encontrarme con ellos, que fumaban mientras se tomaban una cerveza. Me serví otra. Corría una brisilla muy tímida creando una mínima corriente entre las ventanas abiertas y olía a verano.

—¿Qué tal el curro?

—No me hago con las malditas tapas para los vasos de café. —Me froté los ojos que no llevaba maquillados—. Me he tirado por encima un frappé con leche de coco por encima.

—Mañana será otro día. —Me sonrió ella.

—Sí. Otro día.

Otro día igual. Como todos. El sol saldría por el mismo sitio y se pondría por el lado contrario. Toda una aventura.

Oliver apagó su cigarrillo en el cenicero y sonreí al darme cuenta de cómo se había hecho con la casa hasta imponer sus propias normas. Ahora ya no hacía falta fumar junto a la ventana.

—He visto a Estela —dijo después de echar el humo en una bocanada.

—Oliver… —le advirtió su chica.

Me quedé callada, sin saber qué decir.

—Tiene otra vez la habitación en alquiler. Dice que está harta de las estudiantes, que quiere una compañera fija.

—Mireia, múdate —le dije robándole un cigarrillo a Oliver y jugueteando con él sin encenderlo—. Nos tendrás en la ventana de enfrente.

Me hice daño a sabiendas de que me lo haría, por el placer de sentirlo.

—A Héctor le va bien —añadió Oli.

Mireia le dio un codazo que no me pasó desapercibido.

—¿Ah, sí? —expresé sin demasiada emoción.

—Sí. Ha ganado el concurso de diseño de no sé qué marca de vodka y está diseñando la nueva botella de edición limitada que saldrá en Navidad.

—Vaya.

—Sí. Y está saliendo con una chica.

La saliva me pasó por la garganta como piedras del tamaño de puños.

—Me alegro de que le vaya bien —mentí.

—¿Sí?

—Sí —asentí—. Se lo merece.

—Pues parece que está contento. Que tienen planes de mudarse juntos, alquilar un pisito para los dos.

—Qué rápido —musité llevándome la cerveza a los labios para ayudarme a tragar.

—¿Hay rápido o lento cuando te enamoras? No sé. Yo creo que no. Hay veces en las que sencillamente lo sabes.

—Oliver —volvió a advertir Mireia.

—Mireia, no te preocupes. No pasa nada. Es mejor que lo sepa, ¿no, Sofía?

—Sí —asentí—. Y me alegro por él.

—Y una mierda. —Se rio con amargura—. Tienes algún que otro defecto pero nunca has sido mentirosa. Y menos conmigo.

—¿Y qué quieres que te diga? —me encaré.

—¡Por fin, un poco de sangre en las venas! Me alegro, coño. Ya pensaba que te dabas cuerda. ¿Qué quiero que me digas? La verdad: que te jode, que te da rabia, que esa debería haber sido tu vida. Dime lo que te estás mordiendo en la lengua.

Suspiré y me levanté de la banqueta baja en la que me había dejado caer. Quería ir a mi dormitorio y encerrarme. En mi dormitorio no pasaba nada que yo no quisiera. Y si pensaba en cosas que consideraba que no eran buenas para mí, me obligaba a dormir. Y ya estaba. Así que en mi dormitorio Héctor no estaría saliendo con nadie que no fuera yo. En mi imaginación podríamos hablar por FaceTime y reírnos de que los dos estábamos pasando calor porque ninguno tenía aire acondicionado; haríamos planes para el fin de semana. ¿Qué eran cuatro o cinco días sin vernos cuando los restantes llenaban tanto? Me sentí imbécil.

—Se te va cayendo la magia, Sofía. Ten cuidado.

—¡¿Por qué no te vas a cagar?! —me giré con rabia.

—Porque no me apetece —respondió.

—Pero ¿ahora qué te he hecho yo? —La voz me salió a gallos porque tenía unas tremendas ganas de llorar—. ¡Cállate ya! ¡Cállate!

—Bah, Sofía, qué decepción.

—¿Qué decepción, qué?

—Lo que te has conformado con ser.

Me encaminé hacia mi dormitorio a grandes zancadas pero antes de que pudiera cerrar la puerta Oliver gritó desde el salón:

—Estela tiene la habitación libre y Héctor ha ganado el concurso, pero el resto es mentira. Piensa un poquito en lugar de echarle la culpa al mundo de lo jodida que estás.

El portazo puso el punto y final de la conversación. Después me limité a llorar. Alivio y pena. Alivio porque no había nadie que hubiera heredado lo que yo no di por bueno y pena porque… no lo di por bueno.

Al día siguiente vuelta al reloj de arena. Vuelta a empezar. Me levanté sin despertador, me di una ducha, bajé a hacer la compra pero no crucé con Piedad más conversación que un «Hola» y un «Gracias, adiós». Me preparé la comida, le di unos mimos a Holly, me puse el uniforme y me marché a trabajar, donde mi compañera de veinte años me esperaba para poder dar un repaso a sus apuntes de la facultad cuando fuera bajando el ritmo de trabajo en el local.

Y así fue. La cosa se quedó tranquila, ella se escondió para estudiar y yo limpié los cacharros de la leche de soja, la leche sin lactosa, la de coco y la normal. En el hilo musical sonaba Pablo Alborán, del que ya me sabía todas las canciones a fuerza de escucharlas continuamente. Estaba tarareando «Recuérdame» cuando alguien entró en la tienda.

—Buenas tardes, soy Sofía, ¿qué te apetece tomar?

Levanté los ojos de la caja cuando no me respondieron y me quedé sin palabras. Allí, de pie, Héctor. Con el pelo un poco más corto, peinado hacia un lado para que los mechones no cayeran sobre su frente, con el ceño fruncido en tres pliegues y un polo gris, formal, que conjuntaba con la funda del ordenador portátil que llevaba bajo el brazo.

—Vaya —dijo—. Pues era verdad.

—Hola —respondí.

—¿Qué tal?

—Bien. Ya ves. Trabajando.

—Sí, ya veo.

Nos quedamos callados y me sentí horriblemente ridícula dentro de mi uniforme, con mi nombre colgando en el pecho que me latía desbocado. ¿Casualidad?

—¿Qué haces por aquí?

—Oliver me dijo dónde estabas trabajando. He tenido una reunión cerca y… me he pasado.

—No sabía que hablabais a menudo.

—Y no lo hacemos. Solo cuando hay algo importante que decir.

Me sentí como si estuvieran a punto de celebrar un juicio militar y yo fuera la única acusada de muchos y muy graves cargos. Carraspeé.

—¿Te pongo algo?

—No, gracias. Solo… pasaba para…

Verte. Decirte que te quiero, que no te olvido, que no levanto cabeza desde que me echaste. Pasaba para coger tu meñique y volver a atar el hilo rojo. No fue lo que dijo, claro.

—No me contestaste —dijo de pronto.

—Ya. Es que… fueron días duros.

—Bueno, ¿todos fueron duros?

Sonaba tenso, la verdad. Molesto. ¿Para qué había venido si seguía sintiendo esa rabia en la garganta?

—No —contesté al fin—. No todos fueron duros pero me dio vergüenza escribirte cuando pasó el tiempo. No sabía qué pensarías.

—¿Qué iba a pensar?

—No sé. Por eso no escribí.

—Ya. Pues… bien.

—Sí.

Nos quedamos callados y aparté la mirada hacia el mostrador de madera mala, que acaricié nerviosa.

—¿Ha valido la pena?

—¿Qué? —lo miré. Lo había escuchado, pero…

—Que si ha valido la pena.

—¿A qué te refieres?

—A si realmente te compensan las decisiones que tomaste. Si prefieres esto: un curro de mierda y tu orgullo intacto.

—No es una cuestión de orgullo.

—¿Valgo menos que esto? —Miró alrededor—. Necesito saberlo.

—Héctor, no es el lugar ni el momento.

—No. Para ti nunca lo es. No tenía que haberle hecho caso a Oliver. Que te vaya bien, Sofía. Sé feliz.

Héctor se dio la vuelta y, no sé si por miedo a que se marchara y no volver a verlo o si por la necesidad de alargar el momento, me apresuré a decirle:

—Se nos acabó.

—No. A ti se te acabó.

No se giró para mirarme cuando lo dijo. Siguió sus pasos y, sencillamente, desapareció.

56

Había escuchado muchas veces la expresión «se apaga» referida a personas. Sobre todo a personas a quienes la vida se les escapaba o que sufrían una pena muy grande. Y siempre eran los demás, los de fuera, los que decían esas palabras. Siempre supuse que porque desde fuera es mucho más fácil notar que esa luz se va, que parpadea y amenaza con no volver a brillar. Siempre creí que la persona de la que hablaban al decir aquello no notaba que se extinguía esa llama. Pero no es verdad. Lo notas. Cuando te apagas, lo sabes.

No quiero ser melodramática en exceso. No me estaba muriendo. Pero me apagaba a borbotones, como quien se desangra. Supongo que el golpe de gracia fue su visita. No entendía con qué fin vino. No entendía por qué Oliver le había animado a hacerlo. No entendía nada. Y ya me había costado suficientes discusiones con Oli; no quería hablar más de ello. Quería dejarlo pasar, aunque me apagase.

¿Sabes qué pasa con los cuentos cuando creces? Que dejas de creer en ellos, claro. Pones luz en las sombras y empiezas a preguntar por qué Ricitos de Oro no eligió primero la cama mediana o por qué Blancanieves cogió la manzana que le ofrecía una desconocida con pinta de ser poco fiable. Pones tu vida sobre ellos, tu experiencia, como si fuese un calco y mides los cuentos con la misma lógica hasta que se desmoronan. Y eso acaba con la magia. Como la que yo ya no tenía y en la que ya no creía.

No me quitaba de la cabeza la rabia en la voz de Héctor. Era una inquina cocida a fuego lento. Yo no lo sabía con seguridad, pero era resultado de los días esperando contestación, las jornadas aceptando que no la recibiría, el trago amargo de creer que el otro lo ha tirado todo por la borda con tal de no esforzarse por retomarlo. Héctor estaba enfadado, no triste ni decepcionado. Héctor ardía porque aunque fuimos reales y creímos serlo siempre, yo había decidido que lo fácil era seguir en silencio. Y él sabía adónde te llevaba lo fácil: a asumir como verdad inquebrantable una realidad que mantienes solamente porque quieres.

No me gustaba mi trabajo. No me gustaba el silencio que reinaba en mi pecho. No me gustaba lo que prometía ser mi futuro más cercano. No me gustaba que pintaran de nuevo el muro en el que Héctor hizo su pintada y que no quedase nada de aquello. Y no me gustaba ver que alguien había alquilado el Alejandría y que lucía un cartel en el que se leía «Próxima apertura: El huertito de Marta, tasca orgánica». Por el amor de Dios. Tasca orgánica.

Sentía que había metido los pies en cemento húmedo que empezaba a secarse. Tenía en el pecho una sensación de tic tac continuo, como si estuviera a punto de estallar una bomba de tiempo perdido y decisiones no tomadas que me mandase para siempre al redil de las personas que no supieron vivir. No sé dónde quedaron las citas de Oscar Wilde o de Lord Byron. Ni siquiera sé dónde quedé yo.

Cuando vi a Abel para tomarnos algo después del trabajo y le conté que Héctor había venido a la cafetería a verme, la chispa se le apagó durante unos instantes y no hubo «sicomoros» ni salidas de tiesto. Solo un silencio muy largo que crujía de hielo seguido de una pregunta sencilla pero muy difícil de contestar:

—¿Y qué vas a hacer?

—No puedo hacer nada. —Me encogí de hombros—. El tren pasó.

—¿Y no crees que podrías llamarle, veros y hablar?

—Eso no solucionaría nada. No me dio la impresión de que fuera eso lo que quería.

—¿Y qué crees que quería?

—No lo sé.

—¿Y lo harías?

—¿El qué? —pregunté confusa.

—Lo que él te pidiera. ¿Lo harías?

—¿En qué sentido?

—¿¡En qué sentido va a ser, Sofía!? Si te pidiera un gran gesto, si te pidiera que te marcharas con él o que lo dejases todo o que... yo qué sé, que te plantaras un nenúfar entre las tetas... ¿Lo harías?

Sonreí con pena.

—Ese es el problema. Es Héctor. Ya no pedirá nada.

—¿Entonces?

—Entonces no tengo forma de saber qué lo solucionaría.

—Pero crees que hay algo que lo solucionaría... —Sonrió pillo.

—No.

—Ahora no te eches atrás. Había brillito de esperanza en esa frase.

—No. No la hay.

—Pues quizá tendría que haberla.

Pensé en ello de vuelta a casa con el estómago lleno de cerveza y patatas rancias. Pensé en si habría algo que solucionara los últimos meses. ¿Existía ahora esa posibilidad? Porque yo no me veía con fuerzas de llamarlo, de preguntarle, de desnudarme de orgullo o de vergüenza y decirle: «Héctor, dime si hay algo que borre lo que nos ha pasado. Porque eres tú o nadie. Porque eres tú o nada». Y como no me veía con fuerzas… la posibilidad, si es que existía, se esfumaba.

Oliver se mostró molesto conmigo y no lo escondió. Es más, lo expresó con todas las letras del alfabeto y de todas las formas que supo.

—Estoy a un punto de cansarme —me dijo una noche—. Te lo juro.

—¿Y eso qué quiere decir, Oliver?

—Que tomaré mis decisiones sin tenerte en cuenta. Y tendrás que tomar las tuyas por supervivencia.

No le entendí. No tenía ni idea de a qué se refería. ¿Me cogería de la mano y tiraría de mí hasta plantarme en casa de Héctor para que le pidiera perdón, como si fuese una niña? ¿Me obligaría a llamarlo y me haría recitar una disculpa que él mismo habría escrito? ¿Qué cojones quería decir con que se cansaría? Estaba muy cerca de saberlo.

La semana siguiente tenía turno de mañana. Entrábamos muy pronto. La cafetería abría a las siete y media, con lo que a las siete tenía que estar entrando y preparándolo todo. Fue una mañana tranquila fuera de la hora punta, que llegaba hasta las nueve, cuando todo el mundo entraba a trabajar. Después, clientes continuos en goteo, pero ninguna marabunta ni ningún fuego que apagar. Todo… como siempre. Como siempre.

Cuando me marché de casa, Oliver seguía acostado. Empezaba sus vacaciones y le encantaba dormir hasta tarde, aunque se quejaba de que su habitación era muy calurosa y se despertaba doscientas veces empapado en sudor. Pero no debió levantarse muy tarde porque aquello le tuvo que costar lo suyo... y lo hizo solo.

Al entrar en casa me extrañó ver el rabo de Holly emergiendo de debajo del sofá. Solo se metía allí cuando se asustaba mucho. Si tienes gato sabrás que son animales a los que los cambios no les vienen muy bien. Es como si tuvieran una agenda complicadísima que implica hacer todos los días lo mismo en el mismo sitio, que en el caso de Holly era dormir en su caja de ASOS.

Oliver estaba sentado en la mesa del salón con el tobillo apoyado en la rodilla contraria, serio.

—¿Qué pasa? ¿Por qué está la gata debajo del sofá? —le pregunté.

—Siéntate un segundo. Tengo que hablar contigo.

—Dame un segundo que deje mis cosas.

Arrastré los pies por el pasillo hasta mi habitación que tenía la puerta cerrada. Al abrirla la encontré llena de cajas. Y las cajas llenas. La cama, sin sábanas. Los cajones abiertos, mostrando que no había nada dentro de ellos. El armario de par en par, también vacío.

—¿¡¡¡Qué coño has hecho!!? —le grité.

Salí hecha una furia hasta el salón donde el animalillo seguía debajo del sofá y el animal de bellota sentado en la mesa.

—Te vas.

—El que te vas eres tú, pero de la olla. ¿Por qué cojones están todas mis cosas en cajas? A mí no me hace ni puta gracia, Oliver. Vas a pasarte la tarde poniéndolo todo donde estaba, ¿me oyes?

—¿Qué no entiendes de que te vas?

—¿Es que estás tonto? —le pregunté llevándome la mano derecha a la sien y dándome unos golpecitos.

—A la gata la puedes dejar aquí hasta que tengas claro dónde te vas, para que no se estrese más de la cuenta.

—A la gata ya me la has estresado tú, maldito imbécil. ¿Qué significa todo esto?

—Que te vas, Sofía, te vas.

Abrí los ojos y la boca como una boba.

—Pero ¿tú estás loco?

—Mireia y yo hemos encontrado un piso pequeño en Reina Victoria y nos vamos a vivir juntos en un mes. Hemos estado retrasando la decisión por ti, pero como tú no reaccionas de ninguna de las maneras la tengo que tomar yo por ti.

—¡Pues vete! Pero ¿por qué cojones me tengo que ir yo? ¡¡Tú eres tonto del culo!! ¡Imbécil! ¡Gilipollas!

—Te vas y punto, Sofía. Porque vives junto el Alejandría, porque gruñes cada vez que pasas por delante, porque no haces nada con tu vida, porque te has anclado a algo que no existe y te apagas por momentos. Te has vuelto gris. Estás muerta en vida. Por eso te vas, Sofía, porque tienes un curro de mierda que no va a poder pagar este piso si me voy, porque...

—¡¡Buscaré compañero!! —le grité interrumpiéndolo.

—¿Qué no entiendes, Sofía? ¡Que te vayas! —me gritó—. ¡Que hagas algo! ¡Que mires a tu alrededor para ver que eres la única que no ha avanzado! Hasta él, ¡¡hasta él ha avanzado, Sofía!!

—Pero... —balbuceé—. Pero...

—He avisado al casero de que nos vamos en un mes pero quiere tu confirmación porque el alquiler está a tu nombre. —Volvió a serenarse y su tono de voz volvió a ser firme pero tranquilo—. Claro que puedes llamar y decirle que te quedas. Claro que puedes quedarte. Pero espero que hagas, sencillamente, lo que debes.

—Pero ¿de qué me estás hablando?

—De que tienes dos opciones: acabar compartiendo piso con una estudiante de intercambio que se irá y que será sustituida por otra y así hasta que no las distingas y no te importe. O moverte y pelear. O ser Sofía. Ahora mismo eres alguien que no reconozco y que me mata de pena. Y te lo digo yo porque los demás ni se atreven.

Se levantó. Le pegué, pero en lugar de devolvérmela, fue hacia la puerta directo y susurró que me dejaba el resto del día para pensarlo.

—Mañana tienes que tenerlo decidido.

—No quiero decidir nada.

—Le dije que se alejara hasta que tomaras tu decisión, Sofía. Cuando me llamó al día siguiente de que lo echaras a gritos de aquí, le dije que debía apartarse y dejar que el tiempo hiciera lo suyo. Pero nos estás decepcionado. A mí, que confié en tu criterio y a él, que ya no tiene ganas de esperar.

No añadió nada más. Se fue.

Holly no quiso salir de debajo del sofá hasta que no tuvo hambre. Yo dormí vestida sobre un colchón sin sábanas. Y a la mañana siguiente la ausencia de respuestas solo dejaba una posibilidad.

57

Puse de nuevo las sábanas en mi cama al día siguiente después de volver del trabajo. Y, por primera vez en mucho tiempo, me sentí… en paz. Había reaccionado. De una manera distinta a la que Oliver supuso que lo haría, me imagino, pero había reaccionado. Y eso me daba… paz.

Enterré muchas cosas al volver a sacar parte de las cajas para colocarlo en su sitio. Al hablar con el casero. Al asegurarme de que Holly estaba tranquila y sobornarla con fiambre de pavo. A pesar de que Oliver al ver que algunas cosas volvían a estar en su lugar no me dirigió ni la palabra. Y es que Sofía, la que resurgió detrás de la barra del Alejandría, la que no concebía la vida sin magia, la que se enamoró como una idiota de Héctor…, había muerto. Y debía enterrarla. Como se merecía. Con normalidad, con una sonrisa, con un «descanse en paz». Lo que quedaba era alguien que había aprendido y asimilado, que sabía que la magia a lo grande no existía pero que nos esperaba en las pequeñas cosas y que había descubierto qué era exactamente enamorarse de alguien.

El amor es como París: lo potencia todo. Como la lluvia: hace que todo brille más. Y recuerda, todo significa lo grave y lo frívolo, lo bueno y lo malo, el placer y el dolor.

Oliver me comunicó que seguía adelante con su plan de mudarse con Mireia. Le pregunté si estaba seguro y me dijo que sí, sin peros. Sin «y si no, siempre estoy a tiempo de volver a vivir solo». Estaba seguro. Segurísimo. Jamás lo vi más seguro de nada. Lo acepté con una sonrisa y le deseé mucha suerte.

—Me alegro mucho por ti. Te lo mereces.

—Todos merecemos enamorarnos —sentenció.

Y lo dijo enfadado. Sin preguntarme qué iba a hacer. Había sacado sus conclusiones de mi comportamiento. Se le pasaría. Estaba segura de que se le pasaría.

En el trabajo, qué curioso, todo empezó a rodar mucho mejor. La sonrisa que compartía con los clientes volvía a ser sincera y sentí que fluía algún tipo de cariño recíproco con mis compañeros, que aceptaban mis citas célebres con una mezcla de curiosidad y desdén. Juventud…, divino tesoro.

Pasé mucho tiempo con mis hermanas y les conté una historia que ellas aceptaron con llanto pero que entendieron. Pasé tiempo con Mamen y le aconsejé desapuntar a las gemelas de alguna actividad extraescolar y tomarse la vida con más calma.

—¿Qué pasa? —me dijo—. Estás muy zen.

—El Feng Shui de ordenar la vida, supongo.

Ella sonrió y me dijo que le alegraba saber que todo empezaba a marchar.

—Aunque no hayas tomado la decisión que todos hubiéramos querido.

Y lo que yo quise fue no saber cuál era esa decisión.

Me dejé convencer por Abel para salir de fiesta a locales ruidosos, oscuros y con luces de colores en los que me divertí muchísimo. Me reí a carcajadas, rompí copas sin querer, corrí con tacones por los adoquines del centro y me caí encima de él demasiadas veces como para contarlas. Y todas las noches que salimos, terminamos cociendo macarrones en una olla y añadiéndoles queso a montones hasta que era imposible hasta removerlos.

Dediqué un domingo a papá y le ayudé a organizar su colección de sellos antiguos, aunque siempre me pareció (y me parecerá) soporífero. Y le conté cosas sobre mí y le pedí que guardara algunos secretos que él aceptó con cara de preocupación y un asentimiento. Y el resto de tiempo que me quedó, se lo regalé a mamá, a la que acompañé de compras, a andar, a una clase de golf y con la que vi la tele, aunque no me interesara para nada por qué Lidia Lozano estaba enfadada con Mila Ximénez en *Sálvame*.

—Engordaste un poco en ese trabajo nuevo. ¿Te mueves menos o es que comes más? —me dijo sin mirarme.

Y en lugar de molestarme, me eché a reír y me encogí de hombros. Todo estaba… en calma.

Compré unas cosas para la casa de Oliver y se las di cenando con Mireia, que era más lista que el hambre y lo entendió todo sin necesidad de mediar palabra. Fue la única que lo supo sin que yo hablara un poco de ello. Abel, Oliver, Mamen y mamá se enteraron cuando todo estaba hecho.

Y llegó el día. Y se terminó la despedida.

Con el coche cargado hasta los topes me acerqué a la puerta del antiguo Alejandría y pregunté a la gente que pululaba por allí, organizando la nueva decoración y distribución del «Huertito de Marta», si podía pasar para despedirme.

—Trabajé aquí cuando era otra cosa. Y me voy.

—Claro.

Creo que pensaron que estaba loca y les dio miedo decirme otra cosa, pero yo pude cerciorarme de que la barra seguiría en pie y que el suelo, precioso, sobreviviría a la historia del local que fue. Ya no olía igual; el polvo de las pocas reformas, los muebles nuevos y algo indescifrable que ahora sé que era la ausencia de nosotros le confería una atmósfera diferente. Sin embargo, si respirabas hondo, ahí estaba… la chispa. La magia.

Cuando me alejé en dirección adonde había dejado el coche aparcado, estaban quitando la luna con el nombre de «El café de Alejandría» para sustituirla por una nueva. Y no sentí más que una dulce nostalgia… porque Héctor tenía razón. Cuando todo se cuadrara, cuando todo ocupara su lugar, yo la primera, la pena dejaría paso a otras emociones.

Pasé por casa de mi padre, donde había quedado con él y con el transportín de Holly en la mano y ella maullando como una desesperada dentro, pasé hasta el salón. Papá me ofreció un café o un batido, pero le dije que no. Y se lo dije con lágrimas en los ojos pero ahí venía, sin duda, la despedida más dura. Holly no podía entender mis argumentos porque seguramente entendiera «bla bla bla» y si me entendía, no tenía forma de comunicarme que me apoyaba y que esperaría por mí. Temí estar a punto de matarla. Los gatos, por si no lo sabes, son animales muy orgullosos: son capaces de morir en una huelga de hambre y son sensibles a los cambios y a la tristeza.

—¿Estás segura?

—Es lo que tengo que hacer. ¿Se lo explicarás bien a Mamen?

—Claro. Y va a comprenderlo. Por eso no te preocupes. Cuidaremos bien de Holly. Hasta que vuelvas.

Le abrí la puerta de su transportín pero no quiso salir, de modo que tuve que sacarla a la fuerza y cargarla en brazos como un bebé. Escondió la cabeza en mi cuello y me eché a llorar. Estaba haciéndola sufrir, sacándola de su espacio, dándole un hogar transitorio hasta que se acostumbrara y volviera a por ella. Pero es que no podía llevármela pero tampoco podía desprenderme de ella.

La besé. La besé mucho. Su pelaje suave tenía ese aroma tranquilizador que nos devuelve siempre a casa, estemos donde estemos y se lo mojé de lágrimas. Le prometí mentalmente volver a por ella y se la di a mi padre que la sostuvo en brazos y la llevó a una habitación donde había acomodado ciertas cosas que fui llevándole, que olían a mí y a casa: su caja, una manta sobre la que le encantaba acostarse, su comedero y su arenero. Cuando los gatos «se mudan» es mejor acotarles un espacio pequeño al principio y que vayan descubriendo poco a poco el nuevo mundo que les rodea.

—Estará bien... —repitió mi padre cuando me oyó sollozar—. Y tú también.

Volví al coche quitándome las lágrimas a manotazos y pasó media hora hasta que pude dejar de llorar.

En el maletero solo llevaba ropa y muy pocos trastos. Todas mis cosas cabían en el maletero de un Twingo y no era demasiado reconfortante. No tenía ni un mueble de mi propiedad. Lo único que tenía lo había dejado en el piso a cambio de unos cuantos euros que el casero entendió que debía darme en compensación por lo acogedor que había quedado. En la guantera llevaba muchos cedés y un mapa de España. En el asiento del copiloto mi bolso hasta arriba, con doscientos euros en metálico, un paquete de galletas, un neceser, el tabaco y un refresco. El móvil reposaba en una de las ranuras del salpicadero, esperando ansioso que me encontrase con fuerzas de hacer la llamada.

La hice en un área de descanso deshabitada, más bien un merendero, junto al embalse de Selga de Ordás. El sol brillaba en el agua y las nubes espesas que cubrían el cielo más al norte aún se mantenían alejadas. Se escuchaba el zumbido de algunos coches en la autopista, de la que me había desviado, y el piar de algunos pajaritos. Nada más que eso y mis pensamientos.

Suspiré profundo, me senté en la maltrecha madera que alguien había colocado para que los visitantes pudieran comer con vistas al pantano y marqué el teléfono. Tardó un poco en cogerlo y me asusté. Y me asusté aún más cuando contestó escueto, educado pero tirante:

—Hola.

—Hola, Héctor.

—¿Qué tal?

—Bien.

—Me alegro.

Nos quedamos callados. Venga, Sofía…

—Héctor…, no sé muy bien cómo decir esto así que voy a vomitarlo todo y que sea lo que Dios quiera… —Cogí aire y cerré los ojos. El sol calentaba hasta enrojecer la piel de mis brazos pero yo no sentía nada. Solo el sonido de sus dedos acariciando nervioso su barba a contrapelo, como si lo estuvieran haciendo los míos—. Cometí muchos errores pero del que más me arrepiento es de haber pensado demasiado hacia delante. Lo estropeé. Yo lo estropeé. Tú intentabas hacerlo posible y yo señalaba los problemas sin más. Se me hicieron cuesta arriba trescientos kilómetros porque soy idiota. Lo que temía no era una relación a distancia contigo, sino que la distancia nos alejara de verdad y todo se quedara en nada. Lo que he sentido siempre a tu lado solo cabe en…, no sé, en una novela de amor, una muy larga…, de más de mil páginas. Ahora lo he estropeado y hay poca vuelta atrás, lo sé. Sobre todo me he estropeado a mí misma así que… me voy.

Un silencio sostenido en dos gargantas.

—¿Dónde? —preguntó por fin.

—No tengo mucha idea. Tengo el paro arreglado y unos pocos ahorros del finiquito del Alejandría. No me lo quiero gastar todo, así que volveré cuando llegue a un tope y solo me parezca bien gastar lo que me cueste la gasolina de vuelta.

—¿Y qué vas a hacer?

—Pensar. Como en esas películas en las que algo muy grave pasa y uno de los personajes no sabe reaccionar. Me voy a no tener nada, a alejarme de todo, para saber qué echo de menos.

—Si tú crees que eso es lo que debes hacer…

—Sí. Creo que sí.

—¿Y Holly?

—Con Mamen y mi padre. A mis hermanas les encantan los gatos. La recogeré cuando vuelva.

—Ya…

Se quedó callado y yo no supe si era porque no le interesaba en absoluto lo que decidiera hacer con mi vida o si, por el contrario, estaba tan confuso y muerto de miedo como yo.

—A ti ya sé que te echaré de menos porque no he dejado de hacerlo. Ni cuando te fuiste sin dar explicaciones. Ni cuando te eché.

—No te entiendo, Sofía. Por más que lo intento. No puedo entenderte —suspiró.

—Pero…

—Haz lo que tengas que hacer. Es tu vida. Yo no puedo decir más —sentenció aparentemente inmutable.

—¿Podré verte cuando vuelva?

—Ven y hablaremos. No te prometo más.

Y a pesar de todo lo que no había dicho y que no parecía escondido detrás de sus palabras…, me parecieron las más prometedoras del mundo.

Fue un alivio notar cómo había descendido la temperatura cuando bajé del coche en lo que me pareció un buen lugar como primer destino: Oviedo. Estábamos en pleno julio y la gente paseaba por las calles con chaquetas finas y paraguas en la mano a unos deliciosos diecisiete grados.

Lo primero que hice fue aparcar en un parking que seguro me saldría más caro que la habitación y dirigirme al hostal más barato que encontré por internet. Allí, por veintidós euros la noche, tendría un espacio limpio, un baño para mí sola y conexión wifi.

La primera noche fue rara y lloré mucho. Qué estupidez llorar por algo que parecía una decisión muy meditada: dejarlo todo bien atado, salir a buscarme y volver cuando todo encajase. Pues lloré porque parece que de noche los monstruos se hacen enormes y engullen nuestras preocupaciones hasta darles su propio aspecto. Así que, abrazada a la almohada, me convencí de que estaba sola, que me había chalado, que había perdido a Héctor y que este, probablemente, estaba ya compartiendo cama con alguien que lo querría como yo... pero bien y que lo veía mover la cabeza inconforme con mi llamada.

A la mañana siguiente no salió el sol pero bajo el calabobos asturiano, todo brilló más. Incluso mi idea de que unas vacaciones por mi cuenta eran una buena idea. Recorrí la ciudad, comí en una plazoleta cuyo nombre no recuerdo, en una terraza con manteles de hule y una pareja de guiris en la mesa de al lado y seguí paseando hasta dar dos vueltas más a la ciudad y entonces las piernas terminaron quejándose. Tuve que hacer frente también a las llamadas, claro. La de mi madre podría haber sido tensa, pero me la tomé con humor sin dejar que me afectasen sus dudas. Básicamente se limitó a poner el grito en el cielo sin dejar de repetir «¿Por qué haces esto? ¿Dónde estás? ¿Dónde narices vas a vivir cuando vuelvas?». Le dije a todo que bien, que yo también la echaba de menos y que le compraría unos botes de fabada casera para que comiera algo rico algún día. Oliver, Abel y Mamen fueron más entusiastas, cada uno a su manera: Oliver me dijo que me apoyaba y que tendría el sofá de su nuevo piso disponible a la vuelta, si lo necesitaba. Abel, por su parte, me aplaudió, gritó que «viva mi chocho» y me animó a que hiciera lo que me saliera del papo. Mamen me pidió con un hilo de voz que, antes de volver a Madrid, pasase por La Cumbre.

—Fuisteis idiotas los dos, pero no habéis hecho nada que no pueda solucionarse.

El problema es que no habíamos hecho nada en absoluto. Nada más que cagarla desde el día que nos conocimos y salpicarlo con querernos demasiado.

Al día siguiente vi Santa María del Naranco, me maravillé y salí hacia Gijón donde... repetí la jugada. En aquel momento ya añoraba a rabiar a Holly, a Mamen, a Abel, a Oliver, a mis hermanas, a mis padres y, de una manera diferente, a Héctor. Los demás eran un picor, un dolorcillo. Él era una herida abierta que me hacía ir sangrándole por todo el camino, preguntándome constantemente por qué cojones me había tarado tanto. ¿Qué me pasaba? ¿Cuál era realmente el problema?

Seguí por Lastres, donde me quedé más de dos noches solo por el placer de disfrutar en silencio en su mirador, sentada en un banco con un libro en el regazo hasta que la humedad o la lluvia podían conmigo. En Arriondas, pueblo en el que tuve una habitación con vistas al río por un poco más de dinero y donde comí todo el queso con dulce de membrillo que pude, algo empezó a cambiar. El dolor se avivó. Y el miedo a no saber aún qué estaba haciendo. La sensación de descontrol, de soledad y de que me había tarado se multiplicaron. Y como no sabía qué otra cosa hacer, hice una foto y se la mandé a Héctor con un texto sencillo: «Siento que estoy poniendo alfileres en un mapa que querré recorrer contigo».

No contestó hasta la mañana siguiente, pero lo hizo con una foto... sin texto: una taza de café solitaria sobre la mesa de su patio interior, bajo el sol muy tímido de las siete de la mañana. No sabía si era soñar demasiado pero lo entendí como un «Te espero».

Subí hasta Cangas de Onís y también visité Covadonga en un intento por hacer de aquel viaje algo trascendental y místico, pero lo que me sobrecogió fue la naturaleza, no la peregrinación a ningún templo. Me sentí pequeña, minúscula y todo encajó de alguna manera. Porque donde no somos los únicos que importamos, el puzzle, sencillamente, cobra sentido.

Viajé sin paradas, después, hasta Comillas, sumida en un estado de debilidad porque, donde todo encaja, es fácil ver las carencias.

Después de un par de paradas en pueblos cuyo nombre no recuerdo y en los que paré, sencillamente, porque al cruzarlos me parecieron increíblemente acogedores, llegué a Santander. Aún me quedaba dinero de mi presupuesto para aquellas vacaciones… Apenas habían pasado diez días desde que había salido de Madrid pero ya arrastraba los pies. Las cosas que guardaba en mi maletero pesaban como si las llevase a la espalda. Y estaba desolada. Subí a la Magdalena y, mientras veía atardecer desde la explanada que rodea el palacio…, lo entendí. Estaba recorriendo kilómetros y fingiendo buscar un lugar que ya conocía. No era él ni yo ni el Alejandría. Era un nosotros que estaba por construir y que me asustaba. Quizá me enamoré de la idea de enamorarme de él y después no pude hacer nada por salvarme, pero sin tener ni idea de por dónde empezar. Y seguía sin tenerla. Pero algo habría que hacer.

Hacía un calor insoportable cuando salí de la atmósfera de mi coche refrescada por el aire acondicionado. El sol caía a justicia y quemaba en cuanto te tocaba. Enrojeció mis hombros en el breve lapso de tiempo que pasó desde que salí del coche y me dirigí hasta la puerta que se abrió antes de que pudiera llamar. No sé si lo alertó el sonido de mi coche o las cinco vueltas que di a su manzana antes de atreverme a parar. Pero, qué coño, tenemos una sola vida y ya había usado treinta y un años en encontrarme el culo con las dos manos. Era el momento de echarle narices… porque cojones no tengo.

Héctor tenía el ceño fruncido, lo cual me reconfortó. Sus tres pliegues. No había sonrisa ni hoyuelo bajo la barba, pero hay cosas que no es necesario decir con alegría. La sinceridad a veces es una perra taciturna. Estaba agarrado al marco de madera de la puerta, tan grande, tan nórdico perdido en Extremadura que no pude más que sonreír.

—Hola —le saludé.

—Sofía. —Se frotó la cara—. Es de locos. Esto es de locos. ¿Te haces cargo?

—Totalmente.

—No puedes hacer esto —negó evitando mi mirada—. Porque me llevas de arriba abajo sin tener ni idea de dónde vamos. Y yo no puedo seguirte sin más o me convertiré en el tío que era.

—Ya lo sé.

—Y… —Miró hacia el cielo. Acumulaba en su lengua tantas cosas por decir que no sabía ni por dónde empezar—. Te has perdido muchas cosas. He tomado decisiones sin ti.

—Me parece bien. Es lo justo.

—¿Y qué harás si no te gustan?

No estaba preparada para esa pregunta, así que me quedé callada, algo descolocada. Él resopló y pasó la mano sobre su barba y la fricción provocó ese sonido que me encantaba…

—¿Por qué no me las cuentas? —le dije—. Después podemos tomar juntos unas cuantas.

—Vale, vamos a hablar.

Cerró de un portazo y le seguí por las estrechas calles que serpenteaban entre casas de paredes encaladas que brillaban bajo el sol veraniego. Íbamos callados, caminando a dos palmos de distancia, mirando al suelo. De vez en cuando nos cruzábamos con algún vecino y Héctor saludaba educado por el nombre a cada uno de ellos.

—Es un pueblo pequeño —me aclaró, como si supiera que me preguntaba cómo podían conocerse todos—. La mayoría me conoce desde que nací.

—¿Eres feliz aquí?

—La felicidad no depende del lugar donde estés.

—¿De qué entonces?

Me miró unos segundos, muy serio y desvió la mirada de nuevo hacia el suelo.

—De lo que estés haciendo allí. Y con quién.

No volvimos a hablar hasta que llegamos a una ermita dedicada a San Gregorio que se encontraba en bastante mal estado de conservación pero que mantenía el encanto de lo que fue grande. Allí Héctor se sentó sobre una piedra y me miró.

—¿Cuál es tu plan? —me preguntó.

Me hubiera encantado detallarle un plan perfecto que le incluyera a él y a todas sus necesidades. Algo sin fisuras en cuyo centro nos encontráramos los dos pero… no lo tenía. No sabía. Me encogí de hombros y me senté a su lado.

—¿Y si no tengo nada que responder a eso? ¿Y si lo único que tengo es el maletero lleno de cosas y miedo a que no me quieras lo suficiente como para pasarlo por alto?

Me miró largo rato sin responder, como si dentro de su cabeza estuviese librándose una batalla entre pros y contras, entre deseos y miedos y recuerdos de otras intentonas que no terminaron bien.

—Podemos… ir viéndolo —me dijo.

¿Te acuerdas lo que te conté sobre mis expectativas románticas? Las tenía altas y las jodidas no bajaban con la experiencia vital real, de modo que me sentí decepcionada porque esperaba un discurso romántico que terminase de manera grandilocuente, con aplausos y gente enternecida viendo cómo nos besábamos. Lloverían flores de algún árbol cercano y los dos sonreíríamos con los labios pegados mientras la grúa que controlaba la cámara se alejaba poco a poco para terminar con un plano general. ¿En qué película se ha visto que los protagonistas acaben sentados sobre una piedra en un secarral calcinado por el sol sin saber qué decirse? Con los labios lejos. Con las manos quietas. Con la mirada al frente.

Fui consciente de que algo se iba calentando entre los dos, haciendo la maquinaria un poco más ligera y eficaz cuando los dos nos esforzamos por hablar. Las frases cortas e inconexas del principio fueron sustituidas por reflexiones sobre los últimos meses y cuando nos levantamos para seguir paseando y tratar de dar esquinazo al sol, las palabras sonaban mejor. Mínimamente mejor. No habría aplausos ni lluvia de pétalos, pero algo era algo.

Volvimos hacia el pueblo caminando despacio, agradeciendo la sombra que dieron las primeras casas. Es un sitio bonito…, sencillo, sin dobleces, blanco y de calles serpenteantes donde Héctor parecía apabullante. Él iba contándome todo lo que sentía estar recuperando allí y yo me preguntaba en silencio si le faltaba yo, si encajaría, si algún día me diría: «Morena, no lo aguanto más». Cuando llegamos junto a mi coche, miré a este con lástima porque significaba que mi parada se terminaba, que debía volver a subirme e «ir viendo». Me quedé clavada a su lado y él siguió avanzando unos pasos sin mí, hasta que casi en su puerta se volvió y se me quedó mirando, muy serio. Parecía el Héctor que entró en El café de Alejandría el 5 de enero del año anterior con su abrigo gris desgastado que había heredado y que cuidó con mimo muchos años. Parecía alguien a quien debía aún descubrir. Pero no me asustó.

Le sonreí y sus labios tiraron muy tímidamente hacia arriba.

—Me voy —le dije.

Héctor arrugó el ceño aún más en una especie de mueca y de gesto de confusión.

—¿Adónde?

—¿Adónde? Pues… a casa. No tengo muy claro dónde está eso ahora, pero…

Sonrió de medio lado y mientras jugaba con las llaves que acababa de sacar del bolsillo de sus pantalones se hizo a un lado. Dejó a la vista la puerta de su casa.

—¿Qué? —le pregunté cuando vi que comedía la risa.

—Nada. Me hace gracia.

—¿Qué te hace gracia?

—Tu duda. Creo que lo nuestro no es entendernos a la primera. —Suspiró con una sonrisa—. ¿Dónde va a estar tu casa, Sofía? Nuestra casa está aquí.

Arrugué el ceño y él reanudó el paso hacia la puerta que abrió en un giro de muñeca. Y lo único que se me ocurrió decir fue:

—Tengo todas las cosas en el coche.

Héctor me enseñó su hoyuelo cuando sonrió y contestó:

—No las oigo quejarse.

Ni nadie pudo escucharnos a nosotros después. Porque lo que vino fue solamente nuestro.

58

La vida en el pueblo no está mal. Sobre todo si vives con Héctor, pero claro, no vives con él. A ver si puedo explicártelo en términos más objetivos.

Me mudé. Aquel mismo día. A cholón. Tampoco es que tuviera muchas cosas. Es un poco triste que todo lo que tienes quepa en el maletero de un Twingo, pero a esas alturas de la vida ya sabía que lo que llenan son otras cosas. O quizá lo digo porque no tengo más cosas chulas y materiales, no lo sé. Quiero pensar que es por lo primero.

La mudanza, de este modo, duró exactamente tres horas. Pero antes hablamos. Muy serios. Sin bromas, sin recuerdos, sin poesía prendida en hilos rojos. Compartió sus decisiones mientras yo guardaba mis cosas en los espacios que él reservó para mí y que nunca llegó a ocupar. Pusimos en común expectativas y prioridades y decidimos que aquel era un lugar como cualquier otro para vivir. Volveríamos si encontrábamos la razón para hacerlo, pero ya no más bandazos vitales. Echaríamos raíces.

Cuando terminamos de colocar mis cosas me encontré extraña… no porque aquella fuera mi casa ahora y no encontrase mi lugar, porque lo cierto es que siempre la sentí un poco parte de mí. Me sentía extraña porque me faltaba algo. Tenía un vacío en el pecho que poco tenía que ver con el temor a la aventura que estaba a punto de emprender o el vacío que había arrastrado en mi coche durante tantos kilómetros. Había algo que… no estaba donde debería estar y no localizaba qué era.

—Morena…

Cuando me giré, Héctor llenó el vacío. Lo único que faltaba era comprobar que la piel no se había ido, que la magia no se había esfumado y que aquello estaba bien. Sus labios se apretaron contra los míos casi de sorpresa y un estallido en el estómago me dio la razón. Y sus manos sujetando mi espalda. Y su olor a madera, lluvia, cítricos… Nos faltó oxígeno mientras abríamos las bocas y aspirábamos el sabor de los besos del otro con avaricia. Mis dedos se internaron en su pelo y me llené los pulmones de su aliento.

—Ahora sí —dijo a dos milímetros de mi boca—. Ahora sí, joder.

—Sí —afirmé con los ojos cerrados.

—¿Te hará feliz? Esto… ¿será suficiente?

—¿No lo sientes? —le pregunté sonriendo como una tonta.

—¿Qué en concreto?

—La magia. La nuestra.

No era un lugar. No era una persona. No era yo. No fue el Alejandría, ni Sofía, ni Héctor, ni el hilo rojo del destino, ni la lana que ató por medio Madrid para hacerme seguir el recorrido de nuestros recuerdos hasta él. Siempre, siempre fue la magia.

Tiré de su camiseta hacia arriba. Él de mi vestido. No nos miramos la piel desnuda, ni nos olimos, ni besamos rincones despacio. Necesitábamos el restallido de la piel contra la piel como un brindis cierra los buenos deseos para un nuevo año. Estábamos empezando algo que solo podríamos iniciar queriéndonos. Así que me subió en brazos y nos lanzamos sin cuidado sobre la cama y en menos de nada lo tenía encima, dentro, y rodeándome. Empujando. Sudando. Y yo arqueada le gemía en el oído el placer que producía la suma del amor y el alma, como en el mito de Psique, hasta que le dimos sentido a todo con un orgasmo que nos robó hasta el aliento y que vino a ser el pistoletazo de salida, no la meta.

Creo que encajé bien. En su vida, en su familia, en el pueblo. Y creo que construí con buenos cimientos mi propio mundo allí. Hasta Holly pareció contenta con su hogar cuando, dos días después de que mi padre y Mamen la trajeran, salió de su escondrijo bajo el mueble del equipo de música en el salón.

Dediqué tiempo durante las siguientes semanas a conocer a su familia, sobre todo a su madre. En un intento de acercamiento me preguntó si quería ayudarla a coser unos cojines para el salón de Héctor y… a ver quién le decía que no. Él estaba ocupado con su trabajo y yo no tenía nada que hacer, de modo que me pareció una buena inversión de tiempo. Y lo fue. Podía parecer una mujer un poco hosca, pero no era más que una madre que temía no parecer… suficiente. Y en eso yo tenía un máster.

—¿Tú qué quieres hacer, Sofía? —me preguntó cuando le comenté que no tener trabajo me agobiaba un poco.

—¿Yo? Trabajar.

—Sí, pero ¿en qué?

—¿En qué? Me da igual. Si tengo que fregar escaleras, oye, pues las friego.

¿Te acuerdas del tanto que marqué con lo del matrimonio? Pues súmale otro. Y otro por comerme todo lo que me ofrecía y darle las gracias con lágrimas en los ojos por cebarme.

—¿A ti te han dado de comer, chiquilla?

—Mi madre no —le respondí chuperreteándome los dedos después de comerme un trozo de tarta de galleta.

—Tú eres de huesos fuertes, como yo. Ni caso.

El clan de los huesos fuertes cogió tres kilos en unas semanas y tuvo que ponerse a dieta de gazpacho y melón para compensar.

Héctor se fue relajando a medida que me iba viendo más relajada. Supongo que temía estar imponiendo su espacio como en el pasado habían hecho con él, pero porque tardó en darse cuenta de que yo encontré en el pueblo algo que no esperaba… el recuerdo muy vivo de lo que fue el Alejandría para mí. El contacto personal, la calidez, la magia de lo sencillo. Así que en poco tiempo, ambos encontramos en un mismo lugar un espacio individual. La diferencia entre lo que él hizo en el pasado y lo que yo hice fue que… nunca tuve la sensación de estar siendo guiada, arrastrada ni de estar haciendo aquello por falta de prioridades propias. La magia. Esa era mi prioridad. La de verdad, la que estalla solo a veces con cosas lo suficientemente especiales.

Recuerdo aquel verano como si lo hubiera visto en una película. Fue divertidísimo. Hasta el calor que sofocábamos a manguerazo limpio en nuestro patio interior, donde Héctor había plantado cactus y enredaderas y donde nos picaron mil mosquitos por comernos a besos después de cenar.

El verano fue tan bueno que hasta temimos por nosotros cuando se acabara pero empezó a refrescar, los veraneantes se fueron y yo conseguí trabajo ayudando en la panadería. No daba para mucho pero daba. Y me gustaba.

El primer invierno fue duro, sobre todo después de un otoño cálido y estupendo. El frío de nuestra casa era brutal.

Nunca me imaginé calentando una habitación con una olla de agua hirviendo. Las estufas no tiraban lo suficiente y aquello, coño, había sido por lo menos un secadero de jamones. Me salieron sabañones en las manos y me aficioné a ir con tantas capas que bajar los brazos era prácticamente imposible. Pero hicimos mucho el amor, eso es verdad, a pesar de la pereza de quitárselo todo. Pensamos que era una buena manera de entrar en calor. Y lo hicimos muchísimo, hasta llegar a preocuparnos de si no tendríamos un problema. Pero que todos los problemas sean querer pasar todos los días un buen rato hundido en la piel de tu pareja, respirando de su olor y disfrutando de lo que puede sentir el cuerpo.

Cuando empezó a calentar el sol de nuevo ambos habíamos alcanzado un estado que no conocíamos: el de la seguridad total de estar haciéndolo bien. Y yo me volví tan loca por él que, por qué no, le pedí que se casara conmigo. Era feliz y quería hacerlo… vete a saber por qué. Así que se lo dije un domingo mientras tomábamos el aperitivo en nuestro patio interior.

—Héctor…, ¿quieres casarte conmigo?

Apartó el dominical que estaba leyendo y con la copa de vino a medio camino de la boca lanzó una carcajada que me sentó fatal.

—¿Y tú de qué te ríes? —le pregunté ofendida.

Dejó la copa en la mesa y se puso tieso.

—Coño, ¿lo dices en serio?

—No. Qué va. Era un chiste de los de «se abre el telón».

Me pidió disculpas unas doscientas veces en un ataque de risa que le duró dos días… y ya nos habíamos convencido de olvidarlo cuando llegó una tarde a casa de su madre, donde yo estaba tomando café, y me colocó en el dedo anular un anillo que había ido a comprar a Cáceres. Sin diamantes ni historias. Una alianza sencilla de oro, en cuyo interior había mandado grabar la palabra magia. Y decidimos que sí, coño, que nos casaríamos con menos de veinte invitados y que luego nos iríamos de viaje a algún destino muy lejano y muy loco. Teníamos algo ahorrado. ¿Por qué no? Incluso pusimos fecha pero los preparativos, sin embargo, quedaron en *stand by* seis meses después.

Mientras tanto la vida en Madrid siguió su camino. Mis hermanas cumplieron los catorce y los quince, y se avergonzaron tremendamente de su amor por los Gemeliers porque, de pronto, descubrieron el reguetón. No se puede tener todo en esta vida y supongo que podría haber sido peor. Siguieron siendo buenas estudiantes y buenas chicas que terminaron convirtiéndose en las maravillosas ¿mujercitas? No sé cómo llamarlas. Jóvenes. Adultas. Universitarias. ¿Qué sé yo? Mis hermanas.

Ah. Y gané doscientos euros de una apuesta que ni siquiera recordaba haber hecho. Tardé en cobrarlos mucho tiempo pero resulta que al final voy a tener el don de la adivinación, porque Oliver y Mireia se dieron el sí quiero una mañana de sábado en el juzgado un año y medio después de empezar a salir. Nunca me imaginé a Oliver casándose, pero tampoco imaginé que terminarían dándole esa oportunidad en la oficina central de la marca con la que tanto soñaba. Entró como chico para todo y aunque tuvo que aguantar carros y carretas ahora mismo es parte del equipo de marketing, comunicación y relaciones públicas. Y está a punto de ser papá porque, según él, lo suyo no son los cálculos.

—Pero feliz, ¿eh? Feliz. —Se ríe después—. El método Ogino es una mierda, pero nosotros vamos a ser unos padres de la hostia.

Y le creo. Con que sea solo tan buen padre como amigo, ese niño será muy afortunado.

Abel aún no ha ganado un Goya, pero tiempo al tiempo. Sigue con su teatro tras la barra de un bar y acudiendo a castings porque llegó un momento en el que se preguntó de qué servía tanto miedo y tanta duda. Hasta ahora ha hecho dos cortos y un par de anuncios para una aseguradora y… a mí me ha convencido. Fue verlo y renegociar mi seguro. Es posible que sea una persona tremendamente influenciable, ahora que lo pienso.

Mamen, papá y mamá siguen más o menos igual, cada uno en su línea. Mamen con sus preocupaciones de madre y sus miraditas hacia Oliver, papá con su barba y mejorando su swing y mamá…, mamá diciéndome que si quiero que dejen de dolerme las rodillas debería perder peso. Genio y figura.

Pero me estoy desviando. Estábamos hablando de lo que hizo que, medio año después de «prometernos», Héctor y yo paralizáramos los preparativos de la boda… Llevaba cerca de dos años en el pueblo cuando pasó. Y es que nos quedaba por aprender algo muy importante sobre la vida: la verdad sobre las decisiones que tomamos es que no siempre dependen de nosotros mismos.

Llamaron a Héctor para asistir a una reunión de la dirección de la fundación de colegios para la que seguía trabajando. En un primer momento acordamos ir los dos para poder pasearme un poco por mi ciudad y ver a mis amigos mientras él se reunía. Sin embargo, cambiaron el horario y yo no pude encajarlo con mi trabajo en la panadería, de modo que Héctor cogió mi coche con la promesa de estar allí a media tarde. Me llamó a las siete para que no me preocupara porque iba a tardar, pero no dijo por qué, ni yo se lo pregunté. A las once de la noche apareció despeinado… como siempre que piensa de más y le da por marear su pelo con los dedos.

—¿Qué pasa? —le pregunté.

Su ceño fruncido en tres se relajó un poco mientras estudiaba mi expresión. Imaginé de todo. Algo había pasado y no sabía cómo contármelo. Alguna desgracia. Vivíamos demasiado felices, me dije. Pero una sonrisa fue naciendo en sus labios.

—Morena…, ¿crees en la magia?

Y cuando se explicó… yo volví a creer.

59

ba a ser un ir y volver. Cogería el coche de Sofía, lo aparcaría en el parking del colegio donde se celebraba la reunión y después saldría pitando hacia el pueblo de nuevo… pero pensé en Estela, en que hacía tiempo que no la veía y a la que aún no le había contado que Sofía y yo íbamos a casarnos el año siguiente en una ceremonia supersencilla a la que, por supuesto, estaba invitada. Así que la llamé y quedé para comer con ella, pero… no se encontraba muy bien. Había pillado la mononucleosis.

—¿A tu edad? ¡Qué vergüenza! —me burlé.

—Me la habrá pegado algún alumno.

—¿Ahora te morreas con adolescentes?

Me mandó a tomar por culo pero al único sitio al que fui fue a su casa. La que había sido mi casa también. Compré algo para comer de camino y cuando esperaba a que me abriera la puerta y ya imaginaba su discurso sobre el amor («Estoy enamorada y esta vez es de verdad, Héctor») y sobre su habitación libre que iba acumulando en sus paredes, junto al mural que dibujé hacía lo que parecía una eternidad, historias, amores, risas y llantos... me fijé en el local de enfrente. Lo que fue «El café de Alejandría» lucía ahora un montón de dibujos de hortalizas en sus ventanales, un cartel de «Se traspasa» y un luminoso de dudoso gusto en el que podía leerse «El huertito de Marta. Tasca orgánica». Casi me llegó al paladar el sabor de uno de esos zumos verdes que tanto se habían puesto de moda unos años atrás y que probé en Ginebra porque Lucía insistió hasta la demencia.

El café de Alejandría vacío. Sin vida. Un cascarón vacío que un día contuvo dentro todo cuanto cualquiera podría soñar encontrar en un mismo espacio. Yo encontré mi camino y al amor de mi vida. E inspiración, amigos (no meto a Oliver en este saco, aunque nuestra relación está a años luz de lo tensa que fue). Y allí estaba... vacío.

Recordé la luz que desprendía el Alejandría la primera vez que lo vi. Estaba allí como una aparición en mitad del desierto, respondiendo sin saberlo a más necesidades de las fácilmente identificables. Yo necesitaba un café pero también estar en un lugar donde no me sintiera solo ni un perdedor que da vueltas al líquido oscuro de una taza pensando que no sabe qué está haciendo con su vida. Y tras su barra brillaba ella, que lejos estaba de imaginar que iría poniendo luz a cada sombra, por más antigua que fuera.

¿No era aquello una señal? ¿Cuánto dinero teníamos ahorrado? ¿Sería posible...?

Estela contestó al telefonillo y me preguntó si llevaba vino, pero yo no atendí a lo que me preguntaba porque estaba completamente absorto en la oscuridad que emergía del interior del local y en el cartel que rezaba: «Se traspasa».

—¡¡Que si llevas vino!! —gritó por enésima vez la loca de Estela.

—Estás enferma. No puedes beber. Abre la puerta.

Estela me contó, por supuesto, que había encontrado al compañero perfecto para su vida. Nueva variedad: compañero de piso con el que había surgido el amor. O le salía bien por fin o le salía muy pero que muy mal. Pero no me terminé de implicar porque… ahí estaba. El germen. La idea. La magia.

Me fui atropelladamente. Tenía que hacer llamadas. Y gestiones. Y después de presentarme en la oficina de mi gestor sin avisar, de llamar a un amigo suyo que era director de banco y mierdas que me pusieron dolor de cabeza, escuché por fin algo en claro:

—Es viable.

Cuando llegué a casa me costó entrar. Sabía que dentro me esperaba una Sofía que había llegado para quedarse, a la que el calor de un lugar pequeño la había hecho crecer hasta ser quien siempre pareció ser pero que nunca llegaba a alcanzar. Sin lastres, tristezas ni preocupaciones más allá de los pequeños dramas diarios. Alguien que había cubierto una casa con más perros que comodidades de una luz especial. Sofía lo hacía brillar todo. Sofía era la lluvia, lo especial, París…

Y ahora que nos habíamos construido a medida del mundo llegaba yo para decirle… ¿qué? Que nos volviéramos locos, que retomáramos aquello que la hizo feliz, que cambiáramos de nuevo radicalmente de vida invirtiendo todo cuanto teníamos en algo que podría ser un desastre. Podría hundirnos… pero también podría hacerla feliz al completo con solo tomar una decisión que quizá siempre estuvo allí para nosotros.

Entré por fin. Estaba fingiendo no estar preocupada, sentada en el sofá con un libro y sonando uno de sus discos preferidos… uno de Crowded House, y cantaban «Don't dream it's over». Lo tomé por una señal: Morena…, no sueñes con que ha terminado.

—¿Qué pasa? —me preguntó.

Y sonreí. Sonreí mucho. Porque íbamos a sufrir como perros y a trabajar más de lo que nunca imaginamos que podríamos soportar. Íbamos a pelearnos, a gritar y a hacer el amor rabiosos para hacer las paces pronto, porque no tendríamos tiempo ni para estar enfadados con el otro. Iba a ser duro, pero pocas cosas puede hacer uno cuando el destino, sencillamente, tira del hilo y lo lleva a su lugar.

—Morena..., ¿crees en la magia?

Y la magia, que costó cada céntimo que tuvimos y que nos prestó el banco, que nos hipotecó casi de por vida, que nos hizo acostarnos sin ganas de follar y con dolor de cabeza durante casi un año, que nos dio muchas noches en vela y que a veces nos pareció ingrata, nos demostró que existe y que solo hay que creer en ella.

Por si te lo preguntas, Sofía y yo seguimos sin casarnos a día de hoy. Todas las semanas decimos que el siguiente fin de semana retomamos los preparativos pero solemos pasar los domingos, nuestro único día de descanso, metidos en la cama. ¿Qué importan los papeles? A nosotros ya nos unió la magia.

Epílogo

Está lloviendo tanto que en la calle lo único que se aprecia a través del gran ventanal es una cortina de agua empapando a cada transeúnte. Da igual si lleva o no paraguas. Yo soy feliz, claro, porque me encanta que llueva.

Héctor está hablando por teléfono con el horno que nos trae todas las mañanas la bollería y el pan recién hecho para pedirles un poco más de género para cada entrega. Todas las mañanas nos quedamos un poco cortos. Lo hicimos todo con tanto miramiento que ahora se nos desborda. El nuevo café de Alejandría ha tardado un año muy largo en volver a ser lo que fue antes de cerrar, pero lo estamos consiguiendo. Héctor repite cada día que ni podemos darnos por vencidos ni pensar que ya lo conseguimos. Nos movemos en un equilibrio entre el cansancio por el esfuerzo hecho y la satisfacción de verlo hecho realidad. Para él esto de la hostelería es nuevo pero ha aprendido rápido. Ha ayudado que, juntos, tomáramos buenas decisiones, como mantener su trabajo en la medida de lo posible para tener una inyección de ingresos segura cada tanto en tanto y no contratar a nadie en un primer momento. Y ahora que Sonia y Andrés se incorporan a la familia no podemos más que sonreír porque todo va por buen camino y porque... es inevitable que nos recuerden a mí y a Abel.

El salón está lleno. Todas las personas que lo abarrotan son parroquianos fieles que se han resguardado de la lluvia este sábado en un lugar del que se sienten parte porque, tal y como fue en el pasado, el nuevo Alejandría se convierte en hogar y refugio para todo el que le dé una oportunidad.

La campanilla de la puerta resuena con estridencia cuando esta se abre de golpe y una chica cargada como una burra y empapada hace una entrada triunfal. Se tropieza con Maggie y Alejandro, que están saliendo del local agarrados de la mano y muertos de risa, porque tendrán que correr bajo la lluvia. Tras disculparse, la nueva clienta se queda mirándolos embobada y termina enganchándose con el marco, tropezándose en el escalón y trastabillando sin llegar a caerse. Sonrío con disimulo cuando la oigo maldecir. Se acerca a la barra con un suspiro de desesperación mientras se cerciora de que algo dentro de su bolso, que parece ser muy importante para ella, está en buenas condiciones y lanza miraditas hacia la puerta, donde ya no hay nadie.

—Buenas tardes —la saludo—. Bienvenida al café de Alejandría. ¿Qué te apetece tomar?

—Ahm. Buenas. Ehm. —Levanta la vista y busca esos letreros bien iluminados que en casi todas las cafeterías anuncian la oferta del local, pero no los encuentra porque aquí funcionamos de otra manera—. ¿Tenéis una carta?

—Claro. Mira... Se acaba de quedar libre una mesa junto al ventanal. Ve sentándote. Te la llevo ahora mismo.

Noto que ya no me mira a mí y que se ha quedado boquiabierta. Sigo su mirada hasta Héctor que, apoyado en el quicio de la pequeña trastienda, se despeina con los dedos manteniendo su clásico ceño fruncido. No puedo culparla y ni siquiera me sienta mal. Está muy guapo. El tiempo le está convirtiendo en un hombre salvajemente atractivo, lo que no pasa desapercibido para las parroquianas. Todas las mujeres que ahora mismo ocupan asientos en el salón lo han mirado así alguna vez. Y las entiendo.

Cuando la chica se da cuenta de que estoy observando divertida cómo se ha quedado pasmada mirando a Héctor, se disculpa y aparta los ojos.

—No te preocupes. Nos pasa a todas —le digo.

Carga sus cosas con vergüenza hasta la mesa, donde lo recoloca todo como puede en la silla de enfrente. Su teléfono móvil, algo cascado, acaba sobre la superficie de la mesa, junto a un cuaderno y una agenda.

Cuando le llevo la carta del local está mandando una nota de voz con los ojos perdidos en la calle.

—A ver… siempre puede ser otro de mis ataques de pánico en el túnel y mañana igual te escribo y te digo: «Ana, habemus idea», pero ahora me agobia bastante la posibilidad de haberme quedado sin… palabras. Sin nada que contar. ¿Y si lo he contado todo? Creo que ya tengo hasta visiones.

Al intuir mi presencia se aparta el móvil de los labios y oigo el sonido de la nota de voz llegar a su destinatario. Le tiendo una toalla pequeña de color tostado y ella duda unos segundos antes de entender que se la estoy ofreciendo para secar el pelo que chorrea sobre sus hombros, ropa y hasta al suelo. Lo del suelo me da igual, pero es que va a coger una pulmonía.

—Muchísimas gracias y lo siento… te voy a hacer un charco en el suelo.

—No te preocupes. ¿Quieres ir al baño a secarte un poco?

Los ojos se le van hacia todas sus cosas, que se amontonan en la silla de enfrente, pero le quito importancia.

—Yo les echaré un vistazo, pero no tienes de qué preocuparte. Toda esta gente es de confianza.

Mira a nuestro alrededor en lo que seguro que pretendía ser una miradita disimulada, pero que se alarga un poco en el tiempo. Yo diría que lo que ve la confunde y no entiendo bien por qué. Se ha quedado mirando fijamente la mesa de las chicas donde ahora mismo hay un coro de carcajadas. Lola ha debido compartir alguna de sus andanzas porque Nerea está sonrojada a pesar de la risa que se le escapa entre los labios, Carmen aplaude y Valeria se tapa la cara entre avergonzada y divertida.

—Yo te cuido las cosas —insisto.

Se va sin preocuparse ni por guardar el teléfono dentro del bolso en una especie de confianza plena que me hace pensar que o está a punto de sufrir un episodio psicótico o le hemos parecido gente de confianza.

Al volver, todo lo suyo sigue en su sitio, claro. Y tiene la carta sobre la mesa y el pelo más seco. Héctor la mira con el ceño fruncido.

—¿Está bien?

—Hemos debido de impresionarla. —Me río.

Sostiene la carta en las manos mientras mira con intensidad otra de las mesas en la que está sentada Silvia, que está hablando por teléfono, supongo que en una conferencia carísima, con su marido que no ha podido acompañarla en este viaje. En su dedo anular reluce su anillo de pedida obscenamente caro porque, como llueve, todo brilla más. Creo que tengo que interceder.

Me acerco y le pregunto si ha podido echarle un vistazo a la carta a sabiendas de que la respuesta es no. Parpadea antes de mirarme y sonreír.

—Pues la verdad es que... no pero... ¿tienes Chai tea?

—Sí. ¿Caliente?

—Como el interior del Monte del Destino.

—Genial. Pero luego no te quejes si aparece Frodo para echar dentro su anillo de poder —le sigo la broma.

Sonríe pero el gesto se le escurre cuando la puerta del local se abre y entra otro de nuestros clientes habituales a la carrera.

—Definitivamente me estoy volviendo loca —susurra con los ojos clavados en él.

Pablo llega al mostrador en un par de zancadas, apartándose el pelo húmedo de la cara. Lleva una camisa de las suyas…, todo discreción. Creo que el estampado son motos sobre fondo blanco. Lleva los dedos, cargados de anillos como siempre, hasta el bolsillo de la camisa de donde coge una tarjeta que le tiende a Héctor a la vez que le comenta algo a toda prisa. De camino a la salida silba hacia mí.

—Sofía, ya tenéis el contacto del proveedor que os dije el otro día. Llamadle el lunes, ya lo he avisado.

—¿No quieres nada? —le pregunto.

—Me voy corriendo que no llego al Mar.

—¡Besos a Martina!

—Vale…, me estoy volviendo loca —oigo repetir a la chica que, hundida en su silla, se coge la cabeza con una mano.

—¿Chai tea y un trozo de tarta? —le pregunto.

—Sí —asiente un poco ida pero cuando Pablo desaparece vuelve a mirarme—. Un chai… La tarta no, por favor —suplica—. Estoy a dieta.

—Un trocito pequeño. Un día es un día. Invita la casa.

Cuando vuelvo con la comanda, sigue mirando hacia el interior de la cafetería con ojos curiosos y empiezo a dudar si no estará volviéndose loca de verdad. A veces el estrés…

—Tu té y la tarta.

—Esto debe ser una coña —musita—. O una cámara oculta. ¿Quién ha sido, Jose? Esto lo han planeado Jose y Óscar… seguro.

—¿Cómo? —le pregunto realmente preocupada.

Me mira muy confusa y se echa el pelo hacia un lado.

—Madre del amor hermoso. ¿No es coña?

—¿Qué tendría que ser coña? —le pregunto.

—Creo que duermo poco.

La veo echarse a reír por lo bajini en una risita nerviosa que no entiendo pero que me contagia. Después de dar otro vistazo dice:

—Pues… este sitio es increíble —musita, creo que más para ella que para mí.

—Lo es. Y su historia. Su historia también.

Imperceptible. Un clic silencioso parece colocar su cabeza y todo lo que la confunde se esfuma al momento. Lo noto solamente en cómo fija sus ojos en mí, centrada por fin.

—¿Sí?

—Sí. —Apoyo la bandeja vacía en mi costado y sonrío—. Este sitio es…, a ver, me vas a tomar por loca pero yo diría que es mágico.

—Te creo. —Sonríe echando un último vistazo a su alrededor.

—Trabajé aquí hace años. Era un lugar genial pero… cerró. Y todo se… desmoronó. —Asiente interesada—. Pero no te molesto más. Se te enfriará el té.

—No me molestas. Todo lo contrario. Verás…, estaba buscando justamente eso. Una historia increíble.

—¿A qué te dedicas? —le pregunto.

—Escribo libros.

—¿Sí? —exclamo—. No te gires pero… esa chica del rincón, la de la mesa que se estaba riendo a coro antes… es Valeria Ferriz y también es escritora.

Pestañea muy rápido y juraría que le da un conato de ataque de risa, pero asiente.

—O me estáis tomando el pelo muy bien o tienes razón y este sitio es mágico.

—¿Qué? —le pregunto confundida.

—Nada, nada. ¿Tienes tiempo? Me encantaría escuchar la historia del... —Mira en busca del nombre del local y yo la corto.

—El nuevo café de Alejandría.

—Es un gran nombre.

—Gracias. —Le sonrío—. Héctor, cariño, ¿te encargas un rato?

—Sí —asiente desde la barra.

La chica se apresura a despejar la silla que ha llenado de sus cosas, pero yo pido prestado el asiento que sobra en la mesa de Hugo, Nico y Alba donde sé que no hará falta que se siente nadie más. Los tres se bastan y se sobran.

—A ver..., déjame pensar por dónde empiezo.

—¿Puedo tomar notas? —me dice sacando un portátil de dentro del bolso.

—Por supuesto.

—Quizá debería empezar Héctor —musito.

—Luego le preguntamos —me responde ella cómplice mientras coloca las manos sobre el teclado.

—Vale. Uhm... Bueno, yo soy Sofía.

—Encantada. —Sonríe—. Yo Elísabet.

—¿Seguro que quieres escuchar esta historia?

—Segurísima.

—Pues allá va: empecemos por el principio. Párame si me acelero o te aburro. —Carraspeo y me acomodo en la silla—. Siempre me gustó ser camarera. A día de hoy sigo acordándome a diario de alguno de los detalles que me hicieron tan feliz. Solía entrar en la cafetería animada, deseando poner en marcha la cafetera para prepararme uno muy largo.

Al principio teclea de vez en cuando pero conforme avanza mi historia se va quedando absorta en mi voz y aprovecha para apuntar cuando tengo que interrumpirme y acudir a la barra a echar una mano a Héctor, que nos mira divertido.

—¿Qué haces? —me pregunta a media voz una de las ocasiones en las que me acerco.

—Le estoy contando la historia del Alejandría.

—¿La historia del Alejandría? —Se ríe—. ¿Es periodista?

—Escritora, como Val.

—¿Y por qué le interesa la historia del Alejandría? ¿Qué tiene de especial?

—¿Que qué tiene de especial? —me burlo—. Pues la magia, ¡qué va a ser!

—Quizá no cree en la magia.

—Creerá cuando le explique la magia de ser nosotros.

Se me van los ojos sin quererlo al marco que cuelga tras la barra: por una parte la antigua plantilla del Alejandría, a la que le debo un sueño, por la otra, dos fotos: una del ventanal del local abarrotado de clientes celebrando un beso entre Héctor y yo y otra de alguien desde dentro, fotografiándonos después de aquel reencuentro. A veces me parece increíble que el Alejandría no estalle de tanto que alberga en su interior.

Vuelvo a mirarla a ella, que me espera con la taza de té pegada a los labios y un brillo especial en la mirada. Lo ha encontrado, como todos los que entran en este local. El Alejandría tiene algo para cada uno de nosotros, incluso respuestas para preguntas que aún no nos hicimos.

Será imposible contarle toda nuestra historia esta tarde pero algo me dice que… el Alejandría ya la tiene. Y volverá. Y quizá, con suerte, traiga a otros con ella.

Agradecimientos

Es complicado despedirse para siempre de unos personajes que me han provocado tantos dolores de cabeza pero que también me han hecho sentir la emoción de ver cómo cobran vida en mis adentros y cómo iban construyéndose con palabras. Sin embargo, es nuestro momento. Sofía, Héctor, Oliver, Mamen, Abel, café de Alejandría... aquí os dejo para siempre.

Y no puedo decir adiós sin dar las gracias a las personas que han hecho posible que este proyecto vea la luz. A Sara, como siempre, porque los vio nacer desde el esbozo y compartió horas de su vida conmigo, teléfono en mano, para leer capítulos de viva voz.

A Ana, con la que he sudado tinta y llorado sangre y con la que también he reído mucho porque, aunque estas páginas han sido peleonas, nos han unido aún más. Porque sin ella no me encuentro la cabeza y porque siempre forma parte del alma de cada libro. Por la sinceridad, el amor por el trabajo bien hecho, las videoconferencias, los abrazos, las palabras de ánimo... por eso y por mucho más, gracias.

Al equipo comercial, de edición, digital, bolsillo, marketing, comunicación, producción, dirección... de Penguin Random House. A todos, gracias infinitas por creer en mí y hacerme sentir en casa.

A Jose, que soporta codo con codo los vaivenes diarios, que ha convertido la sobremesa de los días de trabajo en un momento de fiesta y que tiene la fórmula para que todo parezca más sencillo. Por las horas de desvelo, los trayectos en coche, tren o avión, por las risas, por las firmas, por lo único que eres y la magia que desbordas: gracias.

Por supuesto, todo mi agradecimiento a mi mejor amigo, compañero, marido y amante porque juntos hacemos un equipo de impresión. Gracias por convertir la cena en tiempo de calidad, por el abrazo antes de levantarnos, por tu sentido del humor, por cómo me miras y todas esas veces que estoy más allá que acá y tú no pierdes la paciencia. Gracias por compartir catorce años de tu vida conmigo. Y los que te rondaré, morena.

Y, sin duda, GRACIAS INFINITAS a la familia Coqueta. La de siempre, la de ahora y la que pueda llegar. Gracias por el cariño en redes sociales y firmas. Por los detalles. Por los abrazos. Por las sonrisas. Por dar vida a cada personaje con vuestro aliento y lectura. Para vosotras es este libro y, en esencia, cada palabra que escribo.

Todo mi amor,
Elísabet